고등 어휘를 정복하는
교재 시리즈

WORD

FOCUS

🖋 중/고등학교 필수 영단어 수록

🖋 우리말 표제어로 더욱 쉽고 빠르게 암기

🖋 예문 없이 오직 어휘에 집중하여 읽는 순간 바로 암기

🖋 어휘 복습을 위한 추가 테스트지 제공

🖋 모바일로 쉽고 빠르게 이용하는 모바일 보카 테스트 제공(QR코드)

🖋 MP3 무료 다운로드 제공(QR코드 & www.nexusEDU.kr)

추가 제공 자료 www.nexusEDU.kr

MP3 듣기
VOCA TEST

원어민 발음
MP3

모바일
VOCA TEST

어휘
테스트지

워드 포커스 시리즈

● **중등 종합 영단어 5000** | 반요한 지음 | 272페이지 | 13,000원
● **고등 필수 명사 5000** | 반요한 지음 | 312페이지 | 14,000원
● **고등 종합 영단어 9500** | 반요한 지음 | 464페이지 | 15,000원

NEXUS Edu
LEVEL CHART

분야	교재	초1	초2	초3	초4	초5	초6	중1	중2	중3	고1	고2	고3
VOCA	초등필수 영단어 1-2·3-4·5-6학년용	▥	▥	▥	▥	▥	▥						
	The VOCA + (플러스) 1~7					▥	▥	▥	▥	▥	▥	▥	
	THIS IS VOCABULARY 입문·초급·중급		▥	▥	▥	▥	▥	▥					
	WORD FOCUS 중등 종합·고등 명사·고등 종합								▥	▥	▥	▥	▥
	THIS IS VOCABULARY 고급·어원·수능 완성·뉴텝스									▥	▥	▥	▥
Grammar	초등필수 영문법 + 쓰기 1~2			▥	▥	▥	▥						
	OK Grammar 1~4			▥	▥	▥	▥						
	This Is Grammar Starter 1~3			▥	▥	▥	▥						
	This Is Grammar 초급~고급 (각 2권: 총 6권)					▥	▥	▥	▥	▥	▥	▥	▥
	Grammar 공감 1~3						▥	▥	▥	▥			
	Grammar 101 1~3						▥	▥	▥	▥			
	Grammar Bridge 1~3 (개정판)						▥	▥	▥	▥			
	중학영문법 뽀개기 1~3						▥	▥	▥	▥			
	The Grammar Starter, 1~3					▥	▥	▥	▥	▥	▥		
	구사일생 (구문독해 Basic) 1~2									▥	▥	▥	▥
	구문독해 204 1~2									▥	▥	▥	▥
	그래머 캡처 1~2								▥	▥	▥	▥	
	[특급 단기 특강] 어법어휘 모의고사									▥	▥	▥	▥

분야	교재	초1	초2	초3	초4	초5	초6	중1	중2	중3	고1	고2	고3
Writing	도전만점 중등내신 서술형 1~4						■	■	■	■			
	영어일기 영작패턴 1-A, B · 2-A, B				■	■	■	■	■				
	Smart Writing 1~2				■	■	■	■	■	■			
Reading	Reading 101 1~3						■	■	■	■	■		
	Reading 공감 1~3						■	■	■	■	■		
	This Is Reading Starter 1~3						■	■	■	■	■		
	This Is Reading 전면 개정판 1~4							■	■	■	■		
	This Is Reading 1-1 ~ 3-2 (각 2권; 총 6권)						■	■	■	■	■		
	원서 술술 읽는 Smart Reading Basic 1~2						■	■	■	■			
	원서 술술 읽는 Smart Reading 1~2									■	■	■	
	[특급 단기 특강] 구문독해 · 독해유형									■	■	■	■
Listening	Listening 공감 1~3						■	■	■	■			
	The Listening 1~4				■	■	■	■	■				
	After School Listening 1~3						■	■	■	■			
	도전! 만점 중학 영어듣기 모의고사 1~3						■	■	■	■			
	만점 적중 수능 듣기 모의고사 20회·35회									■	■	■	■
TEPS	NEW TEPS 입문편 실전 250⁺ 청해·문법·독해						■	■	■	■			
	NEW TEPS 기본편 실전 300⁺ 청해·문법·독해							■	■	■	■		
	NEW TEPS 실력편 실전 400⁺ 청해·문법·독해						■	■	■	■	■	■	
	NEW TEPS 마스터편 실전 500⁺ 청해·문법·독해									■	■	■	■

WORD FOCUS 고등 종합 영단어 9500

지은이 반요한
펴낸이 임상진
펴낸곳 (주)넥서스

출판신고 1992년 4월 3일 제311-2002-2호 ①
10880 경기도 파주시 지목로 5
Tel (02)330-5500 Fax (02)330-5555

ISBN 979-11-6165-732-5 54740
　　　979-11-6165-729-5 (SET)

www.nexusbook.com
www.nexusEDU.kr

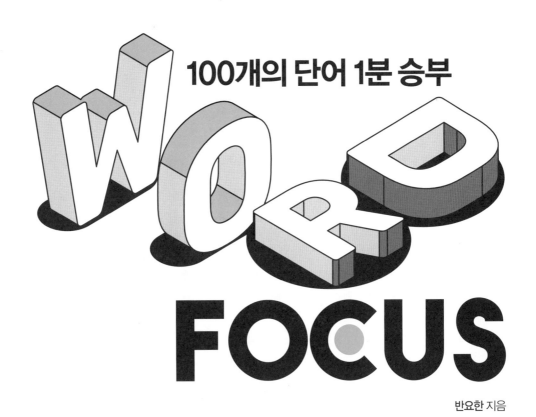

100개의 단어 1분 승부

WORD FOCUS

반요한 지음

고등 종합 영단어

9500

NEXUS Edu

　　그동안 수많은 저서들을 펴냄으로써 영문법이나 영어의 이론적인 부분에서는 이제 가히 '영어의 완성'을 이루었다고 감히 말할 수 있으나, 제게 직접 영어를 배우는 학생들이나 그 밖에 제 책들을 즐겨 보시는 수많은 독자들이 항상 어휘 습득에 어려움을 겪게 되는 것을 보았습니다. 기존의 영어 단어장들을 아무리 살펴봐도 그분들에게 추천해줄 만한 책이 전혀 없기에 뭔가 새로운 개념의 영단어 책이 꼭 필요하겠다는 생각이 들어서 결국 제가 새로 영단어 책을 쓰기로 결단하게 되었습니다. 본서는 영어 학습자라면 반드시 암기해야 할 중요 어휘들을 모두 모아 낱낱이 분석하고 엄선해서 가장 쉽고 부담 없이 접근할 수 있는 영어 품사별 종합 필수 어휘집입니다. 다른 책으로 아무리 노력해도 잘 외워지지 않던 영단어라도 기필코 정복해보겠다는 의지로 도전만 하시면 누구나 충분히 만족할 만한 결과를 얻으시리라 확신합니다.

　　본서의 단어 수준은 중고생들이나 기타 단어 공부를 이것저것 다 가지고 해봐도 안 되던 분들이 처음으로 제대로 마음 잡고 영단어 공부를 시작하는 경우를 감안해서 Zero Base에서부터 시작해서 일단 기본적으로 고교 내신 및 수능용 단어를 모두 포함하며, 내용상 꼭 필요하다고 생각되는 경우 그 이상의 수준에 도달하는 단어들도 꼼꼼히 수록해 놓았습니다. 본서의 단어들을 암기해 두면 누구나 각종 시험은 물론, 회화나 영작문이든 모든 분야의 영어의 사용에 거의 어려움을 느끼지 않는 자신감 넘치는 영어 사용자가 될 것입니다.

　　다양한 특징을 가진 각 품사의 단어들을 각각 품사별·종류별·특징별로 분류해서 먼저 같은 종류의 단어들만을 끼리끼리 함께 모아서 그 각 그룹의 단어들의 동의어와 반의어를 정리한 후에 그 각 단어들이 영어적인 관점과 한국어적인 관점이 서로 다를 경우 그 각 단어들의 뉘앙스를 소상히 밝혀줌으로써 학습자가 원하는 뜻에 일치하는 접점을 정확히 찾아주기 때문에 처음부터 모든 어휘의 정확한 용법을 익히면서 제대로 쓸 수 있도록 하였으며, 매우 빠른 시간 안에 수능을 비롯한 각종 시험 대비는 물론 실생활에서 아무런 어려움 없이 실제로 사용 가능한 수준으로 각종 영어 단어들의 암기를 확실히 끝낼 수 있게 해주는 책입니다.

　본서를 통해서 영어를 잡는 확실한 방법은 유튜브에서 '반요한영어'로 검색하시면 제 채널이 나오는데 거기에 들어가셔서 제가 앞으로 계속 올리게 될 본 단어장의 학습 영상을 꾸준히 시청하시고, 혹시 이 책으로 단어가 해결되더라도 자신의 영어 실력 자체의 기초가 부실하다고 느끼는 학생들은 반요한의 영어혁명 제1권 강의 동영상 60편을 스스로 이해가 충분히 될 때까지 여러 번 반복해서 시청해보시기 바랍니다. 중1 정도의 이해력만 있으면 누구나 영문법의 문장론과 독해의 모든 것을 알 수 있도록 강의한 쉽고 재미있는 강의입니다.

　본서를 공부하는 가장 좋은 방법은 "MP3에서 나오는 원어민의 발음을 들으면서 반복, 또 반복해서 명확하게 소리 내어 충분히 익숙해질 때까지 읽어보며 최대한 많은 눈팅을 는 것"입니다. 여러분의 분투를 응원하며, 본서에 기록된 9500개의 단어들을 모두 암기하는데 반드시 성공하시고 모든 내신과 수능 시험에 만점을 받으시기를 기원합니다!

　종종 한 권의 책이 한 사람의 인생의 지침을 완전히 바꾸어 놓는 경우가 있습니다.
　이 부족한 책이 부디 여러분께 그런 귀한 책이 되기를 진심으로 소망합니다!

저자 **반요한**

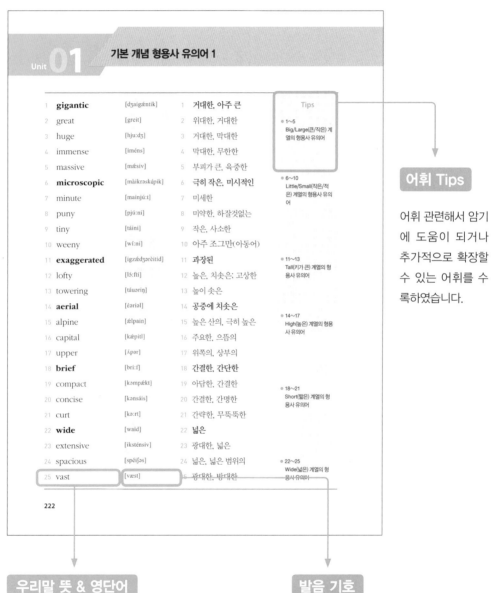

Unit **01**		**기본 개념 형용사 유의어 1**		

						Tips
1	**gigantic**	[dʒaigǽntik]	1	거대한, 아주 큰		
2	great	[greit]	2	위대한, 거대한		● 1~5 Big/Large(큰/작은) 계열의 형용사 유의어
3	huge	[hju:dʒ]	3	거대한, 막대한		
4	immense	[iméns]	4	막대한, 무한한		
5	massive	[mǽsiv]	5	부피가 큰, 육중한		
6	**microscopic**	[màikrəskápik]	6	극히 작은, 미시적인		● 6~10 Little/Small(작은/적은) 계열의 형용사 유의어
7	minute	[mainjú:t]	7	미세한		
8	puny	[pjú:ni]	8	미약한, 하잘것없는		
9	tiny	[táini]	9	작은, 사소한		
10	weeny	[wí:ni]	10	아주 조그만(아동어)		
11	**exaggerated**	[igzǽdʒərèitid]	11	과장된		● 11~13 Tall(키가 큰) 계열의 형용사 유의어
12	lofty	[lɔ́:fti]	12	높은, 치솟은; 고상한		
13	towering	[táuəriŋ]	13	높이 솟은		
14	**aerial**	[έəriəl]	14	공중에 치솟은		● 14~17 High(높은) 계열의 형용사 유의어
15	alpine	[ǽlpain]	15	높은 산의, 극히 높은		
16	capital	[kǽpitl]	16	주요한, 으뜸의		
17	upper	[ʌ́pər]	17	위쪽의, 상부의		
18	**brief**	[bri:f]	18	간결한, 간단한		● 18~21 Short(짧은) 계열의 형용사 유의어
19	compact	[kəmpǽkt]	19	아담한, 간결한		
20	concise	[kənsáis]	20	간결한, 간명한		
21	curt	[kə:rt]	21	간략한, 무뚝뚝한		
22	**wide**	[waid]	22	넓은		● 22~25 Wide(넓은) 계열의 형용사 유의어
23	extensive	[iksténsiv]	23	광대한, 넓은		
24	spacious	[spéiʃəs]	24	넓은, 넓은 범위의		
25	vast	[væst]	25	광대한, 방대한		

222

어휘 Tips

어휘 관련해서 암기에 도움이 되거나 추가적으로 확장할 수 있는 어휘를 수록하였습니다.

우리말 뜻 & 영단어

영단어 대신 우리말 뜻을 먼저 배치하여 우리말로 먼저 영단어를 떠올리는 연습을 통해 더욱 빨리, 오랫동안 어휘가 기억에 남을 수 있도록 구성하였습니다.

발음 기호

모든 영단어의 발음 기호를 수록하였으며 이는 MP3를 통해서도 들을 수 있습니다.

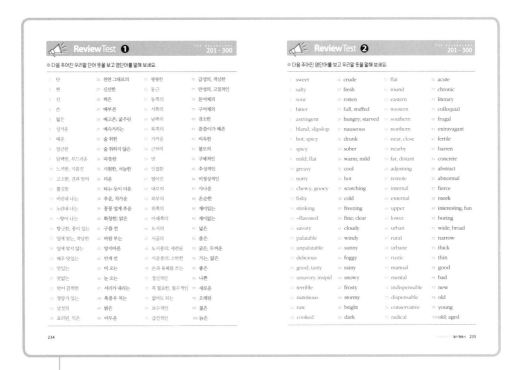

리뷰 테스트

왼쪽에는 한글 뜻을 오른쪽에는 영단어를 배치하였습니다. 먼저 오른쪽 페이지를 가리고 우리말 뜻만 보고 테스트를 실시한 후, 왼쪽 페이지를 가리고 영단어만 보고도 테스트를 실시할 수 있습니다.

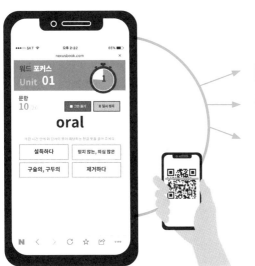

MP3 듣기

모바일 보카 테스트

어휘 테스트지

QR코드를 스캔하면 영단어와 뜻을 수록한 MP3, 게임처럼 복습을 할 수 있는 모바일 보카 테스트를 바로 이용할 수 있습니다. MP3와 어휘를 테스트할 수 있는 시험지는 넥서스에듀 홈페이지(www.nexusEDU.kr)에서 다운로드할 수 있습니다.

Chapter 01

명사·대명사
2350·100

　　일반적인 다른 단어집들이 대부분 영어로 된 표제어가 앞쪽에 먼저 나오고 그 다음에 우리 말 뜻이 나오는 데 반해서 본서에서는 동사편만 제외하고는 특별히 그 순서가 서로 반대가 되도록 편집 되어 있습니다. 그렇다면 이렇게 표제어를 우리말을 우선해서 표기한 특별한 이유가 있을까요? 네, 당연 히 그럴 만한 확실한 이유가 있습니다! 이제부터 그 이유를 자세히 설명해 보겠습니다.

　　전통적인 방법으로 책을 만들면 편집하기는 쉽지만, 암기할 때에 일단 모르는 말인 영단어로 시작하기 때문에 첫 느낌이 머릿속에서 "이게 무슨 뜻이지?"라는 답답함을 느끼게 됩니다. 물론 오른쪽 을 보면 우리말 해석이 있으니 그 뜻을 알 수는 있지만, 그 뜻이 〈1:1〉이 아닌 〈1:다수〉일 경우에 문제가 발생합니다. 예를 들어 자습서 등에 나와 있는 단어장을 통해서 단어 공부를 하는 경우에는 이미 본문의 문맥이 정해져 있기 때문에 그 문맥에서는 오직 하나의 뜻만 될 수 있으니 그 뜻을 한 개나 많아야 두 개 정도만 올려놓아도 전혀 문제가 없습니다. 이러한 맥락에서 일반적인 단어장에는 뜻을 학교 공부에서 주로 많이 쓰이는 대표적인 뜻으로 한두 개씩만 올려놓는데, 이러한 방법으로 단어를 학습하는 것은 최 악의 방법이 됩니다. 왜냐하면, 그 단어가 'car, bag, house …'처럼 기초적인 단어가 아닌, 조금이라도 수준이 있는 단어라면 문맥에 따라서 그 의미가 매번 달라질 수 있기 때문입니다. 실제로는 최소한 본서 에 올려놓은 정도의 뜻들은 모두 알아야만 그 단어를 완전히 알고 제대로 사용할 수 있습니다.

　　그렇다면 이제 그 많은 뜻을 열심히 암기하면 되겠지만, 문제는 그것이 영어가 먼저 나오고 우리말 뜻이 뒤쪽에 나오면 우리의 뇌는 그 많은 의미들을 답이라고 인식하지 않고 모두 다 암기를 해야 하는 '과제'나 '부담의 대상'으로 인식하게 됩니다. 따라서 일단 모르는 말인 영단어로 시작한 답답한 느 낌에 더해서 "어휴, 이 많은 뜻을 언제 다 외우지?"라는 부담감을 가지게 되므로 쉽게 지치고 암기 능률 도 떨어집니다. 예를 들어 그 뜻이 대여섯 개정도라면 보통은 앞쪽의 한두 개의 뜻만 암기하고 그 뒤에 나와 있는 내용들은 암기할 때 짜증이 나고 집중력도 떨어져서 대충 넘어가게 되기 때문에 실제로 암기 한 내용을 불러내서 사용하고자 할 때에는 그 의미가 잘 떠오르지도 않고, 이 책에 나와 있는 것들과 같 은 많은 수의 단어들을 모두 암기해야 하는 입장에 있는 수험생의 경우에는 계속되는 그 끔찍한 부담감 을 이기지 못하고 결국 중도에 단어 암기를 포기하게 되는 경우가 대부분입니다.

이에 반해서 앞쪽에 우리말 해석을 먼저 놓고 영단어를 맨 뒤에 놓으면 일단 우리가 익히 잘 아는 우리말이 먼저 나오기 때문에 그 의미에 대한 부담감이나 답답한 느낌이 전혀 없습니다. 대신 그 말이 뒤에 나올 영단어의 뜻을 여러 각도에서 밝혀주는 힌트처럼 느껴지기 때문에 "이런 다양한 뜻을 가진 영단어가 과연 무엇일까?"하는 호기심이 생기며, 그 영단어의 뜻을 밝혀주는 등불과 안내자의 역할을 하게 됩니다. 마치 퀴즈 문제를 풀 듯이 우리말 뜻을 더 집중해서 보게 되고, 결국 아무리 우리말의 뜻이 많아도 그것은 마치 스무고개의 힌트 같은 것이 될 뿐이며, 결국 진짜 외울 것은 맨 뒤의 영단어 하나뿐이기 때문에 암기에 대한 부담이 대폭 줄어들게 됩니다. 게다가 결정적으로 단어들을 같은 접두사나 접미사를 가진 것들끼리 묶어 놓았으므로 나중에 그 스펠링도 한정시키면 쉽게 유추해서 바로 떠올릴 수 있습니다.

　　따라서 우리말 뜻이 앞쪽에 먼저 등장하는 이러한 편집은 보기에는 단지 단어들이 놓인 순서만 바뀌었을 뿐이지만, 그 학습 효과에 있어서는 혁명적인 차이가 있음을 말씀드릴 수 있습니다. 이것은 최신 뇌과학의 원리를 적용시킨 편집의 결과이며, 제가 스스로 여러 번 실험해 보고 나서 그 결과가 확실했기 때문에 드리는 말씀이니까 여러분이 단 한 챕터만 그 순서를 바꿔서 암기를 해보시면 그 놀라운 차이를 대번에 온몸으로 실감하실 수 있을 겁니다.

　　요컨대, 영단어들을 힘 안 들이고 쉽게 외우려면 우리에게 생소한 영단어에다가 우리말 뜻을 붙여서 외우는 것이 아니라, 우리에게 익숙한 우리말 뜻에다가 영단어를 붙여서 암기해야 한다는 것입니다. 본서에서는 동사만은 그냥 영단어가 먼저 나오고 우리말이 뒤에 나오는 방식으로 편집했는데 그 이유는 동사는 그 자체가 술어, 즉 설명해주는 말이기 때문에 그런 형태로 편집해도 암기하는 데 별 문제가 없기 때문입니다. 끝으로 여러분들이 본서를 통해서 영단어들을 최소한의 노력으로 최대한의 효과를 얻을 수 있는 이 놀라운 방법으로 즐겁게 암기하시고, 원하시는 모든 결과를 꼭 얻으시길 진심으로 기원합니다!!

Chapter 01

명사 · 대명사

2350 · 100

1	[고통·벌 따위를] **가**(加)**함**, 과(課)함; 고통	1	inflic**tion**	[inflíkʃən]
2	**감동**, 감격, 흥분; 감정	2	emo**tion**	[imóuʃən]
3	**감소**, 절감; 환원, 변형; 축소, 약분	3	reduc**tion**	[ridʌ́kʃən]
4	**개념**; 생각; 구상; 임신	4	concep**tion**	[kənsépʃən]
5	**건설**, 건조, 건축, 구성; 건축(건설) 공사	5	construc**tion**	[kənstrʌ́kʃən]
6	**검사**, 조사; 감사; 점검, 열람, 시찰, 검열	6	inspec**tion**	[inspékʃən]
7	**결심**, 결의; 결의안; 해결, 해답	7	resolu**tion**	[rèzəlúːʃən]
8	**경쟁**, 겨루기; 경기	8	competi**tion**	[kàmpətíʃən]
9	**고통**, 고뇌, 고생; 병; 재해	9	afflic**tion**	[əflíkʃən]
10	**관념**, 개념; 생각, 의견; 의향; 이해력	10	no**tion**	[nóuʃən]
11	**구성**; 정체(政體); 조직; 체격	11	constitu**tion**	[kànstətjúːʃən]
12	**굽음, 굴곡**, 만곡; 억양; 굴절, 어형 변화	12	inflec**tion**	[inflékʃən]
13	**금지**, 금지령	13	prohibi**tion**	[pròuhəbíʃən]
14	**기능**, 구실, 작용; 직무; 역할	14	func**tion**	[fʌ́ŋkʃən]
15	**기부 청약**, 기부; 응모; 가입; 구독 예약	15	subscrip**tion**	[səbskrípʃən]
16	**기부**, 기부금, 의연금, 기증품; 기여, 공헌	16	contribu**tion**	[kàntrəbjúːʃən]
17	**기술**(記述), 묘사, 서술; 특징 열거, 기재사항	17	descrip**tion**	[diskrípʃən]
18	**끌어들임**, 유도, 도입; 귀납법	18	induc**tion**	[indʌ́kʃən]
19	**단언**, 주장	19	asser**tion**	[əsə́ːrʃən]
20	**대망**, 야심, 야망; 큰 뜻	20	ambi**tion**	[æmbíʃən]
21	**되풀이**, 반복, 재현; 복창; 사본, 부본	21	repeti**tion**	[rèpətíʃən]
22	[두 물체의] **마찰**; 알력, 불화	22	fric**tion**	[fríkʃən]
23	**만족[감]**; 만족시키는 것; [빚의] 변제	23	satisfac**tion**	[sæ̀tisfǽkʃən]
24	**매력**, 유혹; 인기거리; 끌어당김	24	attrac**tion**	[ətrǽkʃən]
25	**멸종**, 사멸, 절멸; 불을 끔, 소등	25	extinc**tion**	[ikstíŋkʃən]

26	명(銘: 새김), 비명(碑銘), 비문; [책의] 제명	26	inscription	[inskrípʃən]
27	명령, 규정: 법규, 규범; 처방, 처방전; 처방약	27	prescription	[priskrípʃən]
28	미신; 미신적 행위	28	superstition	[sùːpərstíʃən]
29	바로잡기, 정정, 수정, 교정; 보정	29	correction	[kərékʃən]
30	[특히 종교상의] 박해; 괴롭힘	30	persecution	[pə̀ːrsikjúːʃən]
31	반대, 반항; 방해; 대립; 대항, 대치; 야당	31	opposition	[ùpəzíʃən]
32	반대; 이의, 반론; 불복; 반감, 혐오; 반대 이유	32	objection	[əbdʒékʃən]
33	반사; 반사열; 반영, 영상	33	reflection	[riflékʃən]
34	반응, 반작용, 반동; 반항, 반발	34	reaction	[riːǽkʃən]
35	받아들임, 도입; 소개; 서론; 입문	35	introduction	[ìntrədʌ́kʃən]
36	받아들임, 수용, 수취, 수령	36	reception	[risépʃən]
37	발견; 간파, 탐지; 검출	37	detection	[ditékʃən]
38	발명, 고안; [예술적] 창작, 창조	38	invention	[invénʃən]
39	방지, 예방; 예방법; 방해	39	prevention	[privénʃən]
40	보호, 보안; 보호자, 보호구	40	protection	[prətékʃən]
41	부인, 부정; 반박, 반대; 모순	41	contradiction	[kὰntrədíkʃən]
42	분배, 배분; 배포, 배당; 분포	42	distribution	[dìstrəbjúːʃən]
43	불결, 오염, 환경 파괴, 공해, 오염 물질	43	pollution	[pəlúːʃən]
44	비(比), 비율; 조화, 균형; 몫, 할당 분	44	proportion	[prəpɔ́ːrʃən]
45	사기, 기만, 협잡; 속임수	45	deception	[disépʃən]
46	생산, 산출; 제작, 저작; 작품, 생산물; 생산량	46	production	[prədʌ́kʃən]
47	선거; 선정; 표결, 투표	47	election	[ilékʃən]
48	선발, 선택, 선정; 선발된 사람(물건)	48	selection	[silékʃən]
49	선택권, 선택의 자유; 선택, 선택지	49	option	[ápʃən]
50	성질, 기질; 경향; 배열, 배치	50	disposition	[dìspəzíʃən]

51	**소비**; 소모, 소진	51	consump**tion**	[kənsʌ́mpʃən]
52	**소설**, 꾸며낸 이야기, 허구	52	fic**tion**	[fíkʃən]
53	**수집**, 채집; 수집물, 소장품	53	collec**tion**	[kəlékʃən]
54	**승진**, 승격, 진급; 증진, 장려; 판매 촉진, 광고	54	promo**tion**	[prəmóuʃən]
55	**신념**, 확신; 설득[력]; 양심의 가책; 유죄 판결	55	convic**tion**	[kənvíkʃən]
56	**실행**, 실시; 수행, 달성; 효과; [법·사형의] 집행	56	execu**tion**	[èksikjú:ʃən]
57	**암시**, 시사, 넌지시 비춤; 제안, 제의, 제언	57	sugges**tion**	[səgdʒéstʃən]
58	**애정**, 호의; 감정, 감동	58	affec**tion**	[əfékʃən]
59	**여행**, 원정, 장정 [항해·탐험]	59	expedi**tion**	[èkspədíʃən]
60	**연결**, 결합; 접속; 관계, 관련	60	connec**tion**	[kənékʃən]
61	**연소**; [유기체의] 산화	61	combus**tion**	[kəmbʌ́stʃən]
62	**열중**, 탐닉; [~] 중독	62	addic**tion**	[ədíkʃən]
63	**영양**; 영양 공급	63	nutri**tion**	[njutríʃən]
64	**예외**, 제외; 예외 조항	64	excep**tion**	[iksépʃən]
65	**완전**, 완벽; 완비; 극치; 완성; 성숙; 통달	65	perfec**tion**	[pərfékʃən]
66	**용해**, 용해 상태; 용액; [문제의] 해결, 해법	66	solu**tion**	[səlú:ʃən]
67	**운동**, 활동; [기계 따위의] 운전; 동작, 몸짓	67	mo**tion**	[móuʃən]
68	**위치**, 장소, 소재지; 적소; [사회적] 지위	68	posi**tion**	[pəzíʃən]
69	**유산**; 임신 중절, 낙태; [계획 등의] 실패	69	abor**tion**	[əbó:rʃən]
70	**의향**, 의도, 의지; 목적	70	inten**tion**	[inténʃən]
71	**인수**, 수락, 취임; 가정, 억측	71	assump**tion**	[əsʌ́mpʃən]
72	**인지**, 인식; 승인, 허가; 발언의 허가	72	recogni**tion**	[rèkəgníʃən]
73	**재생**, 재현; 재제작; 재생산; 복제물; 생식, 번식	73	reproduc**tion**	[rì:prədʌ́kʃən]
74	**전개**, 발전, 진전; 진화, 진화론	74	evolu**tion**	[èvəlú:ʃən]
75	**전람**, 전시, 진열; 공개	75	exhibi**tion**	[èksəbíʃən]

76	**전설**; 구전, 전승; 전통, 관습	76	tradi**tion**	[trədíʃən]
77	**전염**, 감염; 전염병, 감염증	77	infec**tion**	[infékʃən]
78	**점화**, 발화, 인화; 점화 장치	78	igni**tion**	[igníʃən]
79	**정신이 흐트러짐**; 주의 산만, 방심	79	distrac**tion**	[distrǽkʃən]
80	**제한**, 제약, 한정; 구속	80	restric**tion**	[ristríkʃən]
81	**조건**, 필요조건; 주변 상황; 건강 상태	81	condi**tion**	[kəndíʃən]
82	**조심**, 경계; 예방책	82	precau**tion**	[prikɔ́:ʃən]
83	**조심**, 신중; 경고, 주의	83	cau**tion**	[kɔ́:ʃən]
84	**지도**, 지휘, 감독; 지시, 명령; 방향, 방위	84	direc**tion**	[dirékʃən]
85	**직관[력]**; 직감, 직관적 통찰; 직관적 지식	85	intui**tion**	[ìntjuíʃən]
86	**직립**; 건설; 조립; 설정; 설립; [남성의] 발기	86	erec**tion**	[irékʃən]
87	**차단**; 방해; 장애; 장애물	87	obstruc**tion**	[əbstrʌ́kʃən]
88	**청원**, 탄원, 진정; [신에의] 기원; 탄원서	88	peti**tion**	[pitíʃən]
89	**추가**, 부가; 추가사항	89	addi**tion**	[ədíʃən]
90	**추상**; 추상적 개념	90	abstrac**tion**	[æbstrǽkʃən]
91	**타락**; 퇴폐; 부패; 위법 행위	91	corrup**tion**	[kərʌ́pʃən]
92	**파괴**; 분쇄; 구제, 절멸; 파괴, 멸망	92	destruc**tion**	[distrʌ́kʃən]
93	**파편**, 단편, [수학의] 분수	93	frac**tion**	[frǽkʃən]
94	**판(版)**, 간행; [같은 판의] 전 발행 부수	94	edi**tion**	[idíʃən]
95	[법률·습관 등의] **폐지**, 철폐, 전폐	95	aboli**tion**	[æbəlíʃən]
96	**학회**, 협회, [공공]시설; [확립된] 제도; 설립	96	institu**tion**	[ìnstətjú:ʃən]
97	**한 조각**, 일부, 부분; 몫; 운명	97	por**tion**	[pɔ́:rʃən]
98	**헌신**; 전심, 전념; 신앙심	98	devo**tion**	[divóuʃən]
99	**혁명**; 변혁; 회전, 순환	99	revolu**tion**	[rèvəlú:ʃən]
100	**훈련**, 교수, 교육; 교훈, 가르침	100	instruc**tion**	[instrʌ́kʃən]

1	**가동**, 작업; 효과, 효력; 조작, 운영; 수술; 작전	1	oper**ation**	[ùpəréiʃən]
2	**감각**, 지각; 기분, 감동; 물의, 대사건	2	sens**ation**	[senséiʃən]
3	**감탄**, 칭찬; 칭찬의 대상	3	admir**ation**	[ædməréiʃən]
4	**개시**, 착수; 창설, 창시, 창업; 입회식	4	initi**ation**	[inìʃiéiʃən]
5	**개혁**, 개정, 개선, 유신; 개심, 교정	5	reform**ation**	[rèfərméiʃən]
6	**고립**, 분리, 격리	6	isol**ation**	[àisəléiʃən]
7	**과장**, 침소봉대; 과장된 이야기, 허풍, 뻥	7	exagger**ation**	[igzædʒəréiʃən]
8	**관계**, 관련; 국제관계; [사람과의] 이해관계	8	rel**ation**	[riléiʃən]
9	**관리**, 경영, 지배; 행정, 통치	9	administr**ation**	[ædmìnəstréiʃən]
10	**참여**, 참가, 관여, 관계	10	particip**ation**	[pɑːrtìsəpéiʃən]
11	**관용**, 묵인; 신앙의 자유	11	toler**ation**	[tàləréiʃən]
12	**관찰**, 주목, 주시; 관측; 감시, 정찰	12	observ**ation**	[àbzərvéiʃən]
13	**교대**, 교체; 하나씩 거름	13	altern**ation**	[ɔːltərnéiʃən]
14	**구두점**; 구두법	14	punctu**ation**	[pʌŋktʃuéiʃən]
15	**굶주림**, 기아; 아사(굶어 죽음)	15	starv**ation**	[stɑːrvéiʃən]
16	**근절**, 절멸, 몰살, 멸종; 구제(驅除)	16	extermin**ation**	[ikstə̀ːrmənéiʃən]
17	[기술] **혁신**, 일신, 쇄신; 신제도	17	innov**ation**	[ìnəvéiʃən]
18	**기울기**; 성향, ~하는 경향; 좋아함	18	inclin**ation**	[ìnklənéiʃən]
19	**기입**, 등기, 등록; 등록사항; [우편] 등기	19	registr**ation**	[rèdʒəstréiʃən]
20	**땀**(sweat의 고급 표현); [땀날 정도의] 노력	20	perspir**ation**	[pə̀ːrspəréiʃən]
21	**매혹**, 황홀케 함, 홀린 상태; 매력	21	fascin**ation**	[fæsənéiʃən]
22	**묵상**, [종교적] 명상; 숙고	22	medit**ation**	[mèdətéiʃən]
23	**발음**; 발음하는 법	23	pronunci**ation**	[prənʌ̀nsiéiʃən]
24	**발표**, 공표; 발포; 간행, 출판, 발행; 출판물	24	public**ation**	[pʌ̀bləkéiʃən]
25	[빛·열 등의] **방사**, 복사; 발광; 복사 에너지	25	radi**ation**	[rèidiéiʃən]

26	**번역**, 통역, 해석; 번역문, 번역서	26	transl**ation**	[trænsléiʃən]
27	**변화**, 변동, 변이; 변화의 양; 변종	27	vari**ation**	[vèəriéiʃən]
28	**보존**, 저장; 보호, 보관	28	preserv**ation**	[prèzərvéiʃən]
29	**분리**, 떨어짐, 이탈; 이별, 별거; 간격, 틈	29	separ**ation**	[sèpəréiʃən]
30	**비탄**; 애도; 통곡, 비탄의 소리	30	lament**ation**	[læ̀məntéiʃən]
31	**사색**, 숙고; 추측, [어림]짐작; 투기, 사행	31	specul**ation**	[spèkjuléiʃən]
32	**사직**, 사임; 사표; 포기, 단념	32	resign**ation**	[rèzignéiʃən]
33	**상상[력]**, 창작력, 구상력	33	imagin**ation**	[imæ̀dʒənéiʃən]
34	**생기**, 활발함, 활기; 만화영화	34	anim**ation**	[æ̀nəméiʃən]
35	**서술**, 이야기하기; 이야기; 화법	35	narr**ation**	[næréiʃən]
36	**선언**, 포고, 발포; 선언서, 성명서	36	proclam**ation**	[pràkləméiʃən]
37	**설명**, 해설; 해석; 해명, 변명	37	explan**ation**	[èksplənéiʃən]
38	**성나게 함**; 도전, 도발, 자극; 성남, 약오름	38	provoc**ation**	[pràvəkéiʃən]
39	**세정**; 정화; [목욕]재계	39	purific**ation**	[pjùərəfikéiʃən]
40	**속 타게(성나게) 함**; 안달, 초조, 노여움	40	irrit**ation**	[ìritéiʃən]
41	**수선**, 수리; 혁신, 쇄신; 원기 회복	41	renov**ation**	[rènəvéiʃən]
42	**숙박시설**; 편의시설; 좌석; 적응, 조화	42	accommod**ation**	[əkàmədéiʃən]
43	**시험**(=exam), 고사; 시험 문제; 조사	43	examin**ation**	[igzæ̀mənéiʃən]
44	**신원 확인**, 신분 증명, 동일인 증명; 신분증	44	identific**ation**	[aidèntəfikéiʃən]
45	**실지답사**, 탐험, 탐사; 탐구, 조사	45	explor**ation**	[èkspləréiʃən]
46	**연설**; 식사(式辭); 화법	46	or**ation**	[ɔːréiʃən]
47	**영감**, [갑자기 떠오른] 신통한 생각; 격려	47	inspir**ation**	[ìnspəréiʃən]
48	**예기**, 예감, 예상, 내다봄, 기대	48	anticip**ation**	[æntìsəpéiʃən]
49	**예상**; 기대; 가능성, 확률	49	expect**ation**	[èkspektéiʃən]
50	**예약**; 예약석; 보호구역; 조건, 제한, 단서	50	reserv**ation**	[rèzərvéiʃən]

51	**완화**; 절제; 적당, 온건	51	moder**ation**	[màdəréiʃən]
52	**운송**, 수송; 교통(수송)기관	52	transport**ation**	[trænspərtéiʃən]
53	**운항**, 항해; 항해(항공)술; 주행지시	53	navig**ation**	[nævəgéiʃən]
54	**위반**, 위배; 방해; 침해; 폭행, 강간	54	viol**ation**	[vàiəléiʃən]
55	**위치**, 장소; 환경; 입장, 상황, 국면	55	situ**ation**	[sìtʃuéiʃən]
56	**유혹**, 유혹함, 유혹됨; 마음을 끄는 것, 유혹물	56	tempt**ation**	[temptéiʃən]
57	**의견**, 판단, 평가; 견적 추정	57	estim**ation**	[èstiméiʃən]
58	**의무**, 책임; 채무; 증권, 채권	58	oblig**ation**	[àbləgéiʃən]
59	**이주**, 이전; 이동, 회귀; 이주자	59	migr**ation**	[maigréiʃən]
60	**이해**, 실감, 실현, 현실화; 현금화, 환금	60	realiz**ation**	[rì:əlizéiʃən]
61	**인구**, 주민 수; 주민; 개체 수	61	popul**ation**	[pàpjəléiʃən]
62	**인력[작용]**, 중력; 하강	62	gravit**ation**	[græ̀vətéiʃən]
63	**인용**; 인용구; 시세; 견적서	63	quot**ation**	[kwoutéiʃən]
64	**~인 체함**; 일부러 꾸밈	64	affect**ation**	[æ̀fektéiʃən]
65	**입법**, 법률제정; 법률	65	legisl**ation**	[lèdʒisléiʃən]
66	**자격**, 능력, 권한; 자격증; 조건, 제한	66	qualific**ation**	[kwàləfəkéiʃən]
67	**자극**; 격려, 고무; 흥분	67	stimul**ation**	[stìmjuléiʃən]
68	**장소**, 위치; 지역; 거주지; 야외촬영	68	loc**ation**	[loukéiʃən]
69	**적용**, 응용; 적용성, 실용성; 지원·신청[서]	69	applic**ation**	[æ̀plikéiʃən]
70	**적응**, 적합, 순응; 개작, 각색	70	adapt**ation**	[æ̀dəptéiʃən]
71	**접근**, 근사; 비슷한 것; 어림셈	71	approxim**ation**	[əpràksəméiʃən]
72	**정당화**; 변명, 변호	72	justific**ation**	[dʒʌ̀stəfikéiʃən]
73	**정보**; 통지, 전달, 안내; 자료	73	inform**ation**	[ìnfərméiʃən]
74	**정액, 정량**; 배급[량], 휴대식량, 하루 치 식량	74	**r**ation	[rǽʃən, réi-]
75	**제한**, 한정, 규제; 한계, 한도	75	limit**ation**	[lìmətéiʃən]

76	**조명**; 계몽, 계발	76 illumin**ation**	[ilù:minéiʃən]
77	**조직**, 단체; 조직화, 구성, 편제	77 organiz**ation**	[ɔ̀:rgənəzéiʃən]
78	**졸업**, 학위 취득	78 gradu**ation**	[græʤuéiʃən]
79	**주저**, 망설임; 말을 더듬음	79 hesit**ation**	[hèzətéiʃən]
80	**준비**; 예비 조사, 예습; 각오; [약의] 조제	80 prepar**ation**	[prèpəréiʃən]
81	**증발[작용]**; [수분의] 발산; 증발건조	81 evapor**ation**	[ivæpəréiʃən]
82	**증여**, 수여, 증정; 제출; 표현, 발표	82 present**ation**	[prèzəntéiʃən]
83	**직업, 생업**, 장사; 소명; 천직; [직업적] 적성, 소질	83 voc**ation**	[voukéiʃən]
84	**직업, 업무**; 일, 소일거리; 점유, 점령; 임기	84 occup**ation**	[ὰkjəpéiʃən]
85	**질식**, 질식시킴	85 suffoc**ation**	[sʌ̀fəkéiʃən]
86	**창설**, 창립, 설립; 기초; 근거; 재단	86 found**ation**	[faundéiʃən]
87	**창피 줌**; 굴욕, 수치, 면목 없음	87 humili**ation**	[hju:mìliéiʃən]
88	**초대**, 안내, 권유, 권장; 초대(안내)장; 유혹	88 invit**ation**	[ìnvitéiʃən]
89	**추천**; 권고; 추천장, 소개장; 장점, 취할 점	89 recommend**ation**	[rèkəmendéiʃən]
90	**축약형**, 약어	90 abbrevi**ation**	[əbrì:viéiʃən]
91	**축적**, 누적; 축적물, 퇴적물	91 accumul**ation**	[əkjù:mjuléiʃən]
92	**통역**; 해석, 설명	92 interpret**ation**	[intə̀:rprətéiʃən]
93	**통일**, 단일화; 통합	93 unific**ation**	[jù:nəfikéiʃən]
94	**통풍**, 공기의 유통, 환기; 논의; 감정의 표출	94 ventil**ation**	[vèntəléiʃən]
95	**[올바른] 평가**, 판단, 이해; 감상; 감사	95 appreci**ation**	[əprì:ʃiéiʃən]
96	**평판**, 세평; 명성, 신망	96 reput**ation**	[rèpjətéiʃən]
97	**폭로**; [비밀의] 누설; 의외의 새 사실; 계시	97 revel**ation**	[rèvəléiʃən]
98	**표시**, 표현, 묘사; 초상; 진술; 대표	98 represent**ation**	[rèprizentéiʃən]
99	**협상**, 교섭, 절충	99 negoti**ation**	[nigòuʃiéiʃən]
100	**형성**; 구성; 대형, 진형	100 form**ation**	[fɔ:rméiʃən]

1	호흡; [식물의] 호흡작용		1	respiration	[rèspəréiʃən]
2	회복; 복구, 복고, 부흥; 회복, 복원; 복직		2	restoration	[rèstəréiʃən]
3	회전; [지구의] 자전; [규칙적인] 교대; 윤작		3	rotation	[routéiʃən]
4	휴양, 보양; 기분전환, 오락		4	recreation	[rèkriéiʃən]
5	[고상한] 감정, 정서, 정감, 정취; 소감, 감상		5	sentiment	[séntəmənt]
6	개량, 개선; 개량한 곳, 개선점; 향상, 진보, 증진		6	improvement	[imprú:vmənt]
7	격려, 격려가 되는 것, 장려		7	encouragement	[enkɔ́:ridʒmənt]
8	경의, 칭찬; 아첨; 축사; 경의의 표시; 영광스러운 일		8	compliment	[kámpləmənt]
9	광고, 선전; 통고, 공시		9	advertisement	[ædvərtáizmənt]
10	교체, 대치; 복직; 대신, 후계; 교체자(~물)		10	replacement	[ripléismənt]
11	기념비, 기념 건조물, 기념탑		11	monument	[mánjəmənt]
12	꾸밈, 장식; 장식품, 장신구; 훈장		12	ornament	[ɔ́:rnəmənt]
13	노함, 분개; 원한		13	resentment	[rizéntmənt]
14	논의, 논쟁, 의론; 주장; 요지, 줄거리		14	argument	[á:rgjəmənt]
15	논평, 평언, 비평, 견해, 의견, 해설; 풍문		15	comment	[káment]
16	놀람, 경악; 놀랄 만한 일(~것)		16	astonishment	[əstániʃmənt]
17	단편, 조각; 부분, 구획; 선분		17	segment	[ségmənt]
18	당황, 곤혹, 거북함; 어줍음; 방해, 장애		18	embarrassment	[imbǽrəsmənt]
19	대접, 환대; [식사에의] 초대; 연회; 오락; 연예		19	entertainment	[èntərtéinmənt]
20	도달, 달성; 기능, 재간, 예능; 학식, 재능, 조예		20	attainment	[ətéinmənt]
21	동의, 승낙; 협정, 조약, 협약·계약[서]; 합치		21	agreement	[əgrí:mənt]
22	만족[하기]		22	contentment	[kənténtmənt]
23	[아무의] 말, 말한 것, 진술; 성명, 성명서		23	statement	[stéitmənt]
24	문서, 서류, 기록, 증거자료, 증서; 기록 영화		24	document	[dákjəmənt]
25	발달, 발전; 발육, 성장; 개발, 계발, 진전, 진화		25	development	[divéləpmənt]

26	**배열**, 배치; [색의] 배합; 정리, 정돈; 조정, 협정	26	arrange**ment**	[əréindʒmənt]
27	**벌, 형벌**, 처벌; 응징, 징계; 본보기; 학대	27	punish**ment**	[pʌ́niʃmənt]
28	**범행**; [범죄의] 실행, 수행; 위임; 공약; 구속	28	commit**ment**	[kəmítmənt]
29	**보충**, 추가, 부록	29	supple**ment**	[sʌ́pləmənt]
30	**보충물**, 보완하는 것; (문법) 보어	30	comple**ment**	[kámpləmənt]
31	[기관·회사 등의] **부, 부서**; 국, 과; 분야; 매장	31	depart**ment**	[dipá:rtmənt]
32	**부착**, 접착, 흡착; 부착물, 부속품; 연결 장치	32	attach**ment**	[ətǽtʃmənt]
33	**불쾌**, 우환; [만성적인] 병; 불안정	33	ail**ment**	[éilmənt]
34	**사용**, 고용; 사역; 직, 직업, 일	34	employ**ment**	[emplɔ́imənt]
35	**사정**, 평가; 부과; 세액, 평가액, 사정액	35	assess**ment**	[əsésmənt]
36	**설립**, 창립; 설치; 사회시설; 편제; 확립, 확정	36	establish**ment**	[istǽbliʃmənt]
37	**성취, 달성**; 업적, 위업, 공로; 학력	37	achieve**ment**	[ətʃí:vmənt]
38	**성취, 완성**, 수행, 이행; 업적, 공적; 재능, 소양	38	accomplish**ment**	[əkámpliʃmənt]
39	**숨김**, 은폐; 숨음, 잠복; 숨는 장소	39	conceal**ment**	[kənsí:lmənt]
40	**승인**, 용인; 자인, 자백, 고백; 감사, 사례	40	acknowledge**ment**	[æknálidʒmənt]
41	**시작**, 개시; 착수; 졸업식	41	commence**ment**	[kəménsmənt]
42	**실험**; 시험, 시도; 실험 장치	42	experi**ment**	[ikspérəmənt]
43	**알림**, 공고, 발표, 공표; 통지서, 발표문, 성명서	43	announce**ment**	[ənáunsmənt]
44	**약속**, 맹세; 계약; 예약; 약혼; 일, 직업; 교전	44	engage**ment**	[engéidʒmənt]
45	**요구**, 필요; 필요물, 요구물; 필요조건, 자격	45	require**ment**	[rikwáiərmənt]
46	**요소**, 성분; [구성] 분자; 원소; 초보, 첫걸음	46	ele**ment**	[éləmənt]
47	**움직임**; 운동, 활동; 운전[상태]; 동작, 태도	47	move**ment**	[mú:vmənt]
48	**유언[장]**, 유서; [신과 사람의] 계약, 성서; 증거	48	testa**ment**	[téstəmənt]
49	**유인**, 유도, 권유, 장려; 유인, 동기, 자극	49	induce**ment**	[indjú:smənt]
50	**율법**, 계율; 명령[권]	50	command**ment**	[kəmǽndmənt]

51	음식물, 영양[물]; 양육, 육성; 영양 상태; 양육법	51	nourish**ment**	[nə́:riʃmənt]
52	영국 의회	52	Parlia**ment**	[pá:rləmənt]
53	임명, 임용; 임명된 사람; 지위, 관직; 약속	53	appoint**ment**	[əpɔ́intmənt]
54	장비, 무기, 병기; [한 나라의] 군사력, 군비	54	arma**ment**	[á:rməmənt]
55	장비, 설비, 비품; 준비, 채비; 능력, 자질	55	equip**ment**	[ikwípmənt]
56	재판, 심판; 판결, 판단, 판정; 감정, 평가	56	judg**ment**	[dʒʎdʒmənt]
57	전진, 진출; 진보, 발달; 촉진, 증진; 승진	57	advance**ment**	[ædvǽnsmənt]
58	정련, 정제, 순화; 세련, 고상, 우아; 정밀, 정교	58	refine**ment**	[rifáinmənt]
59	정부, 내각; 통치·행정·지배[권]; 정치; 관리	59	govern**ment**	[gʎvərnmənt]
60	정착, 정주지; 이민, 식민; 자리 잡기; 화해	60	settle**ment**	[sétlmənt]
61	조정, 정리; 조절	61	adjust**ment**	[ədʒʎstmənt]
62	중요성, 중대성	62	concern**ment**	[kənsə́:rnmənt]
63	즐거움, 기쁨; 유쾌; 향락; 향유, 향수	63	enjoy**ment**	[endʒɔ́imənt]
64	즐거움, 위안, 재미	64	amuse**ment**	[əmjú:zmənt]
65	지불, 지급, 납부, 납입; 지급 금액; 변상	65	pay**ment**	[péimənt]
66	취급, 처리; 관리, 경영; 지배; 경영력; 경영학	66	manage**ment**	[mǽnidʒmənt]
67	취급, 대우; 처리[법]; 치료; 치료법(약)	67	treat**ment**	[trí:tmənt]
68	퇴거; 은퇴, 은거; 퇴직, 퇴역	68	retire**ment**	[ritáiərmənt]
69	투옥, 구금	69	imprison**ment**	[imprízənmənt]
70	투자, 출자; 투자액; 투자의 대상	70	invest**ment**	[invéstmənt]
71	파편, 조각, 단편; 나머지, 부스러기	71	frag**ment**	[frǽgmənt]
72	포장도로; 포장 재료; [포장한] 인도, 보도	72	pave**ment**	[péivmənt]
73	할당, 할당된 몫; 지정, 지시; 지령, 임명; 숙제	73	assign**ment**	[əsáinmənt]
74	할부, 월부; 월 납입금; [전집 등의] 1회분	74	install**ment**	[instɔ́:lmənt]
75	효소; 발효; 대소동, 동요, 흥분	75	fer**ment**	[fə́:rment]

76	흥분[상태], 자극받음; 소동, 동요; 자극적인 것	76	excite**ment**	[iksáitmənt]
77	**가까움**, 근접; 가까운 곳, 부근	77	vicin**ity**	[visínəti]
78	**가능성**, 실현성; 실현 가능한 일(수단); 장래성	78	possibil**ity**	[pàsəbíləti]
79	**간결**, 간략; [시간의] 짧음	79	brev**ity**	[brévəti]
80	**개성**, 개인적 성격; 개인성, 개체성, 특질	80	individual**ity**	[ìndəvìdʒuǽləti]
81	**개성**, 성격, 인격, 인물; 인간[성]	81	personal**ity**	[pə̀ːrsənǽləti]
82	**겁**, 소심, 수줍음	82	timid**ity**	[timídəti]
83	**격식을 차림**; 예식; 정식; 정식 절차	83	formal**ity**	[fɔːrmǽləti]
84	**고귀[성]**, 고결함, 기품; 고귀한 태생(신분)	84	nobil**ity**	[noubíləti]
85	**고체성**; 단단함; 견고, 견실[성]; 고체, 고형물	85	solid**ity**	[səlídəti]
86	**관련성**, 상대성; 의존	86	relativ**ity**	[rèlətívəti]
87	**국적**; 선적; 국민, 민족; 국가; 국민성, 민족성	87	national**ity**	[næ̀ʃənǽləti]
88	**권위**, 권력; 권한, 직권; 관계 당국, 공공사업기관	88	author**ity**	[əθɔ́ːriti]
89	**기회**, 호기; 행운; 가망	89	opportun**ity**	[àpərtjúːnəti]
90	**능력**, 솜씨; 재능, 역량, 기량	90	abil**ity**	[əbíləti]
91	**단순**; 간단; 검소, 수수함; 순박함; 우직	91	simplic**ity**	[simplísəti]
92	**대부분**, 대다수; 다수당(파); 과반수, 절대다수	92	major**ity**	[mədʒɔ́ːrəti]
93	**덧없음**, 무상함; 허무, 공허; 헛된 일; 허영심	93	van**ity**	[vǽnəti]
94	**도덕[성]**, 도의[성]; 덕성, 윤리성; 윤리학	94	moral**ity**	[mɔrǽləti]
95	**독창성(력)**, 창조력, 창의; 참신, 신기; 진품	95	original**ity**	[ərìdʒənǽləti]
96	**동일하지 않음**, 차이[점]; 변화, 다양성	96	divers**ity**	[daivə́ːrsəti]
97	**동일함**, 일치, 동일성; 본체, 정체, 신원	97	ident**ity**	[aidéntəti]
98	**무한대**	98	infin**ity**	[infínəti]
99	**무효**; 무효 행위, 무효 증서, 무가치한 사람	99	null**ity**	[nʌ́ləti]
100	**밀집 상태**, 농도, 밀도, 비중	100	dens**ity**	[dénsəti]

명사 접미어 4 '-ity'; '-ence'

1	**번영**, 번창, 융성; 성공; 행운, 부유; 번영한 상태	1	prosper**ity**	[prɑspérəti]
2	**복잡성**, 착잡; 복잡한 일(것)	2	complex**ity**	[kəmpléksəti]
3	**불사**, 불멸, 불후; 무궁; 불후의 명성	3	immortal**ity**	[ìmɔːrtǽləti]
4	**불운**, 불행; 재난, 참사, 사고사; 숙명	4	fatal**ity**	[feitǽləti]
5	**사로잡힘**, 사로잡힌 몸(기간), 감금; 속박	5	captiv**ity**	[kæptívəti]
6	**사회**, 공동사회, 공동체; 지역사회	6	commun**ity**	[kəmjúːnəti]
7	**성숙**, 숙성; 완전한 발달(발육); 원숙, 완성	7	matur**ity**	[mətjúərəti]
8	**성실**, 성의, 진실, 진심; 순수함	8	sincer**ity**	[sinsérəti]
9	**성실**, 정직, 고결, 청렴; 완전무결; 원상태	9	integr**ity**	[intégrəti]
10	**소수파**, 소수자의 무리, 소수당; 소수 민족	10	minor**ity**	[minɔ́ːriti]
11	**쉬움**, 용이함; 재주; 솜씨; 편리; 시설, 설비	11	facil**ity**	[fəsíləti]
12	**습기**, 습윤; 습도	12	humid**ity**	[hjuːmídəti]
13	**신속**, 급속; 민첩; 속도	13	rapid**ity**	[rəpídəti]
14	**안전**, 무사; 안심; 안심감, 방심; 보안; 보장	14	secur**ity**	[sikjúəriti]
15	**안정**; 안정성; 견실, 영속성; 복원성	15	stabil**ity**	[stəbíləti]
16	**양, 분량**, 수량, 액; 다량, 다수, 많음	16	quant**ity**	[kwántəti]
17	**어두컴컴함**; 어두운 곳; 불명료[한 것]; 애매함	17	obscur**ity**	[əbskjúərəti]
18	**역경**; 불행, 불운	18	advers**ity**	[ædvə́ːrsəti]
19	**우선순위**; [시간·순서가] 먼저임; 우선(긴급)사항	19	prior**ity**	[praiɔ́ːrəti]
20	**유사[점]**, 닮은 점	20	similar**ity**	[sìmələ́rəti]
21	**유용**, 유익; 실용, 실익; 실용품; 공익사업[설비]	21	util**ity**	[juːtíləti]
22	**이용도**, 유효성; 쓸모 있는 사람(물건)	22	availabil**ity**	[əvèiləbíləti]
23	**인기**, 인망; 대중성; 통속성; 유행	23	popular**ity**	[pàpjəlǽrəti]
24	**인류**; 인간성; 인간애, 인정; 자선 행위	24	human**ity**	[hjuːmǽnəti]
25	**일용품**, 필수품, 물자; 상품; 유용한 물품	25	commod**ity**	[kəmádəti]

26	**있음 직함**, 일어남 직함; 가망; 개연성; 확률	26	probabil**ity**	[prὰbəbíləti]
27	**자애**, 자비, 사랑; 동정, 관용; 자선; 자선단체	27	char**ity**	[tʃǽrəti]
28	**재난**, 참화, 재해; 불행, 비운	28	calam**ity**	[kəlǽməti]
29	**전기**; 전기학; [사람끼리 전달되는] 강한 흥분	29	electric**ity**	[ilὲktrísəti]
30	**제정신**, 정신이 멀쩡함; 건전함; 건강	30	san**ity**	[sǽnəti]
31	**죽어야 할 운명**; 대량 사망; 사망률; 인류	31	mortal**ity**	[mɔːrtǽləti]
32	**증오**, 적개심; 적대 행위; 교전; 반항, 반대	32	hostil**ity**	[hɑstíləti]
33	**진실[성]**; 본성; 사실, 현실[성]; 실재; 실체	33	real**ity**	[riːǽləti]
34	**진지함**, 근엄; 엄숙, 장중; 중대함; 중력	34	grav**ity**	[grǽvəti]
35	**질, 품질**; 성질, 특성, 속성; 양질, 우수성	35	qual**ity**	[kwɑ́ləti]
36	**책임**, 책무, 의무; 부담, 무거운 짐; 신뢰성	36	responsibil**ity**	[rispὰnsəbíləti]
37	**청정**, 순수; 깨끗함, 청결, 맑음; 순도; 결백	37	pur**ity**	[pjúərəti]
38	**충실**, 충성, 성실; 사실성, 신빙성; 충실도	38	fidel**ity**	[fidéləti]
39	**친밀**, 친숙; 친밀한 사이; 익히 앎, 정통	39	familiar**ity**	[fəmiljǽrəti]
40	**통일[성]**; 불변성; 조화, 일치, 화합; 단일성	40	un**ity**	[júːnəti]
41	**특색**, 특수성; 특권; 기묘, 이상함; 별난 버릇	41	peculiar**ity**	[pikjùːliǽrəti]
42	**필요**, 필요성; 필수품, 필요한 것; 필연성	42	necess**ity**	[nisésəti]
43	**하위**, 하급; 열등, 열세; 조악	43	inferior**ity**	[infiəriɔ́ːrəti]
44	**허위[성]**, 기만성; 불신; 거짓말; 잘못	44	fals**ity**	[fɔ́ːlsəti]
45	**호기심**; 진기함; 진기한 물건, 골동품	45	curios**ity**	[kjùəriásəti]
46	**환대**, 후한 대접; 친절; 호의적인 수락	46	hospital**ity**	[hὰspitǽləti]
47	**활동**, 활약; 행동	47	activ**ity**	[æktívəti]
48	**활수(손이 큼), 헙헙함**; 관대, 아량; 고결	48	generos**ity**	[dʒὲnərásəti]
49	**격렬함**, 맹렬함; 폭력, 난폭; 폭행, 강간	49	viol**ence**	[váiələns]
50	**결과**; 결말; 결론; 영향[력]	50	consequ**ence**	[kánsikwèns]

51	**경험**, 체험, 견문; 경력; 경험 내용	51	experi**ence**	[ikspíəriəns]
52	**고수**, 집착; 점착, 부착	52	adher**ence**	[ædhíərəns]
53	**구실**, 핑계; 겉치레, 거짓; 허식(=pretense)	53	pret**ence**	[priténs]
54	**근면**, 부지런함; 노력, 공부	54	dilig**ence**	[dílədʒəns]
55	**끈덕짐**, 고집, 완고, 버팀; 지속[성], 내구[력]	55	persist**ence**	[pəːrsístəns]
56	**[남에 대한] 신용**, 신뢰; **[자기에 대한] 자신감**, 확신	56	confid**ence**	[kánfidəns]
57	**높음**, 고귀; 탁월; 명성	57	emin**ence**	[émənəns]
58	**다름**, 차이, 차액; 차이점; 의견 차이; 차별	58	differ**ence**	[dífərəns]
59	**대응**, 해당; 일치, 조화, 부합; 통신, 교신	59	correspond**ence**	[kɔ̀ːrəspándəns]
60	**더 좋아함**, 편애; 좋아하는 물건; 우선권; 특혜	60	prefer**ence**	[préfərəns]
61	**독립**, 자립, 자주; 독립심, 자립정신	61	independ**ence**	[ìndipéndəns]
62	**돌기**, 돌출[부]; 두드러짐, 현저, 걸출, 탁월	62	promin**ence**	[prámənəns]
63	**멋대로 하게 둠**, 관대; 멋대로 함, 방종	63	indulg**ence**	[indʌ́ldʒəns]
64	**무관심**, 냉담; 대수롭지 않음	64	indiffer**ence**	[indífərəns]
65	**무구**, 청정, 순결; 결백, 무죄; 순진[한 사람]	65	innoc**ence**	[ínəsns]
66	**문의**, 조회; 참조, 참고; 신용증명서	66	refer**ence**	[réfərəns]
67	**문장**, 글; 판정, 판단; 판결, 선고; 처형	67	sent**ence**	[séntəns]
68	**방위**, 방어, 수비; 방어시설; 변호(=defense 미)	68	def**ence**(영)	[diféns]
69	**방해**, 훼방; 충돌; 간섭, 참견; [전파의] 혼신	69	interfer**ence**	[ìntərfíərəns]
70	**복종; 순종**; [법률·명령의] 준행	70	obedi**ence**	[oubíːdiəns]
71	**복종; 존경**, 경의	71	defer**ence**	[défərəns]
72	**부재**, 결석, 결근; 없음, 결여	72	abs**ence**	[ǽbsəns]
73	**불편[한 것]**, 부자유; 폐[가 되는 일], 성가심	73	inconveni**ence**	[ìnkənvíːnjəns]
74	**사건**, 생긴 일; [사건의] 발생, 일어남	74	occurr**ence**	[əkə́ːrəns]
75	**섭리**, 하나님의 뜻; 신, 하나님; 선견지명; 배려	75	provid**ence**	[právədəns]

76	**성급(조급)함**, 짜증, 초조, 안달; 참을성 없음	76	impati**ence**	[impéiʃəns]
77	**숭배**, 존경; 경의; 공손한 태도	77	rever**ence**	[révərəns]
78	**신중**, 세심, 사려, 분별, 빈틈없음	78	prud**ence**	[prú:dəns]
79	**앞서기**, 선행; 전례; 상석, 우위; 우월; 우선[권]	79	preced**ence**	[présədəns]
80	**연속 발생**; 연속, 연쇄, 계속; 순서, 차례	80	sequ**ence**	[síːkwəns]
81	**영향[력]**, 작용; 감화[력]; 유력자	81	influ**ence**	[ínfluəns]
82	**우수**, 탁월[성], 뛰어남; 뛰어난 소질(솜씨); 장점	82	excell**ence**	[éksələns]
83	**[우연의] 일치**, 부합; 동시 발생[사건]	83	coincid**ence**	[kouínsədəns]
84	**웅변**, 능변; 설득력	84	eloqu**ence**	[éləkwəns]
85	**위반**, 반칙; 불법, 위법; 범죄; 공격(=offense 미)	85	off**ence**(영)	[əféns]
86	**의지함**, 의존; 신뢰, 믿음	86	depend**ence**	[dipéndəns]
87	**인내[력]**, 참을성; 끈기	87	pati**ence**	[péiʃəns]
88	**자비심**, 박애; 선행, 자선	88	benevol**ence**	[bənévələns]
89	**적성**, 자격, 능력; 권능, 권한	89	compet**ence**	[kámpətəns]
90	**존재**, 실재, 현존; 실존, 실체; 생존	90	exist**ence**	[igzístəns]
91	**주거**, 주택; 저택; 거주, 주재	91	resid**ence**	[rézidəns]
92	**주장**, 강조, 고집; 강요	92	insist**ence**	[insístəns]
93	**증거**; 증언; 흔적	93	evid**ence**	[évidəns]
94	**지성**; 이해력, 사고력, 지능; 지혜, 총명	94	intellig**ence**	[intélədʒəns]
95	**추리**, 추측, 추론; 추정, 결론	95	infer**ence**	[ínfərəns]
96	**출현**; 탈출; 발생	96	emerg**ence**	[imɔ́ːrdʒəns]
97	**침묵**, 무언; 무소식; 고요함, 정적; 묵념	97	sil**ence**	[sáiləns]
98	**편리**, 편의; 편리한 것(도구)	98	conveni**ence**	[kənvíːnjəns]
99	**풍부함**, 풍요, 유복; 유입	99	afflu**ence**	[ǽfluəns]
100	**회담**, 협의, 의논; 회의	100	confer**ence**	[kánfərəns]

1	**관련**[성]; 타당성; 적합[성]		1	relev**ance**	[réləvəns]
2	**관용**; 아량, 포용력; 인내력		2	toler**ance**	[tálərəns]
3	**광휘**, 광택; 훌륭함; 밝기		3	brilli**ance**	[bríljəns]
4	**균형**, 평형; 천칭, 저울		4	bal**ance**	[bǽləns]
5	**기구**, 장치, 설비; 가전제품		5	appli**ance**	[əpláiəns]
6	**기억; 회상**; 기념품		6	remembr**ance**	[rimémbrəns]
7	**도전**; 저항; 반항; 무시		7	defi**ance**	[difáiəns]
8	**말함**, 발언; 발표력; 말씨		8	utter**ance**	[ʌ́tərəns]
9	**무지**, 무식, 무학		9	ignor**ance**	[ígnərəns]
10	**문예 부흥, 르네상스**; 부활, 신생		10	Renaiss**ance**	[rènəsá:ns]
11	**믿음**, 신뢰, 의존; 의지할 곳		11	reli**ance**	[riláiəns]
12	**받아들임**, 수령; 수락, 승인		12	accept**ance**	[ækséptəns]
13	**방해**, 장애; 장애물, 사고		13	hindr**ance**	[híndrəns]
14	**보증**, 보장; 확신, 자신		14	assur**ance**	[əʃúərəns]
15	**보험**, 보험계약; 보험업		15	insur**ance**	[inʃúərəns]
16	**상속**, 유산; 유전형질		16	inherit**ance**	[inhéritəns]
17	**(~s)상황**, 환경, 처지; 상세한 내용		17	circumst**ance**	[sə́:rkəmstæns]
18	**생김새**, 용모, 안색, 표정		18	counten**ance**	[káuntənəns]
19	**성가심**; 불쾌감; 괴로움		19	annoy**ance**	[ənɔ́iəns]
20	**소동**; 방해; 교란		20	disturb**ance**	[distə́:rbəns]
21	**승낙**, 응낙; 순종		21	compli**ance**	[kəmpláiəns]
22	**실행**; 행위; 성능; 공연		22	perform**ance**	[pərfɔ́:rməns]
23	**싫음**, 꺼림, 마음 내키지 않음		23	reluct**ance**	[rilʌ́ktəns]
24	**영속**, 존속; 계속, 연속		24	continu**ance**	[kəntínjuəns]
25	**예**, 사례; 사실, 경우		25	inst**ance**	[ínstəns]

26	**원조**, 도움, 조력	26	assist**ance**	[əsístəns]
27	**유사함**, 닮음, 비슷함	27	resembl**ance**	[rizémbləns]
28	**유지**, 보수; 생계; 주장	28	mainten**ance**	[méintənəns]
29	**의의**, 의미; 중요성, 중대성	29	signific**ance**	[sign ífikəns]
30	**인내, 감내**; 인내력, 지구력	30	endur**ance**	[indjúərəns]
31	**인내, 인내력**, 참을성	31	persever**ance**	[pə̀ːrsəvíːrəns]
32	**일치**, 합치, 조화	32	accord**ance**	[əkɔ́ːrdəns]
33	**입장**, 들어감; 입장 허가	33	admitt**ance**	[ædmítəns]
34	**저항**, 반항; 반대; 저항력; 방해	34	resist**ance**	[rizístəns]
35	**절제**; 자제; 극기, 삼감, 중용	35	temper**ance**	[témpərəns]
36	**준수**, 지킴; 관례, 계율	36	observ**ance**	[əbzə́ːrvəns]
37	**지식**, 면식; 아는 사람	37	acquaint**ance**	[əkwéintəns]
38	**출석**, 참석; 돌봄	38	attend**ance**	[əténdəns]
39	**출입구**; 들어감, 입장, 입학	39	entr**ance**	[éntrəns]
40	**출현; 외모**, 외관; 기색, 징조	40	appear**ance**	[əpíərəns]
41	**폐**, 성가심; 골칫거리	41	nuis**ance**	[njúːsəns]
42	**풍부**, 많음; 부유	42	abund**ance**	[əbʌ́ndəns]
43	**향기**, 방향(=fragrancy)	43	fragr**ance**	[fréigrəns]
44	**강도[행위]**, 약탈; 강도죄	44	robbe**ry**	[rʌ́bəri]
45	**격노**, 격분; 격정; 격심함; 열광; 광포; 표독한 여자	45	fu**ry**	[fjúəri]
46	**경계[선]**, 경계표; 한계, 범위, 영역	46	bounda**ry**	[báundəri]
47	**기계류**; 기계장치; [정치 등의] 기관, 기구, 조직	47	machine**ry**	[məʃíːnəri]
48	**기숙사**; 큰 공동 침실	48	dormito**ry**	[dɔ́ːrmətɔ̀ːri]
49	**동시대의 사람**; 동기생; 동갑내기	49	contempora**ry**	[kəntémpərèri]
50	**들어감**, 입장; 등장; 가입; 입구; 기입; 참가	50	ent**ry**	[éntri]

51	묘지, 공동묘지	51	cemetery	[sémətèri]
52	무대 장면, 배경, [무대의] 장치; 풍경, 경치	52	scenery	[síːnəri]
53	발견; 발견물, [유망한] 신인; [줄거리의] 전개	53	discovery	[diskʌ́vəri]
54	범주, 카테고리; 종류, 부류, 부문	54	category	[kǽtəgɔ̀ːri]
55	보석류; [보석 박힌] 장신구류	55	jewelry	[dʒúːəlri]
56	불행; 고통; 고뇌; 빈곤; 비참함	56	misery	[mízəri]
57	비웃음, 냉소, 놀림, 조롱; 놀림감; 흉내; 헛수고	57	mockery	[mákəri]
58	[사무직의] 봉급, 급료(노동자의 임금=wages)	58	salary	[sǽləri]
59	사치, 호사; 사치품, 고급품; 쾌락, 향락	59	luxury	[lʌ́kʃəri]
60	상아, 엄니; 상아 제품; 당구; 주사위; 이, 치아	60	ivory	[áivəri]
61	상해, 부상, 위해; 손상, 손해; 모욕, 명예훼손	61	injury	[índʒəri]
62	세면소, 화장실; [수세식] 변기; 변소; 세면대	62	lavatory	[lǽvətɔ̀ːri]
63	(집합적) 세탁물; 세탁소; 세탁실	63	laundry	[lɔ́ːndri]
64	(집합적) 시, 시가, 운문; 시집; 작시법; 시심	64	poetry	[póuitri]
65	신비, 불가사의, 비밀; 애매	65	mystery	[místəri]
66	실험실, 시험실; 연구소; 제약소; [학교의] 실험시간	66	laboratory	[lǽbərətɔ̀ːri]
67	아이 방, 육아실; 탁아소; 보육원; 신생아실	67	nursery	[nə́ːrsəri]
68	어휘; 용어; 어휘표, 단어표, 단어집	68	vocabulary	[voukǽbjulèri]
69	외과[의술], 수술; 외과 수술실; 외과의원	69	surgery	[sə́ːrdʒəri]
70	용기, 용감[성], 용맹; 용감한 행위; 훌륭함; 화려	70	bravery	[bréivəri]
71	인도, 교부; 출하, 납품; 명도; 배달, 전달; 발사; 구출	71	delivery	[dilívəri]
72	일기, 일지, 일기장	72	diary	[dáiəri]
73	주소 성명록, 인명부; 전화번호부; 규칙서	73	directory	[diréktəri]
74	지배[력]; 수위, 우세; 숙달, 뛰어난 기능, 정통	74	mastery	[mǽstəri]
75	질문, 문의, 조회; 조사, 심리; 연구, 탐구	75	inquiry	[inkwáiəri]

76	**포병중대**; 구타, 폭행; 투수와 포수; 전지(배터리)	76	batte**ry**	[bǽtəri]
77	**학설**, 논, [학문상의] 법칙; 이론, 원리; 지론; 가설	77	theo**ry**	[θíːəri]
78	**회복**, 복구; 경기 회복; [병의] 쾌유; 회복; 만회	78	recove**ry**	[rikʌ́vəri]
79	**강요**, 강제; 강박 충동, 누르기 어려운 욕망	79	compul**sion**	[kəmpʌ́lʃən]
80	**걸치기**, 매달기; 걸림; 미결정; 중지, 정지, 정학	80	suspen**sion**	[səspénʃən]
81	**[특정한] 경우**, 때; 일; 기회, 호기; 행사; 이유, 계기	81	occa**sion**	[əkéiʒən]
82	**결말**, 종결, 끝[맺음]; 결론, 끝맺는 말; 결정	82	conclu**sion**	[kənklúːʒən]
83	**결심**, 결의; 결정, 해결; 판결; 과단성	83	deci**sion**	[disíʒən]
84	**늘임**, 신장, 연장; 확대, 확장, 넓힘; 증축, 증설	84	exten**sion**	[iksténʃən]
85	**미혹**, 기만, 혹함, 잘못, 망상	85	delu**sion**	[dilúːʒən]
86	**변환**, 전환; 용도변경; 개조; 전향, 개종	86	conver**sion**	[kənvɔ́ːrʒən]
87	**부식**; 침식, 침식작용; (의학) 미란, 짓무름	87	ero**sion**	[iróuʒən]
88	**부식[작용]**, 침식, 소모	88	corro**sion**	[kəróuʒən]
89	**분할**; 분배; 구획, 배당; 경계[선]; 분류; 사단	89	divi**sion**	[divíʒən]
90	**설득**; 설득력; 확신, 신념, 신앙, 신조; 종파	90	persua**sion**	[pərswéiʒən]
91	**소풍**, 유람, 수학여행; 답사; 일탈, 탈선; 왕복운동	91	excur**sion**	[ikskɔ́ːrʒən]
92	**시력**, 시각; 상상력, 선견, 통찰력; 환상, 환영; 영상	92	vi**sion**	[víʒən]
93	**암시**, 변죽울림, 빗댐; 언급	93	allu**sion**	[əlúːʒən]
94	**연금**, 양로 연금, 부조금; 장려금, 보호금; 수당	94	pen**sion**	[pénʃən]
95	**염려**, 우려, 불안, 걱정	95	apprehen**sion**	[æprihénʃən]
96	**예비**, 준비, 설비; 공급, 지급; 양식, 식량	96	provi**sion**	[prəvíʒən]
97	**용해, 융해**; 용해(융해)물; 합동, 연합, 합병; 연합체	97	fu**sion**	[fjúːʒən]
98	**이해**; 터득; 이해력; 포함, 함축; 내포	98	comprehen**sion**	[kàmprihénʃən]
99	**제외**, 배제, 배척; 거절; 축출; 입국거부	99	exclu**sion**	[iksklúːʒən]
100	**충돌**; 격돌; [의견·이해 따위의] 대립, 불일치	100	colli**sion**	[kəlíʒən]

1	**치수; 차원**; 일면; 양상; 용적; 크기; 규모, 범위	1	dimen**sion**	[diménʃən]
2	**침입**, 침략; [권리 따위의] 침해, 침범	2	inva**sion**	[invéiʒən]
3	**팽창**, 신장; 확장, 확대, 증가; 퍼짐, 퍼진 모양	3	expan**sion**	[ikspǽnʃən]
4	**팽팽함; 긴장**; 흥분; 노력; [힘의] 균형; 장력	4	ten**sion**	[ténʃən]
5	**포함**, 포괄; 산입; 함유물	5	inclu**sion**	[inklú:ʒən]
6	**폭발**, 폭파, 파열; 폭발음; 폭발적인 증가	6	explo**sion**	[iksplóuʒən]
7	**혼동**; 혼란[상태], 분규; 착잡; 당황, 얼떨떨함	7	confu**sion**	[kənfjú:ʒən]
8	**환상**, 환영, 환각, 망상; 착각; 잘못 생각함	8	illu**sion**	[ilú:ʒən]
9	**[주위] 환경(상황)**; 주위의 사물(사람), 측근 인물들	9	surround**ings**	[səráundiŋz]
10	**개시**, 시작; 개방; 열린 구멍; 공터; 좋은 기회	10	open**ing**	[óupəniŋ]
11	**경고**, 경계, 경보, 주의; 훈계	11	warn**ing**	[wɔ́:rniŋ]
12	**고정시킴, 설치**, 설정; 지정; 응결, 응고; 배경	12	sett**ing**	[sétiŋ]
13	**광업**, 채광, 채탄; 지뢰(기뢰) 부설	13	min**ing**	[máiniŋ]
14	**괴로움**, 고통; 고생; 피해, 재해; 수난; 손해	14	suffer**ing**	[sʌ́fəriŋ]
15	**그림, 회화**; 그림 그리기, 채색, 도장; 물감, 도료	15	paint**ing**	[péintiŋ]
16	**끈, 줄**, 실, 노끈; [악기의] 현; 한 줄, 일렬	16	str**ing**	[striŋ]
17	**동경**, 갈망, 열망	17	long**ing**	[lɔ́:ŋiŋ]
18	**말하기, 말**, 진술; 속담, 격언	18	say**ing**	[séiiŋ]
19	**상륙, 착륙**; [여객의] 하선, 하차	19	land**ing**	[lǽndiŋ]
20	**의미, 뜻**, 취지; 의의; 의도; 효력	20	mean**ing**	[mí:niŋ]
21	(집합적) **의복**, 의류, 피복	21	cloth**ing**	[klóuðiŋ]
22	**이해**; 깨달음, 납득; 지식, 식별; 이해력	22	understand**ing**	[ʌ̀ndərstǽndiŋ]
23	**인사**; 환영[의 말]; 인사말	23	greet**ing**	[grí:tiŋ]
24	(집합적) **자식, 자녀**; 자손, 후예; 동물 새끼, 소산	24	offspr**ing**	[ɔ́:fsprìŋ]
25	**절약**, 검약; 저축, 저축액	25	sav**ing**	[séiviŋ]

26	좋아함; 기호, 취미	26	lik**ing**	[láikiŋ]
27	진행; 행동; 조처; 소송절차; 회의록	27	proceed**ing**	[prousí:diŋ]
28	천장; 상한, 최고 한도	28	ceil**ing**	[sí:liŋ]
29	추론, 추리; 이론; 논법, 추리력; 증명	29	reason**ing**	[rí:zəniŋ]
30	축복[의 말]; 신의 은총, 행복; 식전(식후)의 기도	30	bless**ing**	[blésiŋ]
31	학문, 학식, 지식; 배움, 학습	31	learn**ing**	[lɔ́:rniŋ]
32	해운업, 해상 운송업; 선적, 배에 싣기	32	shipp**ing**	[ʃípiŋ]
33	경향, 풍조, 추세; 버릇, 성향; 의도, 취지	33	tenden**cy**	[téndənsi]
34	공상, 공상력; 환상, 망상; 상상; 좋아함, 애호	34	fan**cy**	[fǽnsi]
35	긴급, 절박, 화급; 한결같은 주장, 역설	35	urgen**cy**	[ɔ́:rdʒənsi]
36	능률, 능력, 유능, 유효성; 효율	36	efficien**cy**	[ifíʃənsi]
37	민주주의; 민주정치; 민주국가(사회)	37	democra**cy**	[dimάkrəsi]
38	비상(돌발)사태, 위급, 위급한 경우	38	emergen**cy**	[imɔ́:rdʒənsi]
39	사적인 자유; 사생활; 은둔	39	priva**cy**	[práivəsi]
40	섬세[함], 정교함, 정밀함; 우아함; 예민함; 진미	40	delica**cy**	[délikəsi]
41	숙달, 능숙	41	proficien**cy**	[prəfíʃənsi]
42	어릴 때, 유치, 유년기; 초기, 요람기, 미발달기	42	infan**cy**	[ínfənsi]
43	예언, 예언서	43	prophe**cy**	[práfəsi]
44	외교; 외교술(수완); 권모술수	44	diploma**cy**	[diplóuməsi]
45	유산; 물려받은 것, 유물	45	lega**cy**	[légəsi]
46	유창; 능변; 거침없음	46	fluen**cy**	[flú:ənsi]
47	입후보, 출마	47	candida**cy**	[kǽndidəsi]
48	자비, 연민, 인정; 행운	47	mer**cy**	[mɔ́:rsi]
49	자주 일어남, 빈번; 빈도수; 주파수, 진동수	48	frequen**cy**	[frí:kwənsi]
50	작용; 대리, 중개, 알선; 대리점; 정부기관	50	agen**cy**	[éidʒənsi]

51	**정책**, 방침	51	poli**cy**	[pálәsi]
52	**정확**, 정밀; 정밀도, 정확성	52	accura**cy**	[ǽkjәrәsi]
53	**정상 상태**; [특히 국가의 제반 상황이] 정상임	53	normal**cy**	[nɔ́:rmәlsi]
54	**충분**[한 상태]; 충분한 수량(역량)	54	sufficien**cy**	[sәfíʃәnsi]
55	**친밀함**, 친교, 절친함	55	intima**cy**	[íntәmәsi]
56	**파산**, 도산; 파탄; [명성의] 실추	56	bankrupt**cy**	[bǽŋkrʌptsi]
57	**허공**, 공간; 공석, 공백; 공터, 빈방	57	vacan**cy**	[véikәnsi]
58	**[화폐의] 통용**, 유통; 통화, 화폐	58	curren**cy**	[kɔ́:rәnsi]
59	**공산주의** [운동, 정치 체제]	59	commun**ism**	[kámjәnìzәm]
60	**공포정치**; 테러(폭력) 행위; 폭력주의	60	terror**ism**	[térәrìzәm]
61	**낙천주의**; 낙관[론], 무사태평	61	optim**ism**	[áptәmìzәm]
62	**류머티즘**	62	rheumat**ism**	[rú:mәtìzәm]
63	**맹목적 애국(배외)주의**; 극단적인 일변도	63	chauvin**ism**	[ʃóuvәnìzәm]
64	**민족(인종) 차별주의(정책)**; 인종적 차별(편견)	64	rac**ism**	[réisizәm]
65	**불교**, 불도, 불법	65	Buddh**ism**	[bú:dizәm]
66	**비관**; 비관설[론], 염세관, 염세 사상	66	pessim**ism**	[pésәmìzәm]
67	**비평**, 비판[문]; 평론; 비판 능력; 흠잡기	67	critic**ism**	[krítisìzәm]
68	**사디즘**, 가학성 변태 성욕; 병적인 잔혹성	68	sad**ism**	[sǽdizәm]
69	**사회주의**[운동]	69	social**ism**	[sóuʃәlìzәm]
70	**시대착오**; 시대에 뒤떨어진 사람(사물)	70	anachron**ism**	[әnǽkrәnìzәm]
71	**신문 잡지[업]**; 신문 잡지 편집·기고·집필	71	journal**ism**	[dʒɔ́:rnәlìzәm]
72	**애타주의**, 이타주의	72	altru**ism**	[ǽltruìzәm]
73	**여권주의**, 남녀동권주의; 여권 신장론	73	femin**ism**	[fémәnìzәm]
74	**열심**, 열중, 열광, 열의; 감격; 열심의 대상	74	enthusia**sm**	[enθjú:ziæzәm]
75	**유기체**(물); [미]생물[체]; 유기적 조직체(기관)	75	organ**ism**	[ɔ́:rgәnìzәm]

76	이상주의; 관념론	76	idealism	[aidí:əlìzəm]
77	일 중독, 지나치게 일함	77	workaholism	[wɔ́:rkəhɔ̀:lizəm]
78	자기중심[주의]; 자기 본위; 이기주의	78	egotism	[í:gətìzəm]
79	허무주의; 폭력혁명	79	nihilism	[náiəlìzəm]
80	현실주의, 사실주의; 실재론; 실학주의	80	realism	[rí:əlìzəm]
81	갑옷과 투구, 갑주; [군함 등의] 장갑(강판); 방호복	81	armor	[á:rmər]
82	거울, 반사경; 본보기, 귀감, 모범	82	mirror	[mírər]
83	계산자, 계산기; 계산기 조작자; 타산적인 사람	83	calculator	[kǽlkjəlèitər]
84	공포, 전율; 참사; 혐오, 증오; 소름 끼치도록 싫은 것	84	horror	[hɔ́:rər]
85	냄새, 향기; 방향; 악취; 낌새, 의혹; 평판, 인기	85	odor	[óudər]
86	냉장고; 냉장 장치; 빙고	86	refrigerator	[rifrídʒərèitər]
87	노동, 근로; 노동자; 노력, 고역; 산고, 진통	87	labor	[léibər]
88	닻; [마음을] 받쳐 주는 것; 고정 장치	88	anchor	[ǽŋkər]
89	독한 증류주; 알코올음료, 술; 분비액, 용액	89	liquor	[líkər]
90	[독특한] 맛, 풍미, 향미; 조미료; 정취, 운치	90	flavor	[fléivər]
91	맛, 풍미; 향기; 기미; 흥미, 재미	91	savor	[séivər]
92	면도칼; 전기면도기	92	razor	[réizər]
93	미성년자; 소전제; 단조, 단음계	93	minor	[máinər]
94	부채꼴; 함수자; 전투지구, 작전지구; 분야, 구역	94	sector	[séktər]
95	비유, 은유	95	metaphor	[métəfɔ̀:r]
96	빛남, 광휘, 광채; 호화, 장려; 현저함, 탁월	96	splendor	[spléndər]
97	오류; 잘못, 실수, 틀림; 잘못된 생각; 실책	97	error	[érər]
98	요인, 인자, 요소; (수학) 인수, 약수	98	factor	[fǽktər]
99	행동, 행실, 동작, 태도; 품행, 습성	99	behavior	[bihéivjər]
100	호의, 친절; 친절한 행위, 은혜; 부탁; 총애	100	favor	[féivər]

명사 접미어 7 '-ture'; '-ty'; '-ssion'; '-um'; …

1	**강의**, 강연; 강연 원고; 훈계, 잔소리	1	lec**ture** [léktʃər]
2	**건축술**, 건축학; 건축 양식; 건축물; 구성	2	architec**ture** [á:rkətèktʃər]
3	**고문**; 심한 고통, 고뇌, 고민	3	tor**ture** [tɔ́:rtʃər]
4	**구조**, 구성, 조립; 조직, 체계; 구조물, 건축물	4	struc**ture** [strʌ́ktʃər]
5	**[대규모의] 제조**; 제조업; (~s)제품	5	manufac**ture** [mæ̀njəfǽktʃər]
6	**[대]자연**, 자연[현상]; 자연계; 천성, 본성, 본질	6	na**ture** [néitʃər]
7	**모험**, 모험적 사업; 투기, 사행	7	ven**ture** [véntʃər]
8	**모험[심]**; 모험담, 체험담	8	adven**ture** [ædvéntʃər]
9	**몸짓**, 손짓, 얼굴의 표정	9	ges**ture** [dʒéstʃər]
10	**문학**, 문예; 작가 생활, 저술; 문헌, 논문	10	litera**ture** [lítərətʃər]
11	**서명[하기]**; 징후, 조짐	11	signa**ture** [sígnətʃər]
12	**습기**, 수분; [공기 중의] 수증기	12	mois**ture** [mɔ́istʃər]
13	**얼굴의 생김새**; (~s)용모, 얼굴; 특징, 특색; 특집	13	fea**ture** [fí:tʃər]
14	**온도**, 기온; 체온; 신열, 고열	14	tempera**ture** [témpərətʃər]
15	**자세**, 자태; [정신적] 태도, 마음가짐	15	pos**ture** [pástʃər]
16	**조각[술]**, 조소; 조각 작품	16	sculp**ture** [skʌ́ltʃər]
17	**직물**, 피륙, 천; [피부·목재·암석 등의] 결, 감촉	17	tex**ture** [tékstʃər]
18	**출발**, 떠남; 발차; 출항	18	depar**ture** [dipá:rtʃər]
19	**큰 기쁨**, 환희, 황홀, 열중	19	rap**ture** [rǽptʃər]
20	**[특히 사람의] 키**, 신장; [인물의] 크기, 능력, 재능	20	sta**ture** [stǽtʃər]
21	**혼합**, 조합, 섞기; 혼합물	21	mix**ture** [míkstʃər]
22	**가난**, 빈곤; 결핍, 부족; 열등, 빈약	22	pover**ty** [pávərti]
23	**걱정**, 근심, 불안; 염원, 열망	23	anxie**ty** [æŋzáiəti]
24	**겸손**, 겸양, 조심성; 정숙, 얌전함; 검소, 중용	24	modes**ty** [mádisti]
25	**곤란**; 어려움; 고생, 수고	25	difficul**ty** [dífikʌ̀lti]

26	**노획물, 전리품**; 약탈품; [사업 등의] 이득	booty [búːti]
27	[기관·정신의] **능력**, 기능, 재능; [대학의] 교직원	faculty [fǽkəlti]
28	**안전**, 무사; 안전장치, 안전판	safety [séifti]
29	[역대] **왕조**; [어떤 분야의] 명가, 명문	dynasty [dáinəsti]
30	**왕권**, 왕위; 왕의 위엄; 왕도; 특허권(저작권) 사용료	royalty [rɔ́iəlti]
31	**위엄**; 장엄	majesty [mǽdʒisti]
32	**자유**, 자립, ~할 자유; 해방, 석방, 방면	liberty [líbərti]
33	**잔학(잔인)함**, 무자비함, 끔찍함; 학대	cruelty [krúːəlti]
34	**재산**, 자산; 소유물; 소유권	property [prɑ́pərti]
35	**전문**, 본직; 특기, 장기(長技); 특제품; 명물; 특색	specialty [spéʃəlti]
36	**정직**, 성실, 충실	honesty [ɑ́nisti]
37	**조약**, 협정, 맹약; 조약 문서	treaty [tríːti]
38	**충의**, 충절; 충성; 성실, 충실	loyalty [lɔ́iəlti]
39	**타당**, 적당, 적정; 정당; 예의 바름	propriety [prəpráiəti]
40	**형, 형벌**, 처벌; 벌금, 과태료, 위약금; 벌점	penalty [pénəlti]
41	[객관적인] **확실성**; 확실한 사실, 필연적인 사물	certainty [sɔ́ːrtənti]
42	[의회·회의 등의] **개회 중**; [법정이] 개정 중임	session [séʃən]
43	**고백**, 실토, 자백, 자인; 신앙 고백; 참회, 고해	confession [kənféʃən]
44	[이유 없는] **공격**, 침략, 침범	aggression [əgréʃən]
45	**면직**, 해고; 해고 통지; 퇴거; 해산; 추방	dismission [dismíʃən]
46	**복종**, 항복, 순종, 유순; 제출물, 제안	submission [səbmíʃən]
47	**생략[된 것]**; 탈락[부분]; 소홀, 태만	omission [oumíʃən]
48	**소유**; 입수; 점유; 소유물, 소지품; 홀림	possession [pəzéʃən]
49	**송달**, 회송; 전달; 양도; 매개, 전염; 유전	transmission [trænsmíʃən]
50	**압박**, 억압, 압제, 탄압, 학대; 중압감, 압박감	oppression [əpréʃən]

51	**압축**, 압착, 가압; 축소, 간결, 요약	51	compre**ssion**	[kəmpréʃən]
52	**연속**; 연속물; 상속·계승[권]; 상속(계승)자	52	succe**ssion**	[səkséʃən]
53	**열정**, 격정; 격노, 울화; 흥분; 열애; 열망하는 것	53	pa**ssion**	[pǽʃən]
54	**의기소침**, 침울, 우울, 우울증; 불경기, 불황기	54	depre**ssion**	[dipréʃən]
55	**인상**, 감명, 감상; [막연한] 느낌, 기분, 생각	55	impre**ssion**	[impréʃən]
56	[사절의] **임무**, 직무; [일반적] 사명, 천직	56	mi**ssion**	[míʃən]
57	**임무**, 직권; 부탁(위임)사항; 명령, 지령; 수수료	57	commi**ssion**	[kəmíʃən]
58	**입장·입학·입국**[허가]; 입장료, 입장권; 시인, 자백	58	admi**ssion**	[ædmíʃən]
59	[사상·감정의] **표현**, 표시; 표현법; 말투; 표정	59	expre**ssion**	[ikspréʃən]
60	**허가**, 면허; 허용, 인가	60	permi**ssion**	[pə:rmíʃən]
61	**휴지기**; [연극·영화 등의] 중간 휴식 시간	61	intermi**ssion**	[intərmíʃən]
62	**고무질(質)**, 점성 고무; 고무나무; 껌	62	**gum**	[gʌm]
63	**관중석**, 방청석; 강당, 큰 강의실	63	auditori**um**	[ɔ̀:ditɔ́:riəm]
64	**교육(교과) 과정**; 이수 과정	64	curricul**um**	[kəríkjələm]
65	**백금**	65	platin**um**	[plǽtənəm]
66	**석유**	66	petrole**um**	[pitróuliəm]
67	**수족관**; 양어지; 유리 수조	67	aquari**um**	[əkwéəriəm]
68	**싫증**, 지루함	68	tedi**um**	[tí:diəm]
69	**아편**, 아편과 같은 것	69	opi**um**	[óupiəm]
70	**재판소**, 법정; **공개 토론회**; [TV의] 토론 프로	70	for**um**	[fɔ́:rəm]
71	**체육관**, 실내체육관	71	gymnasi**um**	[dʒimnéiziəm]
72	**최대, 최대한[도]**, 최대량(수), 최고치	72	maxim**um**	[mǽksəməm]
73	**최소**, 최소(최저)한도, 최소량(수), 최소치	73	minim**um**	[mínəməm]
74	**평형상태**, 균형; [마음의] 평정	74	equilibri**um**	[ì:kwəlíbriəm]
75	[시계 따위의] **흔들이**, 흔들리는 추	75	pendul**um**	[péndʒələm]

76	**과다**; 과잉, 잉여; 초과, 초과분; 과도; 지나침	76	exce**ss**	[iksés]
77	**나침반**; (~es) [제도용] **컴퍼스**; 한계, 범위	77	compa**ss**	[kΛmpəs]
78	**누름**; 압박, 압착, 압착기; 인쇄기; 인쇄술; 기자	78	pre**ss**	[pres]
79	**비탄**, 고민, 걱정; 고통; 가난, 곤궁; 고난	79	distre**ss**	[distrés]
80	**성공**, 성취; 좋은 결과; (보어로) 성공자; 히트한 것	80	succe**ss**	[səksés]
81	**십자형**, 열십자 기호; 십자가; 고난, 시련; 잡종	81	cro**ss**	[krɔ:s]
82	**이끼**, 지의류	82	mo**ss**	[mɔ:s]
83	**잃음**, 상실; 손실, 손해; 손실물; 감소; 낭비	83	lo**ss**	[lɔ:s]
84	**풀이 죽게 하다**, 우울하게 하다	84	depre**ss**	[diprés]
85	[더없는] **행복**, 천국의 기쁨; 희열	85	bli**ss**	[blis]
86	**회의**, 회합; 대의원회; 학술대회; [미국] 의회, 국회	86	congre**ss**	[kΛŋgris]
87	**길, 작은 길**, 보도; 경주로; 통로	87	pa**th**	[pæθ]
88	**길이**, 장단; 세로; 범위, 정도	88	leng**th**	[leŋkθ]
89	**깊이**, 깊음; 심도; 깊은 곳, 오지	89	dep**th**	[depθ]
90	**너비, 폭**; 넓이; 넓음	90	bread**th**	[bredθ]
91	**너비, 폭**, 가로; 넓이, 넓음	91	wid**th**	[widθ]
92	**맹세**, 서약; 저주, 욕설	92	oa**th**	[ouθ]
93	**신념**, 신앙, 믿음; 신뢰, 신용	93	fai**th**	[feiθ]
94	**신화**, 전설; 꾸며낸 이야기	94	my**th**	[miθ]
95	**공상**, 환상; 변덕, 야릇함	95	fanta**sy**	[fæntəsi]
96	**논쟁**, 논의; 말다툼	96	controver**sy**	[kΛntrəvə̀:rsi]
97	**무아경**, 황홀, 희열	97	ecsta**sy**	[ékstəsi]
98	**예의 바름**, 공손(정중)함; 정중한 언행; 호의, 우대	98	proprie**ty**	[prəpráiəti]
99	**위선**; 위선적인 행위	99	hypocri**sy**	[hipΛkrəsi]
100	**질투**, 투기, 시샘; 경계심	100	jealou**sy**	[dʒéləsi]

1	**가루, 분말**; 분; 가루약; 화약	1	powd**er**	[páudər]
2	**경력**, 이력, 생애; [일생의] 직업; 출세, 성공; 질주, 쾌주	2	care**er**	[kəríər]
3	**고무**, 고무제품; 고무지우개; 안마사; 숫돌, 사포	3	rubb**er**	[rʌ́bər]
4	**공복**, 배고픔; 굶주림, 기아; 기근; 갈망, 열망	4	hung**er**	[hʌ́ŋgər]
5	**괴물, 요괴**; 거대한 사람; 극악무도한 사람; 초인기 가수	5	monst**er**	[mánstər]
6	**국경**, 국경 지방; 국내, 영역; 미개척 분야	6	fronti**er**	[frʌntíər]
7	**극장**; [고대의] 야외극장; 연극, 연극 상연; 현장, 무대	7	theat**er**	[θíətər]
8	**기질**, 천성, 성질; 침착, 평정; 참음	8	temp**er**	[témpər]
9	**속삭임**, 귀엣말; 소문; 미량	9	whisp**er**	[wíspər]
10	**[병으로 인한] 열**, 발열; 열병; 열광, 흥분	10	fev**er**	[fíːvər]
11	**우레**; 천둥; 진동, 우레 같은 소리; 호통; 비난	11	thund**er**	[θʌ́ndər]
12	**울타리**, 방벽; 요새; 관문; 장벽, 장애[물], 방해	12	barri**er**	[bǽriər]
13	**재목**, 목재; 수목; 대들보(=timber 영)	13	lumb**er**(미)	[lʌ́mbər]
14	**직경**, 지름; [렌즈의] 배율	14	diamet**er**	[daiǽmitər]
15	**[책의] 장**; 한 시기, 중요 사건	15	chapt**er**	[tʃǽptər]
16	**큰 실수**, 대실책	16	blund**er**	[blʌ́ndər]
17	**테두리**, 가장자리; 경계, 국경; 변경, 변두리	17	bord**er**	[bɔ́ːrdər]
18	**피난처**, 은신처; 방공호; 대합실; 보호; 피난	18	shelt**er**	[ʃéltər]
19	**증기**, 수증기, 김, 증발 기체; 공상, 망상	19	vap**or**	[véipər]
20	**활기**, 정력, 체력, 활력; 힘, 생기, 기운; 구속력	20	vig**or**	[vígər]
21	**격노**, 분격; 사나움	21	r**age**	[reidʒ]
22	**결혼**, 결혼생활, 결혼식	22	marri**age**	[mǽridʒ]
23	**마을**, 촌락	23	vill**age**	[vílidʒ]
24	**모양**, 모습; 영상; 관념	24	im**age**	[ímidʒ]
25	**부족**, 결핍; 결함; 결점	25	short**age**	[ʃɔ́ːrtidʒ]

26	**불리, 불이익**; 손해			26	disadvant**age**	[dìsədvǽntidʒ]
27	**사용법**; 어법; 대우; 관습			27	us**age**	[júːsidʒ]
28	**생산 방해**; 파괴 행위			28	sabot**age**	[sǽbətàːʒ]
29	**야만인**, 미개인; 무뢰한			29	sav**age**	[sǽvidʒ]
30	**용기**, 담력, 배짱			30	cour**age**	[kə́ːridʒ]
31	**유산**, 전통			31	herit**age**	[héritidʒ]
32	**이익**, 유리함; 우세; 이점			32	advant**age**	[ædvǽntidʒ]
33	**임금**, 급료; [죄의] 응보			33	w**age**[s]	[weidʒ-z]
34	**전하는 말**, 전언; 통신문			34	mess**age**	[mésidʒ]
35	**존경**, 신하로서의 예			35	hom**age**	[hámidʒ]
36	**평균**, 평균치, 보통			36	aver**age**	[ǽvəridʒ]
37	**항해**, 항공여행; 여행			37	voy**age**	[vɔ́iidʒ]
38	**거짓말**, 허언; 허위(성), 거짓, 기만			38	false**hood**	[fɔ́ːlshùd]
39	**국민임**, 국민의 신분; 국민성, 민족성; 독립국의 지위			39	nation**hood**	[néiʃənhùd]
40	**근처**, 이웃, 인근; 지구, 지역; 이웃 사람들			40	neighbor**hood**	[néibərhùd]
41	**생계**, 살림			41	liveli**hood**	[láivlihùd]
42	**성인**[임], 성년			42	adult**hood**	[ədʌ́lthud]
43	**성직**; (the~) 성직자, 사제			43	priest**hood**	[prísthud]
44	**소년기**, 소년 시대(시절); 소년들, 소년 사회			44	boy**hood**	[bɔ́ihud]
45	**아버지임**; 아버지의 자격, 부권			45	father**hood**	[fáːðərhùd]
46	**어린 시절**, 유년 시절; [발달의] 초기 단계			46	child**hood**	[tʃáildhùd]
47	**어머니임**, 모성[애], 어머니 구실; 모권			47	mother**hood**	[mʌ́ðərhùd]
48	**있음 직한 일**; 정말 같음; 가능성			48	likeli**hood**	[láiklihùd]
49	**처녀성**; 처녀시절; 청신, 순결			49	maiden**hood**	[méidnhùd]
50	**형제 관계**; 형제애; 단체, 협회, 조합; 동료			50	brother**hood**	[brʌ́ðərhùd]

51	**걸쇠**, 빗장	51 latch	[lætʃ]
52	**깁는 헝겊**; 때우는 천(나무)조각; 파편, 부스러기	52 patch	[pætʃ]
53	**다발**, 송이; 덩어리, 한 무리	53 bunch	[bʌntʃ]
54	**대형의 사륜마차**; [열차의] 보통 객차; 코치, 지도원	54 coach	[koutʃ]
55	**던짐**; 투구; 경사지; 음률의 높이; 정점; 송진	55 pitch	[pitʃ]
56	**도랑**; 개천, 해자, 호; 자연수로; 시궁창, 배수구	56 ditch	[ditʃ]
57	**목발**; 버팀, 지주	57 crutch	[krʌtʃ]
58	**목장**, 방목장; [미국의] 대농장	58 ranch	[ræntʃ]
59	**[새의] 횃대**; 높은 지위; 마부석; [야구장의] 좌석	59 perch	[pəːrtʃ]
60	**조반 겸 점심**, 이른 점심	60 brunch	[brʌntʃ]
61	**현관**, 차대는 곳, 입구	61 porch	[pɔːrtʃ]
62	**횃불**; 호롱불; (비유적) 빛이 되는 것; 토치램프	62 torch	[tɔːrtʃ]
63	**[심신의] 고통**, 괴로움, 고민, 번민	63 anguish	[ǽŋgwiʃ]
64	**갑자기 나는 요란한 소리**; 충돌; 추락, 몰락, 파산	64 crash	[kræʃ]
65	**깨뜨려 부숨, 분쇄**; 큰 실패; 파멸; 파산; 충돌; 강타	65 smash	[smæʃ]
66	**살, 육체**; 고기; 살집, 체중; 인류; 육친	66 flesh	[fleʃ]
67	**섬광**, 번득임, 확 터지는 발화; 순간; 흘끗 봄; 과시	67 flash	[flæʃ]
68	**쓰레기**, 폐물, 잡동사니; **하찮은 것**, 부질없는 생각	68 rubbish	[rʌ́biʃ]
69	**쓰레기, 폐물**; 잡동사니; 졸작; 인간 쓰레기	69 trash	[træʃ]
70	**얼굴을 붉힘**; 홍조; 언뜻 봄, 일견	70 blush	[blʌʃ]
71	**재, 화산재**; 폐허; 회; 유골, 유해	71 ash	[æʃ]
72	**침묵**, 조용함; 묵살	72 hush	[hʌʃ]
73	**검열[계획, 제도]**; 검열관의 직	73 censorship	[sénsərʃip]
74	**기함**; [일련의 것 중] 최고의 것; 본점, 본사, 본교	74 flagship	[flǽgʃip]
75	**우호**; 친목, 친선; 우정, 우호, 호의; 교우 관계	75 friendship	[fréndʃip]

76	**고난**, 고초, 곤란, 곤궁; 곤경; 어려운 일; 학대	76	hard**ship**	[háːrdʃip]
77	**지도**, 지휘; 지도력, 통솔[력]; 지도부, 수뇌부	77	leader**ship**	[líːdərʃip]
78	**회원 자격**(지위), 회원(구성원)임; 회원[총]수	78	member**ship**	[mémbərʃip]
79	**소유자임**(자격), 소유	79	owner**ship**	[óunərʃip]
80	**친족 관계**, 연고 관계; 관계, 관련	80	relation**ship**	[riléiʃənʃip]
81	**학문**, [특히 고전의] 학식, 박학; **장학금**[제도]	81	scholar**ship**	[skálərʃip]
82	**운동가 정신**, 정정당당함	82	sportsman**ship**	[spɔ́ːrtsmənʃip]
83	**과녁**, 표적	83	targ**et**	[táːrgit]
84	**담요**; 피복	84	blank**et**	[blǽŋkit]
85	**버킷**, 양동이, 두레박	85	buck**et**	[bʌ́kit]
86	**비밀**[스러운 일]; 기밀; 비법, 비결; 해결의 열쇠	86	secr**et**	[síːkrit]
87	**연회**, 잔치, 향연, 축연	87	banqu**et**	[bǽŋkwit]
88	**[일상의] 식품**, 음식물; 규정식, 식이요법, 음식조리	88	di**et**	[dáiət]
89	**자석**, 자철; 사람의 마음을 끄는 사람(물건)	89	magn**et**	[mǽgnit]
90	**팸플릿**, 작은 책자; 소논문	90	pamphl**et**	[pǽmflit]
91	**행성**; (the~) 지구; 선구자	91	plan**et**	[plǽnət]
92	**혜성**, 살별	92	com**et**	[kámit]
93	**냄새; 향기**; [사냥개의] 후각; [수사의] 단서	93	sc**ent**	[sent]
94	**넓이**, 크기, 길이; 정도; 범위, 한계, 한도; 대지	94	ext**ent**	[ikstént]
95	**동의, 찬성**, 인정, 승인	95	ass**ent**	[əsént]
96	**동의, 허가**, 승낙; [의견의] 일치	96	cons**ent**	[kənsént]
97	**상승**, 오름; 등반; 향상; 승진; 비탈, 오르막	97	asc**ent**	[əsént]
98	**의향**, 목적, 의지, 의도, 기도, 계획; 의의, 의미	98	int**ent**	[intént]
99	**[타고난] 재주**, 재능; 재간, 수완, 솜씨; 탤런트, 예능인	99	tal**ent**	[tǽlənt]
100	**하강**, 내리기; 하산; 내리막길; 몰락, 하락	100	desc**ent**	[disént]

1	**가설**, 가정; 전제; 단순한 추측, 억측	1	hypothe**sis** [haipáθəsis]
2	**강조**; 강세; 역설	2	empha**sis** [émfəsis]
3	**발생**, 창생(創生); 기원; 내력	3	gene**sis** [dʒénəsis]
4	**분석**, 분해	4	analy**sis** [ənǽləsis]
5	**삽입구**(문법); (~es)괄호; 여담; 사이	5	parenthe**sis** [pərénθəsis]
6	[완전] **마비**, 불수(不隨); 중풍	6	paraly**sis** [pərǽləsis]
7	**위기**, [흥망의] 갈림길; 중대국면; 난국; 고비	7	cri**sis** [kráisis]
8	**종합**, 통합, 조립; 종합체; **합성, 인조**	8	synthe**sis** [sínθəsis]
9	**기쁨**, 즐거움; 즐거운 일; 위안; 쾌락	9	plea**sure** [pléʒər]
10	**노출**, 쐼, 맞힘; [비리 등의] 발각, 적발; 공개	10	expo**sure** [ikspóuʒər]
11	**보배**, 보화, 금은, 보물, 귀중품; 매우 소중한 것	11	trea**sure** [tréʒər]
12	**비난**, 혹평; 질책, 책망, 견책	12	cen**sure** [sénʃər]
13	**압력**; 압축, 압착; 압박, 강제[력]	13	pres**sure** [préʃər]
14	**울타리 치기**; 동봉한 내용물; 구내; 울타리	14	enclo**sure** [enklóuʒər]
15	**침착, 냉정**, 평정, 자제	15	compo**sure** [kəmpóuʒər]
16	**틈, 여가**, 유유자적, 무위, 안일; 한가한 시간	16	lei**sure** [líːʒər]
17	**나머지**, 잔여, 과잉; 잉여[금]	17	surp**lus** [sə́ːrplʌs]
18	**초점**; 초점 거리; 초점을 맞추기; [지진의] 진원	18	foc**us** [fóukəs]
19	[통계] **조사**; 인구(국세)조사	19	cens**us** [sénsəs]
20	**핵, 심**; 중심, 핵심, [집단의] 중심 부분	20	nucle**us** [njúːkliəs]
21	**일부일처제, 일부일처주의, 단혼**	21	monogamy [mənǽgəmi]
22	**일부다처제**	22	polygamy [pəlígəmi]
23	**중혼**(重婚), 중혼죄, 이중결혼	23	bigamy [bígəmi]
24	**도매**	24	wholesale [hóulsèil]
25	**소매**	25	retail [ríːteil]

26	[거세하지 않은] **황소**; [코끼리·고래 등의] **수컷**	26	bull	[bul]
27	[공통된 특성을 가진] **종류, 종(種)**; 인종, 인류	27	species	[spíːʃiːz]
28	[교외] **통근자**, 정기권 사용자; 자택 통학생	28	commuter	[kəmjúːtər]
29	[권력·지위·특권 등의] **악용**, 남용, 오용	29	abuse	[əbjúːz]
30	[극복 가능한] **장애물**, 문제	30	hurdle	[hə́ːrdl]
31	[나무의] **그루터기**; 의족; 무거운 발소리(쿵쿵)	31	stump	[stʌmp]
32	[남자] **마법사**; 요술쟁이, 마술사; 귀재, 천재	32	wizard	[wízərd]
33	[단체·사회 등의] **일원**; 회원, 단원, 의원	33	member	[mémbər]
34	[대]**들보**; 광선	34	beam	[biːm]
35	[대규모의] **전략**; 작전; [치밀한] 계획, 책략	35	strategy	[strǽtədʒi]
36	[독사 따위의] **독액**; 악의, 원한; 독설, 비방	36	venom	[vénəm]
37	[뚜껑 달린] **대형 상자**, 궤짝; 흉곽, 가슴	37	chest	[tʃest]
38	[뜻의] **내포**, 함축, 암시; 연루, 연좌, 관계, 관련	38	implication	[ìmplikéiʃən]
39	[라디오·**TV**의] **시청률**	39	audience share	[ɔ́ːdiəns ʃɛər]
40	[무기명] **투표용지**; [비밀·무기명] 투표	40	ballot	[bǽlət]
41	[문장의] **절(節)**, 항(項), 단락	41	paragraph	[pǽrəgræf]
42	[발달·변화의] **단계, 국면**; [사건·문제 등의] 면, 상(相)	42	phase	[feiz]
43	[배심원의] **평결, 답신**; 판단, 의견, 결정	43	verdict	[vɔ́ːrdikt]
44	[배의] **난파**; 사고 차·열차의 잔해; 파괴, 파멸	44	wreck	[rek]
45	[보통 육상의] **여행**; 여정; (~s)왕복	45	journey	[dʒɔ́ːrni]
46	[불꽃 없이] **타다**, [열을 내며] 빨갛게 빛나다	46	glow	[glou]
47	[빵·햄 따위의] **얇은 조각**, [베어낸] 한 조각; 부분	47	slice	[slais]
48	[뾰족한] **끝, 첨단**; 산봉우리; 절정, 최고점	48	peak	[piːk]
49	[사람·물건의] **수송 수단**, 탈것	49	vehicle	[víːikəl]
50	[사람의] **손톱, 발톱**; [새·짐승의] 발톱; 못	50	nail	[neil]

51	[시간의] **경과**, 흐름, 추이	51	lapse	[læps]
52	[신체의] **운동**; 체조; 연습, 실습, 훈련, 수련	52	exercise	[éksərsàiz]
53	[신체적] **부상, 상처**; [정신적] 고통, 상처, 타격	53	wound	[wuːnd]
54	[심한] **공포**, 경악	54	fright	[frait]
55	[싸움터에서의] **용기**, 용맹	55	valor	[vǽlər]
56	[야수의] **굴**; [동물원의] 우리; [범죄자의] 소굴	56	den	[den]
57	[약·우주 로켓 등의] **캡슐**; [연설 등의] 요지	57	capsule	[kǽpsəl]
58	[여행의] **목적지, 행선지**; 도착지; 목적, 의도; 용도	58	destination	[dèstənéiʃən]
59	[연극의] **무대 장면**; 배경, 정경, 사건; 현장	59	scene	[siːn]
60	[원인이 분명치 않은] **돌연한 공포**; 겁먹음; 당황	60	panic	[pǽnik]
61	[육식조의] **부리**	61	beak	[biːk]
62	[음식·캔디 따위의] **한 입(모금)**; 가벼운 식사	62	morsel	[mɔ́ːrsəl]
63	[일련의] **군사행동**; 선거운동, 유세; 사회운동	63	campaign	[kæmpéin]
64	[일정 기간의] **임무**; 작업, 사업; 과업; 노역, 고된 일	64	task	[tæsk]
65	[자동차용] **우회로**, 보조도로; 보조수로	65	bypass	[báipæs]
66	[작은 새·양 따위의] **무리, 떼**; [사람의] 무리	66	flock	[flɑk]
67	[장소적인] **간격, 거리**; [시간적인] 간격, 사이	67	interval	[íntərvəl]
68	[전형적인] **예**, 모범, 보기; 인식 체계(패러다임)	68	paradigm	[pǽrədàim]
69	[정밀한] **측정 수단**; 측정 기준 (단수 취급)	69	metrics	[métriks]
70	[정치 지도자, 정당 등에 대한 허위·과장된] **선전**	70	propaganda	[prὰpəgǽndə]
71	[종교상의] **터부, 금기**; 꺼리는 말·물건	71	taboo	[təbúː]
72	[주로 정기적인] **수입, 소득**	72	income	[ínkʌm]
73	[중배 부른] **통, 배럴**; 총열, 포신	73	barrel	[bǽrəl]
74	[지식·경험이 풍부한 사람의] **안내, 인도, 지도**	74	guidance	[gáidns]
75	[지저분하고] **엉망진창인 상태**; 난잡함	75	mess	[mes]

76	[책임·의무의] **면제; 면역**, 면역성	76	immunity	[imjú:nəti]
77	[컵 등의] **가장자리, 언저리**; [모자의] 챙	77	brim	[brim]
78	[탄탄하고 면밀한] **기초, 토대**; 창설, 창립, 건설	78	foundation	[faundéiʃən]
79	[특유한] **복장**, 복식; [무대]의상, [특수]의상	79	costume	[kástju:m]
80	[특히 사람의] **시체**, 송장	80	corpse	[kɔ:rps]
81	[풍자]**만화**, [풍자하는] 그림, 만평	81	caricature	[kǽrikətʃùər]
82	[피부·천 따위의] **주름·구김**[살]; 쪼그랑할멈	82	wrinkle	[ríŋkəl]
83	[향상을 위한 정보·서비스 등을 받는 이의] **조언**	83	feedback	[fí:dbæ̀k]
84	[화상·부스럼 따위의] **상처 자국, 흉터**; 흠	84	scar	[skɑ:r]
85	**1세기, 백년**; 백, 100개	85	century	[séntʃuri]
86	**20; 새김 눈**; [경기 등의] 득점[표]; 득점, 성적	86	score	[skɔ:r]
87	**4분의 1; 15분**; (~s) 숙소, 거처; 병영	87	quarter	[kwɔ́:rtər]
88	**가, 가장자리**, 모서리; 끝; 경계, 한계	88	verge	[və:rdʒ]
89	**가격, 원가**; 비용, 지출, 경비; 희생, 손실	89	cost	[kɔ:st]
90	**가구**, 실내 장식품 (집합적)	90	upholstery	[ʌphóulstəri]
91	**가려움**; (the ~) 옴, 개선; 참을 수 없는 욕망	91	itch	[itʃ]
92	**가로수길**; [변화한] 큰 거리	92	avenue	[ǽvənjù:]
93	**가르침**, 교훈, 훈계; 격언	93	precept	[prí:sept]
94	**가뭄**, 한발; (비유적) [장기간에 걸친] 부족, 결핍	94	drought	[draut]
95	**가석방**, 가출소; 집행 유예; 맹세, 선서	95	parole	[pəróul]
96	**가스, 연무**, 향기; 독기(유독성의 증기) (보통 ~s)	96	fume	[fju:m]
97	**가슴, 젖가슴(유방)**; 옷가슴; 심정	97	breast	[brest]
98	**가슴, 흉부**, 품	98	bosom	[búzəm]
99	**가장자리, 가, 변두리**; [페이지의] 여백	99	margin	[mɑ́:rdʒin]
100	**가지; 분파**, 부문; 지부, 지국, 지점	100	branch	[bræntʃ]

1	간통, 불의		1	adultery	[ədʌ́ltəri]
2	**감사**, 보은의 마음; 사의(謝意)		2	gratitude	[grǽtətjùːd]
3	**강렬**, 격렬; 긴장, 집중, 열렬; 강도, 세기		3	intensity	[inténsəti]
4	**객실**, 거실, 응접실; 가게, 영업장		4	parlor	[páːrlər]
5	**거리, 간격**; 원거리, 먼 데; 현저한 차이		5	distance	[dístəns]
6	**건강**[상태], 건전; 위생, 보건, 건강법		6	health	[helθ]
7	**건초 다발**; [둥글게 말은] 종이(돈) 뭉치		7	wad	[wɑd]
8	**건축술**, 건축학; 건축양식; 건조물; 구조, 체계		8	architecture	[áːrkətèktʃər]
9	**걸음**; 걸음걸이, 보조; [정해진] 단계		9	step	[step]
10	**격노**, 분노, 신의 노여움; 복수, 천벌		10	wrath	[ræθ]
11	**견본, 샘플**, 표본, 시료; 실례(實例); 표본 추출		11	sample	[sǽmpəl]
12	**결과, 결말**, 성과, 성적; [계산의] 결과, 답; 결의		12	result	[rizʌ́lt]
13	**결혼**; 결혼생활; 결혼식 (=marriage)		13	matrimony	[mǽtrəmòuni]
14	**경기장**; (비유적) [전문적인] 영역, 분야		14	arena	[əríːnə]
15	**경매**, 공매		15	auction	[ɔ́ːkʃən]
16	**경주**; 경쟁; 급히 서두름; 노력		16	race	[reis]
17	**계산서**, 청구서; 목록, 표; 전단, 벽보, 포스터		17	bill	[bil]
18	**계획**, 기획, 설계; 획책, 책략, 음모; 개요; 약도		18	scheme	[skiːm]
19	**고민**, 고통; 고통의 절정		19	agony	[ǽgəni]
20	**고삐**; 제어하는 수단; 구속력; (~s)지배권, 지휘권		20	rein	[rein]
21	**고안**; 계획, 방책; 장치, 설비; 고안물		21	device	[diváis]
22	**고용자, 하인**; 부하, 종복, 노예; 봉사자; 공무원		22	servant	[sə́ːrvənt]
23	**고통**, 고뇌; 골칫거리		23	torment	[tɔ́ːrment]
24	**곡, 곡조**, 멜로디; 가곡; 가락; 조화; 동조		24	tune	[tjuːn]
25	**곤충**, 벌레; 빈대; [컴퓨터의] 오류		25	bug	[bʌg]

26	골, 결승점·선; 득점; 목적지, 행선지; 목표	26	goal	[goul]
27	골격; 해골; [집·배 등의] 뼈대; 골자, 윤곽, 개략	27	skeleton	[skélətn]
28	공무원, 관공리; [회사·단체 따위의] 임원, 직원	28	official	[əfíʃəl]
29	공물, 조세; 과도한 세; 찬사, 칭찬, 헌사; 증거	29	tribute	[tríbju:t]
30	공장, 제조소	30	factory	[fǽktəri]
31	과다; 과식, 과음; 식상, 포만, 물림; 범람, 홍수	31	surfeit	[sə́:rfit]
32	과실, 잘못, 허물; 결점, 결함, 흠; 책임, 죄	32	fault	[fɔ:lt]
33	관리자, 감독자, 감시인; 교도소장	33	warden	[wɔ́:rdn]
34	관목(=shrub); 수풀, 덤불	34	bush	[buʃ]
35	관습, 풍습, 관례; 단골; (~s)관세, 세관, 통관절차	35	custom	[kʌ́stəm]
36	관심, 흥미; 관심사, 취미; 이익; 이자	36	interest	[íntərist]
37	광선; 빛, 서광, 한 가닥의 광명; 열선	37	ray	[rei]
38	교도소, 감옥; 구치소	38	jail	[dʒeil]
39	교도소, 감옥; 구치소; 금고, 감금, 유폐	39	prison	[prízn]
40	교통[량], [사람·차의] 왕래·통행; 수송; 교역	40	traffic	[trǽfik]
41	구(句); 관용구; 말씨, 말솜씨, 어법, 표현	41	phrase	[freiz]
42	구멍; 틈; 터진(째진) 구멍; 패인 곳, 구덩이	42	hole	[houl]
43	구체(球體), 구(球), 구형, 구면; 지위, 신분	43	sphere	[sfiər]
44	군주, 주권자, 제왕	44	monarch	[mɑ́nərk]
45	굴레, 고삐; 구속, 속박, 제어	45	bridle	[bráidl]
46	규칙, 규정; 법칙	46	rule	[ru:l]
47	그림, 회화; 초상화; 사진; 그림같이 아름다운 사람(물건)	47	picture	[píktʃər]
48	그물 세공, 망상 직물; 회로망; 연락망, 방송망	48	network	[nétwə̀:rk]
49	극빈자, 피구호민; 빈민; 거지	49	pauper	[pɔ́:pər]
50	근동(近東)	50	Near East	[níər í:st]

51	**근육, 힘줄**; 완력, 압력, 강제; 주요 부분	51 muscle	[mʌ́səl]
52	**금, 갈라진 틈**; 틈, 틈새, 간격, 격차; 빈 곳; 결함	52 gap	[gæp]
53	**금속**; 금속원소; 용해주철	53 metal	[métl]
54	**금지, 억제**	54 inhibition	[ìnhəbíʃən]
55	**급류, 여울**; (~s) 억수	55 torrent	[tɔ́:rənt]
56	**기(旗)**, 국기, 군기; 기치, 표지; 주장, 슬로건	56 banner	[bǽnər]
57	**기간, 기(期)**; 주기; 시대; 치세; 마침표	57 period	[píəriəd]
58	**기간, 임기**; 학기; 형기; 조건; [친한] 사이	58 term	[tə:rm]
59	**기계학**; 기술, 기교	59 mechanics	[məkǽniks]
60	**기능, 기술**, 재간; 수공업; 공예; 배, 항공기, 우주선	60 craft	[kræft]
61	**기둥, 원주**, 지주; 세로줄, 종대; 특별 기고란	61 column	[kάləm]
62	**기쁨, 즐거움**; 기쁨을 주는 것, 즐거운 것	62 delight	[diláit]
63	**기압계**; 고도계; 표준, 지표, 척도	63 barometer	[bərάmitər]
64	**기원**, 발단, 원천; 유래; 원인; 태생, 가문, 혈통	64 origin	[ɔ́:rədʒin]
65	**기지**, 재치, 위트; 지혜; 재치 있는 사람, 재사	65 wit	[wit]
66	**기후**; 풍토; 환경, 분위기, 풍조, 사조	66 climate	[kláimit]
67	**깃털, 깃**; 조류(鳥類)	67 feather	[féðər]
68	**꽃, 화초**; 개화, 만발; 한창때	68 flower	[fláuər]
69	**꿈**; 황홀한 기분, 꿈결 같음; 몽상, 환상; 희망	69 dream	[dri:m]
70	**나라, 국가**; 조국; 국토; 시골, 지방, 전원	70 country	[kʌ́ntri]
71	**낙농장**, 착유실; 낙농업; 젖소	71 dairy	[déəri]
72	**낙하산**	72 parachute	[pǽrəʃùːt]
73	**낟알, 곡물**, 곡류, 곡식(밀·보리·옥수수 등)	73 corn	[kɔ:rn]
74	**남은 물건**; 짝이 안 맞는 물건; (~s)잡동사니	74 oddment	[άdmənt]
75	**냉기**, 한기; 오싹함, 무서움; 냉담	75 chill	[tʃil]

76	**노력, 수고**; 역작, 노작	76	effort	[éfərt]
77	**노름, 내기**; 내기에 건 것; 내기를 하는 사람	77	wager	[wéidʒər]
78	**노여움**, 성, 화	78	anger	[ǽŋgər]
79	**농담, 못된 장난**	79	prank	[præŋk]
80	**농담**, 익살, 조크; **장난**; 쉬운 일	80	joke	[dʒouk]
81	**농담**, 익살; **조롱**, 희롱, 놀림	81	jest	[dʒest]
82	**농부**, 소작농, 농군	82	peasant	[pézənt]
83	**높음, 높이**, 키; 고도, 해발; 고지; 절정; 탁월	83	height	[hait]
84	**뇌**; (~s)두뇌; 학자, 사상가; 지식인, 지적 지도자	84	brain	[brein]
85	**다리, 교량**, 육교; 연결, 연락, 다리[놓기]	85	bridge	[bridʒ]
86	**다수**; 수가 많음; 군중, 군집; (the ~)대중	86	multitude	[mʌ́ltitjù:d]
87	**단**, 교단, 연단; [열차역의] 플랫폼; 정당의 강령	87	platform	[plǽtfɔ:rm]
88	**닭**, 가금; 닭고기, 새고기	88	fowl	[faul]
89	**대륙**, 육지; 본토	89	continent	[kántənənt]
90	**대리석**; (~s)대리석 조각(彫刻); 구슬치기	90	marble	[máːrbəl]
91	**대부**, 대여	91	loan	[loun]
92	**대신, 대리**; 도움, 이익	92	stead	[sted]
93	**대홍수, 큰물**; 호우; 범람; 쇄도	93	deluge	[délju:dʒ]
94	**더럼, 얼룩**, 오점; 녹; 착색[제], 색소, 물감	94	stain	[stein]
95	**덩어리, 한 조각**; 혹, 종기; 대다수	95	lump	[lʌmp]
96	**덩어리; 모임**, 집단; 다량, 다수; 대부분	96	mass	[mæs]
97	**도로, 길**; [일정한] 통로, 노선; 수단, 방법, 길	97	route	[ru:t]
98	**독, 독물, 독약**; 폐해, 해독; 해로운 사상	98	poison	[pɔ́izən]
99	**독재(전제) 정치**; 독재; 독재국가	99	autocracy	[ɔ:tákrəsi]
100	**돈지갑**; 핸드백; 금전, 자력; 기부금, 현상금	100	purse	[pəːrs]

1	**동무, 친구**; (~s)동아리, 동료, 한패; 놈, 녀석		1	fellow	[félou]
2	**동물, 짐승**; 짐승 같은 인간		2	animal	[ǽnəməl]
3	**돼지**(거세한 수퇘지, 다 자란 식용돼지)		3	hog	[hɔ:g]
4	**들, 벌판**; 논, 밭; 경기장; 현장; 분야, 방면		4	field	[fi:ld]
5	**등뼈, 척추**; 분수령; 중추		5	backbone	[bǽkbòun]
6	**떼; 그룹**, 집단, 단체; 동호회		6	group	[gru:p]
7	**마감 시간**; 최종 기한; 포로수용소의 경계선		7	deadline	[dédlàin]
8	**마녀, 여자 마법(마술)사**; 무당		8	witch	[witʃ]
9	**마루; 바닥**; 지면, 노면; [건물의] 층		9	floor	[flɔ:r]
10	**마법, 요술**, 주술; 마력; 매력		10	witchcraft	[wítʃkrὰeft]
11	**마음, 정신**; 지성, 머리; 사고방식, 견해		11	mind	[maind]
12	**마취제(약)**, 마약; 마약중독자		12	narcotic	[nɑːrkάtik]
13	**막대기**, 지팡이; 지휘봉; 참모; 직원, 사원		13	staff	[stæf]
14	**만(灣)**; 산으로 삼면이 둘러싸인 평지		14	bay	[bei]
15	**많음, 가득**, 풍부, 다량, 충분		15	plenty	[plénti]
16	**매듭**; 무리, 소수의 집단		16	knot	[nɑt]
17	**매매, 거래**; 매매 계약, 거래 조건; 싼 물건		17	bargain	[bάːrgən]
18	**맥박, 고동**; 파동, 진동		18	pulse	[pʌls]
19	**맷돌, 제분기**; 분쇄기; 물방앗간; 공장, 제작소		19	mill	[mil]
20	**먹이; 희생**, [먹이로서의] 밥; 포획		20	prey	[prei]
21	**면허, 인가**; 관허, 특허		21	license	[láisəns]
22	**명령, 지령**, 훈령; 권고, 계고		22	injunction	[indʒʌ́ŋkʃən]
23	**명성, 명예**; 평판, 풍문		23	fame	[feim]
24	**명예, 영예**; 영광; 명성, 면목, 체면		24	honor	[άnər]
25	**모방, 흉내**; 모조, 모사; 모조품, 가짜		25	imitation	[ìmitéiʃən]

26	모범, 본보기, 귀감; 형, 양식; 본, 원형, 모형		26	pattern	[pǽtərn]
27	모습, [사람의] 용모·외관; 국면, 정세; 각도		27	aspect	[ǽspekt]
28	모양, 형상, 외형, 윤곽; 모습; 형식, 형태		28	form	[fɔ:rm]
29	모양, 형태, 외형; 모습, 생김새; 형세, 상태		29	figure	[fígjər]
30	모험, 모험적 사업; 투기[사업], 사행		30	venture	[véntʃər]
31	모형, 축소형, 축도; 촬영용 소형 세트		31	miniature	[míniətʃər]
32	목록, 카탈로그, 일람표		32	catalogue	[kǽtəlɔ̀:g]
33	목수, 목공		33	carpenter	[kɑ́:rpəntər]
34	몫, 모가치; 할당; 분담액, 할당액		34	quota	[kwóutə]
35	무거운 짐, 짐; [정신적인] 짐, 부담; 걱정		35	burden	[bə́:rdn]
36	무대, 연단; 연극[계]; 활동 무대; 발판; 단계		36	stage	[steidʒ]
37	무덤, 분묘; 죽음		37	grave	[greiv]
38	무의미; 터무니없는 생각; 허튼짓·말; 시시한 일		38	nonsense	[nánsens]
39	무정부[상태], [사회적·정치적인] 무질서; 혼란		39	anarchy	[ǽnərki]
40	묶는 것; 끈, 띠; 유대, 결속; 계약, 약정		40	bond	[bɑnd]
41	묶음, 묶은 것, 꾸러미; 무리, 일당		41	bundle	[bʌ́ndl]
42	문제, 의문; 연습 문제; 골칫거리		42	problem	[prábləm]
43	물동이; 대야, 세면기; 분지		43	basin	[béisən]
44	물질, 물체; 내용, 제재; 주제; 일, 문제, 사건		44	matter	[mǽtər]
45	미끼, 먹이; 유혹물		45	bait	[beit]
46	미래, 장래, 장차; 장래성, 전도, 앞날		46	future	[fjú:tʃər]
47	밑바닥; [우물·강·바다 따위의] 바닥; 기초, 토대		47	bottom	[bátəm]
48	바늘, 바느질 바늘, 뜨개바늘; 주사바늘, 침		48	needle	[ní:dl]
49	반달인, 문화·예술의 파괴자		49	Vandal	[vǽndəl]
50	반칙, 파울		50	foul	[faul]

51	**발자국, 바퀴 자국**; 자취, 흔적; 영향, 결과; 기색	51	trace	[treis]
52	**발포, 발사**, 총성, 포성; 탄환, 포탄; 조준; 일격	52	shot	[ʃat]
53	**방, 침실**; [공관의] 응접실; 회의장; [총의] 약실	53	chamber	[tʃéimbər]
54	**방법, 방식**, 투	54	manner	[mǽnər]
55	**방법**, 조직적 방법, 방식; [일을 하는] 순서	55	method	[méθəd]
56	**방향; 경향**, 동향, 추세; 시대 풍조, 유행의 양식	56	trend	[trend]
57	**배**(=belly); **복부**	57	abdomen	[ǽbdəmən]
58	**배, 복부**(=abdomen); 식욕; 탐욕	58	belly	[béli]
59	**배경**; 바탕색	59	background	[bǽkgràund]
60	**배우자**; (~s)부부	60	spouse	[spaus]
61	**번역; 각색**, 번안; 변형, 이형, ~판, ~화	61	version	[və́:rʒən]
62	**벌레; 지렁이**, 기생충; 벌레 같은 인간	62	worm	[wə:rm]
63	**범위, 영역**; [정신적] 시야; [능력을 발휘할] 여유, 여지	63	realm	[relm]
64	**법석, 소동**, 떠들썩함; 소음; 폭동; 격정, 흥분	64	tumult	[tjú:mʌlt]
65	**법인, 협회**, 사단법인; 유한회사, 주식회사	65	corporation	[kɔ̀:rpəréiʃən]
66	**법전; 규약**, 규칙; 암호, 약호	66	code	[koud]
67	**변화, 다양성**; 가지각색의 것, 잡다한 것, 잡동사니	67	variety	[vəráiəti]
68	**병, 질병**; [정신·도덕 따위의] 불건전, 퇴폐	68	disease	[dizí:z]
69	**병치**(竝置), 병렬; 부가, 부착, 첨부; 동격	69	apposition	[æ̀pəzíʃən]
70	**보증인**; 후원자, 발기인; 광고주	70	sponsor	[spánsər]
71	**보행자**; 도보 여행자; 잘 걷는 사람	71	pedestrian	[pədéstriən]
72	**보호; 감독**, 감시; 억류, 연금; 피보호자; 병실, 병동	72	ward	[wɔ:rd]
73	**복권 뽑기**; 추첨; 운, 재수	73	lottery	[látəri]
74	**복수**, 원수 갚기, 앙갚음	74	vengeance	[véndʒəns]
75	**복지사업**	75	welfare	[wélfɛ̀ər]

76	본질, 진수, 정수; 핵심, 요체; 실재, 실체	76	essence	[ésəns]
77	부두, 선창 (=pier)	77	wharf	[wɔːrf]
78	부속물; 부록, 추가, 부가; 맹장	78	appendix	[əpéndiks]
79	부족, 종족, ~족; 야만족	79	tribe	[traib]
80	부풀림, 과장, 팽창; 통화 팽창, 인플레이션	80	inflation	[infléiʃən]
81	불길; 화재; 확 타오름; 번쩍임	81	blaze	[bleiz]
82	(종종 ~s)불길, 불꽃, 화염; 불같은 색채; 정열	82	flame	[fleim]
83	불명예; 치욕, 굴욕; 망신거리	83	dishonor	[disánər]
84	불운, 불행; 불행한 일, 재난	84	misfortune	[misfɔ́ːrtʃən]
85	붕대; 안대; 눈 가리는 헝겊; 쇠 테, 쇠 띠	85	bandage	[bǽndidʒ]
86	비극[적인 사건]; 비극적인 이야기	86	tragedy	[trǽdʒədi]
87	비만, 비대	87	obesity	[oubíːsəti]
88	빚, 부채, 채무	88	debt	[det]
89	뺨, 볼, (~s)양볼; 뻔뻔스러움, 건방진 말·태도	89	cheek	[tʃiːk]
90	뼈대, 골격, 구조; 조직, 기구, 구성, 체제; 틀	90	frame	[freim]
91	사건, 대사건, 사변; 결과, 경과; 종목, 시합	91	event	[ivént]
92	사나운 비바람, 폭풍우; 야단법석, 대소동	92	tempest	[témpist]
93	(보통 ~s)사람들, 가족, 친척	93	folk	[fouk]
94	사무소; 임무, 직무, 직책; 역할; 관직, 공직	94	office	[ɔ́ːfis]
95	사발, 공기, 볼; 볼링공; 야외 원형극장(경기장)	95	bowl	[boul]
96	사슬; 연쇄, 일련; 목걸이; 연쇄점; 속박, 족쇄	96	chain	[tʃein]
97	사실, 실제, 실제의 일, 진실, 진상	97	fact	[fækt]
98	사업; 상업, 영업, 거래, 매매; 직업, 용무, 사무	98	business	[bíznis]
99	사전, 사서, 옥편	99	dictionary	[díkʃənèri]
100	사정, 정황, 환경	100	environment	[inváiərənmənt]

1	**사촌, 종형제**; 재종, 삼종; 친척, 일가	1	cousin [kʌ́zn]
2	**산 나무 울타리**, 울; 장벽, 장애; [손실의] 방지책	2	hedge [hedʒ]
3	**산들바람**, 미풍; 연풍	3	breeze [bri:z]
4	**산출, 생산**; 산출량; 생산물; 작품; 출력	4	output [áutpùt]
5	**살인[죄]; 살인 행위**; 살인자, 살인범	5	homicide [háməsàid]
6	**상(像), 조각상**	6	statue [stǽtʃu:]
7	**상속인**, 법정 상속인; 후계자	7	heir [ɛər]
8	**상태, 형편**, 사정, 형세; 지위, 신분, 계급	8	state [steit]
9	**상품, 제품**; 재고품	9	merchandise [mə́:rtʃəndàiz]
10	**새끼, 끈**; 목매는 밧줄; 전기선(코드)	10	cord [kɔ:rd]
11	**새의 새끼**, 병아리; 닭고기; 아이, 여자아이	11	chicken [tʃíkin]
12	**(~es)색인, 찾아보기**; 지시하는 것, 손가락 표	12	index [índeks]
13	**생각, 관념**, 개념; 인식; 지식; 견해; 착상	13	idea [aidí:ə]
14	**생물학**; 생태학	14	biology [baiálədʒi]
15	**생일, 탄생일**; 창립기념일	15	birthday [bə́:rθdèi]
16	**서리**; 추운 날씨	16	frost [frɔ:st]
17	**서약; 저당**, 담보, 전당; 저당(담보)물	17	pledge [pledʒ]
18	**서자, 사생아**; 가짜; [동식물의] 잡종; 개자식	18	bastard [bǽstərd]
19	**석탄; 목탄, 숯**	19	coal [koul]
20	**섬유, 실**; 섬유조직, 섬유질; 소질, 기질, 근성	20	fiber [fáibər]
21	**성가, 찬송가**; [일반적] 축가, 송가	21	anthem [ǽnθəm]
22	**성인, 어른**(=grown-up)	22	adult [ədʌ́lt]
23	**성직자**, [특히 영국 국교회의] **목사**	23	clergyman [klə́:rdʒimən]
24	**성직자, 목사**; 장관, 대신, 각료; 공사(公使)	24	minister [mínistər]
25	**세기, 힘**; 체력, 근력; 강한 점, 장점; 농도, 강도	25	strength [streŋkθ]

26	세부, 세목; 상세; 세부묘사; 지엽적인 것	26	detail	[díːteil]
27	소년 소녀, 아동	27	juvenile	[dʒúːvənəl]
28	소리; 소음, 시끄러운 소리, 법석 떪, 소란	28	noise	[nɔiz]
29	소스; 양념, 자극, 재미	29	sauce	[sɔːs]
30	속담, 격언, 금언	30	proverb	[právəːrb]
31	수도; 중심 도시, 주요 도시; [활동의] 중심지	31	metropolis	[mitrápəlis]
32	수수료, 수고비; 입장료; 수험료; 수업료	32	fee	[fiː]
33	수용량; [최대] 수용 능력; 용적, 용량; 능력, 재능	33	capacity	[kəpǽsəti]
34	수원[지], 원천; 근원, 근본; 원인	34	source	[sɔːrs]
35	수평, 수준; 수평선; 평지, 평원; 같은 높이	35	level	[lévəl]
36	수학; 수학적 계산	36	mathematics	[mæ̀θəmǽtiks]
37	수혜자, 수익자	37	beneficiary	[bènəfíʃièri]
38	수하물(=luggage 영)	38	baggage	[bǽgidʒ]
39	수확; 농작물, 곡물; 다수, 속출	39	crop	[krɑp]
40	숙련되고 전문적인 기술(지식), [뛰어난] 노하우	40	expertise	[èkspərtíːz]
41	순환, 한 바퀴; 주기, 순환기; 한 시대; 자전거	41	cycle	[sáikl]
42	순회, 회전; 순회 여행, 주유; [전기] 회로, 배선	42	circuit	[sə́ːrkit]
43	숨, 호흡	43	breath	[breθ]
44	숫자; 계산; 모양, 형태, 모습; 몸매; 인물	44	figure	[fígjər]
45	숫처녀, 아가씨	45	virgin	[və́ːrdʒin]
46	숲, 산림, 삼림; 삼림의 수목	46	forest	[fɔ́rəst]
47	스릴, 전율, 부르르 떨림; 떠는 목소리	47	thrill	[θril]
48	스펙트럼; [변동이 있는 것의] 범위, 영역, 연속체	48	spectrum	[spéktrəm]
49	습관, 버릇, 습성	49	habit	[hǽbit]
50	승객, 여객, 선객	50	passenger	[pǽsəndʒər]

51	승합(합승) 자동차, 버스; 호텔 등의 전용 버스	51	omnibus	[ámnəbλs]
52	시각, 시력, 일견; 시야, 시계; 광경, 풍경, 경치	52	sight	[sait]
53	시간표; 예정표, 스케줄, 일정, 기일; 표, 일람표	53	schedule	[skédʒuːl]
54	시력, 시각	54	eyesight	[áisàit]
55	시체 보관소; 출판사의 편집부; 오만, 건방짐	55	morgue	[mɔːrg]
56	식, 의식, 의전; 의례, 예법, 형식적 예의	56	ceremony	[sérəmòuni]
57	식; 수학·화학 공식; 관용 표현; 제조법; 공식 규격	57	formula	[fɔ́ːrmjələ]
58	식중독	58	food-poisoning	[fúːdpɔ̀izəniŋ]
59	신경; 치아 신경; 용기, 냉정, 담력; 뻔뻔스러움	59	nerve	[nəːrv]
60	신경증, 노이로제	60	neurosis	[njuəróusis]
61	신문, 일간신문; 잡지, 정기간행물	61	journal	[dʒɔ́ːrnəl]
62	신음[소리]; [불만·불찬성의] 소리; 삐걱대는 소리	62	groan	[groun]
63	신화, 신화집; 신화학	63	mythology	[miθálədʒi]
64	실, 바느질 실, 유리섬유 실	64	thread	[θred]
65	심연(深淵); 끝없이 깊은 구렁; 나락; 심해	65	abyss	[əbís]
66	심판[자], 중재자; [경기의] 심판원	66	umpire	[λmpaiər]
67	싸움에 진 개; [생존 경쟁 따위의] 패배자, 낙오자	67	underdog	[λndərdɔ̀g]
68	싹, 눈; 봉오리; 발아; 소녀, 아이	68	bud	[bʌd]
69	썰물, 간조; 쇠퇴[기], 감퇴	69	ebb	[eb]
70	쓸 것, 모자; [권투의] 헤드기어	70	headgear	[hédgìər]
71	악마; 악귀, 악령; (the Devil) 마왕, 사탄	71	devil	[dévl]
72	악의, 심술; 원한, 앙심	72	spite	[spait]
73	악인, 악한; [극·소설의] 악역; 원흉	73	villain	[vílən]
74	악한, 불량배, 깡패	74	rogue	[roug]
75	안(案), 계획, 설계; 예정; 계획 사업	75	project	[prədʒékt]

76	안개, 연무	76	fog	[fɔːg]
77	**앙화**(殃禍), **비통**; 고뇌; (~s)고통의 불씨; 어려움	77	woe	[wou]
78	**약, 약물**, 내복약; 의학, 의술; 내과 치료	78	medicine	[médəsən]
79	**얇은 껍질**[막·층]; **필름**; 영화, 영화산업, 영화계	79	film	[film]
80	**얇은 조각, 박편**; 불꽃, 불똥	80	flake	[fleik]
81	**양념, 향신료**; 취향, 묘미; 정취, 흥취	81	spice	[spais]
82	**양식, 형식**; 방법, 방식; 유행	82	mode	[moud]
83	**어렴풋한 빛, 섬광**; [감정·희망·기지 등의] 번득임	83	gleam	[gliːm]
84	**어업, 수산업**; 어장, 양어장	84	fishery	[fíʃəri]
85	**언어, 말**; 국어	85	language	[læŋgwidʒ]
86	**엄격, 가혹**, 엄중, 격렬함	86	severity	[sivérəti]
87	**여권, 패스포트**; [통행] 허가증	87	passport	[pǽspɔ̀ːrt]
88	**여자, 여성**, 부인; 암, 암컷; 암술	88	female	[fíːmeil]
89	**역병**(疫病), **전염병**; 재앙, 천벌, 저주	89	plague	[pleig]
90	**연대기**(年代記); **역사**; 기록, 의사록; 이야기	90	chronicle	[kránikl]
91	**연대표**, 시각표; [계획된] 일정(=schedule)	91	timeline	[táimlàin]
92	**연료**; 장작	92	fuel	[fjúːəl]
93	**연맹, 동맹**, 리그; 맹약; 경기 연맹; 한패	93	league	[liːg]
94	**연안, 해안**	94	coast	[koust]
95	**열중, 탐닉**; 중독자(addict)	95	addiction	[ədíkʃən]
96	**영화관**(영); [한 편의] 영화; (the~) 영화 제작	96	cinema	[sínəmə]
97	**옆구리**; 옆구리 살; [산·건물의] 측면	97	flank	[flæŋk]
98	**예, 보기**, 실례, 예증, 예제; 전례; 견본, 표본	98	example	[igzǽmpəl]
99	**예배, 참배**; 예배의식; 숭배, 존경; 숭배의 대상	99	worship	[wɔ́ːrʃip]
100	**예산; 예산안**; 경비, 운영비; 생활비	100	budget	[bʌ́dʒit]

1	**왕국, 국토**; 범위, 영역; [학문의] 부문	1	realm	[relm]
2	**외과[의술], 수술**; 외과 수술실	2	surgery	[sə́:rdʒəri]
3	**외관, 외형**; 겉보기; 모양, 꾸밈; 유사, 닮음	3	semblance	[sémbləns]
4	**요람, 소아용 침대**; [무언가를 놓는] 대(臺)	4	cradle	[kréidl]
5	**욕, 오명**, 오점, 불명예; 결점; 흠; 낙인; 반점	5	stigma	[stígmə]
6	**용기**(容器)**, 그릇**; 큰 배, 항공기; (비유적) 사람	6	vessel	[vésəl]
7	**우상, 신상**(神像); 사신상; 숭배를 받는 사람	7	idol	[áidl]
8	**우수함, 가치**; 장점, 취할 점; 공로, 공적	8	merit	[mérit]
9	**우연, 우연한 일**; 기회, 호기; (~s)가망, 가능성	9	chance	[tʃæns]
10	**우화**; 신화, 전설, 설화; 꾸며낸 이야기	10	fable	[féibəl]
11	**운, 운수**; 행운, 요행; 재수 좋은 물건	11	luck	[lʌk]
12	**운명, 숙명**; 운, 비운; 최종 결과; 죽음, 최후	12	fate	[feit]
13	**운임**, 차비, 뱃삯; 통행료	13	fare	[fɛər]
14	**울타리**, 담; 펜싱; 장물아비	14	fence	[fens]
15	**원, 원주**; 원형의 것; 환(環), 고리; 주기; 궤도	15	circle	[sə́:rkl]
16	**원고**; 사본, 필사본	16	manuscript	[mǽnjəskrìpt]
17	**위도, 위선**; [견해·사상·행동 등의] 허용 범위	17	latitude	[lǽtətjù:d]
18	**위성**; 인공위성; 위성 도시	18	satellite	[sǽtəlàit]
19	**위신, 위광**(威光), 명성, 신망, 세력	19	prestige	[prestí:dʒ]
20	**위험, 위난**; 모험	20	peril	[pérəl]
21	**위험; 모험**; 위험성; 위험률	21	risk	[risk]
22	**유령, 망령**, 영; 환영, 허깨비	22	ghost	[goust]
23	**유행병, 전염병**; [사상·전염병 따위의] 유행	23	epidemic	[èpədémik]
24	**음모**; [비밀] 계획; 책략; [극·소설 등의] 줄거리	24	plot	[plɑt]
25	**의견, 견해**; 일반적인 생각, 여론; (~s)지론, 소신	25	opinion	[əpínjən]

26	의무, 본분; 의무감; 임무, 직책; 조세, 관세	26	duty	[djú:ti]
27	이웃[사람], 이웃집 사람, 옆 사람; 동료, 동포	27	neighbor	[néibər]
28	이익, 이득; 은혜; 자선공연	28	benefit	[bénəfit]
29	이혼, 별거; 분리, 절연, 분열	29	divorce	[divɔ́:rs]
30	인류, 인간, 사람; 남자	30	mankind	[mæ̀nkáind]
31	일, 용건; (~s)[일상의] 업무, 용무; 사건; 관심사	31	affair	[əféər]
32	일; 볼일, 직무; 직업, 일자리	32	job	[dʒɑb]
33	일기, 기상, 날씨; (the~)거친 날씨, 비바람	33	weather	[wéðər]
34	일련, 한 계열, 연속; 시리즈, 총서, 연속 출판물	34	series	[síəri:z]
35	일화; 기담; (~s)비사, 비화	35	anecdote	[ǽnikdòut]
36	잎, 나뭇잎, 풀잎, 꽃잎; [금·은]박	36	leaf	[li:f]
37	자금, 기금, 기본금; (~s)재원; 소지금	37	fund	[fʌnd]
38	자랑, 자존심, 긍지; 득의, 만족; 자만심, 오만	38	pride	[praid]
39	자료, 데이터; [관찰·실험에 의해 얻어진] 지식, 정보	39	data	[déitə]
40	자손; 후세, 후대	40	posterity	[pɑstérəti]
41	자오선, 경선; 정점, 절정; 전성기	41	meridian	[mərídiən]
42	(~es)자원; 물자; 재원; 수단, 방책; 변통하는 재주	42	resource	[rí:sɔ:rs]
43	자취, 흔적, 남은 자취, 형적, 표적	43	vestige	[véstidʒ]
44	작은 나무통	44	keg	[keg]
45	작은 방; 독방, 영창; 세포	45	cell	[sel]
46	작은 조각; 파편; [신문·잡지 등의] 오려낸 것	46	scrap	[skræp]
47	잠재력; 가능성	47	potential	[pouténʃəl]
48	잡담, 세상 이야기; 험담, 뒷공론; 수다쟁이	48	gossip	[gɑ́sip]
49	잡초; 해초; (the ~)엽궐련, 궐련[담배]	49	weed	[wi:d]
50	장(長), 우두머리, 지배자	50	chief	[tʃi:f]

51	**장; 장날**; 시장, 거래처, 판로, 수요	51 market	[máːrkit]
52	**장교, 사관**; 공무원, 관리; 경관, 순경	52 officer	[ɔ́ːfisər]
53	**장수말벌**; 성 잘 내는 까다로운 사람	53 wasp	[wɑsp]
54	**장애물, 방해물**	54 obstacle	[ɑ́bstəkəl]
55	**재료, 원료**; 자료, 내용; ~것, ~일; 잡동사니	55 stuff	[stʌf]
56	(~s)**재료**; [양복의] 감; 요소, 제재, 자료	56 material	[mətíəriəl]
57	**재배지, 농원**, 농장; 조림지, 인공림; 식민[지]	57 plantation	[plæntéiʃən]
58	**재정, 재무**; 자금 조달, 재원 확보	58 finance	[finǽns]
59	**재치, 기지**; 솜씨, 요령; 세련된 미적 감각	59 tact	[tækt]
60	**저널리스트, 신문 잡지 기자**, 신문인	60 journalist	[dʒɔ́ːrnəlist]
61	**적, 원수**; 적수, 경쟁 상대; 적병, 적군, 적국	61 enemy	[énəmi]
62	**전갈, 전하는 말**, 전언; 통신문; 계시; 호소	62 message	[mésidʒ]
63	**전기(傳記), 일대기**; 전기문학	63 biography	[baiɑ́grəfi]
64	**전문가, 숙련가**, 숙달자, 달인, 명인	64 expert	[ékspəːrt]
65	**전설, 설화**	65 legend	[lédʒənd]
66	**전제(前提)**; (the ~) 전술한 사항	66 premise	[prémis]
67	**전조, 징조**, 조짐; 예언; 예감	67 omen	[óumən]
68	**전진, 진행**; 진보, 발달, 진척, 숙달; 경과, 추이	68 progress	[prɑ́gres]
69	**전투, 싸움**; 전쟁; 투쟁, 경쟁; 승리, 성공	69 battle	[bǽtl]
70	**절단, 분할**, 절개; 구분, 구획; 구역, 구간	70 section	[sékʃən]
71	**점유자; 거주자**; 선점자, 점거자	71 occupant	[ɑ́kjəpənt]
72	**접근, 면접**, 출입; [병·노여움 등의] 발작, 격발	72 access	[ǽkses]
73	**접합, 접속**; [중대한] 때, 경우; 위기; 연접	73 juncture	[dʒʌ́ŋktʃər]
74	**정도, 도(度)**; 등급, 단계; 계급, 지위; 칭호, 학위	74 degree	[digríː]
75	**정력, 활기**, 원기; (~s)[개인의] 활동력, 행동력	75 energy	[énərdʒi]

76	**정맥, 혈관**		76	vein	[vein]
77	**정사각형**; 사각의 것; [바둑판의] 눈; 광장; 제곱		77	square	[skwεər]
78	**정의, 공정**, 공평, 옳음; 사법		78	justice	[dʒʌ́stis]
79	**제빙기, 냉동 장치**		79	freezer	[frí:zər]
80	**조각, 단편**; 일부분, 부분품; 예술작품		80	piece	[pi:s]
81	**조망, 전망**, 경치; 예측, 전망; 사고방식, 견해		81	outlook	[áutlùk]
82	**조반**, 아침 식사		82	breakfast	[brékfəst]
83	**조수, 조류**, 조석; 그 시대의 풍조, 시세, 경향		83	tide	[taid]
84	**존재, 현존**, 실재		84	presence	[prézəns]
85	**(the ~)죄인, 범죄자**; 피의자; 미결수		85	culprit	[kʌ́lprit]
86	**종기; 종양**		86	tumor	[tjú:mər]
87	**주의, 유의**; 주의력; 손질; 돌봄; 친절[한 행위]		87	attention	[əténʃən]
88	**죽음, 사망**; 살인, 살해; 사형		88	death	[deθ]
89	**증명, 증거**; 증거물, 증거 서류, 증언		89	proof	[pru:f]
90	**증명서**; 검정서; 면허장; 증권		90	certificate	[sərtífəkit]
91	**증언**, [법정에서의] 선서 증언; 신앙 고백, 선언		91	testimony	[téstəmòuni]
92	**증언; 증인**, 참고인, 목격자; 증거		92	witness	[wítnis]
93	**(the ~)지구; 흙, 땅**; 이 세상, 현세		93	earth	[ə:rθ]
94	**지력(知力), 지성**, 이지, 지능; (the ~s)지식인		94	intellect	[íntəlèkt]
95	**지방, 지역**, 시골; 주(州), 성(省), 도(道)		95	province	[právins]
96	**지방, 지역**, 지구, 지대; 행정구, 관구; 영역, 범위, 분야		96	region	[rí:dʒən]
97	**지시, 명령**; 지시서, (사용법) 설명		97	directions	[dirékʃənz]
98	**지역, 지방**, 지구; 구역, [물리적] 영역, 분야		98	area	[έəriə]
99	**지역; 지구**; 지방; [관청 따위의] 국, 부		99	district	[dístrikt]
100	**지옥, 저승**		100	hell	[hel]

1	**지질학**; (the ~)[어느 지역의] 지질	1	geology [dʒiːálədʒi]
2	**직무 태만자**; 비행자; 비행소년	2	delinquent [dilíŋkwənt]
3	**진로, [정해진] 행로**; 물길; 진행, 진전; 교육과정	3	course [kɔːrs]
4	**진주**; (~s)진주 목걸이; 귀중한 물건	4	pearl [pəːrl]
5	**진퇴양난**, 궁지, 딜레마	5	dilemma [dilémə]
6	**질문, 심문**, 조사; 의문; 의문부호	6	interrogation [intèrəgéiʃən]
7	**짐승; 금수**; 동물(특히 네발짐승=animal)	7	beast [biːst]
8	**짐승의 떼**(특히 소·돼지의 떼); 군중, 하층민	8	herd [həːrd]
9	**징후, 조짐**, 전조; 증상, 증후, 증세	9	symptom [símptəm]
10	**창피, 불명예**, 치욕; 망신거리	10	disgrace [disgréis]
11	**채찍·총소리**; [갈라진] 금; 틈; 균열; 흠	11	crack [kræk]
12	**책, 서적**; [책의] 권(卷); 양, 분량; 크기; 음량	12	volume [váljuːm]
13	**척추 지압사**	13	chiropractor [kàirəpræktər]
14	**천국, 낙원**; 안락, 지복	14	paradise [pǽrədàis]
15	**천문학**; 천문학 논문	15	astronomy [əstránəmi]
16	**철학; 철학 체계**; 철학서	16	philosophy [filásəfi]
17	**청중; 관중, 관객**, 청취자, [신문·잡지의] 독자	17	audience [ɔ́ːdiəns]
18	**청춘기의 사람**(남녀), 청년, 젊은이	18	adolescent [ædəlésənt]
19	**촉매; 기폭제**; 촉매 작용을 하는 사람(물건·일)	19	catalyst [kǽtəlist]
20	**추문, 스캔들**; 불명예, 창피, 수치; 중상, 비방	20	scandal [skǽndl]
21	**추진[력]**; 충격; 자극; [마음의] 충동; 충격파	21	impulse [ímpʌls]
22	**충돌; 충격**, 쇼크; [강력한] 영향력	22	impact [ímpækt]
23	**카니발, 사육제**; 행사, 축제, 제전, 대회	23	carnival [káːrnəvəl]
24	**칸막이; 차폐물**; 칸막이 커튼; 방충망; 영사막	24	screen [skriːn]
25	**탄도, 궤도**, 궤적; 지나온 경로, 역정	25	trajectory [trədʒéktəri]

26	**탄생, 출생**; 태생, 혈통, 집안, 가문	26 birth	[bə:rθ]
27	**탄원, 청원**; 변명, 핑계; 항변, 답변서	27 plea	[pli:]
28	**태도, 마음가짐**; 자세, 몸가짐; 의견, 심정	28 attitude	[ǽtitjù:d]
29	**턱, 아래턱**; (~s)[아래위 턱뼈·이를 포함한] 입 부분	29 jaw	[dʒɔ:]
30	**테두리, 가장자리**, 변두리, 모서리; 칼날; 격렬함	30 edge	[edʒ]
31	**토지, 사유지**; 재산, 유산; 재산권; 지위, 신분	31 estate	[istéit]
32	**특권; 특전**; 특별 취급; 명예; 면책, 면제	32 privilege	[prívəlidʒ]
33	**파충류의 동물**; 양서류의 동물	33 reptile	[réptil]
34	**판매, 팔기**, 매각; 매상; 판로, 수요	34 sale	[seil]
35	**팔꿈치**; 팔꿈치 모양의 것; 기역자 홈통	35 elbow	[élbou]
36	**편견, 선입관**; 치우친 생각, 편애	36 prejudice	[prédʒədis]
37	**편집자**; [신문의] 주필, 논설위원; 편집기	37 editor	[édətər]
38	**평지, 평야**, 평원, 광야	38 plain	[plein]
39	**포도**; 포도나무	39 grape	[greip]
40	**포로**; [사랑 따위의] 노예, 사로잡힌 사람	40 captive	[kǽptiv]
41	**포스터**, 큰 전단(傳單), 광고 전단	41 poster	[póustər]
42	**폭군, 압제자**; 전제군주	42 tyrant	[táiərənt]
43	**폭탄, 수류탄**; 화산탄; 대실패	43 bomb	[bɑm]
44	**표, 징후**; 상징; 특징, 특색; 기념물; 버스표	44 token	[tóukən]
45	**표면, 외면**, 외부; 외관; 겉보기, 외양; 면(面)	45 surface	[sə́:rfis]
46	**표준, 기준**, 규격; 규범, 모범; 본위; 표준 치수	46 standard	[stǽndərd]
47	**플래카드**; 간판, 벽보, 게시	47 placard	[plǽkɑ:rd]
48	**피난, 보호**; 피난처, 은신처, 대피소	48 refuge	[réfju:dʒ]
49	**하늘; 천국**, 낙원; 하나님	49 heaven	[hévən]
50	**학술원**; 예술원; 협회; 학원	50 academy	[əkǽdəmi]

51	**한 뼘**; [주의력·생명 등의] 지속 길이; 지름, 전장		51	span	[spæn]
52	**한 쌍, 둘**; [같은 종류의] 두 개; 부부, 약혼한 남녀		52	couple	[kʌ́pəl]
53	**한 품목, 한 개**; 물품, 물건; 기사, 논설; 조항		53	article	[á:rtikl]
54	**한바탕의 바람**, 돌풍, 폭풍; 폭발, 폭파		54	blast	[blæst]
55	**할증금**; 할증 가격; 상금, 포상금; 보험료; 덤		55	premium	[prí:miəm]
56	**합창, 제창**; 합창곡; 후렴; 합창대		56	chorus	[kɔ́:rəs]
57	**항목, 조목**, 조항, 품목, 세목; 신문기사		57	item	[áitəm]
58	**해난구조**, 난파선 화물구조; [침몰선의] 인양		58	salvage	[sǽlvidʒ]
59	**해로운 작은 동물**; 해충; 기생충; [사회의] 해충		59	vermin	[vɔ́:rmin]
60	**해악, 해**; 악영향; 손해, 위해; 나쁜 짓, 장난		60	mischief	[místʃif]
61	**해적; 해적선**; 표절자; 훔치는 사람, 약탈자		61	pirate	[páiərət]
62	**해협**; (~s)궁상, 곤란, 궁핍		62	strait	[streit]
63	**해협; 수로**; 통로, 경로; 방향; [방송의] 채널		63	channel	[tʃǽnl]
64	**현미경**		64	microscope	[máikrəskòup]
65	**협동자, 한패**, 짝꿍; 배우자		65	partner	[pá:rtnər]
66	**협박, 위협**, 공갈; 골칫거리		66	menace	[ménəs]
67	**홈룸**(반원 전원이 모이는 생활지도 교실)		67	homeroom	[hóumrù:m]
68	**홍역, 마진**; 풍진		68	measles	[mí:zəlz]
69	**화제, 토픽**, 논제, 제목, 이야깃거리; 주제; 표제		69	topic	[tápik]
70	**화학, 화학적 성질**, 화학 작용; 공감대, 죽이 맞음		70	chemistry	[kémistri]
71	**후보자; 지원자**, 지망자; ~이 될 성싶은 사람		71	candidate	[kǽndidèit]
72	**흘긋 봄**, 한번 봄, 일견		72	glance	[glæns]
73	**희망, 기대**, 가망; 기대를 받고 있는 사람(물건)		73	hope	[houp]
74	**힘 드는 일**, 수고, 노고, 고생, 신고(辛苦)		74	toil	[tɔil]
75	**힘, 세력**, 에너지, 기세; 폭력; 권력; 무력		75	force	[fɔ:rs]

76	결석	76	**absence**	[ǽbsəns]
77	참석	77	presence	[prézəns]
78	사고, 우연	78	**accident**	[ǽksidənt]
79	고의, 목적	79	design, purpose	[dizáin], [pə́:rpəs]
80	성인	80	**adult**	[ədʌ́lt]
81	아이	81	child	[tʃaild]
82	번영	82	**prosperity**	[prɑspérəti]
83	역경	83	adversity	[ædvə́:rsəti]
84	풍부	84	**abundance, plenty**	[əbʌ́ndəns], [plénti]
85	결핍	85	lack, scarcity	[læk], [skéərsəti]
86	전문가, 프로	86	**professional**	[prəféʃənəl]
87	아마추어	87	amateur	[ǽmətʃùər]
88	전문가, 달인	88	**expert**	[ékspə:rt]
89	문외한, 평인	89	layman	[léimən]
90	선조	90	**ancestor**	[ǽnsestər]
91	후손	91	descendant	[diséndənt]
92	기쁨, 즐거움	92	**pleasure**	[pléʒər]
93	분노, 화	93	anger	[ǽŋgər]
94	천사	94	**angel**	[éindʒəl]
95	악마	95	devil	[dévl]
96	출발	96	**departure**	[dipá:rtʃər]
97	도착	97	arrival	[əráivəl]
98	공격	98	**attack**	[ətǽk]
99	방어	99	defence	[diféns]
100	**총각 / 처녀**	100	**bachelor** / spinster	[bǽtʃələr] / [spínstər]

1	사랑 / 미움, 혐오	1	**love** / hatred	[lʌv] / [héitrid]
2	전투	2	**battle**	[bætl]
3	휴전	3	truce	[tru:s]
4	미(美), 아름다움	4	**beauty**	[bjú:ti]
5	추함	5	ugliness	[ʌ́glinis]
6	믿음	6	**belief**	[bilí:f]
7	의심	7	doubt	[daut]
8	육체	8	**body**	[bádi]
9	영혼, 정신	9	soul	[soul]
10	상여금, 보너스	10	**bonus**	[bóunəs]
11	벌금	11	fine	[fain]
12	자본	12	**capital**	[kǽpitl]
13	노동	13	labor	[léibər]
14	원인, 이유	14	**cause**	[kɔ:z]
15	결과	15	effect, result	[ifékt], [rizʌ́lt]
16	희극	16	**comedy**	[kámədi]
17	비극	17	tragedy	[trǽdʒədi]
18	복잡성	18	**complexity**	[kəmpléksəti]
19	단순성	19	simplicity	[simplísəti]
20	집중	20	**concentration**	[kànsəntréiʃən]
21	정신 산만	21	distraction	[distrǽkʃən]
22	건설	22	**construction**	[kənstrʌ́kʃən]
23	파괴	23	destruction	[distrʌ́kʃən]
24	생산자	24	**producer**	[prədjú:sər]
25	소비자	25	consumer	[kənsú:mər]

26	존경	26	**respect**	[rispékt]
27	경멸, 모욕	27	contempt	[kəntémpt]
28	중심	28	**center**	[séntər]
29	구석, 모퉁이	29	corner	[kɔ́:rnər]
30	채권자	30	**creditor**	[kréditər]
31	채무자	31	debtor	[détər]
32	새벽	32	**dawn**	[dɔ:n]
33	황혼	33	dusk	[dʌsk]
34	승리	34	**victory, triumph**	[víktəri], [tráiəmf]
35	패배	35	defeat	[difí:t]
36	수요	36	**demand**	[diménd]
37	공급	37	supply	[səplái]
38	희망	38	**hope**	[houp]
39	절망	39	despair	[dispéər]
40	의사	40	**doctor**	[dáktər]
41	환자	41	patient	[péiʃənt]
42	거인	42	**giant**	[dʒáiənt]
43	난쟁이	43	dwarf	[dwɔ:rf]
44	밀물, 만조	44	**flow**	[flou]
45	썰물, 간조	45	ebb	[eb]
46	이타주의	46	**altruism**	[ǽltru:ìzəm]
47	이기주의	47	egoism	[ígouizəm]
48	고용주	48	**employer**	[implɔ́iər]
49	피고용인	49	employee	[implɔ́ii]
50	아군	50	**friendly forces**	[fréndli fɔ́:rsis]

명사 반의어 2

51	적군	51	enemy forces	[énəmi fɔ́:rsis]
52	**친구**	52	**friend**	[frend]
53	적, 원수	53	enemy, foe(시어·문어)	[énəmi], [fou]
54	**시작**	54	**beginning**	[bigíniŋ]
55	끝	55	end	[end]
56	**앞**	56	**front**	[frʌnt]
57	뒤	57	rear, back	[riər], [bæk]
58	**행복**	58	**happiness**	[hǽpinis]
59	비참	59	misery	[mízəri]
60	**분석**	60	**analysis**	[ənǽləsis]
61	종합, 총합	61	synthesis	[sínθəsis]
62	**사실**	62	**fact**	[fækt]
63	허구, 소설	63	fiction	[fíkʃən]
64	**천재**	64	**genius**	[dʒí:njəs]
65	저능아, 바보	65	dunce	[dʌns]
66	**수입**	66	**income**	[ínkʌm]
67	지출, 비용	67	outgo, expense	[àutgóu], [ikspéns]
68	**과거**	68	**past**	[pæst]
69	미래	69	future	[fjú:tʃər]
70	**주인**	70	**host**	[houst]
71	손님	71	guest	[gest]
72	**영광**	72	**glory**	[glɔ́:ri]
73	수치	73	shame	[ʃeim]
74	**머리**	74	**head**	[hed]
75	꼬리	75	tail	[teil]

76	기쁨	76	**joy**	[dʒɔi]
77	슬픔	77	sorrow	[sárou]
78	자유	78	**liberty, freedom**	[líbərti], [frí:dəm]
79	노예 상태	79	slavery	[sléivəri]
80	친절	80	**kindness**	[káindnis]
81	악의, 적의	81	malice	[mǽlis]
82	지식	82	**knowledge**	[nálidʒ]
83	무지, 무학	83	ignorance	[ígnərəns]
84	위도	84	**latitude**	[lǽtətjù:d]
85	경도	85	longitude	[lándʒətjù:d]
86	자비	86	**mercy**	[mə́:rsi]
87	잔인	87	cruelty	[krú:əlti]
88	겸손	88	**modesty**	[mádisti]
89	거만	89	arrogance	[ǽrəgəns]
90	빛	90	**light**	[lait]
91	어둠	91	darkness	[dá:rknis]
92	사랑	92	**love**	[lʌv]
93	미움	93	hatred	[héitrid]
94	다수	94	**majority**	[mədʒɔ́:rəti]
95	소수	95	minority	[mainɔ́:rəti]
96	주인	96	**master**	[mǽstər]
97	하인	97	servant	[sə́:rvənt]
98	낙천주의	98	**optimism**	[áptəmìzəm]
99	염세주의	99	pessimism	[pésəmìzəm]
100	동양 / 서양	100	**Orient** / Occident	[ɔ́:riənt] / [áksədənt]

1	형제 / 자매	1	**brother** / sister	[brʌ́ðər] / [sístər]
2	부모	2	**parents**	[péərənt]
3	자식	3	children	[tʃíldrən]
4	애국자	4	**patriot**	[péitriət]
5	반역자	5	traitor	[tréitər]
6	평화	6	**peace**	[pi:s]
7	전쟁	7	war	[wɔ:r]
8	칭찬	8	**praise**	[preiz]
9	비난	9	blame	[bleim]
10	시, 운문	10	**poem, verse**	[póuim], [və:rs]
11	산문	11	prose	[prouz]
12	재산, 부	12	**wealth**	[welθ]
13	빈곤	13	poverty	[pávərti]
14	이론	14	**theory**	[θí:əri]
15	실제, 실행	15	practice	[prǽktis]
16	즐거움	16	**pleasure**	[pléʒər]
17	고통	17	pain	[pein]
18	양(量)	18	**quantity**	[kwántəti]
19	질(質)	19	quality	[kwáləti]
20	상(賞)	20	**reward**	[riwɔ́:rd]
21	벌(罰)	21	punishment	[pʌ́niʃmənt]
22	재산, 부	22	**wealth**	[welθ]
23	가난, 빈곤	23	poverty	[pávərti]
24	전임자	24	**predecessor**	[prédisèsər]
25	후임자	25	successor	[səksésər]

26	복종	26	**obedience**	[oubí:diəns]
27	반항	27	resistance	[rizístəns]
28	안전	28	**safety**	[séifti]
29	위험	29	danger	[déindʒər]
30	고체	30	**solid**	[sɑ́lid]
31	액체	31	liquid	[líkwid]
32	아는 사람, 지기	32	**acquaintance**	[əkwéintəns]
33	낯선 사람	33	stranger	[stréindʒər]
34	자살	34	**suicide**	[sú:əsàid]
35	타살, 살인	35	murder	[mə́:rdər]
36	검약	36	**thrift**	[θrift]
37	낭비	37	waste	[weist]
38	미덕	38	**virtue**	[və́:rtʃu:]
39	악덕	39	vice	[vais]
40	지혜	40	**wisdom**	[wízdəm]
41	어리석음	41	folly	[fɑ́li]
42	유신론자	42	**solifidian**	[sùləfídiən]
43	무신론자	43	atheist	[éiθiist]
44	일출	44	**sunrise**	[sʌ́nràiz]
45	일몰	45	sunset	[sʌ́nsèt]
46	정상, 꼭대기	46	**top**	[tɑp]
47	바닥	47	bottom	[bɑ́təm]
48	진실, 참	48	**truth**	[tru:θ]
49	거짓, 거짓말	49	lie	[lai]
50	모음 / 자음	50	**vowel** / consonant	[váuəl] / [kɑ́nsənənt]

51	[나무의] 가지	51	**branch**	[bræntʃ]
52	[나무의] 큰 가지	52	bough	[bau]
53	[나무의] 큰 가지	53	limb	[lim]
54	[나무의] 어린 가지	54	shoot	[ʃuːt]
55	[나무의] 잔가지	55	twig	[twig]
56	감정, 기분	56	**emotion**	[imóuʃən]
57	감정, 기분	57	feeling	[fíːliŋ]
58	감정, 기분	58	mood	[muːd]
59	감정, 기분	59	sentiment	[séntəmənt]
60	감정, 기분	60	passion	[pǽʃən]
61	감정, 기분	61	sensation	[senséiʃən]
62	감정, 기분	62	sense	[sens]
63	걱정, 근심	63	**care**	[kɛər]
64	걱정, 근심	64	worry	[wɔ́ːri]
65	걱정, 근심	65	concern	[kənsɔ́ːrn]
66	걱정, 근심	66	anxiety	[æŋzáiəti]
67	걱정, 근심	67	misgiving	[misgíviŋ]
68	거주자, 주민	68	**resident**	[rézidənt]
69	거주자, 주민	69	dweller	[dwélər]
70	거주자, 주민	70	inhabitant	[inhǽbətənt]
71	군중	71	**crowd**	[kraud]
72	군중	72	throng	[θrɔːŋ]
73	군중	73	mob	[mɑb]
74	군중	74	masses	[mǽsiz]
75	군중	75	multitude	[mʌ́ltitjùːd]

76	개념, 생각, 구상	76	**concept**	[kánsept]
77	개념, 생각, 구상	77	conception	[kənsépʃən]
78	개념, 생각, 구상	78	idea	[aidíːə]
79	개념, 생각, 구상	79	notion	[nóuʃən]
80	결심, 결의, 결단	80	**decision**	[disíʒən]
81	결심, 결의, 결단	81	determination	[ditə̀ːrmənéiʃən]
82	결심, 결의, 결단	82	resolution	[rèzəlúːʃən]
83	경치; 전망	83	**vista**	[vístə]
84	경치; 전망	84	prospect	[práspekt]
85	결점, 흠	85	**fault**	[fɔːlt]
86	결점, 흠	86	defect	[difékt]
87	결점, 흠	87	shortcoming	[ʃɔ́ːrtkʌ̀miŋ]
88	결점, 흠	88	flaw	[flɔː]
89	결점, 흠	89	drawback	[drɔ́ːbæ̀k]
90	경연, 경기, 경쟁	90	**contest**	[kántest]
91	경연, 경기, 경쟁	91	competition	[kàmpətíʃən]
92	경쟁자, 경쟁상대	92	**rival**	[ráivəl]
93	경쟁자, 경쟁상대	93	competitor	[kəmpétətər]
94	경쟁자, 경쟁상대	94	opponent	[əpóunənt]
95	경쟁자, 경쟁상대	95	match	[mætʃ]
96	경향, 성향, 추세	96	**tendency**	[téndənsi]
97	경향, 성향, 추세	97	inclination	[ìnklənéiʃən]
98	경향, 성향, 추세	98	trend	[trend]
99	경향, 성향, 추세	99	aptness	[ǽptnis]
100	경향, 성향, 추세	100	bent	[bent]

1	**계획, 설계**	1	**plan**	[plæn]
2	계획, 설계	2	design	[dizáin]
3	계획, 설계	3	project	[prádʒekt]
4	계획, 설계	4	scheme	[ski:m]
5	**고난, 고생**	5	**difficulty**	[dífikʌ̀lti]
6	고난, 고생	6	hardship	[há:rdʃip]
7	고난, 고생	7	trouble	[trʌ́bəl]
8	**그림, 회화**	8	**picture**	[píktʃər]
9	그림, 회화	9	drawing	[drɔ́:iŋ]
10	그림, 회화	10	painting	[péintiŋ]
11	**고통, 아픔**	11	**pain**	[pein]
12	고통, 아픔	12	agony	[ǽgəni]
13	고통, 아픔	13	anguish	[ǽŋgwiʃ]
14	고통, 아픔	14	distress	[distrés]
15	고통, 아픔	15	suffering	[sʌ́fəriŋ]
16	고통, 아픔	16	ache	[eik]
17	**기쁨, 즐거움**	17	**pleasure**	[pléʒər]
18	기쁨, 즐거움	18	delight	[diláit]
19	기쁨, 즐거움	19	joy	[dʒɔi]
20	**기초, 토대**	20	**base**	[beis]
21	기초, 토대	21	basis	[béisis]
22	기초, 토대	22	foundation	[faundéiʃən]
23	기초, 토대	23	bottom	[bátəm]
24	기초, 토대	24	ground	[graund]
25	기초, 토대	25	groundwork	[gráundwə̀:rk]

26	가락, 곡조	26	**tune**	[tju:n]
27	가락, 곡조	27	melody	[mélədi]
28	기근, 기아, 굶주림	28	**famine**	[fǽmin]
29	기근, 기아, 굶주림	29	starvation	[stɑ:rvéiʃən]
30	기분	30	**mood**	[mu:d]
31	기분	31	humor	[hjú:mər]
32	기분	32	temper	[témpər]
33	기회	33	**chance**	[tʃæns]
34	기회	34	opportunity	[ὰpərtjú:nəti]
35	기회	35	occasion	[əkéiʒən]
36	기호, 신호, 표시	36	**sign**	[sain]
37	기호, 신호, 표시	37	signal	[sígnəl]
38	기호, 신호, 표시	38	mark	[mɑ:rk]
39	기호, 신호, 표시	39	token	[tóukən]
40	긴장	40	**tension**	[ténʃən]
41	긴장	41	strain	[strein]
42	난쟁이	42	**dwarf**	[dwɔ:rf]
43	난쟁이	43	midget	[mídʒit]
44	꽃(꽃의 통칭)	44	**flower**	[fláuər]
45	꽃(과수나무의 꽃)	45	blossom	[blásəm]
46	꽃(관상용 꽃)	46	bloom	[blu:m]
47	냄새, 향기	47	**fragrance**	[fréigrəns]
48	냄새, 향기	48	odor	[óudər]
49	냄새, 향기	49	scent	[sent]
50	냄새, 향기	50	redolence(문어)	[rédələns]

51 **노력, 진력**	51 **effort**	[éfərt]
52 노력, 진력	52 endeavor	[endévər]
53 노력, 진력	53 exertion	[igzə́:rʃən]
54 노력, 진력	54 pains	[peinz]
55 **노예 상태**	55 **servitude**	[sə́:rvətjù:d]
56 노예 상태	56 slavery	[sléivəri]
57 노예 상태	57 bondage	[bándidʒ]
58 **능력**	58 **ability**	[əbíləti]
59 능력	59 capacity	[kəpǽsəti]
60 능력	60 faculty	[fǽkəlti]
61 능력	61 competence	[kámpətəns]
62 **단계, 국면**	62 **aspect**	[ǽspekt]
63 단계, 국면	63 phase	[feiz]
64 단계, 국면	64 stage	[steidʒ]
65 단계, 국면	65 state	[steit]
66 **담배(엽궐련)**	66 **cigar**	[sigá:r]
67 담배(궐련)	67 cigarette	[sìgərét]
68 담배(파이프용 담배)	68 tobacco	[təbǽkou]
69 **무기**	69 **arms**	[ɑ:rmz]
70 무기	70 weapon	[wépən]
71 **돌풍, 폭풍**	71 **storm**	[stɔ:rm]
72 돌풍, 폭풍	72 squall	[skwɔ:l]
73 돌풍, 폭풍	73 blast	[blæst]
74 돌풍, 폭풍	74 gale	[geil]
75 돌풍, 폭풍	75 gust	[gʌst]

76	도둑질	76	**burglary**	[bə́:rgləri]
77	도둑질	77	robbery	[rábəri]
78	도둑질	78	theft	[θeft]
79	도둑질	79	stealing	[sti:liŋ]
80	도자기 [제품]	80	**ceramics**	[səræmiks]
81	도자기 [제품]	81	china	[tʃáinə]
82	도자기 [제품]	82	porcelains	[pɔ́:rsəlinz]
83	도자기 [제품]	83	crockery	[krákəri]
84	도움, 원조	84	**help**	[help]
85	도움, 원조	85	aid	[eid]
86	도움, 원조	86	assistance	[əsístəns]
87	동기, 자극	87	**impulse**	[ímpʌls]
88	동기, 자극	88	motive	[móutiv]
89	동기, 자극	89	inducement	[indjú:smənt]
90	동기, 자극	90	incentive	[inséntiv]
91	동정[심]	91	**pity**	[píti]
92	동정[심]	92	compassion	[kəmpǽʃən]
93	동정[심]	93	sympathy	[símpəθi]
94	만족	94	**satisfaction**	[sæ̀tisfǽkʃən]
95	만족	95	content	[kəntént]
96	만족	96	contentment	[kənténtmənt]
97	말다툼, 논쟁	97	**argument**	[á:rgjəmənt]
98	말다툼, 논쟁	98	disputation	[dìspjutéiʃən]
99	말다툼, 논쟁	99	quarrel	[kwɔ́:rəl]
100	말다툼, 논쟁	100	contention	[kənténʃən]

1	명성, 평판	1	**fame**	[feim]
2	명성, 평판	2	reputation	[rèpjətéiʃən]
3	명성, 평판	3	renown	[rináun]
4	명성, 평판	4	prestige	[prestí:dʒ]
5	모욕	5	**indignity**	[indígnəti]
6	모욕	6	insult	[ínsʌlt]
7	모습, 외형	7	**figure**	[fígjər]
8	모습, 외형	8	form	[fɔ:rm]
9	모습, 외형	9	outline	[áutlàin]
10	모습, 외형	10	shape	[ʃeip]
11	무덤, 묘	11	**tomb**	[tu:m]
12	무덤, 묘	12	grave	[greiv]
13	믿음, 신념	13	**belief**	[bilí:f]
14	믿음, 신념	14	faith	[feiθ]
15	믿음, 신념	15	conviction	[kənvíkʃən]
16	방법, 수단	16	**means**	[mi:nz]
17	방법, 수단	17	manner	[mǽnər]
18	방법, 수단	18	method	[méθəd]
19	방법, 수단	19	way	[wei]
20	배, 복부	20	**belly**	[béli]
21	배, 복부	21	stomach	[stʌ́mək]
22	배, 복부(문어체)	22	abdomen	[ǽbdəmən]
23	범위, 한도, 한계	23	**limit**	[límit]
24	범위, 한도, 한계	24	bound	[baund]
25	범위, 한도, 한계	25	limitation	[lìmətéiʃən]

26 문화, 문명	26 **culture**	[kʌ́ltʃər]
27 문화, 문명	27 civilization	[sìvəlizéiʃən]
28 반응	28 **response**	[rispáns]
29 반응	29 reaction	[ri:ǽkʃən]
30 법, 규정	30 **law**	[lɔ:]
31 법, 규정	31 regulation	[règjəléiʃən]
32 법, 규정	32 rule	[ru:l]
33 법, 규정	33 statute	[stǽtʃu:t]
34 병, 질환	34 **illness**	[ílnis]
35 병, 질환	35 disease	[dizí:z]
36 병, 질환	36 sickness	[síknis]
37 병, 만성질환	37 malady	[mǽlədi]
38 보석	38 **gem**	[dʒem]
39 보석	39 jewel	[dʒú:əl]
40 보석	40 jewelry	[dʒú:əlri]
41 복사물, 사본	41 **copy**	[kápi]
42 복사물, 사본	42 duplicate	[djú:pləkit]
43 복사물, 사본	43 reproduction	[rì:prədʌ́kʃən]
44 부, 재산	44 **wealth**	[welθ]
45 부, 재산	45 fortune	[fɔ́:rtʃən]
46 부, 재산	46 property	[prápərti]
47 불명예, 치욕	47 **disgrace**	[disgréis]
48 불명예, 치욕	48 dishonor	[disánər]
49 불화, 의견 차이	49 **discord**	[dískɔ:rd]
50 불화, 의견 차이	50 dissension	[disénʃən]

51	분노, 격노	51	**anger**	[ǽŋgər]
52	분노, 격노	52	fury	[fjúəri]
53	분노, 격노	53	indignation	[ìndignéiʃən]
54	분노, 격노	54	rage	[reidʒ]
55	분노, 격노	55	wrath	[ræθ]
56	불길, 불꽃	56	**blaze**	[bleiz]
57	불길, 불꽃	57	flame	[fleim]
58	불길, 불꽃	58	flare	[flɛər]
59	불쾌	59	**displeasure**	[displéʒər]
60	불쾌	60	offence(미)	[əféns]
61	불쾌	61	offense(영)	[əféns]
62	[큰·대단한] 사건	62	**event**	[ivént]
63	[삽화적인] 사건	63	episode	[épəsòud]
64	[흔히 있는] 사건	64	incident	[ínsədənt]
65	사고, 재난	65	**accident**	[ǽksidənt]
66	사고, 재난	66	mischance	[mistʃǽns]
67	사고, 재난	67	mishap	[míshæp]
68	사랑, 애정	68	**love**	[lʌv]
69	사랑, 애정; 애착	69	affection	[əfékʃən]
70	사랑, 애정; 집착	70	attachment	[ətǽtʃmənt]
71	새벽, 동틀 녘	71	**dawn**	[dɔːn]
72	새벽, 동틀 녘	72	daybreak	[déibrèik]
73	새벽, 동틀 녘	73	sunrise	[sʌ́nràiz]
74	선입관, 편견	74	**prejudice**	[prédʒədis]
75	선입관, 편견	75	bias	[báiəs]

76	**상상, 공상**	76	**daydream**	[déidrì:m]
77	상상, 공상	77	fancy	[fǽnsi]
78	상상, 공상	78	fantasy	[fǽntəsi]
79	상상, 공상	79	imagination	[imædʒənéiʃən]
80	**상징, 표상**	80	**symbol**	[símbəl]
81	상징, 표상	81	mark	[mɑ:rk]
82	상징, 표상	82	emblem	[émbləm]
83	**상황, 사정**	83	**environment**	[inváiərənmənt]
84	상황, 사정	84	circumstances	[sə́:rkəmstænsiz]
85	상황, 사정	85	surroundings	[səráundiŋz]
86	상황, 사정	86	condition	[kəndíʃən]
87	**색, 색조**	87	**color**	[kʌ́lər]
88	색, 색조	88	hue	[hju:]
89	색, 색조(색의 농담)	89	tint	[tint]
90	색, 색조(엷은 색조)	90	tinge	[tindʒ]
91	**샘, 샘물**	91	**spring**	[spriŋ]
92	샘, 샘물	92	fountain	[fáuntin]
93	샘, 샘물	93	well	[wel]
94	**서론**	94	**introduction**	[ìntrədʌ́kʃən]
95	서론	95	preface	[préfis]
96	서론	96	prolog (미)	[próulɑg]
97	서론	97	prologue(영)	[próulɔ:g]
98	**선택**	98	**choice**	[tʃɔis]
99	선택	99	option	[ápʃən]
100	선택	100	selection	[silékʃən]

1	성질, 기질	1	**temper**	[témpər]
2	성질, 기질	2	temperament	[témpərəmənt]
3	성질, 기질	3	disposition	[dìspəzíʃən]
4	성질, 기질	4	character	[kǽriktər]
5	성질, 기질	5	personality	[pə̀:rsənǽləti]
6	성질, 기질	6	individuality	[ìndəvìdʒuǽləti]
7	성취	7	**achievement**	[ətʃí:vmənt]
8	성취	8	accomplishment	[əkámpliʃmənt]
9	성가, 찬송가	9	**hymn**	[him]
10	성가, 찬송가	10	psalm	[sɑ:m]
11	성가, 찬송가	11	carol	[kǽrəl]
12	성가, 찬송가	12	anthem	[ǽnθəm]
13	소설, 지어낸 이야기	13	**novel**	[návəl]
14	소설, 지어낸 이야기	14	novelette	[nùvəlét]
15	소설, 지어낸 이야기	15	fiction	[fíkʃən]
16	소음	16	**noise**	[nɔiz]
17	소음	17	uproar	[ʌ́prɔ̀:r]
18	소음	18	clamor	[klǽmər]
19	손해, 피해	19	**damage**	[dǽmidʒ]
20	손해, 피해	20	harm	[hɑ:rm]
21	손해, 피해	21	injury	[índʒəri]
22	손해, 피해	22	hurt	[hə:rt]
23	손해, 피해	23	mischief	[místʃif]
24	슬픔, 비탄	24	**grief**	[gri:f]
25	슬픔, 비탄	25	sadness	[sǽdnis]

26	수수께끼	26	**riddle**	[rídl]
27	수수께끼	27	mystery	[místəri]
28	수수께끼	28	puzzle	[pʌ́zl]
29	수확	29	**crop**	[krɑp]
30	수확	30	harvest	[háːrvist]
31	수확	31	product	[prɑ́dəkt]
32	수확	32	yield	[jiːld]
33	숲(큰 숲)	33	**forest**	[fɔ́ːrist]
34	숲(중간 숲)	34	woods	[wudz]
35	숲(작은 숲)	35	grove	[grouv]
36	줄기, 대	36	**stem**	[stem]
37	줄기, 대	37	stalk	[stɔːk]
38	줄기, 대	38	trunk	[trʌŋk]
39	시력, 시각	39	**eyesight**	[áisàit]
40	시력, 시각	40	vision	[víʒən]
41	시대	41	**age**	[eidʒ]
42	시대	42	era	[íərə]
43	시대	43	generation	[dʒènəréiʃən]
44	시대	44	epoch	[épək]
45	시대	45	period	[píəriəd]
46	시력	46	**eyesight**	[áisàit]
47	시력	47	sight	[sait]
48	시력	48	vision	[víʒən]
49	승리, 승전	49	**victory**	[víktəri]
50	승리, 승전	50	triumph	[tráiəmf]

51	신용, 신뢰	51	**trust**	[trʌst]
52	신용, 신뢰	52	confidence	[kánfidəns]
53	신용, 신뢰	53	credit	[krédit]
54	신용, 신뢰	54	credence	[krí:dəns]
55	신용, 신뢰	55	reliance	[riláiəns]
56	**싸움, 전투**	56	**fight**	[fait]
57	싸움, 전투	57	battle	[bǽtl]
58	싸움, 전투	58	combat	[kámbæt]
59	싸움, 전투	59	struggle	[strʌ́gəl]
60	싸움, 전투	60	conflict	[kánflikt]
61	**아픔, 동통**	61	**ache**	[eik]
62	아픔, 통증	62	pain	[pein]
63	아픔, 격통	63	pang	[pæŋ]
64	**안개**	64	**fog**	[fɑg]
65	안개	65	mist	[mist]
66	안개	66	smog	[smɑg]
67	안개	67	haze	[heiz]
68	**언급, 논평**	68	**comment**	[káment]
69	언급, 논평	69	commentary	[káməntèri]
70	언급, 논평	70	note	[nout]
71	언급, 논평	71	remark	[rimá:rk]
72	**운명, 숙명**	72	**fate**	[feit]
73	운명, 숙명	73	destiny	[déstəni]
74	운명, 숙명	74	doom	[du:m]
75	운명, 숙명	75	lot	[lɑt]

76	악	76	**evil**	[íːvəl]
77	악	77	vice	[vais]
78	예, 보기, 표본	78	**example**	[igzǽmpəl]
79	예, 보기, 표본	79	instance	[ínstəns]
80	예, 보기, 표본	80	sample	[sǽmpəl]
81	오락, 놀이	81	**recreation**	[rèkriéiʃən]
82	오락, 놀이	82	amusement	[əmjúːzmənt]
83	오락, 놀이	83	entertainment	[èntərtéinmənt]
84	옷, 의류	84	**clothes**	[klouðz]
85	옷, 의류	85	clothing	[klóuðiŋ]
86	옷, 의류	86	costume	[kástjuːm]
87	옷, 의류	87	dress	[dres]
88	옷, 의류	88	garment	[gáːrmənt]
89	외관, 겉보기	89	**appearance**	[əpíərəns]
90	외관, 겉보기	90	aspect	[ǽspekt]
91	외관, 겉보기	91	look	[luk]
92	외국인, 외인	92	**foreigner**	[fɔ́ːrinər]
93	외국인, 외인	93	alien	[éiljən]
94	외국인, 외인	94	stranger	[stréindʒər]
95	운, 행운	95	**luck**	[lʌk]
96	운, 행운	96	fortune	[fɔ́ːrtʃən]
97	위험	97	**danger**	[déindʒər]
98	위험	98	hazard	[hǽzərd]
99	위험	99	peril	[pérəl]
100	위험	100	risk	[risk]

1	**원인, 이유**	1	**cause**	[kɔːz]
2	원인, 이유	2	reason	[ríːzən]
3	원인, 이유	3	account	[əkáunt]
4	원인, 이유	4	motive	[móutiv]
5	원인, 이유	5	occasion	[əkéiʒən]
6	**유사[점], 닮은 점**	6	**similarity**	[sìməlǽrəti]
7	유사[점], 닮은 점	7	likeness	[láiknis]
8	유사[점], 닮은 점	8	resemblance	[rizémbləns]
9	유사[점], 닮은 점	9	analogy	[ənǽlədʒi]
10	**의견, 소견**	10	**opinion**	[əpínjən]
11	의견, 소견	11	remark	[rimáːrk]
12	의견, 소견	12	statement	[stéitmənt]
13	의견, 소견	13	view	[vjuː]
14	**유행**	14	**fashion**	[fǽʃən]
15	유행	15	vogue	[voug]
16	유행	16	mode	[moud]
17	**의례, 예식**	17	**ceremony**	[sérəmòuni]
18	의례, 예식	18	formality	[fɔːrmǽləti]
19	의례, 예식	19	rite	[rait]
20	**의무, 책임**	20	**duty**	[djúːti]
21	의무, 책임	21	obligation	[àbləgéiʃən]
22	의무, 책임	22	charge	[tʃɑːrdʒ]
23	**의사(통칭)**	23	**doctor**	[dáktər]
24	의사(내과의사)	24	physician	[fizíʃən]
25	의사(외과의사)	25	surgeon	[sə́ːrdʒən]

26	의미, 의의	26	**meaning**	[míːniŋ]
27	의미, 의의	27	sense	[sens]
28	의미, 의의	28	significance	[signífikəns]
29	의미, 의의	29	signification	[sìgnəfikéiʃən]
30	의심, 불신	30	**distrust**	[distrʌ́st]
31	의심, 불신	31	suspicion	[səspíʃən]
32	의심, 불신	32	doubt	[daut]
33	의심, 불신	33	uncertainty	[ʌnsə́ːrtnti]
34	인내[력], 참을성	34	**patience**	[péiʃəns]
35	인내[력], 참을성	35	endurance	[indjúərəns]
36	인내[력], 참을성	36	perseverance	[pə̀ːrsəvíːrəns]
37	인내[력], 참을성	37	forbearance	[fɔːrbéərəns]
38	인내[력], 참을성	38	fortitude	[fɔ́ːrtətjùːd]
39	이야기	39	**story**	[stɔ́ːri]
40	이야기	40	tale	[teil]
41	이야기	41	yarn	[jɑːrn]
42	이야기	42	narration	[næréiʃən]
43	이야기	43	narrative	[nǽrətiv]
44	이야기, 전설	44	legend	[lédʒənd]
45	이야기, 일화	45	anecdote	[ǽnikdòut]
46	입장 [허가]	46	**admission**	[ædmíʃən]
47	입장 [허가]	47	admittance	[ædmítəns]
48	입장	48	entrance	[éntrəns]
49	자유	49	**freedom**	[fríːdəm]
50	자유	50	liberty	[líbərti]

51	**이익, 이윤**	51	**profit**	[práfit]
52	이익, 이윤	52	benefit	[bénəfit]
53	이익, 이윤	53	gain	[gein]
54	이익, 이윤	54	interest	[íntərist]
55	이익, 이윤	55	advantage	[ædvǽntidʒ]
56	이익, 이윤	56	good	[gud]
57	**인류**	57	**mankind**	[mænkáind]
58	인류	58	humanity	[hju:mǽnəti]
59	인류	59	the human race	[ðəhjú:mən réis]
60	**[개인적인] 일, 관심사**	60	**affair**	[əféər]
61	[중대한] 일, 문젯거리	61	matter	[mǽtər]
62	일, 직무; 사업	62	business	[bíznis]
63	대단한 일, 사건	63	event	[ivént]
64	**자비, 인정**	64	**mercy**	[mə́:rsi]
65	자비, 인정	65	charity	[tʃǽrəti]
66	자비, 인정	66	lenity	[lénəti]
67	**자손, 후예**	67	**descendant**	[diséndənt]
68	자손, 후예	68	offspring	[ɔ́:fsprìŋ]
69	자손, 후예	69	posterity	[pɑstérəti]
70	**작자, 저자**	70	**author**	[ɔ́:θər]
71	작자, 저자	71	writer	[ráitər]
72	**장애[물], 방해[물]**	72	**obstacle**	[ɑ́bstəkəl]
73	장애[물], 방해[물]	73	obstruction	[əbstrʌ́kʃən]
74	장애[물], 방해[물]	74	barrier	[bǽriər]
75	장애[물], 방해[물]	75	hindrance	[híndrəns]

76	재능, 능력	76	**gift**	[gift]
77	재능, 능력	77	talent	[tǽlənt]
78	재능, 능력	78	faculty	[fǽkəlti]
79	재능, 능력	79	capacity	[kəpǽsəti]
80	재능, 능력	80	genius	[dʒíːnjəs]
81	재산, 자산	81	**property**	[prápərti]
82	재산, 자산	82	asset	[ǽset]
83	재산, 자산	83	estate	[istéit]
84	재산, 자산	84	fortune	[fɔ́ːrtʃən]
85	재산, 자산	85	possession	[pəzéʃən]
86	재해, 재난, 참사	86	**disaster**	[dizǽstər]
87	재해, 재난, 참사	87	calamity	[kəlǽməti]
88	재해, 재난, 참사	88	catastrophe	[kətǽstrəfi]
89	적개심	89	**antagonism**	[æntǽgənìzəm]
90	적개심	90	enmity	[énməti]
91	적개심	91	hostility	[hɑstíləti]
92	적수	92	**enemy**	[énəmi]
93	적수	93	foe(문어, 시어)	[fou]
94	적수	94	opponent	[əpóunənt]
95	적수	95	rival	[ráivəl]
96	적수	96	competitor	[kəmpétətər]
97	적수	97	antagonist	[æntǽgənist]
98	정상, 꼭대기	98	**crest**	[krest]
99	정상, 꼭대기	99	summit	[sʌ́mit]
100	정상, 꼭대기	100	top	[tɑp]

1	절정	1	**climax**	[kláimæks]
2	절정	2	peak	[pi:k]
3	조사, 검사; 시험	3	**examination**	[igzæmənéiʃən]
4	조사, 검사; 수사	4	investigation	[invèstəgéiʃən]
5	조사, 검사; 실지 답사	5	survey	[sə:rvéi]
6	조사, 검사; 학술연구	6	research	[rísə:rtʃ]
7	조사, 검사; 연구, 검토	7	study	[stʌ́di]
8	조사, 검사; 심리	8	inquiry	[inkwáiəri]
9	조사, 검사; 탐구	9	inquisition	[ìnkwəzíʃən]
10	[법률상의] **죄, 범죄**	10	**crime**	[kraim]
11	위반죄, 범죄	11	offense	[əféns]
12	유죄, 범죄 행위	12	guilt	[gilt]
13	[종교·도덕상의] 죄, 범죄	13	sin	[sin]
14	**정직, 성실**	14	**honesty**	[ánisti]
15	정직, 성실	15	integrity	[intégrəti]
16	정직, 성실	16	sincerity	[sinsérəti]
17	**조상, 선조**	17	**ancestor**	[ǽnsestər]
18	조상, 선조	18	forefather	[fɔ́:rfɑ̀:ðər]
19	**존경**	19	**respect**	[rispékt]
20	존경	20	honor	[ánər]
21	존경	21	homage	[hámidʒ]
22	존경	22	deference	[défərəns]
23	존경	23	reverence	[révərəns]
24	**종류**	24	**kind**	[kaind]
25	종류	25	sort	[sɔ:rt]

26	짐, 화물	26	**burden**	[bə́:rdn]
27	짐, 화물	27	cargo	[ká:rgou]
28	짐, 화물	28	freight	[freit]
29	짐, 화물	29	load	[loud]
30	차이	30	**difference**	[dífərəns]
31	차이	31	distinction	[distíŋʃən]
32	차이	32	unlikeness	[ʌnláiknis]
33	초보자	33	**amateur**	[ǽmətʃùər]
34	초보자	34	beginner	[bigínər]
35	초보자	35	novice	[návis]
36	충성	36	**fidelity**	[fidéləti]
37	충성	37	loyalty	[lɔ́iəlti]
38	추억, 회상, 기억력	38	**memory**	[mémɔri]
39	추억, 회상, 기억력	39	recollection	[rèkəlékʃən]
40	추억, 회상, 기억력	40	remembrance	[rimémbrəns]
41	환각, 망상	41	**illusion**	[ilú:ʒən]
42	환각, 망상	42	delusion	[dilú:ʒən]
43	환각, 망상	43	mirage	[mirá:ʒ]
44	태도, 자세	44	**attitude**	[ǽtitjù:d]
45	태도, 자세	45	pose	[pouz]
46	태도, 자세	46	posture	[pástʃər]
47	태도, 자세	47	stance	[stæns]
48	파괴	48	**destruction**	[distrʌ́kʃən]
49	파괴	49	ruin	[rú:in]
50	파괴	50	wreckage	[rékidʒ]

51	증거, 증거물	51	**evidence**	[évidəns]
52	증거, 증거물	52	proof	[pru:f]
53	테두리, 가장자리	53	**edge**	[edʒ]
54	테두리, 가장자리	54	brink	[briŋk]
55	테두리, 가장자리	55	verge	[və:rdʒ]
56	테두리, 가장자리	56	border	[bɔ́:rdər]
57	특징, 특색	57	**feature**	[fí:tʃər]
58	특징, 특색	58	character	[kǽriktər]
59	특징, 특색	59	characteristic	[kæ̀riktərístik]
60	특징, 특색	60	trait	[treit]
61	특징, 특색	61	mark	[mɑ:rk]
62	특징, 특색	62	attribute	[ətríbju:t]
63	특징, 특색	63	property	[prɑ́pərti]
64	특징, 특색	64	quality	[kwɑ́ləti]
65	풍자, 비평	65	**irony**	[áirəni]
66	풍자, 비평	66	criticism	[krítisìzəm]
67	풍자, 비평	67	sarcasm	[sɑ́:rkæzəm]
68	행동, 품행	68	**behavior**	[bihéivjər]
69	행동, 품행	69	act	[ækt]
70	행동, 품행	70	action	[ǽkʃən]
71	행동, 품행	71	conduct	[kándʌkt]
72	행동, 품행	72	deed	[di:d]
73	혼란, 무질서	73	**disorder**	[disɔ́:rdər]
74	혼란, 무질서	74	confusion	[kənfjú:ʒən]
75	혼란, 무질서	75	chaos	[kéiɑs]

76	피난처, 은신처	76	**refuge**	[réfju:dʒ]
77	피난처, 은신처	77	shelter	[ʃéltər]
78	학기	78	**quarter**	[kwɔ́:rtər]
79	학기	79	semester	[siméstər]
80	학기	80	term	[tə:rm]
81	학기	81	session	[séʃən]
82	황홀	82	**ecstasy**	[ékstəsi]
83	황홀	83	bliss	[blis]
84	황홀	84	rapture	[ræptʃər]
85	회의, 회담	85	**conference**	[kánfərəns]
86	회의, 회담	86	meeting	[mí:tiŋ]
87	회의, 회담	87	conversation	[kànvərséiʃən]
88	회의, 회담	88	session	[séʃən]
89	훈련	89	**training**	[tréiniŋ]
90	훈련	90	discipline	[dísəplin]
91	휴가, 방학	91	**vacation**	[veikéiʃən]
92	휴가, 방학	92	holiday	[hálədèi]
93	휴가, 방학	93	leave	[li:v]
94	힘, 능력	94	**power**	[páuər]
95	힘, 능력	95	strength	[stréŋkθ]
96	힘, 능력	96	force	[fɔ:rs]
97	힘, 능력	97	energy	[énərdʒi]
98	힘, 능력	98	might	[mait]
99	힘, 능력	99	vigor	[vígər]
100	힘, 능력	100	potency	[póutənsi]

명사 유의어 7 – 명사 유의어 심층탐구 1

1	**charge**	[tʃɑ:rdʒ]	1	가격·요금: [서비스에 대한] 요금; 전기료, 가스료 등
2	price	[prais]	2	[판매자가 상품에 붙이는] **값, 가격; (~s)물가**
3	cost	[kɔ:st]	3	[생산·유지에 드는] 비용; 생활비, 차 유지비 등
4	expense	[ikspéns]	4	[일반적 의미의] **지출** (주로 복수형으로 씀)
5	fee	[fi:]	5	[의사, 변호사 등 전문직 종사자에게 지불하는] **사례비**
6	fare	[fɛər]	6	[버스비, 택시비, 열차 요금 등] **교통 운임**
7	toll	[toul]	7	[고속도로·유료도로 등의] **통행료**
8	tuition	[tju:íʃən]	8	[학원비, 과외비 등] **수업료**
9	**fear**	[fiər]	9	공포: [위험·협박·고통 등에 의한] **공포·불안**
10	terror	[térər]	10	[장시간에 걸친 극심한] **공포**
11	horror	[hó:rər]	11	[뱀, 벌레, 시체 등을 보고 느끼는] **오싹한 공포**
12	dread	[dred]	12	[사람·사물(물·불·재난) 등에 대해 느끼는] **잠재적인 공포**
13	fright	[frait]	13	[돌발적인 사고로 인해 깜짝 놀란] **일시적 공포**
14	**street**	[stri:t]	14	길·도로: [도시 안의 좌우에 상가가 있고 차가 다니는 큰] **도로**
15	avenue	[ǽvənjù:]	15	['street'과 같으나 남북으로 달리는 뉴욕의 큰] **도로**
16	road	[roud]	16	[어떤 지역에서 다른 지역으로 통하는] **길, 국도**
17	way	[wei]	17	[~에 이르는] **길**, [~로 가는] **길(=road)**
18	path	[pæθ]	18	[산등성이의 이동로나 강가·공원 등의 보행로 같은] **소로**
19	lane	[lein]	19	[도시의] **골목길**; [넓은 길의 한] **차선**; [육상의] **트랙**
20	**tool**	[tu:l]	20	도구·공구·기구: [물건을 만들거나 수리할 때 쓰는] **공구**
21	appliance	[əpláiəns]	21	**가전제품**
22	utensil	[ju:ténsəl]	22	[스푼, 포크, 나이프, 접시, 그릇 등] **주방용품**
23	implement	[ímpləmənt]	23	[삽, 괭이, 쟁기 등의 농업용] **도구**
24	instrument	[ínstrəmənt]	24	[의료기기, 광학기기 등 정밀한] **장비; 악기**
25	apparatus	[æpəréitəs]	25	[과학, 의학 등에 쓰이는 한 벌의] **기구**

26	**answer**	[ǽnsər]	26	대답: [질문·요청·호소 등에 대한 가장 일반적인] **답변**
27	reply	[riplái]	27	[질문·요청·호소 등에 대한 응답자의 신중한 의도적] **답변**
28	response	[rispáns]	28	**의미상**으로는 **위 둘과 비슷하나 '반응'을 나타냄**
29	**heart**	[hɑ:rt]	29	마음: 마음, 심정, 감정, 기분, 마음씨–**감성적 마음**
30	mind	[maind]	30	마음, 정신; 지성, 이지, 머리　　　–**이성적 마음**
31	soul	[soul]	31	영혼, 혼, 넋; 정신, 마음　　　　–**영적인 마음**
32	**question**	[kwéstʃən]	32	문제: **단순한 질문**이며, **다양한 답**을 예상할 수 있음
33	problem	[prábləm]	33	[확실한 해결책이 필요한 다루기 어려운] **문제, 골칫거리**
34	issue	[íʃu:]	34	[결론을 내릴 필요가 있는 사회적·국제적] **문제**
35	affair	[əfέər]	35	**단수: 개인적 문제나 관심사; 복수: 사회적 문제나 관심사**
36	matter	[mǽtər]	36	[중대한] **문제,** [꼭 처리해야 할] **문제**
37	**wages**	[wéidʒiz]	37	보수·급료:[단순 육체노동에 대한] **주급, 노임, 일당**
38	salary	[sǽləri]	38	[전문직·사무직 등에 대해 매월 지급되는] **월급**
39	pay	[pei]	39	**급여: 모든 종류의 급여에 사용되는 일반적인 말**
40	**event**	[ivént]	40	사건: **특별히 중요한 일이나 큰 사건, 다양한 행사**
41	incident	[ínsədənt]	41	**event에서 부수적으로 발생**하는 작은 사건, 사고
42	accident	[ǽksidənt]	42	[주로 자동차] **사고,** [뜻밖의] **사건, 사고; 우발적 사고**
43	occurrence	[əkɔ́:rəns]	43	[일반적인] **사건, 사고(격식체)**
44	happening	[hǽpəniŋ]	44	[드물고 이상한] **사건**(보통 복수형으로 쓰임)
45	**visitor**	[vízitər]	45	손님: **일·사교·관광을 목적으로 찾아온 방문객**
46	guest	[gest]	46	**초대된 손님 또는 호텔 등 숙박업소의 투숙객**
47	customer	[kʌ́stəmər]	47	**상점에서 물건을 사는 손님; 단골손님; 음식점의 손님**
48	client	[kláiənt]	48	**변호사의 고객, 기타 전문적인 상담을 받으러 온 고객**
49	**garden**	[gá:rdn]	49	정원: [꽃·채소 등을 심을 수 있는] **정원, 채소밭, 꽃밭**
50	yard	[jɑ:rd]	50	[울타리를 친] **안마당, 집뜰**

51	**promise**	[prάmis]	51	약속·예약: 한쪽이 상대방에게 하는 일방적 약속
52	appointment	[əpɔ́intmənt]	52	병원의 예약; 업무상의 만남 약속
53	reservation	[rèzərvéiʃən]	53	호텔·식당의 예약; 열차표·비행기표 등의 예매
54	engagement	[engéidʒmənt]	54	공식적인 사교상의 약속; 문서상의 계약; 약혼
55	**habit**	[hǽbit]	55	습관·관습: [반복된 행동에 의해 몸에 밴] 버릇
56	custom	[kʌ́stəm]	56	[주로 문화적·사회적으로 행해지는] 관례·관습·풍습
57	practice	[prǽktis]	57	[개인의 의식적·규칙적] 습관; [사회적] 관례
58	convention	[kənvénʃən]	58	[예술·문화 등의 전통적인] 관습·인습
59	**fight**	[fait]	59	싸움: 서로 맞붙어 싸우는 싸움; 말다툼
60	quarrel	[kwɔ́:rəl]	60	말다툼
61	war	[wɔ:r]	612	개국 이상이 장기간 치르는 전쟁
62	battle	[bǽtl]	62	치고받고 싸우는 싸움
63	**practice**	[prǽktis]	63	연습·훈련: [악기·스포츠·어학기술 습득을 위한] 반복훈련
64	exercise	[éksərsàiz]	64	[이미 습득한 기술의 upgrade를 위한] 연습; 운동
65	drill	[dril]	65	[한 skill의 자동실행을 목표로 한] 반복훈련
66	training	[tréiniŋ]	66	[스포츠·전문기술의 숙달을 위한] 반복훈련
67	**mistake**	[mistéik]	67	실수·잘못: [부주의·착각 등에 의해 발생하는] 실수
68	error	[érər]	68	[근본적] 판단 착오, [기계의] 오차, [스포츠의] 실책
69	slip	[slip]	69	[실언·오타 등 부주의로 발생하는 가벼운] 실수
70	blunder	[blʌ́ndər]	70	[법적·도의적 책임을 물을 만한] 큰 실수, 대실책
71	fault	[fɔ:lt]	71	[사람의 바람직하지 않은 행동에 따른] 실수, 잘못
72	**center**	[séntər]	72	중심: 원이나 구의 중심점; 활동·흥미·관심의 중심점
73	middle	[mídl]	73	가늘고 긴 물건의 한가운데; 특정 시기·시대의 중간 부분
74	core	[kɔ:r]	74	어떤 물체의 중심부; 핵심
75	heart	[hɑ:rt]	75	전체 중 가장 중요한 부분(물리적인 중간이 아닐 수도 있음)

76	**ability**	[əbíləti]	76	능력·재능: [인간의 선천적·후천적인 지적·육체적] **능력**
77	capacity	[kəpǽsəti]	77	**수용력·포용력·처리능력**
78	talent	[tǽlənt]	78	[음악, 미술 등에 대해서 타고난 예술적인] **재능**
79	gift	[gift]	79	[한 분야의 특출한 천부적인] **재능, 적성**
80	faculty	[fǽkəlti]	80	**어떤 분야에서의 특별한 선천적·후천적 기능(격식)**
81	**souvenir**	[sù:vəníər]	81	선물: **여행지를 기억하고자 자기 자신을 위해 사는 기념품**
82	gift	[gift]	82	[공적인] **기부품, 선사품, 증여품(격식체); 재능**
83	present	[prézənt]	83	[친한 사람끼리의] **선물**
84	**region**	[rí:dʒən]	84	지역·지구: 지리적인 특징에 따라 나눠진 **한 나라의 광대한 지역**
85	district	[dístrikt]	85	[산업지구, 선거구처럼 특별한 성질이나 특징을 가진] **지구**
86	zone	[zoun]	86	[다른 곳과는 다른 특징이나 성격을 가진 특수한] **지역**
87	area	[έəriə]	87	**가장 일반적으로 어떤 '특정 지역'을 나타내는 말**
88	**scene**	[si:n]	88	풍경: [연극·영화·소설의 배경이 되는] **장면; 사건현장**
89	scenery	[sí:nəri]	89	**배경, 무대장치; 한 지방 전체의 자연풍경**
90	view	[vju:]	90	특정 장소에서 **눈앞에 펼쳐진 자연풍경(scenery의 일부)**
91	sight	[sait]	91	**단순히 눈에 비친 광경·풍경·조망; 시각, 시력**
92	landscape	[lǽndskèip]	92	한눈에 들어오는 **육지풍경; 풍경화**
93	**coast**	[koust]	93	해안: [지도상에서 보는 한 나라의 바다와 연접한 광범위한] **해안**
94	shore	[ʃɔ:r]	94	[주로 강, 바다, 호수 쪽에서 본] **해안; 호반; 강기슭**
95	beach	[bi:tʃ]	95	['shore'의 일부로서 해수욕장 같은] **모래사장, 물가**
96	seaside	[sí:sàid]	96	**해안을 나타내는 일반적인 말(=beach)**
97	**power**	[páuər]	97	힘: **어떤 일을 할 수 있는 능력; 숨겨지거나 드러난 힘**
98	strength	[strénkθ]	98	[어떤 행위를 가능케 하는 근본적인] **힘; 세기; 체력**
99	energy	[énərdʒi]	99	[어떤 일을 할 수 있게 하는 잠재적인] **힘; 정력, 활력, 원기**
100	force	[fɔ:rs]	100	[밖으로 드러나 실제로 행사되는 물리적·정신적인] **힘**

1	**work**	[wə:rk]	1	일:[육체·정신을 이용해서 행하는 모든] 일, 작업
2	job	[dʒɑb]	2	[수입을 얻게 되는] **구체적으로 정해진 일, 업무**
3	task	[tæsk]	3	[조직·타인에게서 임무·의무로 부과된] **일, 과업**
4	labor	[léibər]	4	[고되고 괴로운] 일, [주로] 육체노동
5	**job**	[dʒɑb]	5	직업: [돈을 벌기 위한] 일
6	occupation	[àkjəpéiʃən]	6	**'job'**의 **격식체**
7	profession	[prəféʃən]	7	[의사, 변호사, 교수 등 고도의] **전문직**
8	vocation	[voukéiʃən]	8	[남을 위해 헌신하는] **일**
9	calling	[kɔ:liŋ]	9	vocation과 **같은 뜻**
10	**aim**	[eim]	10	목적: [열심히 노력해서 성취하려는 구체적] **목적**
11	purpose	[pə́:rpəs]	11	[굳은 결심을 가지고 달성하려는 뚜렷한] **목적**
12	goal	[goul]	12	[장기간에 걸친 노력과 고생 끝에 얻는] **목표**
13	object	[ábdʒikt]	13	[금방 성취할 수 있는 눈에 보이는 뚜렷한] **목표**
14	objective	[əbdʒéktiv]	14	[금방 성취할 수 있는 눈에 보이는 뚜렷한] **목표**
15	end	[end]	15	[최종적으로 달성되는 결과로서의] **목적**
16	**crowd**	[kraud]	16	무리, 떼: 사람의 무리, 군중
17	flock	[flɑk]	17	[작은 새·양의] **무리**
18	herd	[hə:rd]	18	[소·돼지의] **떼**
19	school	[sku:l]	19	[물고기의] **떼**
20	shoal	[ʃoul]	20	[물고기의] **떼**
21	swarm	[swɔ:rm]	21	[꿀벌·개미 등 곤충의] **떼**
22	bevy	[bévi]	22	[소녀·사슴의] **떼**
23	covey	[kávi]	23	[한배의 병아리·메추리] **떼**
24	gang	[gæŋ]	24	[노동자·죄수·폭력단의] **떼**
25	pack	[pæk]	25	[개·늑대·군함·비행기의] **떼**

26	**lack**	[læk]	26	부족: [원하는 것·꼭 있어야 할 것의] **부족**; **결여**
27	want	[wɔːnt]	27	**필요한 것**; **부족**; **결핍**(빠른 보충이 필요한 상태)
28	shortage	[ʃɔ́ːrtidʒ]	28	[필요한 만큼 보충시키지 못한] **부족**; **결핍**
29	dearth	[dəːrθ]	29	[있어야 할 것이 부족해서 생긴] **결핍**; **기근**
30	scarcity	[skéərsəti]	30	[수요에 비해 존재량이 희소해서 오는] **부족**; **결핍**
31	**journey**	[dʒɔ́ːrni]	31	여행: 육상의 긴 여행
32	travel	[trǽvəl]	32	[일반적 의미의] **여행**, 장거리·외국여행; 여행기
33	tour	[tuər]	33	**관광여행**
34	trip	[trip]	34	[특별한 목적을 가진 일정이나 거리가] **짧은 여행**; 소풍
35	voyage	[vɔ́iidʒ]	35	[배·비행기를 이용한 긴] **여행**
36	cruise	[kruːz]	36	**선박여행**
37	expedition	[èkspədíʃən]	37	[특별한 목적을 가진] **탐험·원정여행**
38	excursion	[ikskɔ́ːrʒən]	38	소풍, [짧은] **유람**
39	**effect**	[ifékt]	39	결과: [어떤 원인·행동·과정의 필연적] **결과**, **결말**
40	result	[rizʌ́lt]	40	[일련의 'effect'들 중 최종적인] **결과**, **결말**
41	consequence	[kánsikwèns]	41	[단순히 앞 사건에 뒤이은] **결과**, **결말**
42	outcome	[áutkʌ̀m]	42	[복잡하게 얽힌 문제·사건 등의 최종적] **결과**
43	upshot	[ʌ́pʃàt]	43	[최후의] **결과**, **결말**; 결론, 요지, 귀결
44	**friend**	[frend]	44	벗, 친구: **'친구'를 나타내는 가장 일반적 표현**
45	acquaintance	[əkwéintəns]	45	[만나면 대화를 나눌 정도로] **아는 사람**, 지인
46	companion	[kəmpǽnjən]	46	[어떤 행동을 공유하는 개인적으로 친밀한] **동료**
47	colleague	[káliːg]	47	**직업상의 동료**(개인적인 친밀감은 없음)
48	comrade	[kámræd]	48	[공동의 운명·목적 등으로 맺어진] **동지**; 전우
49	**influence**	[ínfluəns]	49	영향: [간접적인] **영향**, 감화력
50	effect	[ifékt]	50	[직접적인] **영향**, **효과**; 효력

반대의 성을 나타내는 명사 100

1	남자	1	**man**	[mæn]
2	여자	2	woman	[wúmən]
3	아버지	3	**father**	[fáːðər]
4	어머니	4	mother	[mʌðər]
5	아빠	5	**dad, papa**	[dæd], [páːpə]
6	엄마	6	mom, mama	[mɑm], [máːmə]
7	아들	7	**son**	[sʌn]
8	딸	8	daughter	[dɔ́ːtər]
9	소년	9	**boy**	[bɔi]
10	소녀	10	girl	[gəːrl]
11	남편	11	**husband**	[hʌ́zbənd]
12	아내	12	wife	[waif]
13	신랑	13	**bridegroom**	[bráidgrùːm]
14	신부	14	bride	[braid]
15	형제	15	**brother**	[brʌ́ðər]
16	자매	16	sister	[sístər]
17	삼촌	17	**uncle**	[ʌ́ŋkəl]
18	숙모	18	aunt	[ænt]
19	남자조카	19	**nephew**	[néfjuː]
20	여자조카	20	niece	[niːs]
21	신사	21	**gentleman**	[dʒéntlmən]
22	숙녀	22	lady	[léidi]
23	홀아비	23	**widower**	[wídouər]
24	과부	24	widow	[wídou]
25	~씨(부르는 경칭)	25	**Mr.(=Mister)**	[místər]

26	~부인(부르는 경칭)	26	madam	[mǽdəm]
27	**영웅**	27	**hero**	[hí:rou]
28	여걸	28	heroine	[hérouin]
29	**왕**	29	**king**	[kiŋ]
30	여왕, 왕비	30	queen	[kwi:n]
31	**수도사**	31	**monk**	[mʌŋk]
32	수녀	32	nun	[nʌn]
33	**황소**	33	**bull**	[bul]
34	암소	34	cow	[kau]
35	**수말**	35	**horse**	[hɔ:rs]
36	암말	36	mare	[mɛər]
37	**수캐**	37	**dog**	[dɔ:g]
38	암캐	38	bitch	[bitʃ]
39	**숫양**	39	**sheep**	[ʃi:p]
40	암양	40	ewe	[ju:]
41	**수사슴**	41	**stag**	[stæg]
42	암사슴	42	deer	[diər]
43	**수여우**	43	**fox**	[fɑks]
44	암여우	44	vixen	[víksən]
45	**수오리**	45	**drake**	[dreik]
46	암오리	46	duck	[dʌk]
47	**수거위**	47	**gander**	[gǽndər]
48	암거위	48	goose	[gu:s]
49	**수벌**	49	**drone**	[droun]
50	암벌	50	bee	[bi:]

51	[여관·하숙의] 집주인	51	land**lord**	[lǽndlɔ̀:rd]
52	여주인, 안주인	52	land**lady**	[lǽndlèidi]
53	하인	53	**man** servant	[mǽn sə̀:rvənt]
54	하녀	54	**maid** servant	[méid sə̀:rvənt]
55	순경	55	police**man**	[pəlí:smən]
56	여순경	56	police**woman**	[pəlí:swùmən]
57	수고래	57	**bull** whale	[búl wèil]
58	암고래	58	**cow** whale	[káu wèil]
59	수코끼리	59	**bull** elephant	[búl èləfənt]
60	암코끼리	60	**cow** elephant	[káu èləfənt]
61	숫염소	61	**he**-goat	[hí: gòut]
62	암염소	62	**she**-goat	[ʃí: gòut]
63	수고양이	63	**tom**cat, **he**-cat	[tám kæ̀t]
64	암고양이	64	**she**-cat	[ʃí: kæ̀t]
65	수꿩	65	**cock**-pheasant	[kák fèzənt]
65	암꿩	66	**hen**-pheasant	[hén fèzənt]
66	수공작	67	pea**cock**	[pí:kàk]
67	암공작	68	pea**hen**	[pí:hèn]
69	신[神]	69	**God, god**	[gad]
70	여신	70	godd**ess**	[gádis]
71	황제	71	**emperor**	[émpərər]
72	황후	72	empr**ess**	[émpris]
73	왕자	73	**prince**	[prins]
74	공주	74	princ**ess**	[prínsis]
75	귀족	75	**peer**	[piər]

76	귀족부인, 여귀족	76	peer**ess**	[píəris]
77	**공작**[公爵]	77	**duke**	[dju:k]
78	공작부인, 여공작	78	duch**ess**	[dʌ́tʃis]
79	**백작**[伯爵]	79	**count**	[kaunt]
80	백작부인, 여백작	80	count**ess**	[káuntis]
81	**자작**[子爵]	81	**viscount**	[váikàunt]
82	자작부인, 여자작	82	viscount**ess**	[váikàuntis]
83	**남작**[男爵]	83	**baron**	[bǽrən]
84	남작부인, 여자작	84	baron**ess**	[bǽrənis]
85	**남자 가정교사**	85	**tutor**	[tjú:tər]
86	여자 가정교사	86	tutor**ess**	[tjú:təris]
87	**안내원**	87	**steward**	[stjú:ərd]
88	여자 안내원	88	steward**ess**	[stjú:ərdis]
89	**상속인**	89	**heir**	[ɛər]
90	여자 상속인	90	heir**ess**	[éəris]
91	**후원자**	91	**patron**	[péitrən]
92	여자 후원자	92	patron**ess**	[péitrənis]
93	**시인**	93	**poet**	[póuit]
94	여류시인	94	poet**ess**	[póuitis]
95	**작가, 저자**	95	**author**	[ɔ́:θər]
96	여류작가	96	author**ess**	[ɔ́:θəris] *author가 일반적
97	**수사자**	97	**lion**	[láiən]
98	암사자	98	lion**ess**	[láiənis]
99	**수호랑이**	99	**tiger**	[táigər]
100	암호랑이	100	tig**ess**	[táigris]

대명사 & 부정대명사 100

1	**I**	[ai]	1	내가, 나는
2	my	[mai]	2	나의
3	me	[mi]	3	나를, 나에게
4	mine	[main]	4	나의 것
5	myself	[maisélf]	5	나 자신이, 나 자신을(에게)
6	**we**	[wi:]	6	우리가, 우리는
7	our	[auər]	7	우리의, 우리들의
8	us	[ʌs]	8	우리를, 우리에게
9	ours	[auərz]	9	우리의 것
10	ourselves	[àuərsélvz]	10	우리 자신이, 우리 자신을(에게)
11	**you**	[ju:]	11	당신[들]은, 당신[들]을, 당신[들]에게
12	your	[juər]	12	당신의, 당신들의
13	yours	[juərz]	13	당신의 것, 당신들의 것
14	yourself	[juərsélf]	14	당신 자신이, 당신 자신을(에게)
15	yourselves	[juərsélvz]	15	너희 자신이, 너희 자신을(에게)
16	**he**	[hi:]	16	그가, 그는
17	his	[hiz]	17	그의
18	him	[him]	18	그를
19	himself	[himsélf]	19	그 자신이, 그 자신을(에게)
20	**she**	[ʃi:]	20	그녀가, 그녀는
21	her	[hə:r]	21	그녀를, 그녀에게
22	hers	[hə:rz]	22	그녀의 것
23	herself	[hə:rsélf]	23	그녀 자신이, 그녀 자신을(에게)
24	**it**	[it]	24	그것이, 그것을
25	its	[its]	25	그것의

26	itself	[itsélf]	26	그것 자신이, 그것 자신을(에게)
27	**they**	[ðei]	27	**그들이, 그들은, 그것들이, 그것들은**
28	their	[ðɛər]	28	그들의, 그것들의
29	them	[ðem]	29	그들을(에게), 그것들을(에게)
30	theirs	[ðɛərz]	30	그들의 것, 그것들의 것
31	themselves	[ðəmsélvz]	31	그들 자신이, 그들 자신을(에게)
32	**this**	[ðis]	32	**이것, 이 물건, 이 사람**
33	these	[ði:z]	33	이것들, 이 사람들
34	**that**	[ðæt]	34	**저것, 저 물건, 저 사람; 그것**
35	those	[ðouz]	35	그것들, 그 사람들; 사람들
36	the same	[ðəséim]	36	같은 것
37	such	[sʌtʃ]	37	그러한 것, 그런 것
38	so	[sou]	38	그러한 것
39	who	[hu:]	39	누구, 어느 사람, 어떤 사람
40	whose	[hu:z]	40	団누구의 것 / 園누구의
41	whom	[hu:m]	41	누구를
42	what	[wɑt]	42	무엇이(을), 어떤 것이(을), 무슨 일이(을)
43	which	[witʃ]	43	어느 쪽이(을), 어느 것이(을), 어느 사람이(을)
44	where	[wɛər]	44	団어디, 어떤 곳; 어떤 점
45	where	[wɛər]	45	団어디에서, 어디로, 어떤 점에서
46	when	[wen]	46	団언제, 어느 때
47	when	[wen]	47	団언제, 어떤 경우에; 어느 정도에서, 얼마쯤에서
48	why	[wai]	48	이유, 까닭
49	why	[wai]	49	왜, 어째서, 무엇 때문에
50	how	[hau]	50	園방법

51	how	[hau]	51	曱어떻게, 얼마나, 어찌, 어떤 방법(식)으로
52	one	[wʌn]	52	사람은, 사람이면 누구나; 것
53	none	[nʌn]	53	아무[것]도 ~않다(없다)
54	someone	[sʌ́mwʌ̀n]	54	누군가, 어떤 사람
55	anyone	[éniwʌ̀n]	55	누구도, 누구나, 누군가; 아무도, 아무나
56	everyone	[évriwʌ̀n]	56	모든 사람, 누구나, 모두
57	no one	[nóu-wʌ́n]	57	(=nobody) 아무도 ~않다
58	somebody	[sʌ́mbàdi]	58	어떤 사람, 누군가; 대단한 사람
59	anybody	[énibàdi]	59	누군가, 누가, 누구(아무)라도; 누구도, 아무도
60	everybody	[évribàdi]	60	각자 모두, 누구나, 모두
61	nobody	[nóubàdi]	61	아무도 ~않다; 하찮은 사람
62	something	[sʌ́mθìŋ]	62	무언가, 어떤 것(일); 얼마쯤, 어느 정도, 다소
63	anything	[éniθìŋ]	63	무언가; 아무 것도, 어떤 것도; 무엇이나
64	everything	[évriθìŋ]	64	모든 것, 무엇이나 다, 만사; 가장 귀중한 것
65	nothing	[nʌ́θiŋ]	65	아무 것(아무 일)도 ~아님; 하찮은 사람
66	each	[iːtʃ]	66	각각(각기)의, 각자의, 제각기의, 각 ~
67	either	[íːðər]	67	…도 또한 (~아니다, 않다)
68	neither	[níːðər]	68	[둘 중에서] 어느 쪽의 …도 ~아니다(않다)
69	another	[ənʌ́ðər]	69	또 다른 한 개[의 것], 또 다른 한 사람
70	other	[ʌ́ðər]	70	다른 사람, 다른 것; 그 밖(이외)의 것
71	some	[sʌm]	71	때다소, 얼마간, 좀, 약간, 일부; 어떤 사람들(것)
72	some	[sʌm]	72	형어떤, 무언가, 누군가; 좀, 몇몇의, 약간의
73	any	[éni]	73	때어느 것인가, 무언가, 누군가; 얼마쯤, 다소
74	any	[éni]	74	형어떤 ~이라도 [좀], 어떤 ~이든지 [좀]
75	all	[ɔːl]	75	전부, 전원, 모두; 모든 사람, 모든 물건(일)

76	both	[bouθ]	76	양쪽, 양자, 쌍방, 둘 다
77	many	[méni]	77	[막연히] 많은 사람들; 많은 것(사람)
78	much	[mʌtʃ]	78	많은 것, 다량[의 것]; 대단한(중요한) 것(일)
79	the former	[ðəfɔ́:rmər]	79	(=the one) 전자, 앞의 것
80	the latter	[ðəlǽtər]	80	(=the other) 후자, 뒤의 것
81	the others	[ði ʌ́ðərz]	81	그 나머지 모두
82	each other	[í:tʃʌ́ðər]	82	(둘 사이에) 서로[를], 상호
83	one another	[wʌ́n ənʌ́ðər]	83	(셋 이상의 사이에) 서로[를], 상호
84	by oneself	[bai wʌnsélf]	84	혼자; 다른 사람 없이
85	for oneself	[fɔ:r wʌnsélf]	85	그 자신을 위하여, 스스로
86	of itself	[əv itsélf]	86	자연히, 저절로
87	in itself	[in itsélf]	87	그것 자체가, 본래가, 본질적으로
88	beside oneself	[bisáid wʌnsélf]	88	이성을 잃고, 어찌할 바를 모르고
89	in spite of oneself		89	자기도 모르게, 무심코
90	between ourselves		90	우리끼리니까 말인데
91	come to oneself		91	제정신이 들다
92	keep ~ to oneself		92	~을 그 자신[에게]만 간직하다, 억제하다
93	have ~ to oneself		93	[물건을] 독차지하다
94	one after the other		94	[둘이서] 교대로, 번갈아
95	one after another		95	[여럿이] 속속, 줄이어, 차례로
96	one way or another		96	어떻게 해서든지
97	somehow or other		97	어떻게 해서든지
98	somewhere		98	어디엔가 [있다]
99	anywhere		99	어디에[라]도, 어디엔가, 어디에나
100	nowhere		100	아무 데도 [~없다]

필수동사
2600

Unit 01 필수 기본동사 100

1	be: am, are, is / was, were	1	[자]이다; 있다; 되다; 가 있다, 와있다; ~의 존재이다
2	make - made - made	2	[타]만들어 생기게 하다; 새로 만들다
3	work - worked - worked	3	[자]제 할 일을 하다; 작동하다; [약이] 듣다
4	fix - fixed - fixed	4	[타]고치다; 고정시키다 [자]고정되다; 자리 잡다
5	do - did - done	5	[타][일을] 완수하다; 하다; 행하다
6	let - let - let	6	[타]허락해주다, 세를 주다
7	put - put - put	7	[타][어떤 장소에] 있게 하다; 놓다, 두다
8	set - set - set	8	[타][갖추어] 놓다; 두다
9	lay - laid - laid	9	[타][제자리에 갖추어] 놓다; 누이다; 깔다; [알을] 낳다
10	get - got - got(gotten 미)	10	[타]입수하다, 생기다, 가서 가져오다
11	take - took - taken	11	[타]손에 잡다; 껴안다; 취하여 가지다; 가져가다
12	catch - caught - caught	12	[타][움직이는 것을] 붙잡다; 포획하다
13	have - had - had	13	[타]소유권을 가지다, 가지고(지니고) 있다
14	give - gave - given	14	[타][가진 것을] 넘겨주다 [자]주다; 기부하다
15	keep - kept - kept	15	[타][상태·동작을] 계속하다, 유지하다 [자]~한 상태에 있다
16	hold - held - held	16	[자]보존(유지)하다; 붙들고 있다 [타]갖고 있다; 지키다
17	cover - covered - covered	17	[타]덮다, 씌우다, 감싸서 숨기다; 보호하다; 보도하다
18	stay - stayed - stayed	18	[자][계속] 머물다, 체재하다; 유지하다; 버티다
19	stand - stood - stood	19	[자]서다 [타]세우다; 참다
20	go - went - gone	20	[자][어떤 장소·방향으로] 가다; 작동하다; 나빠지다
21	come - came - come	21	[자][나 또는 너에게로] 이동하다; 오다, 다가오다
22	run - ran - run	22	[자][제 길로 계속] 달리다, 뛰다
23	leave - left - left	23	[타]~을 떠나다; ~을 남기고 가다
24	pass - passed - passed	24	[자]지나가다, 통과하다, 지나다 [타]통과시키다
25	shift - shifted - shifted	25	[자]바뀌다 [타]바꾸다, ~을 이동시키다

26	turn - turned - turned	26	[자] 돌다, 변화하다 [타] 돌리다, 바꾸다
27	break - broke - broken	27	[자] 깨지다; 중단하다 [타] 깨뜨리다, 부수다; 분해하다
28	grow - grew - grown	28	[자] 성장하다, 점점 커지다; 생기다 [타] 키우다; 기르다
29	rise - rose - risen	29	[자] 일어서(나)다; 다시 살아나다; 오르다, 상승하다
30	raise - raised - raised	30	[타] 올리다, 상승시키다; 일으키다; 모금(모집)하다
31	drop - dropped - dropped	31	[자] [급히] 떨어지다 [타] 툭 떨어뜨리다
32	fall - fell - fallen	32	[자] [선을 이루며] 떨어지다 [타] 베어 넘기다
33	lose - lost - lost	33	[타] 잃다, 상실하다; 잊다 [자] 지다(패하다)
34	bring - brought - brought	34	[타] [올 때] 가지고 오다
35	carry - carried - carried	35	[자] [타] 운반하다, 휴대하다 [자] 이동해 도달하다, 미치다
36	send - sent - sent	36	[자] [타] [멀리] 보내다, 발송(송신)하다; 파견하다 [타] 내몰다
37	touch - touched - touched	37	[자] [두 물체가] 서로 닿다 [타] 닿다, 접촉하다; 만지다
38	press - pressed - pressed	38	[자] [타] 압박하다, 내리누르다 [타] 눌러 펴다; 껴안다; 즙을 짜내다
39	push - pushed - pushed	39	[자] [타] 밀다, 밀치다, 밀고 나가다 [타] 확장하다; 강요하다
40	see - saw - seen	40	[자] [타] 보이다; 보다 [타] 확인해보다; 만나보다 [자] 알다
41	look - looked - looked	41	[자] 눈여겨보다, ~하게 보이다 [타] 응시하다; 관찰하다
42	show - showed - shown	42	[자] 나타나다, 등장하다 [타] ~을 보여주다, 나타내다
43	know - knew - known	43	[자] [타] 알고 있다 [타] 아는 사이다; 정통하다; ~의 경험이 있다
44	meet - met - met	44	[자] [타] 만나다, 마주치다; 마중하다; 합쳐지다
45	fit - fit - fit	45	[자] [타] [~에] 꼭 맞다, 어울리다, 적합하다 [타] ~에 적응시키다
46	call - called - called	46	[타] 소리쳐 부르다, 전화하다; [이름을] 부르다; 초대하다
47	speak - spoke - spoken	47	[자] [타] [무엇이든] 말(이야기)하다, 지껄이다 [자] 연설(강연)하다
48	talk - talked - talked	48	[자] [타] [사적으로] 말하다, [소리 내어] 이야기를 나누다
49	say - said - said	49	[자] [타] [어떤 표현으로] 말하다, 의견을 말하다; 씌어있다
50	tell - told - told	50	[타] 말하다; [어떤 내용을] 말해서 메시지를 전달하다

51	bite - bit - bitten	51	巫 타 물다 타 물어뜯다; 부식하다; 쏘다, 자극하다
52	eat - ate - eaten	52	타 먹다; [식사를] 하다; 침식(부식)하다
53	blow - blew - blown	53	巫 [바람이] 불다; 바람에 날리다 타 [입김을] 불다
54	cry - cried - cried	54	巫 타 소리치다, 외치다 巫 [소리 내어] 울다
55	laugh - laughed - laughed	55	巫 [소리 내어] 웃다; 재미있어하다; 비웃다
56	ask - asked - asked	56	타 묻다, 물어보다; 요구(청구)하다, 요청하다
57	answer - answered - answered	57	巫 타 [질문에] 답하다; 응대하다; 일치하다; 적합하다
58	read - read[red] - read[red]	58	타 읽다, 낭독하다; 알아차리다; 판단하다; 판독하다
59	write - wrote - written	59	巫 타 쓰다, 기록하다, 편지를 쓰다 타 써넣다, 서명하다
60	count - counted - counted	60	巫 타 세다, 계산하다; 셈에 넣다; ~으로 간주하다
61	add - added - added	61	타 더하다, 덧붙이다, 포함하다 巫 덧셈하다; 증가하다
62	fill - filled - filled	62	타 ~을 가득 채우다; 메우다; 충족시키다 巫 충만해지다
63	charge - charged - charged	63	타 충전(장전)하다; 담다, 싣다; 부과(청구)하다
64	join - joined - joined	64	타 연결하다; 합류하다; ~에 가입하다; 인접하다
65	lose - lost - lost	65	타 잃다; 잊어버리다; 손해보다; 길을 잃다; 지다
66	find - found - found	66	타 [우연히] 발견하다, [애써] 찾아내다; [경험으로] 알다
67	hide - hid - hidden	67	巫 숨다, 잠복하다 타 숨기다, 감추다, 덮어 가리다
68	appear - appeared - appeared	68	巫 나타나다, 출현하다, 나오다; ~로 보이다; 실리다
69	sit - sat - sat	69	巫 앉다, 착석하다, 앉아있다; [새가] 알을 품다
70	jump - jumped - jumped	70	巫 껑충 뛰다, 도약하다; 갑자기 일어서다 타 ~을 뛰어넘다
71	roll - rolled - rolled	71	巫 구르다, 굴러가다; [차가] 달리다
72	throw - threw - thrown	72	타 던지다, 메어치다; 발사하다; 급히 입다; 벗어던지다
73	hit - hit - hit	73	타 때리다, 치다, 맞히다; 명중시키다; 맞다, 명중하다
74	strike - struck - struck	74	타 치다, 두드리다 巫 치다; 공격하다; 충돌하다
75	beat - beat - beaten	75	타 [계속해서] 치다, 두드리다; 휘저어 섞다; 이기다

76	kick - kicked - kicked	76	짜 타 차다, 걷어차다 타 속도를 갑자기 올리다
77	hurt - hurt - hurt	77	타 [몸·마음에] 상처를 입히다, ~을 다치게 하다 짜 아프다
78	cut - cut - cut	78	타 베다, 자르다; 잘라내다; 깎다; 삭제하다
79	stick - stuck - stuck	79	타 찌르다, 꿰찌르다; 내밀다; 붙이다 짜 꽂히다, 달라붙다
80	tie - tied - tied	80	타 묶다, 매다; 의무를 지우다 짜 매이다, 비기다
81	live - lived - lived	81	짜 살다, 생존하다; 생활하다
82	die - died - died	82	짜 죽다, 사라지다; 간절히 바라다
83	kill - killed - killed	83	타 죽이다, 살해하다; [시간·세월 등을] 헛되이 보내다
84	move - moved - moved	84	짜 타 움직이다; 이사(이동)하다 타 옮기다; 감동시키다
85	try - tried - tried	85	짜 타 해보다; 시험해보다 짜 노력하다 타 재판하다
86	play - played - played	86	짜 놀다, [기계 등이] 돌아가다 타 [게임·경기를] 하다
87	walk - walked - walked	87	짜 걷다, 산책하다 타 ~을 걷다; ~을 데리고 가다
88	open - opened - opened	88	짜 열리다 타 [닫힌 것을] 열다, 개봉하다; 시작하다
89	close - closed - closed	89	짜 닫히다, 끝나다 타 [열린 것을] 닫다, 눈을 감다; 끝내다
90	shut - shut - shut	90	타 닫아버리다, 막다 짜 닫히다 짜 타 휴업(폐점)하다
91	draw - drew - drawn	91	타 끌다, 끌어내다; 끌어당기다; 잡아 뽑다; 그리다
92	pull - pulled - pulled	92	타 당기다, 끌다; 끌고 가다; 끌어당기다; 뽑아내다
93	boil - boiled - boiled	93	짜 끓다, [피가] 끓어오르다 타 끓이다, 삶다, 데치다
94	burn - burned - burned	94	짜 타다; 빛나다; 달아오르다 타 태우다, 데우다
95	buy - bought - bought	95	타 사다, 구입하다; [대가·희생을 치르고] 획득하다; 채택하다
96	sell - sold - sold	96	타 팔다, 매도(매각)하다; 배반하다; 납득시키다 짜 팔리다
97	pay - paid - paid	97	짜 타 갚다, [돈을] 치르다, 지불하다; 수지가 맞다
98	pick - picked - picked	98	타 따다, 뜯다; 쪼다; 고르다; 소매치기하다
99	choose - chose - chosen	99	타 고르다, 선택하다; ~을 …로 선출하다; 원하다
100	change - changed - changed	100	타 바꾸다, 교환하다, 변경하다 짜 갈아타다(입다)

1	bear - bore - born		1	他나르다; 지니다 自他지탱하다, 견디다; 열매를 맺다
2	build - built - built		2	他짓다, 세우다, 건축하다
3	feel - felt - felt		3	他만져보다 自느끼다
4	fly - flew - flown		4	自날다, 비행하다, 날아가 버리다 他날리다
5	follow - followed - followed		5	他~을 따라가다; 추구하다
6	hang - hung - hung		6	他매달다, 걸다 自걸리다 (hang - hanged - hanged: 목매달다)
7	reach - reached - reached		7	他~에 도착하다 自[손·발을] 뻗다, 내밀다; 구하다
8	ride - rode - ridden		8	自他타다, 타고 가다; 걸터타다
9	serve - served - served		9	他섬기다, ~에 봉사하다; [음식을] 차려내다; ~에게 공급하다
10	shake - shook - shaken		10	他흔들다 自흔들리다
11	skip - skipped - skipped		11	自가볍게 뛰다 他뛰어넘다; 빼먹다
12	wear - wore - worn		12	他착용하고 있다 自닳아 해지다; 오래가다
13	**receive**	[risíːv]	13	他[물리적으로] 받다; 맞이하다
14	accept	[æksépt]	14	他[동의하고] 받아들이다, 수락하다, 감수하다
15	**achieve**	[ətʃíːv]	15	自他[어려움을 극복하고] 목적을 성취(달성)하다
16	accomplish	[əkʌ́mpliʃ]	16	他[해야 할 일을 정확히] 완수하다, 목적을 달성하다
17	**affect**	[əfékt]	17	他~에게 직접적으로 영향을 주다; 감동을 주다
18	influence	[ínfluəns]	18	他~에게 [간접적으로] 감화를 주다, 좌우시키다
19	**assert**	[əsɔ́ːrt]	19	他[근거가 없어도] 당당히 주장하다; 역설하다
20	insist	[insíst]	20	自他[반대에도 불구하고] 강력히 주장하다, 우기다
21	**describe**	[diskráib]	21	他[말로 상세히] 묘사하다
22	explain	[ikspléin]	22	自他[분명하고 알기 쉽게 말로] 설명하다, 묘사하다
23	**evaluate**	[ivǽljuèit]	23	自他[능력·효과 등을 숫자로] 평가하다
24	estimate	[éstəmèit]	24	自他[가치·수량을] 어림잡다; 견적하다
25	**focus**	[fóukəs]	25	他[특정한 것에] 초점을 맞추다 自초점이 맞다

26	concentrate	[kánsəntrèit]	26	[자] [타] [흩어진 것을 한곳으로] 집중하다; 집결하다
27	**persuade**	[pə:rswéid]	27	[타] [행동에 옮기도록] 설득하다; ~을 확신하다
28	convince	[kənvíns]	28	[타] [그렇다고 인정하도록] 납득시키다, 확신시키다
29	**presume**	[prizú:m]	29	[자] [타] [근거는 없으나 그럴 거라] 추정하다, 상상하다
30	assume	[əsjú:m]	30	[타] [자신은 없으나 그럴 거라] 가정하다, 추측하다
31	**qualify**	[kwáləfài]	31	[타] [충분한 능력이 있다고] 자격을 인정하다 [자] 자격을 따다
32	entitle	[entáitl]	32	[타] 자격·권리·명칭(제목)을 부여하다
33	**reduce**	[ridjú:s]	33	[타] [누군가가] 줄이다, 감소시키다 [자] 줄다, 쇠하다
34	decrease	[dikrí:s]	34	[자] [저절로] 줄다, 감소하다 [타] 줄이다, 감소시키다
35	**satisfy**	[sǽtisfài]	35	[타] [충분히] 만족시키다 [자] 만족을 주다
36	content	[kəntént]	36	[타] [불평 없을 만큼] 만족시키다
37	**select**	[silékt]	37	[타] [비슷한 것들 중 숙고해] 고르다, 선택하다
38	choose	[tʃu:z]	38	[타] [직감으로 가볍게] 고르다, 선택하다
39	**admit**	[ædmít]	39	[타] [내키지는 않지만] 사실을 인정하다
40	acknowledge	[æknálidʒ]	40	[타] [마지못해 사실로서] 인정하다, 시인하다
41	**demand**	[dimǽnd]	41	[타] [고압적으로 강력히] 요구하다, 청구하다; ~을 묻다
42	claim	[kleim]	42	[타] [당연한 권리로서] 요구하다, 청구하다, 주장하다
43	require	[rikwáiər]	43	[타] [필요해서] 요구하다; 명하다
44	**refuse**	[rifjú:z]	44	[타] [요구·부탁 등을 딱 잘라] 거절하다; 거부하다
45	decline	[dikláin]	45	[타] [초대·제의 등을 정중히] 사절하다; 거부하다
46	reject	[ridʒékt]	46	[타] [계획·제안 따위를] 거절하다, 퇴짜 놓다, 부인하다
47	**obtain**	[əbtéin]	47	[타] [바라던 것을]노력하여 손에 넣다; 획득하다 [자] 통용되다
48	get	[get]	48	[타] [단순히] 손에 넣다; 획득하다, 생기다
49	acquire	[əkwáiər]	49	[타] [부단한 노력으로] 손에 넣다; 배우다, 몸에 익히다
50	secure	[sikjúər]	50	[타] [얻기 어려운 것을] 간신히 손에 넣다; 굳게 지키다

51	earn	[ə:rn]	51	ⓣ [노력해서] 획득하다; 벌다
52	afford	[əfɔ́:rd]	52	ⓣ [어떤 일을] 할 여유가 있다
53	arrange	[əréindʒ]	53	ⓣ [흐트러진 것들을] 가지런히 하다; 배열하다, 정돈하다
54	cause	[kɔ:z]	54	ⓣ [좋지 않은 일을] 일으키다; …로 하여금 ~하게 하다
55	**demonstrate**	[démənstrèit]	55	ⓣ [시범을 보여] 증명하다; 시범교수하다; 드러내다
56	disclose	[disklóuz]	56	ⓣ [숨겨진 것을] 드러내다; [비밀 등을] 털어놓다
57	submit	[səbmít]	57	ⓣ복종시키다; 제출하다 ⓙ복종하다; 항복하다
58	employ	[emplɔ́i]	58	ⓣ도입해서 잘 사용하다; 고용하다
59	engage	[engéidʒ]	59	ⓣ [맹세·약속 등으로] 속박하다 ⓙ종사하다; 근무하다
60	expedite	[ékspədàit]	60	ⓣ [일을] 신속히 처리하다
61	extend	[iksténd]	61	ⓣ [손발을] 내밀다; 확장하다, 연장하다 ⓙ늘어나다, 연장되다
62	facilitate	[fəsílətèit]	62	ⓣ [좀 더] 손쉽게 하다; 촉진하다, 조장하다
63	gain	[gein]	63	ⓣ [소중한 것을 조금씩] 손에 넣다
64	judge	[dʒʌdʒ]	64	ⓙ ⓣ [어떤 것을 기준 삼아] 판단하다, 심사하다; 재판하다
65	offer	[ɔ́:fər]	65	ⓣ [특별한 것을] 권하다; 제공하다; 바치다; 제출하다
66	prove	[pru:v]	66	ⓣ증명하다, 입증하다 ⓙ~임을 알다
67	quantify	[kwántəfài]	67	ⓣ [수량 표현이 어려운 것의] 양을 재다, 양을 표시하다
68	refer	[rifɔ́:r]	68	ⓙ ⓣ [~에게] 알아보도록 하다, [~을] 참조하게 하다
69	reserve	[rizɔ́:rv]	69	ⓣ [무언가를 자기 안에] 떼어두다, 비축하다; 예약하다
70	restore	[ristɔ́:r]	70	ⓣ [원 상태로] 되돌려 놓다; 되찾다, 회복하다; 재건하다
71	reveal	[rivíːl]	71	ⓣ [감춰진 것을] 드러내다, 폭로하다, 보이다
72	save	[seiv]	72	ⓣ소중히 남겨두다; 구하다, 건지다; 절약하다, 저축하다
73	withdraw	[wiðdrɔ:]	73	ⓙ ⓣ [원래 자리로] 되돌리다; 철수하다 ⓣ움츠리다
74	yield	[ji:ld]	74	ⓣ [힘든 과정을 통해] 만들어내다; 산출하다; 양보하다
75	recognize	[rékəgnàiz]	75	ⓣ [무엇을 무엇으로서] 인지하다, 알아보다; 인정하다

76	allow	[əláu]	76	刨 [누군가가 무엇을 하도록] 허락하다, 허가하다
77	appear	[əpíər]	77	困 [눈에 보이도록] 모습을 드러내다, 나타내다; ~로 보이다
78	clarify	[klǽrəfài]	78	刨 [깔끔하지 않은 것을] 깔끔히 하다; 해명하다; 정화하다
79	confirm	[kənfə́:rm]	79	刨 [확인해서] 확증하다; 추인하다
80	consider	[kənsídər]	80	刨 [관심을 가지고] 숙고하다; ~로 간주하다; ~을 고려하다
81	consist	[kənsíst]	81	困 [견고히] 구성되어 있다; ~에 있다; ~와 양립하다
82	define	[difáin]	82	刨 [범위를 확실히] 한정하다, 규정하다; 정의를 내리다
83	deserve	[dizə́:rv]	83	困 刨 ~할 만하다; ~하는 것이 당연하다
84	expect	[ikspékt]	84	刨 기다리다; 예상하다; 바라다
85	familiarize	[fəmíljəràiz]	85	刨 [친밀하여] 익숙케 하다; ~에게 잘 알리다
86	guarantee	[gæ̀rəntí:]	86	刨 [괜찮다고 장담하며] 보증하다; 보장하다; 장담하다
87	indicate	[índikèit]	87	刨 [손짓·몸짓으로] 가리키다
88	inform	[infɔ́:rm]	88	刨 [정확한 정보를 정확히] 전달하다; ~에게 불어넣다
89	inspire	[inspáiər]	89	刨 [고무시켜] 할 생각이 들게 하다; 영감을 주다
90	intend	[inténd]	90	刨 [~하려고] 작정하다; 의도하다; 의미하다; 예정하다
91	involve	[inválv]	91	刨 말려들게 하다; 연좌시키다; 몰두시키다
92	permit	[pə:rmít]	92	困 刨 [권세 있는 자가] 허락해주다; 용납하다
93	apply	[əplái]	93	刨 [적재적소에] 적용하다; 사용하다 困 적합하다; 신청하다
94	appreciate	[əprí:ʃièit]	94	刨 [진가를] 감상하다; 감정하다; 감사하다 困 시세가 오르다
95	assign	[əsáin]	95	刨 [규칙에 따라서] 분배하다, 할당하다; 정하다
96	charge	[tʃɑ:rdʒ]	96	刨 [가득 차야 할 부분을] 채우다; 충전(장전)하다; 청구하다
97	contract	[kəntrǽkt]	97	刨 계약하다; ~와 친교를 맺다; 수축시키다
98	develop	[divéləp]	98	刨 발전시키다, 개발하다; 밝히다 困 발전하다; 밝혀지다
99	entertain	[èntərtéin]	99	困 刨 대접하다; 刨 식사에 초대하다; 즐겁게 하다
100	follow	[fálou]	100	刨 ~을 좇다, ~와 동행하다; 따르다; 추구하다; 이해하다

1	locate	[lóukeit]	1	㉮~의 위치를 정하다 ㉜ [어떤 장소에] 거주하다
2	manage	[mǽnidʒ]	2	㉮ [다루기 힘든 것을] 어떻게든 다루다, 관리하다
3	manufacture	[mæ̀njəfǽktʃər]	3	㉮ [손으로 무언가를] 만들다; [대량으로] 제조하다
4	organize	[ɔ́:rgənàiz]	4	㉮조직하다, 준비하다; 체계화하다 ㉜조직화하다
5	support	[səpɔ́:rt]	5	㉮지지하다, 지탱하다, 후원하다; 부양하다
6	prepare	[pripέər]	6	㉮ [미리] 준비하다; 준비시키다
7	provide	[prəváid]	7	㉮ [필요품을] 주다, 공급하다; 규정하다 ㉜대비하다
8	suppose	[səpóuz]	8	㉜㉮가정하다; 추측하다; 상상하다
9	apologize	[əpálədʒàiz]	9	㉜ [정식으로] 사과하다
10	approve	[əprú:v]	10	㉮좋다고 인정하다; 승인하다; 입증하다 ㉜찬성하다
11	attribute	[ətríbju:t]	11	㉮~의 탓(덕)으로 돌리다; ~을 …의 것으로 추정하다
12	derive	[diráiv]	12	㉮유래하다; 파생하다; 도출하다, 추론하다
13	detect	[ditékt]	13	㉮ [알아보기 힘든 것을] 간파하다, 발견하다, 탐지하다
14	determine	[ditə́:rmin]	14	㉮ [경계선을 과감히 뛰어넘기로] 결단하다; 결심시키다
15	devise	[diváiz]	15	㉮ [고안해서] 만들어내다
16	discuss	[diskʌ́s]	16	㉮ [건설적으로] 토론하다, 의논하다
17	enhance	[enhǽns]	17	㉮ [좋은 상태에 있는 것을] 향상시키다 ㉜높아지다
18	establish	[istǽbliʃ]	18	㉮설립하다, 수립하다; 확립하다, 확증하다
19	innovate	[ínouvèit]	19	㉜쇄신하다; 개혁하다 ㉮ [새로운 것을] 받아들이다, 도입하다
20	notify	[nóutəfài]	20	㉮ [사무적으로 정확히] 알리다, 통지하다, 통보하다
21	retain	[ritéin]	21	㉮보류하다; 보유하다, 유지하다, 존속시키다
22	require	[rikwáiər]	22	㉮ [규정에 따라 무언가를] 요구하다, 명하다
23	face	[feis]	23	㉮~을 향하다; ~에 용감히 맞서다; 직면(직시)하다
24	replace	[ripléis]	24	㉮제자리에 놓다, 되돌리다, 돌려주다; 교체하다
25	notice	[nóutis]	25	㉮~을 알아채다, ~을 인지하다; 통지하다, 언급하다

26	sacrifice	[sǽkrəfàis]	26	ⓣ희생하다, 제물로 바치다 ⓘ산 제물을 바치다
27	finance	[fáinæns]	27	ⓣ~에 자금을 공급하다 ⓘ자금을 조달하다
28	advance	[ædvǽns]	28	ⓣ전진시키다, 앞으로 내보내다 ⓘ전진하다, 진보하다
29	bounce	[bauns]	29	ⓘ[공 따위가] 되튀다 ⓣ[공 따위를] 되튀게 하다
30	denounce	[dináuns]	30	ⓣ비난하다, 탄핵하다; 고발하다, 고소하다
31	announce	[ənáuns]	31	ⓣ발표하다, 알리다 ⓘ아나운서로 근무하다
32	pierce	[piərs]	32	ⓣ꿰뚫다, 구멍을 내다, 간파하다 ⓘ들어가다, 간파하다
33	force	[fɔ:rs]	33	ⓣ억지로 ~시키다, [우격으로] 강탈하다
34	seduce	[sidjú:s]	34	ⓣ부추기다, 유혹하다, 꾀다, 매혹시키다
35	induce	[indjú:s]	35	ⓣ꾀다, 권유하다, 설득해서 ~시키다
36	produce	[prədjú:s]	36	ⓣ결과물을 내다, 제작(생산)하다; 낳다; 제출하다
37	introduce	[intrədjú:s]	37	ⓣ소개하다; 도입하다; 시장에 내놓다
38	fade	[feid]	38	ⓘ시들다; [빛·색깔 등이] 흐릿(희미·아련)해지다
39	evade	[ivéid]	39	ⓘ ⓣ[적·공격 등을 교묘히] 피하다, 비키다; 빠져나가다
40	invade	[invéid]	40	ⓣ~에 침입(침략)하다, 침범(침공)하다; 몰려들다
41	concede	[kənsí:d]	41	ⓣ인정하다, 양보하다; 용인하다, [타인의 승리를] 인정하다
42	decide	[disáid]	42	ⓘ ⓣ결정하다, 결심하다; 판결하다
43	slide	[slaid]	43	ⓘ미끄러지다, 미끄럼 타다 ⓣ미끄러지게 하다; 쓱 넣다
44	guide	[gaid]	44	ⓣ안내하다; 지도하다, 다스리다 ⓘ길잡이를 하다
45	divide	[diváid]	45	ⓣ나누다, 쪼개다, 분할하다 ⓘ나뉘다, 쪼개지다, 분배하다
46	explode	[iksplóud]	46	ⓣ폭발시키다; 논파하다 ⓘ폭발하다; 분격하다; 급증하다
47	include	[inklú:d]	47	ⓣ포함하다; 포함시키다
48	intrude	[intrú:d]	48	ⓣ밀어붙이다 ⓘ ⓣ밀고 들어가다; 끼어들다, 방해하다
49	agree	[əgrí:]	49	ⓘ동의하다, 찬성하다, 합치하다 ⓣ[that절]을 인정하다
50	guarantee	[gæ̀rəntí:]	50	ⓣ보증하다, 보장하다; 확언하다, 장담하다

51	encourage	[enkə́:ridʒ]	51	囲용기를 돋우다, 권하다, 격려하다; 장려하다
52	discourage	[diskə́:ridʒ]	52	囲용기를 잃게 하다, 낙담시키다, 단념시키다; 방해하다
53	pledge	[pledʒ]	53	줸囲서약하다, 맹세하다; 囲서약시키다; 전당잡히다
54	dodge	[dɑdʒ]	54	줸홱 피하다, 날쌔게 비키다; 잡기 힘들다; 교묘히 속이다
55	oblige	[əbláidʒ]	55	囲의무를 지우다; 하도록 강요하다 줸기쁘게 하다
56	indulge	[indʌ́ldʒ]	56	囲[욕망 등을] 만족시키다; 즐겁게 하다 줸탐닉하다
57	exchange	[ikstʃéindʒ]	57	줸囲교환하다, 교역하다; 환전하다
58	challenge	[tʃǽlindʒ]	58	줸囲도전하다 囲요구하다; 이의를 제기하다
59	emerge	[imə́:rdʒ]	59	줸나오다, 나타나다, 드러나다; 벗어나다
60	urge	[ə:rdʒ]	60	囲재촉하다, 강력히 추진하다, 강요하다, 강권하다
61	bathe	[beið]	61	줸목욕하다, 일광욕하다 囲목욕시키다; 씻다, 적시다
62	bake	[beik]	62	囲굽다, 구워 말리다 줸구워지다, [햇볕에] 타다
63	undertake	[ʌndərtéik]	63	囲떠맡다, ~을 책임지다, 맡아서 돌보다
64	stake	[steik]	64	囲[생명·돈 따위를] 걸다; 위험에 내맡기다; 제공하다
65	wake	[weik]	65	줸잠 깨다, 깨어있다; [정신적으로] 눈뜨다, 깨닫다
66	like	[laik]	66	囲좋아하다, 마음에 들다, ~하고 싶다(+to~)
67	choke	[tʃouk]	67	囲질식시키다, 막다, 메우다; 억제하다, 억누르다
68	provoke	[prəvóuk]	68	囲[감정을] 일으키게 하다; 화나게 하다; 자극하여 ~시키다
69	enable	[enéibəl]	69	囲할 수 있게 하다, 가능케 하다
70	tremble	[trémbəl]	70	줸떨다, 전율하다 囲떨게 하다; 떨리는 목소리로 말하다
71	resemble	[rizémbəl]	71	囲~와 닮다
72	stumble	[stʌ́mbəl]	72	줸[실족하여] 넘어지다; 비틀거리다
73	handle	[hǽndl]	73	囲다루다, 처리하다, 취급하다
74	bundle	[bʌ́ndl]	74	囲다발지어 묶다, 마구 던져 넣다 줸급히 물러가다
75	struggle	[strʌ́gəl]	75	줸버둥거리다, 분투하다; 노력하다 囲노력해서 ~하게 하다

76	reconcile	[rékənsàil]	76	㉻화해시키다, [논쟁을] 조정하다; 감수하다
77	file	[fail]	77	㉻철하다, 철해서 보관하다; 정리하다 ㉯줄지어 행진하다
78	pile	[pail]	78	㉻겹쳐 쌓다, 쌓아올리다, 모으다 ㉯쌓이다
79	tackle	[tǽkəl]	79	㉻[일·문제 등에] 달라붙다, 맞싸우다, 맞붙어 논쟁하다
80	wrestle	[résəl]	80	㉯씨름하다, 맞붙어 싸우다; [고통·유혹 등과] 싸우다
81	hustle	[hÁsəl]	81	㉻거칠게 밀치다; 밀고 나가다
82	settle	[sétl]	82	㉻설치하다; 결정하다; 정착시키다 ㉯앉다; 정착하다
83	puzzle	[pÁzl]	83	㉻당혹케 하다, 머리 아프게 만들다; 생각해 내다
84	blame	[bleim]	84	㉻~을 비난하다; ~의 탓(책임)으로 돌리다
85	frame	[freim]	85	㉻뼈대를 짜다; 고안하다, [못된 계략 등을] 꾸미다
86	become	[bikÁm]	86	㉯~이 되다; 어울리다, ~답다
87	overcome	[òuvərkÁm]	87	㉻~을 이겨내다, 극복하다; 압도하다 ㉯이기다, 정복하다
88	resume	[rizú:m]	88	㉯㉻~을 다시 차지하다, 되찾다, 다시 시작하다
89	consume	[kənsú:m]	89	㉻다 써버리다; 소비하다
90	combine	[kəmbáin]	90	㉻결합시키다; 겸비하다 ㉯결합하다; 겸비하다; 연합하다
91	imagine	[imǽdʒin]	91	㉻상상하다, 생각하다, 가정하다
92	shine	[ʃain]	92	㉻빛나게 하다, 비추다, 광내다 ㉯빛나다; 돋보이다
93	examine	[igzǽmin]	93	㉻시험하다, 신문하다; 조사하다
94	postpone	[poustpóun]	94	㉻연기하다, 미루다
95	escape	[iskéip]	95	㉯달아나다, 탈출하다; 새다 ㉻~을 모면하다, 벗어나다
96	scrape	[skreip]	96	㉻문지르다, 문질러 반반하게 하다 ㉯스치다
97	wipe	[waip]	97	㉻닦아내다, 닦아 없애다, 지우다, 일소하다
98	lie[lai]-lied-lied		98	㉻거짓말을 하다, ~을 속이다
99	lie[lai]-lay-lain		99	㉯눕다; 묻혀있다; 펼쳐져 있다
100	lay[lei]-laid-laid		100	㉻누이다; 깔다; [알을] 낳다

Unit 04 회화용 중요 동사 2

1	cope	[koup]	1	[자] [타] 잘 대처(처리)하다; 만나다 [타] 극복하다
2	hope	[houp]	2	[타] [좋은 쪽으로] 바라다, 기대하다
3	share	[ʃεər]	3	[타] 분배하다, 공유하다, 공동부담하다
4	declare	[diklέər]	4	[타] 선언하다, 공표하다; [세관에] 신고하다
5	compare	[kəmpέər]	5	[타] 비교하다, 견주다, 비유하다 [자] 비교되다, 필적하다
6	spare	[spεər]	6	[타] 아끼다, 따로 떼어두다; 삼가다
7	stare	[stεər]	7	[자] [타] 빤히 보다, 뚫어지게 노려보다
8	interfere	[ìntərfíər]	8	[자] 간섭하다, 훼방 놓다, 방해하다; 이해가 충돌하다
9	hire	[haiər]	9	[타] 고용하다; [세를 내고] 빌려오다; [세를 받고] 빌려주다
10	admire	[ædmáiər]	10	[타] ~에 감탄하다, ~을 찬탄하다, 칭찬하다
11	retire	[ritáiər]	11	[자] 은퇴하다; 물러가다; 자리에 들다; 퇴각하다
12	inquire	[inkwáiər]	12	[타] 묻다, 문의하다; 조회하다(격식체)
13	bore	[bɔ:r]	13	[타] 구멍을 뚫다; 지루하게 하다
14	score	[skɔ:r]	14	[타] [표를 해서] 기록하다; 채점하다; 득점하다
15	adore	[ədɔ́:r]	15	[타] 숭배하다, 흠모하다; 매우 좋아하다
16	explore	[iksplɔ́:r]	16	[자] [타] 탐험(탐구)하다; 조사하다
17	ignore	[ignɔ́:r]	17	[타] 무시하다, 묵살하다, 모른 체하다; 기각(각하)하다
18	endure	[endjúər]	18	[타] 견디다, 인내하다; 경험하다 [자] 지속하다, 참다
19	figure	[fígjər]	19	[자] [타] 계산하다 [타] 판단하다; 상징하다; 상상하다
20	injure	[índʒər]	20	[타] 상처를 입히다, 다치게 하다, 상처주다, 손상시키다
21	lure	[luər]	21	[타] 유혹하다, 유인해 들이다(내다)
22	measure	[méʒər]	22	[자] [타] 재다, 측정(측량)하다 [타] 평가하다; ~을 나타내다
23	assure	[əʃúər]	23	[타] [사람에게] 보증하다, 보장하다; 납득시키다
24	capture	[kǽptʃər]	24	[타] 붙잡다, 생포하다; 손에 넣다, 포획하다
25	ease	[i:z]	25	[자] [고통 등이] 가벼워지다 [타] 안심시키다, 편하게 하다

26	cease	[si:s]	26	㉘그만두다, 중지하다, 멈추다 ㉙그만두다, 그치다
27	release	[rilí:s]	27	㉘풀어놓다, 방출하다, 석방하다; 발매하다
28	please	[pli:z]	28	㉘기쁘게 하다, 만족시키다 ㉙㉘마음에 들다
29	increase	[inkrí:s]	29	㉙늘다, 증가하다 ㉘늘리다, 증가시키다
30	tease	[ti:z]	30	㉘집적거리다, 괴롭히다, 보채다
31	chase	[tʃeis]	31	㉘~의 뒤를 쫓다, 추적하다; 추격하다; 쫓아버리다
32	erase	[iréis]	32	㉘~을 지우다, 삭제하다, 말소하다; 잊어버리다
33	praise	[preiz]	33	㉘칭찬하다; [신을] 찬양하다, 찬미하다
34	exercise	[éksərsàiz]	34	㉘운동하다; 발휘하다; 행사하다 ㉙체조하다; 연습하다
35	promise	[prámis]	35	㉙㉘약속하다, 약정하다; 가망이 있다
36	compromise	[kámprəmàiz]	36	㉙㉘타협하다, 화해하다, 절충하다
37	despise	[dispáiz]	37	㉘[싫어하여 불쾌한 감정으로] 경멸하다, 멸시하다
38	arise	[əráiz]	38	㉙일어나다, 발생하다; 솟아오르다
39	surprise	[sərpráiz]	39	㉘[깜짝] 놀라게 하다; 불시에 덮치다
40	advertise	[ædvərtàiz]	40	㉘~을 광고하다, 선전하다 ㉙광고를 내다; 자기선전을 하다
41	bruise	[bru:z]	41	㉙멍들다 ㉘~을 멍들게 하다; [감정을] 상하게 하다
42	advise	[ædváiz]	42	㉘~에게 충고하다, 권하다
43	enclose	[enklóuz]	43	㉘~을 둘러싸다, 울타리 치다; 봉해 넣다
44	pose	[pouz]	44	㉙자세를 취하다 ㉘자세를 취하게 하다
45	impose	[impóuz]	45	㉘부과하다; 강요하다; 떠맡기다 ㉙~을 기회로 삼다
46	expose	[ikspóuz]	46	㉘드러내다, 노출시키다, 폭로하다
47	collapse	[kəlǽps]	47	㉙붕괴하다, 무너지다, 내려앉다 ㉘붕괴시키다
48	reverse	[rivə́:rs]	48	㉘뒤집다, 바꿔놓다, 뒤엎다, 파기하다
49	use	[ju:z]	49	㉘쓰다, 사용(이용)하다, 대우하다
50	abuse	[əbjú:z]	50	㉘남용(오용, 악용)하다; 학대하다

51	accuse	[əkjúːz]	51	ⓣ고발(고소)하다(=sue); 비난하다
52	excuse	[ikskjúːz]	52	ⓣ용서하다; 변명하다; 면제하다
53	confuse	[kənfjúːz]	53	ⓣ혼동하다, 헷갈리다; 혼란시키다, 당황케 하다
54	debate	[dibéit]	54	ⓐ토론(논쟁)하다 ⓣ토의하다 ⓐⓣ숙고하다
55	dedicate	[dédikèit]	55	ⓣ바치다, 전념하다; 헌정하다, 봉헌하다
56	communicate	[kəmjúːnəkèit]	56	ⓣ전달하다, 감염시키다 ⓐ통신하다, 통해있다
57	create	[kriːéit]	57	ⓣ창조하다, 창시하다, 창작하다, 창안하다
58	investigate	[invéstəgèit]	58	ⓐⓣ조사(연구·심사)하다 ⓣ수사하다
59	hate	[heit]	59	ⓣ미워하다, 증오하다; 몹시 싫어하다
60	associate	[əsóuʃièit]	60	ⓣ연합시키다, 결합하다 ⓐⓣ교제하다, 사귀다
61	humiliate	[hjuːmílièit]	61	ⓣ욕보이다, 창피를 주다, 굴욕을 주다
62	initiate	[iníʃièit]	62	ⓣ시작하다, 개시하다, 창시하다; 가입시키다
63	negotiate	[nigóuʃièit]	63	ⓐⓣ협상(협의)하다, 교섭하여 결정하다
64	isolate	[áisəlèit]	64	ⓣ고립시키다, 격리하다, 분리하다
65	translate	[trænsleit]	65	ⓣ번역하다, [쉬운 말로] 바꿔 말하다, 옮기다
66	speculate	[spékjəlèit]	66	ⓐ심사숙고하다, 추측하다; 투기를 하다
67	calculate	[kælkjəlèit]	67	ⓐⓣ계산하다; 예측하다 ⓣ맞추다; 의도하다
68	regulate	[régjəlèit]	68	ⓣ규정하다; 통제(단속)하다, 정리하다
69	stimulate	[stímjəlèit]	69	ⓣ자극하다, 북돋우다, 흥분시키다 ⓐ자극되다
70	manipulate	[mənípjəlèit]	70	ⓣ조종하다, 조작하다, 속이다; 솜씨 있게 다루다
71	coordinate	[kouɔ́ːrdənit]	71	ⓐ대등하게 하다, 조정하다, 조화시키다
72	eliminate	[ilímənèit]	72	ⓣ제거하다, 배제하다; 몰아내다; 배출하다
73	dominate	[dámənèit]	73	ⓐⓣ지배(통치)하다, ~보다 우위를 점하다
74	anticipate	[æntísəpèit]	74	ⓐⓣ예기(예상)하다; 앞당기다, ~에 앞서다
75	participate	[pɑːrtísəpèit]	75	ⓐⓣ[~에] 참여하다, 참가하다

76	rate	[reit]	76	働평가하다, 간주하다 働평가되다, 간주되다
77	separate	[séparèit]	77	働잘라서 떼어 놓다; 별거시키다 働働분리하다
78	celebrate	[séləbrèit]	78	働식을 올려 경축하다; 기리다 働의식을 행하다
79	exaggerate	[igzǽdʒərèit]	79	働働과장하다, 침소봉대하다; 과대시하다
80	tolerate	[tálərèit]	80	働너그럽게 보아주다, 묵인하다; 참다, 견디다
81	generate	[dʒénərèit]	81	働산출하다, [전기·열 등을] 발생시키다, 일으키다
82	operate	[ápərèit]	82	働작동하다, 움직이다; 수술하다 働조작하다, 운영하다
83	decorate	[dékərèit]	83	働꾸미다, 장식하다; 방에 칠·도배 등을 하다
84	illustrate	[íləstrèit]	84	働[그림 등으로] 설명하다, 삽화를 넣다 働働예증하다
85	frustrate	[frʌ́streit]	85	働쳐부수다, 좌절시키다, 실망시키다 働실망하다
86	imitate	[ímitèit]	86	働모방하다, 흉내 내다, 위조하다; 본받다, 닮다
87	irritate	[írətèit]	87	働초조하게 하다, 짜증 나게 하다; 자극하다
88	hesitate	[hézətèit]	88	働주저하다, 망설이다, 우물쭈물하다
89	graduate	[grǽdʒuèit]	89	働졸업하다, 자격을 따다 働졸업시키다, 배출하다
90	cultivate	[kʌ́ltəvèit]	90	働[땅을] 갈다, 경작하다, 재배하다; [심신을] 수련하다
91	motivate	[móutəvèit]	91	働[~에게] 동기를 주다, 자극하다, 유발하다
92	complete	[kəmplíːt]	92	働완성하다, 완결하다, 전부 갖추다; 다 채우다
93	compete	[kəmpíːt]	93	働겨루다, 경쟁하다; 서로 맞서다, 필적하다
94	unite	[juːnáit]	94	働働결합하다, 합병하다 働하나로 묶다, 겸비하다
95	invite	[inváit]	95	働초청하다, 초대하다; 권유하다; 이끌다; 청하다
96	note	[nout]	96	働적어두다, 써놓다; ~에 주의(주목)하다; 가리키다
97	quote	[kwout]	97	働働인용하다, 따다 쓰다; 예시하다; 어림잡다
98	vote	[vout]	98	働투표하다, 제안하다 働투표해서 선출(결정)하다
99	devote	[divóut]	99	働[노력·돈·시간 따위를] 바치다, 헌신하다
100	waste	[weist]	100	働낭비하다, 황폐케 하다 働약화되다, 낭비되다

1	contribute	[kəntríbjuːt]	1	㊀ ㊁ 기부(기증)하다, 기고하다 ㊁ 기여하다, 공헌하다
2	distribute	[distríbjuːt]	2	㊀ ㊁ 분배(배포)하다 ㊁ 분류하다; 퍼뜨리다, 유통시키다
3	attribute	[ətríbjuːt]	3	㊁ ~를 …의 탓이나 업적으로 하다; ~의 출처를 …로 보다
4	substitute	[sʌ́bstitjùːt]	4	㊁ 대신 쓰다, 대용하다 ㊀ ~을 대신하다, 대리하다
5	institute	[ínstətjùːt]	5	㊁ 제정하다, 설립하다; [소송을] 제기하다; 임명하다
6	constitute	[kʌ́nstətjùːt]	6	㊁ 구성하다, 조직하다; 선정하다; 설립하다
7	rescue	[réskjuː]	7	㊁ 구조하다, 구출하다; 보호하다
8	argue	[áːrgjuː]	8	㊀ ㊁ 논하다, 주장하다 ㊁ 논의(논쟁·설득)하다; 입증하다
9	continue	[kəntínjuː]	9	㊁ 계속하다, 지속하다, 속행하다 ㊀ 계속되다, 속행되다
10	sue	[suː]	10	㊀ ㊁ 고소하다, 소송을 제기하다; 간청하다
11	pursue	[pərsúː]	11	㊀ ㊁ 뒤쫓다, 추적하다 ㊁ 추구하다; 끊임없이 괴롭히다
12	behave	[bihéiv]	12	㊀ 행동을 취하다, 예절 바르게 행동하다
13	shave	[ʃeiv]	13	㊀ ㊁ [수염을] 깎다, 면도하다; 스치다 ㊁ 대패질하다
14	achieve	[ətʃíːv]	14	㊀ ㊁ [일·목적을] 이루다, 달성(성취)하다 ㊁ 획득하다
15	believe	[bilíːv]	15	㊁ ~을 사실로 받아들이다, ~라고 믿다 ㊀ ~의 존재·인격을 믿다
16	relieve	[rilíːv]	16	㊁ [고통 등을] 경감하다, 덜다; 해임하다 ㊀ ㊁ 구원하다
17	deceive	[disíːv]	17	㊀ ㊁ 속이다, 기만하다, 사기 치다, 현혹시키다
18	conceive	[kənsíːv]	18	㊁ 마음에 품다, 느끼다; 착상(상상)하다; 임신하다
19	forgive	[fərgív]	19	㊀ ㊁ 용서하다 ㊁ 탕감하다
20	drive	[draiv]	20	㊁ 차를 운전하다, 몰다; [동물을] 몰다, 쫓다
21	deprive	[dipráiv]	21	㊁ ~에게서 빼앗다, 박탈하다; ~에게 주지 않다
22	arrive	[əráiv]	22	㊀ 도착하다, 당도하다, 도달하다
23	survive	[sərváiv]	23	㊀ ㊁ ~의 후까지 생존하다(살아남다) ㊁ 면하다
24	solve	[sɑlv]	24	㊁ 풀다, 해결하다, ~에 결말을 짓다; 용해하다
25	dissolve	[dizɑ́lv]	25	㊁ 녹이다, 용해(해체)시키다; 풀다 ㊀ 녹다, 분리하다

26	shove	[ʃʌv]	26	[자] [타] 떠밀다, 밀고 나아가다, 밀어제치다 [타] 처넣다
27	love	[lʌv]	27	[타] 사랑하다; 사모하다; 매우 좋아하다
28	remove	[rimúːv]	28	[타] ~을 옮기다, 이전(이동)시키다; 제거하다, 치우다
29	improve	[imprúːv]	29	[타] [부족한 점을] 개량하다, 개선하다; [여가를] 선용하다
30	starve	[stɑːrv]	30	[자] 굶주리다, 배고프다; 굶어 죽다 [타] 굶겨 죽이다
31	observe	[əbzə́ːrv]	31	[타] [법률·시간 따위를] 지키다; 관찰하다; 눈치채다
32	preserve	[prizə́ːrv]	32	[타] 보전(보존)하다, 유지하다; 보호하다; 저장식품으로 하다
33	owe	[ou]	33	[타] 빚(신세)지고 있다, 지불할 의무가 있다; ~의 덕택이다
34	dye	[dai]	34	[타] 물들이다; 염색(착색)하다
35	sneeze	[sniːz]	35	[자] 재채기하다; 경멸하다, 코웃음 치다
36	freeze	[friːz]	36	[자] 얼다, 동결(빙결)하다; 얼어 죽다; 얼어붙다 [타] 얼게 하다
37	squeeze	[skwiːz]	37	[타] 죄다, 짜다, 압착하다; 꽉 쥐다, 꼭 껴안다; 쑤셔 넣다
38	criticize	[krítisàiz]	38	[타] 비평하다, 비판(평론)하다; 비난하다
39	realize	[ríːəlàiz]	39	[타] 깨닫다; [소망·계획 따위를] 실현하다, 현실화하다
40	specialize	[spéʃəlàiz]	40	[자] 전문화하다, 전공하다 [타] 특수화하다, 국한하다
41	symbolize	[símbəlàiz]	41	[자] [타] 상징하다 [타] ~의 상징(기호)이다; ~을 나타내다
42	emphasize	[émfəsàiz]	42	[타] 강조하다; 역설하다; ~에 강세를 두다
43	analyze	[ǽnəlàiz]	43	[타] 분석하다, 분해하다
44	defeat	[difíːt]	44	[타] 쳐부수다, 좌절시키다, 꺾다
45	cheat	[tʃiːt]	45	[타] 기만하다, 속이다; 사취하다 [자] 부정한 짓을 하다
46	repeat	[ripíːt]	46	[타] 되풀이하다, 반복하다; 되풀이해 말하다, 복창하다
47	treat	[triːt]	47	[타] [사람·짐승을] 다루다, 대우하다, 대접하다; 처리하다
48	retreat	[riːtríːt]	48	[자] 물러가다, 후퇴하다, 퇴각하다 [타] 재처리하다
49	sweat	[swet]	49	[자] 땀을 흘리다; 땀 흘리며 일하다 [타] 땀나게 혹사시키다
50	chat	[tʃæt]	50	[자] 잡담하다, 담화하다, 이야기하다

Unit 05 회화용 중요 동사 3

51	float	[flout]	51	[자]뜨다, 떠오르다; 퍼지다 [타]띄우다; 퍼뜨리다
52	doubt	[daut]	52	[자][타][증거가 부족해서] 의심하다; 미심쩍게 여기다
53	act	[ækt]	53	[타]~을 하다, 행하다 [자]행동하다; 활동하다; 실행하다
54	object	[əbdʒékt]	54	[자]반대하다, 항의하다; 싫어하다 [타]반대하여 ~라고 말하다
55	elect	[ilékt]	55	[타][투표 따위로] 선거하다, 뽑다, 선임하다; 택하다
56	reflect	[riflékt]	56	[타]반사하다, 되튀기다; 반영하다, 나타내다; 생각하다
57	neglect	[niglékt]	57	[타][의무·일 따위를] 게을리하다; 무시하다, 소홀히 하다
58	collect	[kəlékt]	58	[자][타]모으다, 수집하다 [타]수금(징수)하다; [생각을] 집중하다
59	connect	[kənékt]	59	[타]잇다, 연결하다, 연락(결부)시키다 [자]이어지다, 연결되다
60	respect	[rispékt]	60	[타]존중하다, 존경하다; 참작하다
61	suspect	[səspékt]	61	[타][그럴 만한 증거가 있어서] ~일 거라고 의심하다 [자]의심을 품다
62	direct	[dirékt]	62	[자][타]지휘(지도)하다 [타]향하게 하다, 길을 가리키다
63	correct	[kərékt]	63	[자][타]바로잡다, 고치다, 정정하다; 첨삭하다; 교정하다
64	protect	[prətékt]	64	[자][타]보호하다 [타]수호하다, 비호하다, 막다, 지키다
65	contradict	[kɑ̀ntrədíkt]	65	[타][진술·보도 등을] 부정(부인)하다, 반박하다 [자]모순되다
66	addict	[ədíkt]	66	[타](be ~ to… 꼴로) […에] 빠지다, 몰두(탐닉)하다
67	predict	[pridíkt]	67	[자][타]예언하다, 예보하다
68	conflict	[kənflíkt]	68	[자]투쟁하다, 싸우다; 충돌하다, 모순되다
69	restrict	[ristríkt]	69	[타]제한하다, 한정하다; 금지하다, 제지하다
70	construct	[kənstrʌ́kt]	70	[타]세우다, 건설하다
71	bet	[bet]	71	[자][타][돈 따위를] 걸다; 내기를 하다 [타]단언하다
72	greet	[gri:t]	72	[타]~에게 인사하다; 맞이하다, 환영(영접)하다
73	forget	[fərgét]	73	[자][타]잊다, 망각하다 [타]생각이 안 나다; 깜빡 잊다
74	regret	[rigrét]	74	[자][타]뉘우치다, 후회하다 [타]유감으로 생각하다; 아쉬워하다
75	interpret	[intə́:rprit]	75	[타]~의 뜻을 해석하다, 통역하다; 이해하다; 해몽하다

76	lift	[lift]	76	屆 올리다, 들어(안아·치켜)올리다; 향상시키다
77	drift	[drift]	77	屆 표류시키다; 떠돌게 하다; 퇴적시키다 ㊂표류하다, 떠돌다
78	wait	[weit]	78	㊂기다리다; 준비되어 있다; 시중들다
79	benefit	[bénəfit]	79	屆 ~의 이익이 되다; ~에게 이롭다 ㊂이익을 얻다
80	split	[split]	80	屆 쪼개다, 찢다, 분할하다 ㊂[세로로] 쪼개지다, 갈라지다
81	limit	[límit]	81	屆 제한하다, 한정하다
82	commit	[kəmít]	82	屆 [죄를] 범하다; 위임하다, 위탁하다; ~에 맡기다
83	omit	[oumít]	83	屆 빼먹다, 빠뜨리다, 생략하다; ~하는 걸 잊다
84	transmit	[trænsmít]	84	屆 [화물 등을] 보내다, 발송하다; 송신(방송)하다; 전하다
85	inherit	[inhérit]	85	屆 [재산·권리·체질 따위를] 상속하다, 물려받다; 유전하다
86	visit	[vízit]	86	屆 [사교·용건·관광 등을 위해] 방문하다; ~에 머물다
87	deposit	[dipázit]	87	屆 예금하다, 맡겨 놓다; [자동판매기에 돈을] 넣다
88	quit	[kwit]	88	屆 그치다, 그만두다, 중지하다; 포기하다; ~에서 떠나다
89	suit	[su:t]	89	㊂ 屆 어울리다, 적합하다 屆 적합하게 하다, 일치시키다
90	halt	[hɔ:lt]	90	㊂멈춰서다, 정지하다 屆멈추게 하다, 정지시키다
91	melt	[melt]	91	㊂녹다, 용해하다; 서서히 사라지다 屆녹이다, 흩뜨리다
92	insult	[insʌ́lt]	92	屆 모욕하다, ~에게 무례한 짓을 하다; 해치다
93	consult	[kənsʌ́lt]	93	屆 ~의 의견을 듣다; ~의 진찰을 받다 ㊂의논하다, 협의하다
94	enchant	[entʃǽnt]	94	屆매혹하다, 황홀케 하다, ~에 마법을 걸다
95	grant	[grænt]	95	屆 주다, 수여하다, 부여하다; 승낙하다, 인정하다
96	want	[wɑnt]	96	屆 ~을 원하다, 갖고 싶다; ~하고 싶다; ~이 부족하다
97	comment	[kάment]	97	㊂비평(논평)하다, 의견을 말하다 屆 ~라고 논평하다
98	resent	[rizént]	98	屆 ~에 노하다, ~에 분개하다; 원망하다
99	present	[prizént]	99	屆 선물하다, 증정하다, 바치다; ~에게 주다
100	represent	[rèprizént]	100	屆 묘사하다, 그리다; 말로 표현하다; 대표하다, 상징하다

Unit 06 회화용 중요 동사 4

1	consent	[kənsént]	1	[자] 동의하다, 찬성하다, 승인하다, 허가하다
2	prevent	[privént]	2	[자] [타] 막다, 방해하다 [타] [질병·재해 따위를] 예방하다
3	invent	[invént]	3	[타] [없던 것을] 발명하다, 고안하다; 날조하다, 조작하다
4	faint	[feint]	4	[자] 실신하다, 졸도하다, 기절하다
5	paint	[peint]	5	[자] [타] 페인트를 칠하다; 물감으로 그림을 그리다; 화장하다
6	acquaint	[əkwéint]	6	[타] 숙지(습득)시키다, 알리다, 고하다; ~에게 알려주다
7	appoint	[əpɔ́int]	7	[타] 지명하다, 임명하다; 명하다, 지시하다; 정하다, 지정하다
8	print	[print]	8	[타] 인쇄하다; 출판하다; 자국을 내다; [사진을] 인화하다
9	confront	[kənfrʌ́nt]	9	[타] ~에 직면하다; ~와 만나다; ~와 맞서다; 대결시키다
10	hunt	[hʌnt]	10	[타] ~을 사냥하다; ~에서 사냥하다; 쫓아내다; 찾아다니다
11	shoot	[ʃu:t]	11	[자] [타] 쏘다, 발사하다; 사진 찍다 [타] 던지다; 쏘아 맞히다
12	tempt	[tempt]	12	[타] ~의 마음을 끌다, 유혹하다; ~할 기분이 나게 하다
13	attempt	[ətémpt]	13	[타] 시도하다, 꾀하다; [인명 등을] 노리다, 빼앗고자 하다
14	adopt	[ədɑ́pt]	14	[타] 양자(양녀)로 삼다; 채택하다; 차용하다
15	interrupt	[ìntərʌ́pt]	15	[타] 가로막다, 저지하다, 중단시키다, 방해하다, 차단하다
16	disrupt	[disrʌ́pt]	16	[타] 찢어발기다, 째다; 부수다; 붕괴시키다, 분열시키다
17	start	[stɑ:rt]	17	[자] 출발하다, 떠나다, 시작하다, 생기다 [타] 출발시키다, ~을 시작하다
18	desert	[dizə́:rt]	18	[자] [타] [처자 등을] 버리다, 돌보지 않다; 도망하다, 탈주하다
19	divert	[divə́:rt]	19	[타] [딴 데로] 돌리다, 전환하다; 유용하다; [주의·관심을] 돌리다
20	convert	[kənvə́:rt]	20	[타] 전환하다; 화학 변화시키다; 전향(개종)시키다 [자] 바꾸다
21	report	[ripɔ́:rt]	21	[자] [타] 보고하다; 전하다; 보도하다; 신고하다; 기사를 쓰다
22	import	[impɔ́:rt]	22	[타] 수입하다; 가져오다; [감정 등을] 개입시키다; 의미하다
23	export	[ikspɔ́:rt]	23	[자] [타] 수출하다 [타] [사상 등을] 외국으로 전하다
24	resort	[rizɔ́:rt]	24	[자] 가다; 잘 가다(다니다); 의지하다, 힘을 빌리다
25	cast	[kæst]	25	[타] 던지다, 내던지다; 내던져버리다; ~의 배역을 정하다

26	broadcast	[brɔ́:dkæ̀st]	26	㉠방송(방영)하다; [소문·비밀 등을] 누설하다, 퍼뜨리다
27	forecast	[fɔ́:rkæ̀st]	27	㉲㉠예상(예측)하다; [날씨를] 예보하다
28	blast	[blæst]	28	㉠폭파하다, 결딴내다; 사살하다; 몹시 비난하다
29	boast	[boust]	29	㉲자랑하다, 떠벌리다 ㉠~을 자랑하다, 큰소리치다
30	roast	[roust]	30	㉠[고기를] 굽다, 불에 쬐다, 익히다, 볶다, 덖다
31	suggest	[səgdʒést]	31	㉠암시하다, 비추다, 시사하다, 넌지시 말하다; 제안하다
32	rest	[rest]	32	㉲쉬다, 휴식하다; 자다, 영면하다; 안심하다
33	arrest	[ərést]	33	㉠체포(구속)하다; 막다, 저지하다
34	protest	[prətést]	34	㉲㉠항의하다, 이의를 제기하다; 주장(단언)하다
35	request	[rikwést]	35	㉠구하다, 신청하다; ~에게 부탁(요청)하다 (격식체)
36	list	[list]	36	㉠목록으로(일람표로) 만들다; 목록에 올리다
37	resist	[rizíst]	37	㉲㉠[~에] 저항하다; 방해하다 ㉠격퇴하다; 견디다
38	insist	[insíst]	38	㉲㉠우기다, 강력히 주장하다 ㉠강요하다; 요구하다
39	persist	[pə:rsíst]	39	㉲고집하다, 주장하다, 집착하다; 지속하다, 존속하다
40	assist	[əsíst]	40	㉲㉠원조하다, 거들다, 돕다 ㉲출석하다
41	exist	[igzíst]	41	㉲존재하다, 실재하다, 현존하다; 생존하다, 존속하다
42	cost	[kɔ:st]	42	㉠~의 비용이 들다; [노력·시간 따위가] 요하다
43	post	[poust]	43	㉠[게시·전단 따위를] 붙이다; 게시하다; 발표하다
44	burst	[bə:rst]	44	㉲파열하다, 폭발하다; 터지다 ㉠파열시키다, 터뜨리다
45	adjust	[ədʒʌ́st]	45	㉠[꼭] 맞추다, 조정하다; [기계 등을] 조정하다
46	trust	[trʌst]	46	㉲㉠신뢰하다, 신용(신임)하다 ㉠위탁하다, 맡기다
47	butt	[bʌt]	47	㉠[머리·뿔 따위로] 받다 ㉲㉠부딪치다
48	shout	[ʃaut]	48	㉲큰소리를 내다, 외치다, 소리(고함)치다; 갈채하다
49	lead	[li:d]	49	㉲㉠이끌다, 인도(안내)하다, 인솔하다; 지휘하다
50	plead	[pli:d]	50	㉲㉠변호하다, 변론하다 ㉲탄원하다, 간청하다

Unit 06

회화용 중요 동사 4

51	spread	[spred]	51	[타] 펴다, 펼치다; 얇게 펴 바르다; 늘어놓다 [자] 퍼지다
52	succeed	[səksíːd]	52	[자] 성공하다, 출세하다 [자] [타] 계속되다; 상속하다
53	proceed	[prousíːd]	53	[자] [앞으로] 나아가다, 전진하다; 속행되다; 착수하다
54	exceed	[iksíːd]	54	[자] [타] 넘다, 초과하다; 상회하다; 능가하다
55	feed	[fiːd]	55	[타] 음식·젖·먹이 등을 주다; 부양하다; [가축을] 기르다
56	bleed	[bliːd]	56	[자] [~에서] 피를 흘리다; 피 흘려 죽다; 마음 아파하다
57	need	[niːd]	57	[타] ~을 필요로 하다, ~이 필요하다; ~할 필요가 있다
58	breed	[briːd]	58	[자] [타] [새끼를] 낳다; 기르다; 양육하다; 가르치다
59	used	[juːst]	59	[자] 과거에는 ~하는 버릇(습관)이 있었다
60	bid	[bid]	60	[타] ~에게 명령하다; [값을] 매기다, 인사말을 하다
61	forbid	[fərbíd]	61	[타] 금하다, 허락하지 않다; [주어] 때문에 ~하지 못하다
62	avoid	[əvɔ́id]	62	[타] ~을 피하다, 회피하다
63	rid	[rid]	63	[타] ~에서 없애다, 제거하다; ~에서 벗어나다
64	scold	[skould]	64	[자] [타] [어린애 따위를] 꾸짖다, [~에게] 잔소리하다
65	fold	[fould]	65	[타] [종이·천 등을] 접다; 접어 겹치다; [손·팔 등을] 포개다
66	withhold	[wiðhóuld]	66	[타] [승낙 등을] 보류하다; 억제하다; 원천징수하다
67	expand	[ikspǽnd]	67	[타] 펴다; 넓히다, 확장(확대)하다 [자] 퍼지다, 확장(확대)되다
68	understand	[ʌ̀ndərstǽnd]	68	[자] [타] 이해하다, 해석하다, 알아듣다(들어서 알다)
69	end	[end]	69	[타] 끝내다, 마치다; 죽이다 [자] 끝나다, 마쳐지다
70	bend	[bend]	70	[타] 구부리다, 굽히다, 숙이다 [자] 휘다, 구부러지다
71	descend	[disénd]	71	[자] [타] 내려가다 [타] 내리다; 경사지다; 급습하다
72	defend	[difénd]	72	[타] 막다, 지키다 [자] [타] 방어(방위)하다; 변호(옹호)하다
73	offend	[əfénd]	73	[타] 성나게 하다; 불쾌하게 하다; [법을] 위반하다
74	lend	[lend]	74	[타] 빌려주다, 임대하다, 대부하다, 대여해주다
75	mend	[mend]	75	[타] 수선하다, 고치다, 개선하다 [자] 호전되다, 회복되다

76	recommend	[rèkəménd]	76 [타]추천(천거)하다, 권하다, 권고하다; 맡기다, 위탁하다
77	depend	[dipénd]	77 [타][~에] 달려 있다; [~에] 의지하다; [~을] 믿다, 신뢰하다
78	spend	[spend]	78 [타][돈·시간을] 쓰다, 소비하다 [자][타]낭비하다
79	suspend	[səspénd]	79 [자][타]중지하다, 일시 정지하다 [타]매달다; 정직시키다
80	tend	[tend]	80 [자][~로] 향하다; ~하는 경향이 있다, ~하기 쉽다
81	pretend	[priténd]	81 [자][타]~인 척 꾸미다, 가장하다; ~라고 속이다 [자]자처하다
82	attend	[əténd]	82 [자][타]출석(참석)하다; 시중들다 [타]수반(동반)하다
83	bind	[baind]	83 [타]묶다; 포박하다; 구속하다; 맺다, 체결하다
84	mind	[maind]	84 [타]주의하다; 신경을 쓰다, 꺼리다
85	remind	[rimáind]	85 [타][~에게] 생각나게 하다, [~에게] 상기시키다
86	wind	[waind]	86 [타]감다, 휘감다, 돌리다 [자]감기다, 굽다, 굽이치다
87	respond	[rispánd]	87 [자]응답(대답)하다, 응수하다 [타]~에 응답하다, 답하다
88	surround	[səráund]	88 [타]에워싸다, 둘러싸다; 포위하다
89	sound	[saund]	89 [자]소리가 나다, 소리를 내다; ~하게 들리다
90	nod	[nɑd]	90 [자]끄덕이다; 끄덕여 인사(승낙·명령)하다
91	regard	[rigá:rd]	91 [타]주목해서 보다; 존중하다; 주의하다; ~을 …로 여기다
92	guard	[gɑ:rd]	92 [타]지키다, 보호하다; ~을 감시하다 [자]감시하다, 조심하다
93	reward	[riwɔ́:rd]	93 [타]~에게 보답하다; 보수를(상을) 주다; 보복하다
94	record	[rikɔ́:rd]	94 [자][타]녹음하다, 녹화하다; 기록하다, 기록되다
95	bar	[bɑ:r]	95 [타]빗장 질러 잠그다; 방해하다; 금하다; 추방하다
96	fear	[fiər]	96 [자]두려워하다; 걱정하다, 염려하다
97	hear	[hiər]	97 [자][타][들려서] 듣다, ~이 들리다; 소식(소문)을 듣다
98	clear	[kliər]	98 [타]맑게 하다, 깨끗이 하다; 제거하다; 빚을 갚다
99	tear	[tɛər]	99 [타]찢다, 째다, 잡아 뜯다; 뜯어내다 [자]찢어지다
100	swear	[swɛər]	100 [자]맹세하다, 선서하다; 단언하다; 욕설하다

Unit 07 회화용 중요 동사 5

1	remember	[rimémbər]	1	[타] 생각해 내다, 상기하다; 기억해 두다 [자] 생각나다
2	wander	[wándər]	2	[자] 헤매다, [걸어서] 돌아다니다; 유랑하다; 길을 잃다
3	wonder	[wʌ́ndər]	3	[자] [타] 의아하게 여기다 [자] 놀라다 [타] ~이 아닐까 생각하다
4	render	[réndər]	4	[사] ~을 …하게 만들다 [타] 보답하다; 제출하다, 주다
5	order	[ɔ́:dər]	5	[사] ~에게 명령(지시)하다 [타] 주문하다; 정돈하다
6	cheer	[tʃiər]	6	[자] [타] 갈채를 보내다, 성원하다, 응원하다 [타] 격려하다
7	prefer	[prifɔ́:r]	7	[타] [오히려] ~을 좋아하다; 차라리 ~을 택하다
8	suffer	[sʌ́fər]	8	[타] [고통을] 경험하다, 받다; 참다 [자] 고민하다, 앓다
9	infer	[infɔ́:r]	9	[자] [타] 추리(추론·추정)하다, 추측하다 [타] 의미하다
10	transfer	[trænsfɔ́:r]	10	[타] 옮기다, 이동(운반)하다; 전입(전학)시키다; 양도하다
11	trigger	[trígər]	11	[자] [타] [~의] 방아쇠를 당기다 [타] 유발하다, 발사하다
12	gather	[gǽðər]	12	[타] 모으다, 거두어들이다, 증대시키다 [자] 모이다, 증대하다
13	bother	[báðər]	13	[타] ~을 귀찮게(괴롭게) 하다 [자] 걱정하다; 일부러 ~하다
14	alter	[ɔ́:ltər]	14	[타] [모양·성질 등을] 바꾸다, 개조하다 [자] 변하다, 바뀌다
15	enter	[éntər]	15	[타] ~에 들어가다; ~에 박히다; 가입하다; [못을] 박다
16	encounter	[enkáuntər]	16	[자] [타] [~와] 우연히 만나다, 조우하다 [타] 교전하다; 부닥치다
17	charter	[tʃá:rtər]	17	[타] ~에게 특허(면허)를 주다; 설립하다; 전세 내다
18	master	[mǽstər]	18	[타] 지배(정복)하다; 억누르다; 정통하다, 통달하다
19	register	[rédʒəstər]	19	[타] 기록(기입)하다; 등록(등기)하다; 등기로 부치다
20	administer	[ædmínəstər]	20	[타] 관리하다, 경영하다, 지배(통치)하다; 집행하다
21	scatter	[skǽtər]	21	[타] 뿔뿔이 흩어버리다, 흩뿌리다, 해산시키다; 산재시키다
22	flatter	[flǽtər]	22	[타] ~에게 아첨하다, 알랑거리다; 치켜세워 ~하게 하다
23	conquer	[káŋkər]	23	[타] 정복하다, [문젯거리를] 극복하다 [자] 승리를 얻다, 이기다
24	deliver	[dilívər]	24	[타] 인도하다; 배달(송달)하다; 구해내다; [공격을] 가하다
25	recover	[rikʌ́vər]	25	[타] 되찾다; [잃은 것을] 찾아내다; 회복하다; [손해배상을] 받다

26	discover	[diskʌ́vər]	26	圉발견하다; ~을 알다, 깨닫다
27	air	[ɛər]	27	圉~을 바람 쐬어주다; 방송하다 圏바람 쐬다; 방송되다
28	repair	[ripéər]	28	圉수리(수선, 수복)하다; 회복하다; 보상하다
29	sponsor	[spánsər]	29	圉후원하다; 보증하다; 보증인이 되다; 광고주가 되다
30	monitor	[mánitər]	30	圏圉[기계 등을] 감시(조정)하다, [레이더로] 추적하다
31	occur	[əkə́:r]	31	圏[사건 등이] 일어나다, 생기다; 나타나다; [생각이] 떠오르다
32	pour	[pɔ:r]	32	圉따르다, 쏟다, 붓다, 흘리다; [탄환·조소·경멸 등을] 퍼붓다
33	delay	[diléi]	33	圉미루다, 연기하다; 늦추다 圏지체하다, 꾸물거리다
34	display	[displéi]	34	圏圉전시(진열)하다 圉보이다, 드러내다
35	pray	[prei]	35	圏圉빌다, 기도하다; 희구하다
36	betray	[bitréi]	36	圉배반(배신)하다; [조국·친구 등을] 팔다; 밀고하다
37	stray	[strei]	37	圏길을 잃다; 옆길로 빗나가다, 탈선하다; 타락하다
38	study	[stʌ́di]	38	圉배우다, 공부하다; 연구하다, 조사하다
39	obey	[oubéi]	39	圏圉[~에] 복종하다, [~에] 따르다
40	modify	[mádəfài]	40	圉수정(변경)하다; 조절하다; 수식하다; 개조하다
41	terrify	[térəfài]	41	圉겁나게 하다, 무서워하게 하다, 겁줘서 ~하게 하다
42	classify	[klǽsəfài]	42	圉분류하다, 등급으로 나누다
43	identify	[aidéntəfài]	43	圉[본인·동일물임을] 확인하다; 신원을 밝히다; 동일시하다
44	justify	[dʒʌ́stəfài]	44	圉~을 정당화하다, 옳다고 변명(주장)하다
45	rely	[rilái]	45	圏믿고 의지하다, 신뢰하다
46	reply	[riplái]	46	圏대답하다, 응답하다 圉~라고 대답하다
47	imply	[implái]	47	圉함축하다, 암시하다; 의미하다; ~을 반드시 수반하다
48	supply	[səplái]	48	圉공급하다, 지급하다; 배급하다; 보충하다, 채우다
49	accompany	[əkʌ́mpəni]	49	圉~에 묻어가다, ~와 함께 가다; ~에 수반하여 일어나다
50	deny	[dinái]	50	圉부정하다; 취소하다; 부인하다; 거부하다

51	enjoy	[endʒɔ́i]	51	㉧즐기다, [즐겁게] 맛보다, 향락하다, 재미보다
52	annoy	[ənɔ́i]	52	㉧괴롭히다, 귀찮게(성가시게) 굴다, 속 태우다
53	destroy	[distrɔ́i]	53	㉧파괴하다, 부수다, 분쇄하다; 소멸시키다; 죽이다
54	copy	[kápi]	54	㉧베끼다, 복사하다; 표절하다; [메시지를] 이해하다
55	occupy	[ákjəpài]	55	㉧[시간·장소·지위 등을] 차지(점유)하다; [시간을] 요하다
56	pry	[prai]	56	㉠엿보다, 동정을 살피다; 파고들다
57	marry	[mǽri]	57	㉧~와 결혼하다; ~을 …와 결혼시키다(to…) ㉠결혼하다
58	worry	[wɔ́:ri]	58	㉠걱정(근심)하다, 고민하다 ㉧괴롭히다; 못살게 굴다
59	hurry	[hɔ́:ri]	59	㉠서두르다, 조급하게 굴다 ㉧서두르게 하다, 재촉하다
60	bury	[béri]	60	㉧파묻다; 매장하다; 묻어버리다, 애써 잊어버리다
61	envy	[énvi]	61	㉧부러워하다, 샘내다, 질투하다
62	lean	[li:n]	62	㉠기대다; 기울다, 경사지다; 상체를 굽히다; [사상이] 쏠리다
63	clean	[kli:n]	63	㉧깨끗하게 하다; 청소하다; [더러움·때를] 없애다
64	mean	[mi:n]	64	㉧의미하다; ~의 뜻으로 말하다; 의도하다 ~할 뜻을 품다
65	plan	[plæn]	65	㉧계획하다, 궁리하다, 입안하다; 꾀하다; ~할 작정이다
66	loan	[loun]	66	㉠㉧[이자를 받고 돈을] 빌려주다, 대부하다
67	happen	[hǽpən]	67	㉠일어나다, 생기다; 마침(공교롭게·우연히) ~하다
68	threaten	[θrétn]	68	㉧~을 협박하다, 위협하다 ㉠협박하다, 위협이 되다
69	listen	[lísən]	69	㉠귀를 기울이다, 경청하다; [충고를] 듣고 따르다
70	sign	[sain]	70	㉠㉧[~에] 사인(서명)하다, 기명날인하다; 몸짓으로 신호하다
71	design	[dizáin]	71	㉠㉧디자인하다, 도안(의장)을 만들다; 설계(계획)하다
72	resign	[rizáin]	72	㉠㉧[지위·관직 따위를] 사임하다, 그만두다 ㉧넘겨주다
73	complain	[kəmpléin]	73	㉠불평하다, 우는소리를 하다; 호소하다 ㉧~라고 불평하다
74	remain	[riméin]	74	㉠남다, 남아 있다; 체류하다; 여전히 ~한 상태이다
75	drain	[drein]	75	㉧~에서 배수(방수)하다, 물기를 없애다 ㉠흘러 사라지다

76	refrain	[rifréin]	76	탄그만두다, 삼가다, 참다
77	restrain	[ristréin]	77	탄제지(방지)하다, 금(제한)하다; 억누르다; ~에게서 빼앗다
78	maintain	[meintéin]	78	탄지속(계속)하다, 유지(견사)하다; 속행하다; 부양하다
79	contain	[kəntéin]	79	탄[속에] 담고 있다, 내포하다, 포함하다; 억제하다
80	sustain	[səstéin]	80	탄[아래서] 떠받치다; 유지하다, 계속하다; 부양하다
81	begin	[bigín]	81	자 탄시작하다, 착수하다 자일어나다 탄일으키다
82	pin	[pin]	82	탄핀으로 고정시키다, 꼭 누르다; ~을 명확히 정의하다
83	spin	[spin]	83	탄[실을] 잣다, 방적하다; 돌리다, 회전시키다
84	ruin	[rú:in]	84	탄파괴하다; 파멸(황폐)시키다 자황폐하다, 파멸하다
85	win	[win]	85	자 탄[경쟁·경기 따위에서] 이기다 탄쟁취하다, 얻다
86	condemn	[kəndém]	86	탄비난하다, 힐난하다, 나무라다; 유죄 판결을 내리다
87	abandon	[əbǽndən]	87	탄[사람·배·나라·장소·지위 등을] 버리고 떠나다; 그만두다
88	pardon	[pá:rdn]	88	탄용서하다, 관대히 봐주다
89	function	[fʌ́ŋkʃən]	89	자작용하다, 제 기능(역할·직분)을 다하다
90	mention	[ménʃən]	90	탄말하다, ~에 언급하다, 얘기로 꺼내다; ~의 이름을 말하다
91	question	[kwéstʃən]	91	탄~에게 묻다; 신문하다; 의문시하다 자묻다, 질문하다
92	learn	[lə:rn]	92	자 탄~을 배우다, 익히다, 가르침을 받다; 외다, 들어 알다
93	concern	[kənsə́:rn]	93	탄~에 관계하다(되다); ~에 관여하다; 걱정하다
94	return	[ritə́:rn]	94	자[본래 자리로] 되돌아가다, 돌아가(오)다 탄반환하다, 되갚다
95	stun	[stʌn]	95	탄기절시키다, 정신을 잃게 하다; 깜짝 놀라게 하다
96	drown	[draun]	96	탄물에 빠뜨리다, 익사시키다 자물에 빠지다, 익사하다
97	preach	[pri:tʃ]	97	자 탄전도하다, 설교하다; 타이르다, 설복하다
98	teach	[ti:tʃ]	98	자 탄가르치다, 교수하다, 교육하다, 훈육하다
99	reproach	[ripróutʃ]	99	탄[아무를] 비난하다; 나무라다, 꾸짖다, 책망하다
100	attach	[ətǽtʃ]	100	탄붙이다, 달다; 바르다; 부속시키다

1	launch	[lɔːntʃ]	1	탭 [새로 만든 배를] 진수시키다; 발진시키다; 발행하다
2	search	[səːrtʃ]	2	탭 찾다, 뒤지다, 살피다, 수색하다 잡 찾다, 조사하다
3	research	[ríːsəːrtʃ]	3	잡 탭 [~을] 연구하다, 조사하다
4	match	[mætʃ]	4	탭 ~에 필적하다, ~에 어울리다, 걸맞다 잡 어울리다
5	scratch	[skrætʃ]	5	잡 탭 할퀴다, 긁다; [몸에] 할퀸 상처를 내다; 긁어모으다
6	watch	[wɑtʃ]	6	탭 지켜보다, 관전(구경)하다; 감시하다; 돌보다
7	stretch	[stretʃ]	7	탭 뻗치다, 늘이다, 펴다, 잡아당기다; 내밀다, 내뻗다
8	pitch	[pitʃ]	8	잡 탭 던지다; [텐트를] 치다 탭 ~의 음높이를 조정하다
9	switch	[switʃ]	9	잡 탭 스위치를 돌리다; [생각·화제 따위를] 바꾸다, 전환하다
10	weigh	[wei]	10	잡 탭 [~의] 무게를 달다; 체중을 달다; 숙고하다
11	dash	[dæʃ]	11	탭 내던지다; 박살 내다; 끼얹다 잡 돌진하다, 충돌하다
12	smash	[smæʃ]	12	탭 분쇄하다, 박살 내다; 후려치다 잡 박살 나다; 세게 충돌하다
13	crash	[kræʃ]	13	잡 요란한 소리를 내며 무너지다(추락하다, 부서지다, 충돌하다)
14	wash	[wɑʃ]	14	잡 탭 [물로] 씻다, 씻어내다; 빨다, 세탁하다
15	publish	[pʌ́bliʃ]	15	탭 출판하다; 발표하다, 공포하다 잡 발행하다, 출판하다
16	polish	[pɑ́liʃ]	16	탭 닦다, ~의 광을 내다; 다듬어 세련되게 하다 잡 광나다, 세련되다
17	vanish	[vǽniʃ]	17	잡 사라지다, 자취를 감추다; 희미해지다 탭 없애다
18	finish	[fíniʃ]	18	탭 끝내다, 마치다, 다 쓰다, 죽이다 잡 끝나다, 다 쓰다
19	diminish	[dimíniʃ]	19	탭 줄이다, 감소시키다, 낮추다 잡 감소하다, 작아지다
20	furnish	[fɔ́ːrniʃ]	20	탭 [필요한 물건을] 공급하다, 제공하다 잡 탭 [가구를] 비치하다
21	punish	[pʌ́niʃ]	21	잡 탭 [사람 또는 죄를] 벌하다; 응징하다, [~을] 혼내주다
22	distinguish	[distíŋgwiʃ]	22	잡 탭 구별하다, 분별(식별)하다 탭 ~을 특징지우다; 눈에 띄게 하다
23	wish	[wiʃ]	23	잡 탭 바라다, 원하다; ~하고 싶다[고 생각하다]; 기원하다
24	flush	[flʌʃ]	24	잡 왈칵 흐르다; 얼굴을 붉히다 탭 물을 흘려 씻어내다
25	rush	[rʌʃ]	25	잡 돌진하다, 급히 달려가다; 덤비다 탭 몰아대다; 돌격하다

26	brush	[brʌʃ]	26	國~에 솔질을 하다; 털다, 털어내다 困이를 닦다; 머리를 빗다
27	crush	[krʌʃ]	27	國눌러서 뭉개다; 분쇄하다; 짜다; 밀고 들어가다 困뭉개지다
28	leak	[liːk]	28	困새다, 새어 나오다; 누설되다 國새게 하다; 누설하다
29	soak	[souk]	29	困[물 따위에] 젖다, 잠기다; 흠뻑 젖다; 스며들다 國흠뻑 적시다
30	pack	[pæk]	30	困國[짐을] 싸다, 꾸리다, 포장하다; 채우다; 밀집하다
31	crack	[kræk]	31	國딱·쨍그랑 소리를 내다; 부수다, 깨뜨리다; ~을 금가게 하다
32	attack	[ətǽk]	32	國공격하다, 습격하다; 비난하다; 부식시키다; 강간하다
33	check	[tʃek]	33	國저지하다; 억제하다; 반격하다; 점검하다 困일치하다; 조사하다
34	lick	[lik]	34	國핥다; 때리다 困國[물결이] 넘실거리다; [불길이] 널름거리다
35	lock	[lɑk]	35	國~에 자물쇠를 채우다, 잠그다; 가두다; 고정하다 困잠기다
36	knock	[nɑk]	36	國치다, 두드리다; 세게 쳐서 ~이 되게 하다; 털어내다
37	rock	[rɑk]	37	困國돌로 치다, 돌을 던지다 困흔들리다; 진동하다
38	suck	[sʌk]	38	困國빨다, 빨아들이다 國핥다, 빨아 먹다; 우려내다
39	seek	[siːk]	39	困國애써 찾다 國애써 추구(탐구)하다, 조사하다
40	thank	[θæŋk]	40	國~에게 사례(감사)하다, ~에게 사의를 표하다
41	spank	[spæŋk]	41	國찰싹 때리다, [엉덩이를] 철썩 갈기다
42	think	[θiŋk]	42	困國생각하다; 예상하다 國~라고 여기다(생각하다·믿다)
43	link	[liŋk]	43	國잇다; 관련짓다, 결부하다; 팔짱 끼다 困이어지다, 제휴하다
44	shrink	[ʃriŋk]	44	困오그라들다, 줄다; 움츠리다 國수축시키다; 축소시키다
45	sink	[siŋk]	45	困가라앉다; 주저앉다; 푹 꺼지다 國가라앉히다; 격침시키다
46	stink	[stiŋk]	46	困악취를 풍기다; 코를 찌르다 國악취가 나게 하다
47	book	[buk]	47	國[이름을] 기입(기장)하다; [방·좌석 따위를] 예약하다
48	hook	[huk]	48	國[갈고리처럼] 구부리다; 갈고리로 걸다; 낚시로 낚다
49	overlook	[òuvərlúk]	49	國내려다보다; 감독(감시)하다, 훑어보다; 간과하다
50	mark	[mɑːrk]	50	國~에 표를 하다, 부호(기호)를 붙이다; 기록(채점)하다; 특징짓다

Unit 08

회화용 중요 동사 6

51	park	[pɑ:rk]	51	[타] 주차하다; [포차 등을] 한 곳에 정렬시키다
52	jerk	[dʒə:rk]	52	[타] 홱 움직이게 하다, 급히 당기다(밀다) [자] 홱 움직이다
53	risk	[risk]	53	[타] 위험에 내맡기다, 위태롭게 하다, [목숨 등을] 걸다; 감행하다
54	conceal	[kənsí:l]	54	[타] 숨기다; (~ oneself)숨다
55	deal	[di:l]	55	[자] 다루다, 처리하다, 관계하다 [타] 분배하다, 나누[어주]다
56	appeal	[əpí:l]	56	[자] [법률 · 양심 · 무력 등에] 호소하다; 간청하다; 항의(항소 · 상소)하다
57	steal	[sti:l]	57	[타] 훔치다, 몰래 빼앗다(가지다), 절취하다 [자] 도둑질하다
58	cancel	[kǽnsəl]	58	[타] ~을 지우다, 삭제하다; ~을 무효로 하다, 취소하다; 상쇄하다
59	compel	[kəmpél]	59	[사] 강제(강요)하다, 억지로 ~시키다; 할 수 없이 ~하다
60	quarrel	[kwɔ́:rəl]	60	[자] 싸우다, 다투다; 불평하다, 비난하다, 이의를 제기하다
61	counsel	[káunsəl]	61	[타] ~에게 조언(충고)하다; [물건 · 일을] 권하다 [자] 조언하다
62	fail	[feil]	62	[자] 실패하다, 실수하다; 고장 나다; [시험에서] 낙방하다; 약해지다
63	mail	[meil]	63	[타] 우송하다; [우체통에] 투함하다
64	nail	[neil]	64	[타] 못(징)을 박다, 못(핀)으로 고정하다; [나쁜 짓 하는 것을] 붙잡다
65	spoil	[spɔil]	65	[타] 망쳐놓다, 못쓰게 만들다, 손상하다; 결딴내다 [자] 못쓰게 되다
66	recall	[rikɔ́:l]	66	[타] 생각해 내다, 상기하다; 생각나게 하다; [결함상품을] 회수하다
67	stall	[stɔ:l]	67	[타] 오도 가도 못하게 하다; 엔진을 멎게 하다; 실속시키다
68	smell	[smel]	68	[자] [타] 냄새 맡다; 냄새가 나다 [타] 냄새를 느끼다; 알아채다
69	spell	[spel]	69	[자] [타] [~을 …라고] 철자하다 [타] ~의 철자를 말하다
70	swell	[swel]	70	[자] 부풀다, 팽창하다; 부어오르다 [타] 부풀리다, 팽창시키다
71	yell	[jel]	71	[자] 고함치다, 소리 지르다, 외치다 [타] 큰소리로 외치며 말하다
72	fulfill	[fulfíl]	72	[타] [약속 · 의무 등을] 이행하다, 다하다, 완수하다; [예언을] 실현시키다
73	spill	[spil]	73	[타] 엎지르다, 흩뜨리다; 뿌리다 [자] 엎질러지다; 넘치다
74	thrill	[θril]	74	[타] 몸이 떨리게 하다, 오싹하게 하다; [몸에] 전해 퍼지다
75	control	[kəntróul]	75	[타] 지배하다; 통제(관리)하다, 감독하다; 제어(조절)하다

76	snap	[snæp]	76 [자] 덥석 물다, 물어뜯다; 불쑥 덤벼들다; 찰칵·딱 소리를 내다
77	trap	[træp]	77 [타] ~을 덫으로 잡다, 덫을 놓다; 함정에 빠뜨리다
78	wrap	[ræp]	78 [타] ~을 감싸다, 싸다; 포장하다; 둘러싸다, 감다 [자] 휘감다
79	sleep	[sli:p]	79 [자] [타] 잠자다 [자] 자다, 묵다; [이성과] 동침하다; 묻혀있다
80	creep	[kri:p]	80 [자] 기다, 포복하다; 살금살금 걷다, 몰래 다가서다; 스멀스멀하다
81	weep	[wi:p]	81 [자] [타] 눈물을 흘리다 [자] 울다, 비탄(슬퍼)하다; 물방울을 떨어뜨리다
82	sweep	[swi:p]	82 [자] [타] 청소하다; [먼지 따위를] 쓸다, 털다; 휩쓸다 [타] 걸레질하다
83	ship	[ʃip]	83 [타] 배로 보내다; [철도·트럭 따위로] 수송(발송)하다
84	flip	[flip]	84 [자] [타] [손톱·손가락으로] 튀기다; 홱 던지다; 톡 치다
85	slip	[slip]	85 [자] [찍] 미끄러지다, 미끄러져 넘어지다; 지나가버리다; 얼결에 실언하다
86	rip	[rip]	86 [타] 쪼개다, 째다, 찢다; 빠개다 [자] 쪼개지다, 찢어지다; 터지다
87	grip	[grip]	87 [타] 꽉 쥐다(잡다); ~에 매달리다 [자] [도구가] 맞물리다; 흥미를 끌다
88	zip	[zip]	88 [자] 휭(핑)하고 날다; 지퍼를 열다(잠그다) [타] ~에 활기를 주다
89	help	[help]	89 [타] 돕다, 조력(원조)하다, ~을 거들다; ~에 도움이 되다
90	bump	[bʌmp]	90 [자] [타] 부딪치다, [~와] 충돌하다 [타] 자리에서 밀어내다
91	dump	[dʌmp]	91 [타] 털썩 내려뜨리다; 내버리다; 투매하다; 전가하다 [자] 털썩 떨어지다
92	pump	[pʌmp]	92 [자] [타] 펌프로 물을 푸다 [타] ~에서 물을 퍼내다; ~에 펌프로 공기를 넣다
93	hop	[hɑp]	93 [자] 깡충 뛰다, 한 발로 뛰다 [타] 뛰어넘다; [차에] 뛰어 타다
94	prop	[prɑp]	94 [타] 버티다, 지지하다, ~에 버팀목을 대다
95	stop	[stɑp]	95 [타] [움직이고 있는 것을] 멈추다, 정지시키다, 세우다 [자] 멈추다
96	grasp	[græsp]	96 [자] [타] 꼭 붙잡다 [타] 움켜쥐다, 움켜잡다; 끌어안다; 납득하다
97	chew	[tʃu:]	97 [자] [타] 씹다; 깨물어 으깨다; 깊이 생각하다, 심사숙고하다
98	review	[rivjú:]	98 [타] 재검토하다; 개관하다; 회고하다; 복습하다; 비평하다
99	renew	[rinjú:]	99 [타] 새롭게 하다, 갱생시키다 [자] [타] 부활(회복)하다; 갱신하다
100	screw	[skru:]	100 [타] 나사로 죄다(조절하다); 나사못으로 고정시키다

1	sew	[sou]	1	㉰꿰매다; 꿰매어 붙이다 ㉳바느질하다; 재봉틀로 박다
2	bow	[bau]	2	㉳㉰절하다, 머리를 숙이다, 허리를 굽히다
3	flow	[flou]	3	㉳흐르다; 흘러나오다; 흘러가다; 충만하다
4	glow	[glou]	4	㉳[불꽃 없이] 빨갛게 타다; [열을 내며 계속] 빛나다
5	swallow	[swálou]	5	㉰삼키다, 꿀꺽 삼키다, 들이켜다; 경솔히 믿다; 참다
6	borrow	[bɔ́:rou]	6	㉰빌리다, 차용하다; [돈을] 꾸다
7	vow	[vau]	7	㉰맹세하다, 서약하다; ~라고 단언하다
8	scream	[skri:m]	8	㉳소리치다, 날카로운 비명을 지르다 ㉰큰소리로 외치다
9	slam	[slæm]	9	㉰[문 따위를] 탕(탁) 닫다; 털썩 놓다(던지다)
10	seem	[si:m]	10	㉳~으로 보이다, ~인 것 같다, ~인 것으로 생각되다
11	stem	[stem]	11	㉰~에서 줄기를 떼내다 ㉳유래하다, 일어나다, 생기다
12	aim	[eim]	12	㉰겨냥하다, 겨누어 ~을 던지다 ㉳겨누다; 목표삼다
13	trim	[trim]	13	㉰~을 정돈하다, 손질하다; 깎아 다듬다 ㉳중립정책을 취하다
14	swim	[swim]	14	㉳㉰헤엄치다, 수영하다 ㉰헤엄치게 하다; 헤엄쳐 건너다
15	calm	[kɑ:m]	15	㉰진정시키다; 달래다; 가라앉히다 ㉳가라앉다; 안정되다
16	harm	[hɑ:rm]	16	㉰해치다, 손상하다, 상처를 입히다
17	form	[fɔ:rm]	17	㉰형성하다; 조직하다; 만들다 ㉳모양을 이루다, 생기다
18	perform	[pərfɔ́:rm]	18	㉳㉰실행하다, 이행하다; 행하다; 공연하다
19	transform	[trænsfɔ́:rm]	19	㉰[외형을] 변형시키다; 변환(변압)하다 ㉳변형하다, 바뀌다
20	embarrass	[imbǽrəs]	20	㉰당혹(당황)하게 하다, 난처하게 하다, 쩔쩔매게 하다
21	confess	[kənfés]	21	㉳㉰[과실·죄를] 고백(자백)하다, 인정하다 ㉰털어놓다
22	bless	[bles]	22	㉰~에게 은총을 내리다; ~에게 감사하다; [신을] 찬미하다
23	impress	[imprés]	23	㉰~에게 감명을 주다, ~을 감동시키다; [마음에] 깊이 새기다
24	express	[iksprés]	24	㉰표현하다, 말로 나타내다; [기호·숫자로] 표시하다
25	possess	[pəzés]	25	㉰소유하다, 가지고 있다; 귀신 들리다

26	guess	[ges]	26	짜퇴 추측하다, 추정하다, 미루어 헤아리다
27	miss	[mis]	27	퇴 [목표를] 빗맞히다; 놓치다; ~을 빠뜨리다; ~을 그리워하다
28	dismiss	[dismís]	28	퇴 떠나게 하다, 해산시키다; 해고하다; 깨끗이 잊다
29	toss	[tɔːs]	29	퇴 [가볍게·아무렇게나] 던지다; 던져 올리다; [머리를] 뒤로 젖히다
30	drag	[dræg]	30	퇴 [무거운 것을] 질질 끌다; 끌고 가다 짜 질질 끌리다
31	beg	[beg]	31	짜퇴 빌다, 구하다, 구걸하다 퇴 ~에게 간절히 바라다
32	dig	[dig]	32	퇴 파다, 파헤치다; 채굴하다, 발굴하다, 캐다; 캐내다
33	cling	[kliŋ]	33	짜 착 들러(달라)붙다; 집착(고수)하다; 매달리다
34	ring	[riŋ]	34	퇴 [종·악기 등을] 울리다; 전화를 걸다 짜 [종·벨이] 울다
35	belong	[bilɔ́ːŋ]	35	짜 [~에] 속하다, [~의] 것이다; [본래 ~에] 있어야 하다
36	hug	[hʌg]	36	퇴 [애정을 가지고] 꼭 껴안다; [편견 등을] 품다
37	plug	[plʌg]	37	퇴 마개를 하다, 막다; 채우다 짜 부지런히 일하다
38	grab	[græb]	38	퇴 움켜잡다; 잡아채다; 붙잡다, 가로채다; [마음을] 사로잡다
39	climb	[klaim]	39	짜퇴 [산 따위에] 오르다, 등반하다; 기어오르다, 기어 내려오다
40	rob	[rɑb]	40	퇴 ~에게서 강탈(약탈)하다, ~을 털다 짜 강도질(약탈)하다
41	absorb	[æbzɔ́ːrb]	41	퇴 흡수하다, 빨아들이다; [마음을] 열중케 하다; 완화시키다
42	disturb	[distə́ːrb]	42	짜퇴 방해하다; 혼란시키다 퇴 ~에게 폐를 끼치다
43	rub	[rʌb]	43	퇴 문지르다, 비비다, 마찰하다; 문질러 ~하다 짜 스치다
44	scrub	[skrʌb]	44	퇴 비벼 빨다(씻다); 북북 문지르다 짜 문질러서 깨끗이 씻다
45	undergo	[ʌ̀ndərgóu]	45	퇴 [시련 등 외력을] 경험하다, 겪다, 당하다, 받다; 견디다
46	relax	[rilǽks]	46	퇴 늦추다, 완화하다 짜 느슨해지다, 누그러지다, 약해지다
47	mix	[miks]	47	퇴 섞다, 혼합하다; 첨가하다; 교제시키다 짜 섞이다; 교제하다
48	panic	[pǽnik]	48	퇴 공포심을 느끼게 하다, 당황하게 하다 짜 당황하다
49	purchase	[pɔ́ːrtʃəs]	49	퇴 사다, 구입하다; [노력하여] 쟁취하다
50	sigh	[sai]	50	짜 한숨 쉬다(짓다); 탄식하다, 한탄(슬퍼)하다

Unit 09 회화용 중요 동사 7

51	ache	[eik]	51 [자]아프다; 마음이 아프다; 간절히 바라다
52	address	[ədrés]	52 [타]~에게 연설하다 [자][~을 …라고] 부르다
53	adjust	[ədʒʌ́st]	53 [타]조정(조절)하다; 맞추다
54	advocate	[ǽdvəkèit]	54 [타]옹호(변호)하다; 주장하다
55	aid	[eid]	55 [타]원조하다, 돕다; 촉진하다
56	alarm	[əlɑ́:rm]	56 [타]~에게 경보를 발하다; ~을 놀라게 하다
57	allow	[əláu]	57 [타]허락하다, 허가하다
58	allure	[əlúər]	58 [타]꾀다, 유혹하다, 매혹시키다
59	applaud	[əplɔ́:d]	59 [자][타][~에게] 박수갈채하다, [~을] 성원하다 [타]칭찬하다
60	approach	[əpróutʃ]	60 [타]~에 가까이 가다, ~에 접근하다
61	approximate	[əprɑ́ksəmèit]	61 [자][타][위치·수량 등이 ~에] 가까워지다, [타]~을 견적하다
62	array	[əréi]	62 [타]치장하다; 배열(열거)하다, 정렬시키다
63	ascend	[əsénd]	63 [자]상승하다, 오르다, 올라가다, 높아지다
64	assemble	[əsémbəl]	64 [타]모으다, 집합시키다; 조립하다 [자]모이다
65	astonish	[əstániʃ]	65 [타]깜짝 놀라게 하다
66	attain	[ətéin]	66 [자][타][~에] 이르다, 도달하다 [타]달성(성취)하다
67	attract	[ətrǽkt]	67 [타][주의·흥미 등을] 끌다, 매혹하다; 유인하다
68	avenge	[əvéndʒ]	68 [자][타][남 대신] 복수하다 [타]원수를 갚다, 앙갚음하다
69	await	[əwéit]	69 [자][타][~을] 기다리다 [타]대기하다; 준비되어 있다
70	awake	[əwéik]	70 [타][잠에서] 깨우다, 각성시키다 [자]깨다, 각성하다
71	award	[əwɔ́:rd]	71 [타]수여하다, [상을] 주다; 지급하다
72	ban	[bæn]	72 [타]금[지]하다 [자]저주하다
73	bark	[bɑ:rk]	73 [자]짖다; 고함치다 [타]고함쳐 말하다; 나무껍질을 벗기다
74	behold	[bihóuld]	74 [타]보다 [자]보라!(명령형)
75	bereave	[birí:v]	75 [타][생명·희망 등을] 빼앗다, [육친 등을] 앗아가다

76	bestow	[bistóu]	76	웹 주다, 수여(부여)하다, 증여하다; 쓰다
77	beware	[biwéər]	77	찐 웹 조심(주의)하다, 경계하다
78	blink	[blink]	78	찐 웹 [눈을] 깜박거리다 찐 빛이 깜박이다 웹 빛을 명멸시키다
79	block	[blɑk]	79	웹 막다, 방해하다; 동결하다, 봉쇄하다
80	bloom	[blu:m]	80	찐 웹 꽃이 피다, 개화하다; 번영하다
81	be born	[bi: bɔ:rn]	81	웹 태어나다(수동태)
82	bound	[baund]	82	찐 뛰어가다; 뛰어오르다; 튀다, [공이] 되튀다
83	breathe	[bri:ð]	83	찐 웹 호흡하다 찐 숨을 쉬다; 숨을 돌리다
84	bribe	[braib]	84	찐 웹 [~에게] 뇌물을 쓰다 웹 매수하다, 뇌물로 꾀다
85	care	[kɛər]	85	찐 걱정(염려)하다; 관심을 갖고 신경 쓰다, 돌보다
86	certify	[sə́:rtəfài]	86	찐 웹 증명(보증)하다 웹 공인하다; 검정(허가)하다
87	charm	[tʃɑ:rm]	87	웹 매혹하다, 호리다, 황홀하게 하다 찐 매력적이다
88	cherish	[tʃériʃ]	88	웹 소중히 하다; 귀여워하다; ~을 [마음에] 품다
89	chop	[tʃɑp]	89	찐 웹 찍다, 자르다, 쪼개다, 잘게(짧게) 자르다
90	circulate	[sə́:rkjəlèit]	90	찐 돌다, 순환하다 웹 돌리다, 순환시키다
91	clap	[klæp]	91	웹 [손뼉을] 치다; 박수갈채하다; 철썩 때리다
92	cleanse	[klenz]	92	웹 정결하게(깨끗이) 하다, 정화하다 찐 깨끗해지다
93	collide	[kəláid]	93	찐 충돌하다; [의견 등이] 상충하다 웹 충돌시키다
94	combat	[kəmbǽt]	94	찐 웹 [~와] 싸우다, 격투하다 웹 ~을 상대로 항쟁하다
95	comfort	[kʌ́mfərt]	95	웹 위로하다, 위문하다; 안락하게 하다
96	command	[kəmǽnd]	96	웹 ~에게 명령하다; 지휘하다; [감정을] 억누르다
97	compensate	[kɑ́mpənsèit]	97	웹 ~에게 보상하다, ~에게 변상하다 찐 보충(보상)하다
98	compose	[kəmpóuz]	98	웹 조립하다, 조직(구성)하다 찐 웹 작문(작곡)하다
99	comprehend	[kàmprihénd]	99	웹 [완전히] 이해하다, 파악하다, 깨닫다; 포함(내포)하다
100	compress	[kəmprés]	100	웹 압축하다, 압착하다; 단축하다, 축소하다; 요약하다

1	compute	[kəmpjúːt]	1	째 圓 [컴퓨터로] 계산하다, 산정하다 圓 ~라고 추정하다
2	conclude	[kənklúːd]	2	圓 마치다, 종결하다, ~라고 결론짓다 째 결론을 내다
3	condense	[kəndéns]	3	째 圓 응축하다, 압축하다; 농축하다; 요약하다
4	conduct	[kəndʌ́kt]	4	圓 지휘하다; 인도하다, 호송하다; 처신하다
5	congratulate	[kəngrǽtʃəlèit]	5	圓 축하하다, ~에게 축하의 말을 하다
6	conspire	[kənspáiər]	6	째 공모하다, 작당하다; 음모를 꾸미다
7	contact	[kəntǽkt]	7	째 圓 [~와] 접촉(연락)하다(시키다), 교신하다 째 교제하다
8	contend	[kənténd]	8	째 다투다, 논쟁하다; 싸우다 圓 [강력히] 주장하다
9	contest	[kəntést]	9	째 圓 ~[을 목표로] 싸우다; 논쟁하다, 다투다; 겨루다
10	contrast	[kəntrǽst]	10	圓 대조(대비)시키다 째 뚜렷한 대조를 보이다
11	converse	[kənvɔ́ːrs]	11	째 담화하다, 서로 이야기하다, 대화하다
12	convey	[kənvéi]	12	圓 나르다, 운반(운송)하다; 전달하다
13	convict	[kənvíkt]	13	圓 ~의 유죄를 입증(선언)하다; ~에게 죄를 깨닫게 하다
14	cooperate	[kouápərèit]	14	째 협력하다, 협동하다; [사정 따위가] 서로 돕다
15	correspond	[kɔ̀ːrəspánd]	15	째 같다, 해당하다; 일치하다; 교신하다
16	corrupt	[kərʌ́pt]	16	圓 매수하다; 부패(타락)시키다 째 부패(타락)하다
17	counsel	[káunsəl]	17	圓 ~에게 충고(조언)하다 째 의논하다; 조언하다
18	crawl	[krɔːl]	18	째 네발로 기다, 포복하다; 천천히 가다
19	credit	[krédit]	19	圓 신용하다, 신뢰하다, 믿다; ~하다고 믿다
20	crouch	[krautʃ]	20	째 쭈그리다, 몸을 구부리다; 웅크리다; 굽실거리다
21	crowd	[kraud]	21	째 떼 지어 모이다, 붐비다, 쇄도하다 圓 빽빽이 들어차다
22	cure	[kjuər]	22	圓 치료하다, 고치다; 교정하다 째 [병이] 낫다
23	curl	[kəːrl]	23	圓 [머리털을] 곱슬곱슬하게 하다, 꼬다 째 꼬이다
24	curse	[kəːrs]	24	圓 저주하다, 악담(모독)하다 째 저주(욕설)을 퍼붓다
25	curve	[kəːrv]	25	圓 구부리다 째 구부러지다; 곡선을 그리다

26	damage	[dǽmidʒ]	26	ⓣ ~에 손해를 입히다; 손상시키다 ⓐ 손해를(손상을) 입다
27	damn	[dæm]	27	ⓣ 비난하다, 매도하다; 혹평하다; 저주하다
28	dangle	[dǽŋgəl]	28	ⓐ 매달리다; 붙어 다니다 ⓣ ~을 매달다
29	decay	[dikéi]	29	ⓐ 썩다, 부패(부식)하다 ⓣ 부패(붕괴)시키다; 충치가 되다
30	depress	[diprés]	30	ⓣ 풀이 죽게 하다, 우울하게 하다; 약화시키다
31	designate	[dézignèit]	31	ⓣ 가리키다, 표시(명시)하다; 지명(임명·지정)하다
32	desire	[dizáiər]	32	ⓣ 바라다, 원하다; 욕구하다; 요망하다, 희망하다
33	despair	[dispέər]	33	ⓐ 절망하다, 단념하다
34	detest	[ditést]	34	ⓣ 몹시 싫어하다, 혐오하다
35	devour	[diváuər]	35	ⓣ 게걸스럽게 먹다; 먹어 치우다; [불꽃·파도 등이] 삼켜버리다
36	dictate	[díkteit]	36	ⓐ ⓣ 구술하다, [말하여] 받아쓰게 하다; 명령(지시)하다
37	diet	[dáiət]	37	ⓣ ~에게 규정식을 주다 ⓐ 규정식을 먹다, 식이요법을 하다
38	differ	[dífər]	38	ⓐ 다르다; 의견이 다르다
39	dip	[dip]	39	ⓣ 담그다, 적시다, 살짝 담그다 ⓐ 물에 잠겼다 나오다
40	disappear	[dìsəpíər]	40	ⓐ 사라지다, 모습을 감추다; 없어지다, 소실되다
41	disappoint	[dìsəpóint]	41	ⓣ 실망시키다, 낙담시키다, ~의 기대에 어긋나게 하다
42	discard	[diská:rd]	42	ⓣ [불필요한 것을] 버리다, 처분하다, 폐기하다
43	discharge	[distʃá:rdʒ]	43	ⓣ 방출(방류·방전·발포)하다; [짐·승객을] 내리다
44	discount	[dískaunt]	44	ⓣ 할인하다; [어음 등을] 할인하여 팔다(사다); 에누리해서 듣다
45	disguise	[disgáiz]	45	ⓣ 변장(가장)하다; [사실 등을] 꾸미다, 숨기다
46	disgust	[disgʌ́st]	46	ⓣ 역겹게(정떨어지게) 하다; 메스껍게 하다
47	dislike	[disláik]	47	ⓣ 싫어하다, 미워하다
48	dismay	[disméi]	48	ⓣ 당황케 하다; 실망(낙담)시키다
49	dispute	[dispjú:t]	49	ⓐ 논쟁하다, 논의하다; 말다툼하다
50	distress	[distrés]	50	ⓣ 괴롭히다, 고민케 하다; 슬프게 하다; 쇠약하게 하다

Unit 10

회화용 중요 동사 8

51	dive	[daiv]	51	[자] [물속에] 뛰어들다; 급히 잠수하다 [타] 급히 잠수시키다
52	donate	[dóuneit]	52	[타] [자선 사업 등에] 기증(기부)하다; 주다
53	drill	[dril]	53	[타] 꿰뚫다; 구멍을 뚫다; 교련(훈련)하다
54	drink	[driŋk]	54	[자] 마시다, 술을 마시다 [타] ~을 마시다, 다 마시다; 흡수하다
55	drip	[drip]	55	[자] [액체가] 똑똑 떨어지다; 흠뻑 젖다
56	dwell	[dwel]	56	[자] 살다, 거주하다(문어); 머무르다, 체재하다
57	educate	[édʒukèit]	57	[타] 교육(훈육)하다; 육성하다; [동물을] 길들이다, 훈련하다
58	effect	[ifékt]	58	[타] [변화 등을] 가져오다, 초래하다; [목적을] 성취하다
59	elevate	[éləvèit]	59	[타] [들어] 올리다, 높이다; 승진시키다; 향상시키다
60	embrace	[embréis]	60	[타] 싸안다, 껴안다, 포옹하다; 둘러(에워)싸다; 포함하다
61	emit	[imít]	61	[타] [빛·열·냄새·소리 따위를] 내다, 발하다; 방출하다
62	endeavor	[endévər]	62	[타] ~하려고 노력하다, 애쓰다; ~을 시도하다
63	enforce	[enfɔ́:rs]	63	[타] [법률 등을] 실시(시행)하다, 집행하다; 억지로 시키다
64	equip	[ikwíp]	64	[타] [~에 필요물을] 갖추다, ~에 설비하다, 장비하다
65	erupt	[irʌ́pt]	65	[자] [화산재·간헐천 등이] 분출하다; [화산 등이] 분화하다
66	escort	[éskɔ:rt]	66	[타] 호위하다, 호송하다
67	evolve	[iválv]	67	[타] [이론·의견·계획 따위를] 서서히 발전(전개)시키다
68	excel	[iksél]	68	[타] [남을] 능가하다, ~보다 낫다, ~보다 탁월하다
69	excite	[iksáit]	69	[타] 흥분시키다, 자극하다; [감정을] 일으키다
70	execute	[éksikjù:t]	70	[타] [계획 따위를] 실행하다, 실시하다; 처형하다
71	exert	[igzə́:rt]	71	[타] [힘·지력 따위를] 발휘하다, 쓰다; [권력을] 행사하다
72	exhaust	[igzɔ́:st]	72	[타] 다 써버리다, 고갈시키다 [자] [엔진이] 배기하다
73	exhibit	[igzíbit]	73	[타] 전람(전시)하다, 출품하다, 진열하다; 드러내다
74	expel	[ikspél]	74	[타] 쫓아내다, 물리치다, 구축(구제)하다; 추방(방출)하다
75	experience	[ikspíəriəns]	75	[타] 경험(체험)하다; 부닥치다; ~을 경험하여 알다

76	extinguish	[ikstíŋgwiʃ]	76	倗 [빛·불 따위를] 끄다; [화재를] 진화하다; 폐지하다
77	fake	[feik]	77	倗 [겉보기 좋게] 만들어내다; 위조하다; 속이다
78	fascinate	[fǽsənèit]	78	倗황홀케 하다, 매혹시키다 倳 [남의] 마음을 빼앗다
79	fasten	[fǽsn]	79	倗묶다, 붙들어 내다; 잠그다, 채우다 倳닫히다, 잠기다
80	favor	[féivər]	80	倗~에게 호의를 보이다, ~에게 찬성하다
81	fetch	[fetʃ]	81	倗 [가서] 가져오다, [가서] 데려(불러)오다
82	filter	[fíltər]	82	倗거르다, 여과하다; 여과하여 제거하다 倳여과되다
83	fire	[faiər]	83	倗~에 불을 붙이다; ~을 격앙시키다 倳불이 붙다; 발포하다
84	flee	[fli:]	84	倳달아나다, 도망하다, 내빼다 倗~에서 도망치다
85	flood	[flʌd]	85	倗 [물이] ~에 넘치게 하다 倳범람하다
86	flourish	[flə́:riʃ]	86	倳번영(번성)하다; [동·식물이] 잘 자라다, 우거지다
87	found	[faund]	87	倗~을 세우다; 설립하다 倳 [~에] 근거하다
88	gamble	[gǽmbəl]	88	倳도박을 하다, 내기(투기)를 하다 倗도박해서 잃다
89	glitter	[glítər]	89	倳번쩍거리다, [보석·별 등이] 빛나다; [복장이] 화려해서 튀다
90	govern	[gʌ́vərn]	90	倳 倗통치(지배)하다, 다스리다; 운영하다, 관리하다
91	grade	[greid]	91	倗등급을 매기다; 채점하다 倳~의 등급이다
92	grieve	[gri:v]	92	倗슬프게 하다, ~의 마음을 아프게 하다 倳몹시 슬퍼하다
93	grind	[graind]	93	倗 [맷돌로] 타다, 갈다; 가루로 만들다 倳맷돌질하다
94	harvest	[hɑ́:rvist]	94	倳 倗수확하다; [성과 등을] 거두어들이다, [보상을] 받다
95	hasten	[héisn]	95	倗서두르다, 재촉하다 倳서둘러 가다; 서두르다
96	heal	[hi:l]	96	倗 [병·상처·마음의 아픔 등을] 치료하다 倳낫다
97	hinder	[híndər]	97	倗방해하다, 훼방하다 倳방해가 되다, 행동을 방해하다
98	hint	[hint]	98	倳 倗넌지시 말하다, 암시하다
99	horrify	[hɔ́:rəfài]	99	倗무서워 떨게 하다, ~에게 반감(혐오감)을 느끼게 하다
100	infect	[infékt]	100	倗~를 감염시키다; [병균이] ~에 침입하다 倳감염되다

회화용 중요 동사 9

1	inhabit	[inhǽbit]	1	[타] [특정 지역에] 살다, 서식하다(복수 주어만 사용)
2	inject	[indʒékt]	2	[타] 주사하다, 주입하다; 삽입하다; [궤도에] 쏘아 올리다
3	insert	[insə́:rt]	3	[타] 끼워 넣다, 끼우다, 삽입하다; 적어 넣다; 게재하다
4	install	[instɔ́:l]	4	[타] 설치(장치)하다, 비치하다, 가설하다; [~에] 임명하다
5	instruct	[instrʌ́kt]	5	[타] [~를] 가르치다, 교육(교수·훈련)하다; 지시하다
6	interchange	[ìntərtʃéindʒ]	6	[타] 교환하다, 주고받다; 교체(대체)시키다 [자] 교체하다
7	interview	[íntərvjù:]	7	[타] ~와 회견(면접)하다 [자] [타] [기자가] 인터뷰하다
8	invest	[invést]	8	[자] [타] 투자하다 [타] [돈을] 지출하다; 맡기다, 주다
9	irrigate	[írəgèit]	9	[타] [토지에] 물을 대다; [자] [타] 관개하다
10	issue	[íʃu:]	10	[타] [명령·법률 따위를] 발하다; 발행(출판)하다 [자] 나오다
11	kindle	[kíndl]	11	[타] ~에 불을 붙이다; 빛내다 [자] 불이 붙다, 빛나다
12	kneel	[ni:l]	12	[자] 무릎을 꿇다, 무릎을 구부리다
13	lack	[læk]	13	[자] 결핍하다, 모자라다 [타] ~이 결핍(부족)되다, 모자라다
14	lament	[ləmént]	14	[자] [타] 슬퍼하다, 비탄하다; 애도하다, 애석해 하다
15	land	[lænd]	15	[타] 착륙(상륙·하선·하차)시키다 [자] 착륙(상륙·하선·하차)하다
16	last	[læst]	16	[자] 계속(지속, 존속)하다, 끌다 [타] ~보다 오래가다(견디다)
17	learn	[lə:rn]	17	[타] ~을 배우다, 익히다; [들어서·겪어서] 알다
18	lodge	[lɑdʒ]	18	[자] 숙박(투숙)하다, 묵다; 하숙하다 [타] 숙박(투숙)시키다, 묵게 하다
19	long	[lɔ:ŋ]	19	[자] 간절히 바라다, 열망하다; 그리워하다, 사모하다
20	magnify	[mǽgnəfài]	20	[타] [렌즈 등으로] 확대하다; 크게 보이게 하다; 과장하다
21	mingle	[míŋgəl]	21	[타] 섞다, 혼합하다; 어울리게 하다 [자] 섞이다; 사귀다
22	minimize	[mínəmàiz]	22	[타] 최소로 하다; 최저로 어림잡다; 얕보다 [자] 극소치로 하다
23	mistake	[mistéik]	23	[타] 틀리다, 해석을 잘못하다 [자] [타] 잘못 알다; 혼동(오해)하다
24	murder	[mə́:rdər]	24	[타] [~를] 살해하다, 학살하다 [자] 살인을 하다
25	narrate	[nǽreit]	25	[자] [타] 말하다, 이야기하다, 서술하다; 내레이터가 되다

26	navigate	[nǽvəgèit]	26 [자] [타] [바다·하늘을] 항행하다; [배·비행기를] 조종(운전)하다
27	nourish	[nə́:riʃ]	27 [타] ~에게 자양분을 주다, 기르다
28	oppose	[əpóuz]	28 [타] ~에 대항하다; ~에 대립시키다 [자] 반대(대항)하다
29	oppress	[əprés]	29 [타] 압박하다, 억압하다, 학대하다; 괴롭히다
30	outline	[áutlàin]	30 [타] ~의 윤곽을(약도를) 그리다; ~의 개요를 말하다
31	overwork	[òuvərwə́:rk]	31 [타] 과로시키다, 너무 일을 시키다 [자] 너무 일을 하다
32	perceive	[pərsí:v]	32 [타] [오관으로] 지각하다, 감지(인지)하다; 파악하다
33	perfect	[pə:rfékt]	33 [타] 완성하다; 완전히 하다; 개선(개량)하다; 통달하다
34	perish	[périʃ]	34 [자] 멸망하다, [비명에] 죽다; 썩어 없어지다 [타] 망치다
35	pinch	[pintʃ]	35 [타] 꼬집다, [두 손가락으로] 집다 [자] [타] 죄다, 꽉 끼다
36	pity	[píti]	36 [타] 불쌍히 여기다, 애석하게 여기다 [자] 동정을 느끼다
37	pollute	[pəlú:t]	37 [타] 더럽히다, 오염시키다; 모독하다; 타락시키다
38	practice	[prǽktis]	38 [타] 실행(훈련)하다 [자] [타] 습관적으로 행하다; 연습(실습)하다
39	present	[prizént]	39 [타] 선물하다, 증정하다; ~에게 주다; ~을 야기시키다
40	preserve	[prizə́:rv]	40 [타] 보전(유지)하다; 보존(보호)하다 [자] 보존식품으로 하다
41	propose	[prəpóuz]	41 [자] [타] 신청하다; 제안(제의)하다 [자] 청혼하다 [타] 꾀하다
42	prosper	[práspər]	42 [자] [타] 번영하다(시키다), 성공하다(시키다); 번성하다
43	purge	[pə:rdʒ]	43 [타] [몸·마음을] 깨끗이 하다; 추방하다 [자] 깨끗해지다
44	purify	[pjúərəfài]	44 [타] ~의 더러움을 제거하다, 깨끗이 하다 [자] 깨끗해지다
45	react	[ri:ǽkt]	45 [자] 반작용하다, 되튀다; 반대(반항)하다, 반응하다
46	reap	[ri:p]	46 [자] [타] [농작물을] 거둬들이다; [~의] 작물을 수확하다
47	rear	[riər]	47 [타] 기르다; 사육(재배)하다; 육성하다
48	rebuke	[ribjú:k]	48 [타] 비난하다, 꾸짖다, 견책(징계)하다; 억제(저지)하다
49	recycle	[ri:sáikəl]	49 [자] [타] [~을] 재생 이용하다, 재순환시키다
50	reform	[rifɔ́:rm]	50 [타] 개혁하다, 개정(개량)하다 [자] 개혁(개선·개정)되다

51	refresh	[rifréʃ]	51	围[심신을] 상쾌하게 하다, 기운 나게 하다 困원기를 회복하다
52	reign	[rein]	52	困군림하다, 지배하다; 세력을 떨치다; 크게 유행하다
53	rejoice	[ridʒɔ́is]	53	困기뻐하다, 좋아하다; 축하하다 围기쁘게 하다, 즐겁게 하다
54	relate	[riléit]	54	围관계(관련)시키다; ~와 친척이다; 말하다 困관계가(관련이) 있다
55	remain	[riméin]	55	困남다, 남아 있다; 여전히 ~이다
56	remark	[rimáːrk]	56	围~에 주목(주의)하다; ~을 알아차리다, 인지하다 困의견을 말하다
57	rent	[rent]	57	围임차하다, 빌리다 困围임대하다, 빌려주다, 세놓다
58	repent	[ripént]	58	困围[~을] 후회하다, 유감으로 생각하다; 회개하다
59	resolve	[rizálv]	59	围용해하다, 녹이다 困围결심하다, 결정하다; 분해(분석)하다
60	revenge	[rivéndʒ]	60	困围[~에게 자신의] 원수를 갚다, 앙갚음(복수)하다
61	revive	[riváiv]	61	围소생하게 하다; 기운 나게 하다; 부활시키다 困소생하다; 부활하다
62	seal	[síːl]	62	围~에 날인(검인)하다, ~에 조인하다; 밀봉(봉인)하다
63	signify	[sígnəfài]	63	围의미하다, 뜻하다; 표시하다; 나타내다; 보이다 困문제가 되다
64	sing	[siŋ]	64	困围노래하다; [새가] 지저귀다
65	slap	[slæp]	65	围찰싹 때리다; 털썩 놓다(차다, 던지다)
66	smile	[smail]	66	困미소 짓다, 생글(방긋)거리다; 미소를 보내다
67	smoke	[smouk]	67	困연기를 내다; 담배를 피우다 围연기 나게 하다; 훈제로 하다
68	smooth	[smuːð]	68	围매끄럽게 하다; 반반하게 하다 困매끈(반반)해지다
69	sniff	[snif]	69	困코를 킁킁거리다 困围[~의] 냄새를 맡다; 코로 들이쉬다
70	sob	[sɑb]	70	困흐느껴 울다; [바람·파도 따위가] 쏴쏴 치다 围흐느끼며 말하다
71	soften	[sɔ́ːfən]	71	围부드럽게(연하게) 하다; 덜다, 경감하다 困부드러워지다
72	sow	[sou]	72	困围[씨를] 뿌리다; ~의 원인을 만들다
73	spit	[spit]	73	围[침·음식·피 따위를] 뱉다, 토해내다 困침을 뱉다; 경멸하다
74	sting	[stiŋ]	74	围[침 따위로] 찌르다; 자극하다 困쏘다; 톡 쏘는 맛이 있다
75	stir	[stəːr]	75	围움직이다; 휘젓다, 뒤섞다; 자극하다 困꿈틀거리다, 뒤섞이다

76	stoop	[stu:p]	76 [자] 몸을 굽히다, 웅크리다 [타] [머리·몸 등을] 굽히다
77	strip	[strip]	77 [타] [겉껍질·옷 등을] 벗기다, 까다 [자] 벗다, 벗겨지다
78	subscribe	[səbskráib]	78 [타] 기부를 승낙하다; 응모하다 [자] 구독하다
79	survey	[sə:rvéi]	79 [타] 전망하다, 관찰하다, 조사하다 [자] 측량하다
80	sympathize	[símpəθàiz]	80 [자] 동정하다; 공감(동의)하다; 감응(일치)하다
81	tame	[teim]	81 [타] 길들이다; 복종시키다 [자] 길들다; 온순해지다
82	tap	[tæp]	82 [자] [타] 가볍게 두드리다(치다), 똑똑 두드리다
83	taste	[teist]	83 [타] ~의 맛을 보다; 경험하다 [자] 맛이 나다; 낌새가 있다
84	tickle	[tíkəl]	84 [타] 간질이다; 자극하다 [자] 간지럽다, 근질거리다
85	tour	[tuər]	85 [자] [타] 유람하다; 관광여행을 하다; 순회공연하다
86	trade	[treid]	86 [자] [타] 장사하다, 매매하다; 거래(무역)하다; 서로 교환하다
87	transit	[trǽnzit]	87 [자] [타] 횡단하다; 통과하다; 이동시키다, 나르다
88	transport	[trænspɔ́:rt]	88 [타] 수송하다, 운반하다; 황홀하게 만들다; 추방하다
89	trick	[trik]	89 [자] [타] 속이다 [자] 요술 부리다 [타] 속여서 빼앗다
90	trouble	[trʌ́bəl]	90 [타] 괴롭히다, ~에게 폐를 끼치다 [자] 걱정(수고)하다
91	twinkle	[twíŋkəl]	91 [자] 반짝반짝 빛나다, 반짝이다; 눈이 빛나다; 눈을 깜박이다
92	twist	[twist]	92 [타] 뒤틀다, 비틀어 돌리다; 삐다 [자] 뒤틀리다, 꼬이다
93	undo	[ʌndú:]	93 [타] 원상태로 돌리다, 취소하다; 풀다 [자] 열리다, 풀리다
94	upset	[ʌpsét]	94 [타] 뒤집어엎다, 전복시키다; 당황케 하다 [자] 뒤집히다
95	vomit	[vámit]	95 [타] 토하다, 게우다; 뿜어내다, 분출하다; [욕을] 퍼붓다
96	voyage	[vɔ́iidʒ]	96 [자] [타] 항해하다, 배로 여행하다; 비행기로 여행하다
97	warn	[wɔ:rn]	97 [자] [타] 경고하다 [타] 경고하여 피하게(조심하게) 하다
98	wear	[wɛər]	98 [타] 입고(신고, 쓰고) 있다, 몸에 지니고 있다
99	whisper	[hwíspər]	99 [자] [타] [~에게] 속삭이다 [자] 밀담을 하다 [타] 소문을 퍼뜨리다
100	wither	[wíðər]	100 [자] 시들다; 쇠퇴하다 [타] 시들게 하다; 쇠약하게 하다

Unit 12

회화용 고급 동사

1	aim	[eim]	1	[자] 겨냥(조준)하다; [목표 달성에] 최대한 노력을 기울이다
2	alert	[əlɔ́:rt]	2	[타] ~에게 경계시키다; [중요한 정보를 콕 집어] 알리다
3	baffle	[bǽfəl]	3	[타] 좌절시키다 [자] 헛수고하다
4	beckon	[békən]	4	[자] [타] 손짓(고갯짓·몸짓)으로 부르다; 신호하다
5	brawl	[brɔ:l]	5	[자] 말다툼하다; 큰소리로 야단치다; 크게 떠들어대다
6	bridge	[bridʒ]	6	[타] [간격 따위를] 메우다; ~을 극복하다
7	build	[bild]	7	[타] [일·계획 등을] 조직적·체계적으로 완성시키다
8	buttress	[bʌ́tris]	8	[타] 지지하다, 보강하다; 힘을 실어주다
9	censor	[sénsər]	9	[타] 검열하다, 검열하여 삭제하다
10	channel	[tʃǽnl]	10	[타] ~을 […로] 돌리다; ~을 […로] 쏠리게 하다
11	clarify	[klǽrəfài]	11	[타] [모호한 의미·견해 따위를] 분명(명료)하게 하다
12	crystallize	[krístəlàiz]	12	[타] [잠재적인 사상·계획 등을] 구체화하다, 명확히 하다
13	cut	[kʌt]	13	[타] [과단성 있게] 줄이다, 삭감하다
14	daze	[deiz]	14	[타] 현혹시키다; 눈부시게 하다
15	defraud	[difrɔ́:d]	15	[타] 편취하다, 사취하다
16	derail	[diréil]	16	[타] [기차를] 탈선시키다; [계획을 일시] 틀어지게 하다
17	digest	[didʒést]	17	[타] ~의 뜻을 잘 음미하다, 이해(납득)하다; 숙고하다
18	downsize	[dáunsàiz]	18	[타] [어떤 목적을 위해서] ~을 축소하다, 줄이다
19	dwindle	[dwíndl]	19	[타] ~을 작게(적게)하다, 축소(감소)시키다
20	drive	[draiv]	20	[타] [차를] 몰다, 운전하다; [일 등을] 강력히 추진하다
21	economize	[ikánəmàiz]	21	[타] 경제적으로 사용하다, [체계적으로] 절약하다
22	encapsulate	[inkǽpsjəlèit]	22	[타] [사실·정보 따위를] 요약하다
23	encompass	[inkʌ́mpəs]	23	[타] 품다, 싸다, 포함하다
24	envision	[invíʒən]	24	[타] [미래의 일을] 상상(구상)하다; 마음속에 그리다
25	exempt	[igzémpt]	25	[타] [책임·의무 따위에서] 면제하다, 면하게 하다

26	explore	[ikspló:r]	26	[타] [문제·새 아이템 등을 적극] 탐구하다, 조사하다
27	face	[feis]	27	[타] ~을 직시하다, ~에 직면하다; ~에 용감하게 맞서다
28	focus on	[fóukəs ɑn]	28	[자] ~에 초점을 맞추다; ~에 집중하다
29	fuel	[fjú:əl]	29	[타] ~에 연료를 공급하다; ~에 활력을 불어넣다
30	gauge	[geidʒ]	30	[타] [현재 상황을 근거로 ~을] 평가(판단)하다; 측정하다
31	gear up	[gíər ʌ́p]	31	[자] [모든 부분에 신경 써서 꼼꼼히] 준비하다
32	generate	[dʒénərèit]	32	[타] [유용하고 바람직한 결과물을] 산출하다
33	grasp	[græsp]	33	[타] 움켜쥐다; [노력해서] 납득하다, 이해(파악)하다
34	highlight	[háilàit]	34	[타] [객관적으로] 강조하다, 눈에 띄게 하다
35	hinge on	[híndʒɑn]	35	[자] [객관적 사실에] 달려있다
36	ignite	[ignáit]	36	[타] ~에 불을 붙이다; 작열케 하다; 흥분시키다
37	iron out	[áiərn aut]	37	[타] 다림질하다; [문제 등을 말끔히] 해결하다
38	jazz up	[dʒǽz ʌ̀p]	38	[타] ~을 더 신나게(매력적으로) 만들다
39	jeopardize	[dʒépərdaiz]	39	[타] ~을 위태롭게 하다
40	juggle	[dʒʌ́gəl]	40	[타] [몇 가지 일을] 기술적으로 한 번에 잘 처리하다
41	launch	[lɔ:ntʃ]	41	[타] [사업 따위에] 손을 대다, 나서다, 착수하다
42	leverage	[lévəridʒ]	42	[타] [~을 충분히] 활용하다
43	look over	[lúk óuvər]	43	[타] [부담 없이 죽] 훑어보다, 검토하다
44	lubricate	[lú:brikèit]	44	[타] ~에 기름을 바르다; 미끄럽게 하다
45	maim	[meim]	45	[타] [아무를] 불구로 만들다; [물건을] 망가뜨리다
46	maximize	[mǽksəmàiz]	46	[타] 극한까지 최대한 증가(확대·강화)하다
47	molest	[məlést]	47	[타] [짓궂게] 괴롭히다; 성가시게 굴다
48	mumble	[mʌ́mbəl]	48	[타] [입속으로 기도·말 따위를] 웅얼거리다
49	note	[nout]	49	[타] [중요한 내용을 강조해서 정중히] 말하다, 언급하다
50	opt	[ɑpt]	50	[자] 선택하다; [~을 하기로/하지 않기로] 택하다

Unit **12**

회화용 고급 동사

51	pacify	[pǽsəfài]	51	[타] [화난 사람을] 달래다, 진정시키다, 가라앉히다
52	penalize	[pí:nəlàiz]	52	[타] 벌하다; 형을 과하다, ~에게 유죄를 선고하다
53	pinpoint	[pínpɔ̀int]	53	[타] ~의 위치를 정확히 지적하다(찾아내다)
54	plunge	[plʌndʒ]	54	[자] 급강하하다, 급락하다
55	point to	[pɔ́int tu]	55	[자] ~을 시사하다, 가리키다, 암시하다
56	polish	[pális]	56	[타] ~을 다듬어 품위 있게 하다, 세련시키다; 퇴고하다
57	prosecute	[prásəkjù:t]	57	[타] 해내다, 수행하다; 속행하다; 기소하다
58	quench	[kwentʃ]	58	[타] [불 따위를] 끄다; [갈증 따위를] 풀다
59	race	[reis]	59	[자] 경주하다; 경쟁하다; [경주하듯] 서두르다
60	rage	[reidʒ]	60	[자] 격노하다; 호되게 꾸짖다; 사납게 날뛰다
61	range	[reindʒ]	61	[자] ~의 범위에 걸치다; [~의 범위 안에서] 오가다
62	rave	[reiv]	62	[자] 헛소리를 하다, 고함치다; 사납게 날뛰다
63	reflect	[riflékt]	63	[타] 반사하다; 반영하다
64	rehabilitate	[rì:həbílətèit]	64	[타] 원상태로 되돌리다, 복원하다; 회복시키다
65	relay	[rí:lei]	65	[타] [중요한 메시지·정보 등을] 전[달]해주다
66	revisit	[rí:vizit]	66	[타] 재방문하다, 다시 찾아가다; 재고하다
67	elect	[ilékt]	67	[타] [신중히 가려서 최상의 것을] 뽑다, 고르다
68	scowl	[skaul]	68	[자] 얼굴을 찌푸리다, 오만상을 하다
69	share	[ʃεər]	69	[타] 함께 나누다; [~을 공유하기 위해] 말하다
70	sharpen	[ʃá:rpən]	70	[타] 날카롭게 하다; [능력을 잘 갈고닦아] 향상시키다
71	shriek	[ʃri:k]	71	[자] 날카로운 소리를 지르다, 비명을 지르다
72	signal	[sígnəl]	72	[타] ~에게 신호를 보내다; 넌지시 비추다
73	skim	[skim]	73	[타] 위에 뜬 찌꺼기를 걷어내다; [수면을] 스쳐 지나가다
74	snub	[snʌb]	74	[타] 타박하다, 윽박지르다; 냉대하다; 무시하다
75	soar	[sɔ:r]	75	[자] 높이 날다(오르다), 날아오르다

76	spearhead	[spíərhèd]	76	厄 [적극적으로 공격의] 선두에 서다; 선봉을 맡다
77	spur	[spə:r]	77	厄 [~에 적극적으로] 박차를 가하다; 몰아대다
78	squander	[skwándər]	78	厄 [시간·돈 따위를] 낭비하다, 헛되이 쓰다
79	steer	[stiər]	79	厄 [남들과 조화롭게 협력하며] 나아가다; 이끌다
80	subside	[səbsáid]	80	재 가라앉다; [땅이] 꺼지다; 잠잠해지다
81	stem from	[stém frʌm]	81	재 [~에서] 유래하다, 일어나다, 생기다
82	strengthen	[stréŋkθən]	82	厄 [현재보다] 강하게 하다, 강화하다; 향상시키다
83	structure	[strʌ́ktʃər]	83	厄 [생각·계획 따위를] 짜다, 조직하다, 체계화하다
84	surface	[sɔ́:rfis]	84	재 떠오르다; 나타나다, 표면화하다
85	swarm	[swɔ:rm]	85	재 떼를 짓다; 가득 차다, 많이 모여들다
86	tailor	[téilər]	86	厄 [의뢰인의 요구·조건·필요에] 맞추어 조정하다
87	target	[tá:rgit]	87	厄 ~을 목표·표적으로 정하다, 목적으로 하다
88	torment	[tɔ́:rment]	88	厄 괴롭히다
89	track down	[trǽk dàun]	89	厄 ~을 추적해서 찾아내다
90	tweak	[twi:k]	90	厄 최고 성능을 발휘할 수 있도록 살짝 조정·개조하다
91	navigate	[nǽvəgèit]	91	厄 [해결 방안을 찾으며 일을] 진행시키다
92	unearth	[ʌnɔ́:rθ]	92	厄 [땅속에서] 발굴하다, 파내다; 폭로하다, 적발하다
93	update	[ʌpdéit]	93	厄 새롭게 하다; ~에게 최신의 정보를 알려주다
94	vaccinate	[vǽksənèit]	94	厄 ~에게 예방 접종을 하다(백신주사를 놓다)
95	verify	[vérəfài]	95	厄 ~이 진실임을 증명(입증·확증)하다
96	view	[vju:]	96	厄 [객관적으로] 바라보다, 판단하다, 고찰하다
97	wail	[weil]	97	재 소리 내어 울다, 울부짖다
98	weigh	[wei]	98	厄 [모든 요소를 고려하여 꼼꼼히 저울질해] 따져보다
99	whirl	[hwə:rl]	99	재 빙빙 돌다, 회전하다; 선회하다
100	wrestle with	[résəl wið]	100	재 ~을 위해 무진 애를 쓰다, ~와 씨름하다

1	abate	[əbéit]	1	타줄이다, 누그러뜨리다 자줄다, 누그러지다
2	abbreviate	[əbríːvièit]	2	타단축하다 자 타[어구를] 요약해서 쓰다, 생략하다
3	abhor	[æbhɔ́ːr]	3	타몹시 싫어하다, 혐오(증오)하다; 거부하다, 멸시하다
4	abide	[əbáid]	4	자머무르다, 남다; 오래 지속하다 타기다리다; 참다
5	abolish	[əbáliʃ]	5	타[관례·제도 등을] 폐지(철폐)하다; 완전히 파괴하다
6	abound	[əbáund]	6	자~가 많이 있다; [장소 주어가 ~로] 풍성하다, 그득하다
7	abstain	[æbstéin]	7	자그만두다, 끊다, 삼가다; 금주하다
8	abstract	[æbstrǽkt]	8	타추상하다; 발췌하다, 추출하다; 감하다
9	accelerate	[æksélərèit]	9	타빨리하다, 가속하다 자빨라지다, 속력이 더해지다
10	accent	[ǽksent]	10	타강하게 발음하다; 강조(역설)하다; 두드러지게 하다
11	acclaim	[əkléim]	11	타갈채를 보내다, 환호로 맞이하다 자갈채(환호)하다
12	accord	[əkɔ́ːrd]	12	자일치하다, 조화하다 타일치시키다, 조화시키다; 주다
13	accumulate	[əkjúːmjəlèit]	13	타[조금씩] 모으다, 축적하다 자쌓이다; 겹치다
14	accustom	[əkʌ́stəm]	14	타익숙케 하다, 습관이 들게 하다
15	adjoin	[ədʒɔ́in]	15	자 타접하다, ~에 인접(이웃)하다
16	adjourn	[ədʒɔ́ːrn]	16	자 타[~을] 휴회(산회, 폐회)하다; 연기하다 자자리를 옮기다
17	adorn	[ədɔ́ːrn]	17	타~을 꾸미다, 장식하다; ~을 더 매력 있게 하다
18	affirm	[əfɔ́ːrm]	18	자 타확언하다, 단언하다; 긍정하다; 확인(지지)하다
19	afflict	[əflíkt]	19	타괴롭히다
20	allege	[əlédʒ]	20	타단언하다; 증거 없이 주장하다; 진술하다; 내세우다
21	allot	[əlát]	21	타할당하다, 분배하다, 주다; 지정하다
22	allude	[əlúːd]	22	자언급하다; 넌지시 비추다, 암시하다
23	alternate	[ɔ́ːltərnit]	23	자번갈아 일어나다, 교체(교대)하다 타교체(교대)시키다
24	amend	[əménd]	24	타수정(개정·정정)하다; [잘못을] 바로잡다 자고쳐지다
25	amount	[əmáunt]	25	자[총계·금액이] ~이 되다; [~이나] 마찬가지다; 되다

26	annihilate	[ənáiəlèit]	26	国 ~을 절멸(전멸)시키다; 폐지하다; 완패시키다
27	appease	[əpíːz]	27	国 [사람을] 달래다; 진정(완화)시키다; [갈증을] 풀다
28	apprehend	[æprihénd]	28	邪 国 염려(우려)하다; 이해하다; 붙잡다 国 체포하다
29	appropriate	[əpróuprièit]	29	国 [어떤 목적에] 충당하다; 횡령(착복)하다, 훔치다
30	arouse	[əráuz]	30	国 [자는 사람을] 깨우다; ~하도록 자극하다 邪 각성하다
31	ascribe	[əskráib]	31	国 [어떤 결과를] ~의 탓(원인)으로 삼다
32	aspire	[əspáiər]	32	邪 열망하다, 포부를 갖다, 대망을 품다, 갈망하다
33	assail	[əséil]	33	国 습격(공격)하다; 몰아세우다; 엄습하다; 맞서다
34	assault	[əsɔ́ːlt]	34	国 [사람·진지를] 습격(공격)하다; 폭행하다, 성폭행하다
35	assent	[əsént]	35	邪 동의하다, 찬성하다; [요구에] 따르다; 인정하다
36	assess	[əsés]	36	国 [재산·수입 따위를] 사정하다; [가치를] 평가(판단)하다
37	avail	[əvéil]	37	邪 国 소용에 닿다, 쓸모가 있다; 가치가 있다
38	awaken	[əwéikən]	38	国 [잠에서] 깨우다; 일깨우다 邪 깨다; 깨닫다
39	awe	[ɔː]	39	国 ~에게 두려운 마음을 일게 하다; 위압하여 ~시키다
40	ballot	[bǽlət]	40	邪 国 투표하다; 투표로 정하다; 추첨하다
41	banish	[bǽniʃ]	41	国 추방하다, 유형에 처하다; 내쫓다; 떨어버리다
42	beam	[biːm]	42	邪 빛나다; 빛을 발하다; 기쁨으로 빛나다 国 비추다
43	bequeath	[bikwíːð]	43	国 유산으로 남기다; [이름·작품 따위를] 남기다
44	beset	[bisét]	44	国 포위하다, 에워싸다; 막다, 봉쇄하다; 박아 넣다
45	blush	[blʌʃ]	45	邪 얼굴을 붉히다, [얼굴이 ~로] 빨개지다; 부끄러워하다
46	brood	[bruːd]	46	邪 国 알을 품다; 곰곰이 생각하다 邪 [구름·안개가] 덮여 끼다
47	crave	[kreiv]	47	邪 国 열망(갈망)하다, 간절히 원하다 国 ~을 필요로 하다
48	characterize	[kǽriktəràiz]	48	国 ~을 특징짓다; ~의 특성을 기술(묘사)하다
49	cite	[sait]	49	国 인용하다, 인증하다; 예증하다; 열거하다
50	clash	[klæʃ]	50	邪 国 [소리 내며] 부딪치다 邪 격렬한 소리를 내다; 충돌하다

51	clothe	[klouð]	51	倒 ~에게 옷을 주다(입히다); [권력·영광 따위를] 주다
52	coil	[kɔil]	52	倒사리를 틀다, 감기다 倒똘똘 말다(감다)
53	coincide	[kòuinsáid]	53	倒 [장소가] 일치하다; [둘 이상의 일이] 동시에 일어나다
54	commence	[kəméns]	54	倒시작하다, 개시하다 倒시작되다; 학위를 받다
55	commend	[kəménd]	55	倒칭찬하다; 권하다, 추천(천거)하다; 맡기다
56	complicate	[kámplikèit]	56	倒복잡하게(까다롭게) 하다; [병을] 악화시키다; 끌어들이다
57	comply	[kəmplái]	57	倒좇다, 동의하다, 승낙하다, 응하다, 따르다
58	comprise	[kəmpráiz]	58	倒함유(포함·의미)하다; ~로 이루어져 있다; ~을 구성하다
59	concur	[kənkə́:r]	59	倒진술이 일치하다, 동의하다; 시인하다; 동시에 발생하다
60	confer	[kənfə́:r]	60	倒 [칭호·학위 등을] 수여하다; 증여하다; 베풀다
61	confide	[kənfáid]	61	倒털어놓다; 맡기다 倒신용(신뢰)하다; 비밀을 털어놓다
62	confine	[kənfáin]	62	倒제한하다; 가둬 넣다, 감금하다
63	conform	[kənfɔ́:rm]	63	倒순응(적합)시키다; 따르게 하다 倒일치하다; 따르다
64	congest	[kəndʒést]	64	倒~에 충만시키다, 가득 채워 넣다 倒붐비다; 가득 차다
65	conserve	[kənsə́:rv]	65	倒보존하다; 보호하다; 설탕 절임으로 하다
66	console	[kənsóul]	66	倒위로하다, 위문하다
67	constrain	[kənstréin]	67	倒강제하다, 강요하다, 무리하게 ~시키다; 구속하다
68	contemplate	[kántəmplèit]	68	倒 倒심사숙고하다 倒잘 관찰하다; 계획하다; 예기하다
69	contrive	[kəntráiv]	69	倒연구(발명·설계)하다 倒고안(획책)하다
70	cram	[kræm]	70	倒 [~에] 억지로 채워 넣다; 주입식 공부를 시키다
71	crumble	[krʌ́mbl]	71	倒빻다, 부수어 가루로 만들다 倒부서지다, 가루가 되다
72	curtail	[kə:rtéil]	72	倒짧게 [잘라] 줄이다; 생략(단축)하다; 박탈하다
73	dare	[dɛər]	73	倒감히 ~하다, 대담(뻔뻔)하게도 ~하다, ~할 수 있다
74	debut	[deibjú:]	74	倒데뷔하다, 첫 무대를 밟다; 사교계에 처음 나가다
75	decoy	[dikɔ́i]	75	倒 [미끼로] 유혹(유인)하다; 꾀어내다 倒유혹당하다

76	deduce	[didjú:s]	76	㉓연역하다, 추론하다; ~의 유래를 찾다
77	deduct	[didʌ́kt]	77	㉓[세금 따위를] 공제하다, 빼다
78	defy	[difái]	78	㉓~에 도전하다; ~을 문제 삼지 않다; 반항하다
79	degrade	[digréid]	79	㉓~의 지위를(품성을) 낮추다, 타락시키다 ㉔타락하다
80	delude	[dilú:d]	80	㉓미혹시키다; 속이다; 속여서 ~시키다; 착각하다
81	depart	[dipá:rt]	81	㉔출발하다, 떠나다; [습관·원칙 등에서] 벗어나다
82	depict	[dipíkt]	82	㉓[그림·글·영상으로] 그리다; 묘사(서술·표현)하다
83	deride	[diráid]	83	㉓조소(조롱)하다, 비웃다
84	diffuse	[difjú:z]	84	㉓흩뜨리다; 발산하다; 유포하다, 두루 베풀다 ㉔퍼지다
85	digest	[daidʒést]	85	㉓소화하다; 이해하다; 참다; 요약하다 ㉔소화되다
86	dignify	[dígnəfài]	86	㉓위엄(품위) 있어 보이게 하다
87	disapprove	[dìsəprú:v]	87	㉓~을 안 된다고 하다; 비난하다 ㉔찬성하지 않다
88	discern	[disə́:rn]	88	㉓분별하다, 식별하다; 깨닫다, 발견하다 ㉔식별하다
89	discriminate	[diskrímənèit]	89	㉔㉓구별하다; 판별(식별)하다 ㉔차별대우하다
90	disdain	[disdéin]	90	㉓경멸하다, 멸시하다; 무시하다, 떳떳지 않게 여기다
91	dispel	[dispél]	91	㉓일소하다, 쫓아버리다; 없애다 ㉔흩어지다
92	disperse	[dispə́:rs]	92	㉓흩어지게 하다; 해산시키다; 퍼뜨리다 ㉔흩어지다
93	displace	[displéis]	93	㉓바꾸어 놓다, 옮기다; ~에 대신 들어서다; 쫓아내다
94	displease	[displí:z]	94	㉓~을 불쾌하게 하다; 노하게 하다
95	dispose	[dispóuz]	95	㉓[적소에] 배치(배열)하다; ~하게 하다 ㉔처분하다
96	disregard	[dìsrigá:rd]	96	㉓무시하다, 문제시하지 않다; 경시하다
97	distort	[distó:rt]	97	㉓[얼굴을] 찡그리다; [사실·원형을] 왜곡하다, 일그러뜨리다
98	distract	[distrǽkt]	98	㉓[주의를] 흩뜨리다; 미혹케 하다; 즐겁게 하다
99	domesticate	[douméstəkèit]	99	㉓길들이다, 교화시키다; 가정에 익숙하게 하다
100	doom	[du:m]	100	㉓~의 운명을 정하다; 형을 선고하다; 형(운명)으로 정하다

1	drench	[drentʃ]	1	卧흠뻑 젖게 하다(적시다); 담그다; 완전히 채우다
2	duplicate	[djú:pləkèit]	2	卧이중으로 하다; 포개다; 복사(복제)하다
3	embark	[embá:rk]	3	巫배·비행기에 탑승하다; 출항하다; 시작하다 卧배·비행기에 싣다
4	embroider	[embróidər]	4	卧~에 수를 놓다; 꾸미다, 윤색하다 巫수놓다; 과장하다
5	emigrate	[éməgrèit]	5	巫[타국으로] 이주하다 卧[국외로] 이주시키다
6	endow	[endáu]	6	卧[능력·자질 등을] ~에게 주다(부여하다); 기금을 기부하다
7	erect	[irékt]	7	卧똑바로 세우다, 직립시키다; 조립(설립·건립)하다 巫직립하다
8	err	[ə:r]	8	巫바른 길을 벗어나다, 헤매다; 잘못(실수)하다; 범죄하다
9	evacuate	[ivǽkjuèit]	9	卧피난(소개·철수)시키다; 배변시키다 巫피난(철수)하다; 배변하다
10	evaporate	[ivǽpərèit]	10	巫증발하다; 사라지다 卧증발시키다; 탈수(농축)하다
11	exclaim	[ikskléim]	11	巫 卧[감탄적으로] 외치다; 큰소리로 말(주장·비난)하다
12	exclude	[iksklú:d]	12	卧못 들어오게 하다, 몰아내다, 제외(배제·기각·무시)하다
13	expend	[ikspénd]	13	卧[시간·노력 따위를] 쓰다, 소비하다; 다 써버리다
14	exploit	[iksplóit]	14	卧[자원 등을] 개발(개척)하다, 채굴(벌채)하다; ~을 이용해먹다
15	extract	[ikstrǽkt]	15	卧뽑아(캐·잘라)내다; 추출하다; 발췌하다; 이끌어내다
16	fling	[fliŋ]	16	卧던지다; 내팽개치다; 투입하다 巫돌진하다, 뛰어들다
17	foresee	[fɔ:rsí:]	17	卧앞일을 예견하다, 미리 알다 巫선견지명이 있다
18	foretell	[fɔ:rtél]	18	巫 卧[~을] 예언하다, 예고하다 卧~의 전조가 되다
19	fortify	[fɔ́:rtəfài]	19	巫 卧요새화(방어 공사를)하다 卧강하게 하다; 확증하다
20	glance	[glæns]	20	巫 卧흘끗(언뜻) 보다; 대강 훑어보다; [칼·탄알 등이] 스치다
21	glimpse	[glimps]	21	卧흘끗(얼핏) 보다 巫흘끗(얼핏) 보이다
22	glide	[glaid]	22	巫미끄러지[듯 나아가]다, 활주(활공)하다 卧미끄러지게 하다
23	hatch	[hætʃ]	23	卧부화하다; [음모 등을] 꾸미다 巫알이 깨다; 알을 품다
24	haul	[hɔ:l]	24	巫 卧잡아끌다; 끌어당기다; 화물차로 나르다
25	haunt	[hɔ:nt]	25	卧종종 방문하다; [유령 등이] 나오다; 늘 붙어 따라다니다

26	heap	[hi:p]	26	甩쌓아올리다; 듬뿍 주다; 수북이 담다 邳[산더미처럼] 쌓이다
27	heed	[hi:d]	27	邳甩[~에] 주의(조심)하다, [~을] 마음에 두다
28	hike	[haik]	28	甩[무리하게] 움직이다, 휙 잡아당기다; [물가를] 갑자기 올리다
29	hurl	[hə:rl]	29	邳甩집어 던지다; 세게 덤벼들다 甩[욕설을] 퍼붓다; 내쫓다
30	hush	[hʌʃ]	30	甩침묵시키다; [아이를] 재우다 邳조용해지다; 입 다물다
31	illuminate	[ilú:mənèit]	31	甩조명하다, 밝게 비추다; 설명(계발·계몽)하다
32	immerse	[imə:rs]	32	甩잠그다, 가라앉히다; 몰두(열중)하게 하다; 파묻다
33	immigrate	[íməgrèit]	33	邳[타국에서] 이주해오다; 이주하다 甩~을 이주시키다
34	impart	[impá:rt]	34	甩나누어주다, 주다; [지식·비밀 따위를] 전하다, 알리다
35	implore	[implɔ́:r]	35	邳甩[~을] 애원(탄원)하다; [아무에게] 간청하다
36	impute	[impjú:t]	36	甩[불명예 따위를] ~에게 돌리다, ~의 탓으로 하다
37	inaugurate	[inɔ́:gjərèit]	37	甩취임식을 거행하다; 개관(개통, 개강, 개업)하다; 시작하다
38	incite	[insáit]	38	甩자극(격려)하다; 부추기다; [분노·호기심 등을] 불러일으키다
39	incline	[inkláin]	39	邳甩귀를(몸을) 기울이다 甩기울이다 邳~에 가깝다
40	inflict	[inflíkt]	40	甩[타격·상처·고통 따위를] 주다, 가하다; [형을] 과하다
41	inscribe	[inskráib]	41	甩적다, 새기다, 파다; [책을 사인해서] 증정하다; 명심하다
42	inspect	[inspékt]	42	甩[세밀히] 조사(검사·점검·감사)하다; 검열(시찰)하다
43	insulate	[ínsəlèit]	43	甩격리하다, 고립시키다; 절연(차단·단열·방음)하다
44	insure	[inʃúər]	44	邳甩보험에 가입하다 甩~의 보험을 계약하다; 보증하다
45	integrate	[íntəgrèit]	45	甩통합(흡수)하다; 완성하다; 융합시키다 邳융합(통합)되다
46	intercept	[ìntərsépt]	46	甩도중에서 빼앗다(붙잡다), 가로채다; 차단하다; 엿듣다
47	intervene	[ìntərví:n]	47	邳사이에 끼다; [사이에 들어] 방해(간섭·중재·조정)하다
48	leap	[li:p]	48	邳껑충 뛰다, 뛰어오르다; 비약하다 甩뛰어넘[게 하]다
49	librate	[láibreit]	49	邳[저울바늘처럼] 좌우로 흔들리다, 진동하다; 균형이 잡히다
50	litter	[lítər]	50	甩~에 짚을 깔다; 흩뜨리다, 어지르다; [가축이] 엎드리다; 자다

Unit 14 독해용 중요 동사 2

51	loiter	[lɔ́itər]	51	[자] [타] 빈둥거리며 시간을 보내다 [자] 쉬엄쉬엄 가다
52	marvel	[mɑ́:rvəl]	52	[타] ~을 이상하게 여기다 [자] [타] ~에 감탄하다, 놀라다
53	meddle	[médl]	53	[자] 쓸데없이 참견하다, 간섭하다; 만지작거리다
54	meditate	[médətèit]	54	[자] 명상하다, 숙려하다 [타] 계획하다, 꾀하다; 숙고하다
55	migrate	[máigreit]	55	[자] 이주하다; 이동하다; 확산하다 [타] 이주(이동)시키다
56	mount	[maunt]	56	[자] [타] 오르다, 올라가다 [타] 올라타다; 설치(장치)하다
57	multiply	[mʌ́ltəplài]	57	[타] 늘리다, 증가시키다; 번식시키다 [자] 늘다; 곱셈하다
58	mutter	[mʌ́tər]	58	[자] 중얼거리다; 불평하다 [타] 속삭이다; 투덜투덜하다
59	nominate	[nɑ́mənèit]	59	[타] 지명하다; 지명 추천하다; 임명하다 [자] 출마하다
60	obligate	[ɑ́bləgèit]	60	[타] ~에게 의무를 지우다; 감사의 마음을 일으키게 하다
61	obstruct	[əbstrʌ́kt]	61	[자] [타] 방해하다 [타] 막다; 차단하다; 시야를 가리다
62	ooze	[u:z]	62	[자] [물이] 스며나오다, 새다 [타] 스며나오게 하다; 누설하다
63	originate	[ərídʒənèit]	63	[타] 시작하다, 근원이 되다; 창작하다 [자] 비롯되다
64	outgrow	[àutgróu]	64	[타] 몸이 커져서 입지 못하게 되다; ~보다도 커지다
65	outlive	[àutlív]	65	[타] ~보다도 오래 살다; 무사히 헤어나다
66	overcrowd	[òuvərkráud]	66	[타] ~에 사람을 너무 많이 들이다 [자] 너무 혼잡하다
67	overflow	[òuvərflóu]	67	[자] [타] [~에서] 넘쳐흐르다, [~에] 넘치다 [자] 범람하다
68	overrun	[òuvərrʌ́n]	68	[타] ~의 전반에 걸쳐 퍼지다 [자] [타] 널리 퍼지다, 범람하다; 도를 넘다
69	overtake	[òuvərtéik]	69	[타] ~을 따라잡다(붙다); 추월하다; 만회하다
70	overthrow	[òuvərθróu]	70	[타] 뒤집어엎다, 타도(파괴·폐지)하다, 전복시키다
71	overwhelm	[òuvərhwélm]	71	[타] 압도(제압)하다, 궤멸시키다; 당황케 하다; 위에서 덮치다
72	paralyze	[pǽrəlàiz]	72	[타] 마비시키다, 불수가 되게 하다; 활동 불능이 되게 하다
73	pave	[peiv]	73	[타] [도로를] 포장하다; 을 덮다; ~을 쉽게 하다
74	peck	[pek]	74	[자] [타] [부리로] 쪼다, 쪼아 먹다 [타] 쪼아 내다
75	peep	[pi:p]	75	[자] 엿보다, 슬쩍 들여다보다; [성질 등이] 부지중에 나타나다

76	penetrate	[pénətrèit]	76	困 他 통과하다; 꿰뚫다; 침투하다 他 관통하다; 침입하다
77	perplex	[pərpléks]	77	他 당혹(난감·난처)하게 하다; 복잡(혼란)하게 하다
78	persecute	[pɔ́ːrsikjùːt]	78	他 [종교·사상 등의 이유로] 박해하다, 학대하다; 괴롭히다
79	persevere	[pɔ̀ːrsəvíər]	79	困 참다, 견디다, 버티다 他 ~을 유지하다, 버티다
80	pluck	[plʌk]	80	他 잡아 뽑다; 뜯다, 꺾다, 따다 困 他 확 잡아당기다
81	plunge	[plʌndʒ]	81	他 던져 넣다, 찌르다; 몰아넣다 困 뛰어들다; 돌진(돌입)하다
82	poise	[pɔiz]	82	他 균형 잡히게(평형되게) 하다; [자세를] 취하다 困 균형이 잡히다
83	prescribe	[priskráib]	83	困 他 규정하다, 지시하다, 명하다; 처방하다
84	preside	[prizáid]	84	困 의장 노릇하다, 사회하다; 통할하다, 관장하다; 연주를 맡다
85	prevail	[privéil]	85	困 우세하다, 이기다, 극복하다; 유행하다; 설득하다
86	proclaim	[prəkléim]	86	困 他 포고(선언·성명)하다, 공포하다 他 증명하다
87	procure	[prəkjúər]	87	他 획득하다, [필수품을] 조달하다 困 매춘부를 주선하다
88	profess	[prəfés]	88	困 他 공언하다; 고백하다 他 주장하다; ~을 직업으로 하다
89	prohibit	[prouhíbit]	89	他 금지하다; [주어 때문에] ~을 못하다
90	prolong	[proulɔ́ːŋ]	90	他 늘이다, 연장하다; 오래 끌다, 연기하다; 길게 발음하다
91	promote	[prəmóut]	91	他 진전(진척)시키다, 증진(장려·선전)하다; 승진시키다
92	pronounce	[prənáuns]	92	困 他 발음하다 他 발음을 표시하다; 선언하다; 단언하다
93	propagate	[prápəgèit]	93	他 번식시키다, 늘(불)리다 困 늘다, 붇다, 번식(증식)하다
94	prophesy	[práfəsài]	94	困 他 예언하다; 예측하다; 예보하다
95	prospect	[prəspékt]	95	困 他 [금광·석유를 찾아] 답사하다, [광산을] 시굴하다
96	quiver	[kwívər]	96	困 떨리다; 흔들리다 他 ~을 떨다, 떨게 하다
97	radiate	[réidièit]	97	困 방사상으로 퍼지다; 빛나다 他 [빛·열 등을] 방사하다
98	rally	[ræli]	98	他 ~을 재편성하다, 불러 모으다 困 다시 모이다; 회복하다
99	ramble	[ræmbəl]	99	困 [이리저리] 거닐다; 두서없이 이야기하다; [강이] 굽이치다
100	reason	[ríːzən]	100	困 他 추론하다, 판단하다; 논(이야기)하다; 설득하다

1	rebate	[ribéit]	1	邸 [금액의] 일부를 되돌려주다; [청구액을] 할인하다
2	rebel	[ribél]	2	邸모반(배반)하다; 반항(반대)하다; ~에 좋지 않다; 몹시 싫어하다
3	recite	[risáit]	3	邸 邸암송하다, 낭송하다
4	reckon	[rékən]	4	邸 邸세다, 계산하다 邸간주하다 邸지불(청산)하다
5	recollect	[rèkəlékt]	5	邸생각해 내다, 회상하다; 명상에 잠기다 邸상기하다
6	reconstruct	[rì:kənstrʌ́kt]	6	邸재건하다, 재구성하다; 개조(개축)하다; 부흥하다
7	rehearse	[rihə́:rs]	7	邸 邸예행연습을 하다, 되풀이해 말하다 邸시연하다
8	reinforce	[rì:infɔ́:rs]	8	邸 [보강재로] 보강(강화·증강)하다; 한층 강력하게 하다
9	remedy	[rémədi]	9	邸고치다, 치료(교정)하다; 보수하다; 개선하다; 배상하다
10	renounce	[rináuns]	10	邸 [권리 등을 정식으로] 포기(단념)하다; 부인하다; ~와 절교하다
11	repel	[ripél]	11	邸 邸퇴짜 놓다; 불쾌하게 하다 邸저항하다; 쫓아버리다
12	reproduce	[rì:prədjú:s]	12	邸재생(재현·재연)하다; 복사(복제)하다 邸번식되다; 복사(복제)되다
13	repute	[ripjú:t]	13	邸여기다, 생각하다, 간주하다
14	reside	[rizáid]	14	邸살다; 존재하다; [성질이] 있다; [권리가] ~에게 있다
15	respire	[rispáiər]	15	邸 邸호흡하다 邸휴식하다; [휴~ 하고] 한숨 돌리다
16	revere	[rivíər]	16	邸존경하다, 숭배하다
17	revolve	[riválv]	17	邸회전(선회)하다; 자전(공전·운행)하다 邸회전(공전·운행)시키다
18	ridicule	[rídikjù:l]	18	邸비웃다, 조소하다, 조롱하다, 놀리다
19	roam	[roum]	19	邸 邸 [~을 어슬렁어슬렁] 거닐다, 방랑(배회)하다
20	roar	[rɔ:r]	20	邸으르렁거리다; [대포·천둥이] 울리다 邸 邸소리 질러 말하다
21	rotate	[róuteit]	21	邸 邸회전(교대·순환)하다(시키다)
22	salute	[səlú:t]	22	邸 邸 [~에게] 인사하다, [~에] 경례하다; 맞이하다
23	scare	[skɛər]	23	邸위협하다, 놀라게(겁나게) 하다 邸겁내다, 놀라다
24	scoff	[skɔ:f]	24	邸비웃다, 조소하다, 조롱하다
25	scorch	[skɔ:rtʃ]	25	邸~을 눋게 하다, 그슬리다; 태우다 邸타다, 눋다; 매우 덥다

26	scorn	[skɔ:rn]	26	ⓣ경멸하다, 모욕하다 ⓩ비웃다, 냉소하다
27	scramble	[skrǽmbəl]	27	ⓩ기어오르다; 기어가다; 얻으려고 다투다 ⓣ긁어모으다; 뒤섞다
28	scrawl	[skrɔ:l]	28	ⓩⓣ휘갈겨(흘려) 쓰다; [벽 등에] 낙서하다 ⓣ마구 지우다
29	seclude	[siklú:d]	29	ⓣ[사람·장소 등을] 분리하다, 격리하다; 은퇴시키다; 추방하다
30	seize	[si:z]	30	ⓩⓣ꽉 [움켜]쥐다, 붙잡다; [기회를] 포착하다; [공포·병이] 덮치다
31	shrug	[ʃrʌg]	31	ⓩⓣ[어깨를] 으쓱하다
32	situate	[sítʃuèit]	32	ⓣ[어떤 장소에] 놓다, ~ 놓이게 하다; ~의 위치를 정하다
33	slay	[slei]	33	ⓩⓣ죽이다, 살해하다 ⓣ학살하다; 파괴(근절)시키다
34	slope	[sloup]	34	ⓣ경사지게 하다 ⓩ경사지다, 비탈지다
35	smite	[smait]	35	ⓣ세게 때리다(치다), 강타하다; 쳐부수다; 죽이다; 홀리게 하다
36	smuggle	[smʌ́gəl]	36	ⓩⓣ밀수입(밀수출)하다, 밀수(밀매)하다; 밀항(밀입국)하다
37	snatch	[snætʃ]	37	ⓣ와락 붙잡다, 움켜쥐다, 잡아(낚아)채다, 강탈하다; 죽이다
38	sneer	[sniər]	38	ⓩ냉소(조소)하다; 비웃다, 비꼬다 ⓣ조롱하여 말하다
39	soar	[sɔ:r]	39	ⓩ높이 날다(오르다), 날아오르다; 급등하다, 치솟다; 부풀다
40	specify	[spésəfài]	40	ⓣ일일이 열거하다; 상세히 말하다(쓰다), 명시(명기)하다
41	splash	[splæʃ]	41	ⓩⓣ[물·흙탕 따위를] 튀기다; [물이] ~에 튀어 오르다
42	spout	[spaut]	42	ⓣ[액체·증기·화염 등을] 내뿜다; 분출하다
43	sprinkle	[spríŋkəl]	43	ⓣ[액체·분말 따위를] 뿌리다; 끼얹다; 흩뿌리다; 물을 주다
44	sprout	[spraut]	44	ⓩ싹이 트다, 발아하다 ⓣ~에 싹이 트게(나게) 하다
45	spur	[spə:r]	45	ⓣ~에 박차를 가하다; 질주하게 하다; 몰아대다 ⓩ질주하다
46	stammer	[stǽmər]	46	ⓩ말을 더듬다 ⓣ더듬거리며(우물거리며) 말하다
47	stamp	[stæmp]	47	ⓣ~에 인지(우표)를 붙이다; ~에 도장을 찍다 ⓩ쿵쿵 걷다
48	startle	[stá:rtl]	48	ⓩ깜짝 놀라다; 펄쩍 뛰다 ⓣ깜짝 놀라게 하다; 펄쩍 뛰게 하다
49	steer	[stiər]	49	ⓩⓣ[배의] 키를 잡다, 조종하다 ⓣ~의 진로를 잡다 ⓩ처신하다
50	strain	[strein]	50	ⓩⓣ잡아당기다 ⓣ너무 긴장시키다; 접질리게 하다 ⓩ긴장하다

51	stride	[straid]	51	짜 타 [~을] 큰 걸음으로 걷다, 활보하다; 넘어서다
52	strive	[straiv]	52	짜 노력하다; 얻으려고 애쓰다; 싸우다, 항쟁(분투)하다
53	stroll	[stroul]	53	짜 천천히 산책하다; 방랑하다 타 [거리를] 어슬렁어슬렁 걷다
54	subject	[sʌ́bdʒikt]	54	타 복종(종속)시키다, 지배하다, [~의] 영향 하에 두다
55	subtract	[səbtrǽkt]	55	짜 타 빼다, 감하다; 공제하다
56	suffice	[səfáis]	56	짜 족하다, 충분하다 타 ~에 충분하다, 만족시키다
57	suffocate	[sʌ́fəkèit]	57	타 ~의 숨을 막다; 질식[사]시키다; 억압하다 짜 숨이 막히다
58	summarize	[sʌ́məràiz]	58	타 요약하여 말하다, 요약하다, 개괄하다
59	supervise	[súːpərvàiz]	59	타 관리(감독)하다, 지휘(지도)하다
60	suppress	[səprés]	60	타 억압하다; [반란 등을] 진압하다; [기사를] 금하다
61	surpass	[sərpǽs]	61	타 ~보다 낫다, ~보다 뛰어나다, ~을 능가(초월)하다
62	surrender	[səréndər]	62	짜 타 항복(굴복)하다 타 내어(넘겨) 주다, 양도(명도)하다
63	sway	[swei]	63	짜 흔들리다, 동요하다 타 흔들다, 기울이다; 휘두르다
64	swing	[swiŋ]	64	짜 흔들리다; 진동하다; 회전하다 타 흔들다; 휘두르다
65	swirl	[swəːrl]	65	짜 소용돌이치다; [머리가] 어찔어찔하다 타 소용돌이치게 하다
66	synthesize	[sínθəsàiz]	66	짜 타 종합하다; 합성하다; 종합적으로 다루다
67	terminate	[tə́ːrmənèit]	67	타 끝내다; 종결시키다; 해고하다; 한정하다 짜 끝나다
68	testify	[téstəfài]	68	짜 타 [~을] 증명하다, 입증하다; 증언하다; 증거가 되다
69	thrive	[θraiv]	69	짜 번창하다, 번영하다; 성공하다; 부자가 되다; 무성하다
70	throb	[θrɑb]	70	짜 가슴이 고동치다, 두근거리다; 감동하다; 진동(약동)하다
71	thrust	[θrʌst]	71	짜 타 밀다; 찌르다 타 밀어내다, 밀어 넣다 짜 밀어젖히고 나아가다
72	tilt	[tilt]	72	짜 기울다; 편향하다 타 기울이다 짜 타 [창으로] 찌르다
73	toil	[tɔil]	73	짜 수고하다, 고생하다, 힘써 일하다 타 애써서 성취하다
74	track	[træk]	74	짜 타 [~의 뒤를] 쫓다, 추적하다 타 [길을] 가다; 횡단하다
75	trail	[treil]	75	타 [질질] 끌다, 끌며 가다; ~을 추적하다 짜 [질질] 끌리다

76	transcribe	[trænskráib]	76	[타] 베끼다; [데이터를 다른 기록 형태로] 전사하다
77	traverse	[trǽvəːrs]	77	[자] [타] 가로지르다, 횡단(통과, 관통)하다
78	tread	[tred]	78	[자] [타] 걷다, 가다, [스텝을] 밟다(춤추다); 짓밟아 으깨다
79	trudge	[trʌdʒ]	79	[자] [타] [~을] 무거운 발걸음으로 걷다, 터벅터벅 걷다
80	tuck	[tʌk]	80	[타] ~을 챙겨 넣다; [옷자락을] 걷어 올리다, 밀어 넣다
81	tumble	[tʌ́mbəl]	81	[자] 엎드러지다; 전락(몰락)하다; 재주넘다 [타] 넘어뜨리다
82	underestimate	[ʌ̀ndəréstəmeit]	82	[자] [타] [~을] 과소평가(판단)하다; 얕보다
83	underline	[ʌ̀ndərláin]	83	[타] ~의 밑에 선을 긋다; 강조하다; 예고하다
84	undress	[ʌndrés]	84	[타] ~의 옷을 벗기다; ~의 붕대·장식을 떼다 [자] 옷을 벗다
85	unify	[júːnəfài]	85	[타] 통합하다; 통일하다; 단일화하다
86	utilize	[júːtəlàiz]	86	[타] 활용하다, 소용되게 하다
87	utter	[ʌ́tər]	87	[타] [목소리·말 따위를] 내다, 말하다, 말로 나타내다
88	vary	[vέəri]	88	[타] ~에 변화를 주다(가하다), 다양하게 하다; 변경하다
89	ventilate	[véntəlèit]	89	[타] 공기를 유통시키다, 환기하다; 통풍 설비를 하다
90	venture	[véntʃər]	90	[자] 위험을 무릅쓰고 (감히) 가다 [타] 위험에 내맡기다
91	vibrate	[váibreit]	91	[자] 진동하다, 흔들리다 [목소리가] 떨리다 [타] 진동시키다
92	wag	[wæg]	92	[자] [타] [꼬리·혀·손가락 등을] 흔들어 움직이다, 흔들다
93	warrant	[wɔ́ːrənt]	93	[타] 보증하다; 보장하다; 정당화하다
94	wave	[weiv]	94	[자] 파도(물결)치다, 파동하다; 손을 흔들다 [타] ~을 흔들다
95	weave	[wiːv]	95	[자] [타] [직물·바구니 등을] 짜다, 뜨다, 엮다
96	whistle	[hwísəl]	96	[자] 휘파람을 불다; 밀고하다 [타] 휘파람으로 부르다(불다)
97	wink	[wiŋk]	97	[자] [타] 눈을 깜박이다; 눈짓하여 알리다(신호하다)
98	withstand	[wiðstǽnd]	98	[타] ~에 저항하다, ~에 반항(거역)하다; ~에 잘 견디다
99	yearn	[jəːrn]	99	[자] 그리워(동경)하다, 갈망하다; 그리다, 사모하다
100	implant	[implǽnt]	100	[타] [마음에] 불어넣다, 주입시키다; 심다, 끼워 넣다

타 품사 단어로 동사 만들기

1	명 격노	**rage**	[reidʒ]	1	**en**rage	[enréidʒ]	타 노하게 하다 (명 앞-en)
2	기쁨, 환희	joy	[dʒɔi]	2	**en**joy	[endʒɔ́i]	타 즐기다, 향락하다
3	꼬리	tail	[teil]	3	**en**tail	[entéil]	타 [필연적 결과로서] 남기다
4	노래, 성가	chant	[tʃænt]	4	**en**chant	[entʃǽnt]	타 매혹하다, 황홀케 하다
5	노예	slave	[sleiv]	5	**en**slave	[ensléiv]	타 노예로 만들다
6	덫, 올가미	snare	[snɛər]	6	**en**snare	[ensnéər]	타 올가미에 걸다, 함정에 빠뜨리다
7	덮개, 싸개	wrap	[ræp]	7	**en**wrap	[inrǽp]	타 싸다, 두르다
8	명세서	list	[list]	8	**en**list	[enlíst]	타 명세서에 올리다
9	무덤, 묘	tomb	[tu:m]	9	**en**tomb	[entú:m]	타 ~을 무덤에 묻다
10	법령	act	[ækt]	10	**en**act	[enǽkt]	타 법령화하다
11	비틂, 꼬임	twist	[twist]	11	**en**twist	[entwíst]	타 꼬아서 합치다, 꼬다
12	사슬, 속박	chain	[tʃein]	12	**en**chain	[entʃéin]	타 사슬로 매다; 속박하다
13	상자	case	[keis]	13	**en**case	[enkéis]	타 상자에 넣다
14	선거권	franchise	[frǽntʃaiz]	14	**en**franchise	[enfrǽntʃaiz]	타 선거권을 주다
15	신뢰, 신용	trust	[trʌst]	15	**en**trust	[entrʌ́st]	타 [믿고] 맡기다, 위탁하다
16	야영	camp	[kæmp]	16	**en**camp	[enkǽmp]	자 야영하다 타 야영시키다
17	엉킴, 얽힘	tangle	[tǽŋgəl]	17	**en**tangle	[entǽŋgl]	타 엉클어지게 하다, 얽히게 하다
18	열, 발열	fever	[fí:vər]	18	**en**fever	[enfí:vər]	타 열광[흥분]시키다
19	왕좌	throne	[θroun]	19	**en**throne	[enθróun]	타 왕좌에 앉히다, 즉위시키다
20	용기, 담력	courage	[kɔ́:ridʒ]	20	**en**courage	[enkɔ́:ridʒ]	타 용기를 돋우다, 격려하다
21	원, 원주	circle	[sɔ́:rkl]	21	**en**circle	[ensɔ́:rkl]	타 둘러싸다, 일주하다
22	위험	danger	[déindʒər]	22	**en**danger	[endéindʒər]	타 위험에 빠뜨리다
23	틀, 액자	frame	[freim]	23	**en**frame	[enfréim]	타 [그림 등을] 액자에 끼우다
24	표제, 제목	title	[táitl]	24	**en**title	[entáitl]	타 ~에 제목을 붙이다
25	하늘	sky	[skai]	25	**en**sky	[enskái]	타 크게 칭찬하다, 비행기 태우다

26	한턱	treat	[tri:t]	26	**en**treat	[entrí:t]	慂원하다, 간청(부탁)하다
27	함정, 덫	trap	[træp]	27	**en**trap	[entrǽp]	慂함정에 빠뜨리다
28	힘, 권력	force	[fɔ:rs]	28	**en**force	[enfɔ́:rs]	慂[법을] 집행하다, 강요하다
29	형귀족의	**noble**	[nóubəl]	29	**en**noble	[enóubl]	慂귀족으로 만들다 (형앞-en)
30	능력 있는	able	[éibəl]	30	**en**able	[enéibəl]	慂~에게 힘(능력)을 주다
31	부유한	rich	[ritʃ]	31	**en**rich	[enrítʃ]	慂부유하게 만들다
32	사랑하는	dear	[diər]	32	**en**dear	[endíər]	慂사랑을 느끼게 하다
33	쓴	bitter	[bítər]	33	**em**bitter	[imbítər]	慂더 쓰게 하다
34	연약한	feeble	[fí:bəl]	34	**en**feeble	[infí:bəl]	慂약화시키다
35	큰, 넓은	large	[lɑ:rdʒ]	35	**en**large	[enlɑ́:rdʒ]	慂확대(증대)하다
36	확실한	sure	[ʃuər]	36	**en**sure	[enʃúər]	慂확실하게 하다; 보장하다
37	**공포, 경악**	**fright**	[frait]	37	fright**en**	[fráitn]	慂깜짝 놀라게 하다 (명뒤-en)
38	그리스도	Christ	[kraist]	38	christ**en**	[krísn]	慂세례를 주어 크리스천을 만들다
39	급함, 급속	haste	[heist]	39	hast**en**	[héisn]	慂서두르다, 재촉하다
40	길이	length	[leŋkθ]	40	length**en**	[léŋkθən]	慂길게 하다, 늘이다
41	높음, 높이	hight	[hait]	40	height**en**	[háitn]	慂높게 하다, 높이다
42	세기, 힘	strength	[streŋkθ]	41	strength**en**	[stréŋkθən]	慂강하게 하다
43	위협, 협박	threat	[θret]	42	threat**en**	[θrétn]	慂협박하다
44	형가벼운	**light**	[lait]	43	light**en**	[láitn]	慂가볍게 하다 (형뒤-en)
45	검은	black	[blæk]	44	black**en**	[blǽkən]	慂검게 하다, 어둡게 하다
46	곧은	straight	[streit]	45	straight**en**	[stréitn]	慂똑바르게 하다
47	굳은	hard	[hɑ:rd]	46	hard**en**	[hɑ́:rdn]	慂굳히다, 단단케 하다
48	귀먹은	deaf	[def]	47	deaf**en**	[défən]	慂귀먹게 하다
49	깊은	deep	[di:p]	48	deep**en**	[dí:pn]	慂깊게 하다 慔깊어지다
50	깨어서	awake	[əwéik]	49	awak**en**	[əwéikən]	慂[잠에서] 깨우다

51	꽉 매어진	fast	[fæst]	51	fast**en**	[fǽsn]	타 묶다, 붙들어 매다
52	날카로운	sharp	[ʃɑ:rp]	52	sharp**en**	[ʃɑ́:rpən]	타 날카롭게 하다
53	넓은	broad	[brɔ:d]	53	broad**en**	[brɔ́:dn]	타 넓히다, 확장하다
54	느슨한	slack	[slæk]	54	slack**en**	[slǽkən]	타 느슨하게 하다
55	단단히 죈	tight	[tait]	55	tight**en**	[táitn]	타 단단하게 하다, 죄다
56	더 적은	less	[les]	56	less**en**	[lésn]	타 작게(적게)하다, 줄이다
57	밝은	bright	[brait]	57	bright**en**	[bráitn]	타 밝게 하다
58	병에 걸린	sick	[sik]	58	sick**en**	[síkən]	타 병나게 하다
59	부드러운	soft	[sɔ:ft]	59	soft**en**	[sɔ́:fən]	타 부드럽게(연하게) 하다
60	붉은	red	[red]	60	redd**en**	[rédn]	자 타 얼굴을 붉히[게 하]다
61	빠른	quick	[kwik]	61	quick**en**	[kwíkən]	타 빠르게 하다
62	슬픈	sad	[sæd]	62	sadd**en**	[sǽdn]	타 슬프게 하다
63	약한	weak	[wi:k]	63	weak**en**	[wí:kən]	타 약화시키다
64	익은	ripe	[raip]	64	rip**en**	[ráipən]	타 익게 하다
65	짧은	short	[ʃɔ:rt]	65	short**en**	[ʃɔ́:rtn]	타 짧게 하다
66	축축한	moist	[mɔist]	66	moist**en**	[mɔ́isən]	타 축축하게 하다
67	폭넓은	wide	[waid]	67	wid**en**	[wáidn]	타 넓히다 자 넓게 되다
68	풀린	loose	[lu:s]	68	loos**en**	[lú:sən]	타 느슨하게 하다, 풀다
69	흰	white	[hwait]	69	whit**en**	[hwáitn]	타 희게 하다, 표백하다
70	명 강조	**emphasis**	[émfəsis]	70	emphas**ize**	[émfəsàiz]	타 강조하다, 역설하다(명 뒤-ize)
71	기관	organ	[ɔ́:rgən]	71	organ**ize**	[ɔ́:rgənàiz]	타 조직하다
72	기억	memory	[méməri]	72	memor**ize**	[méməràiz]	자 타 기억하다
73	동정	sympathy	[símpəθi]	73	sympath**ize**	[kálənàiz]	자 동정하다
74	비평, 비판	criticism	[krítisìzəm]	74	critic**ize**	[krítisàiz]	타 비평하다, 비판하다
75	사죄, 사과	apology	[əpálədʒi]	75	apolog**ize**	[əpálədʒàiz]	자 사죄하다, 사과하다

76	상징	symbol	[símbəl]	76	symbol**ize**	[símbəlàiz]	짜 탸 상징[화]**하다**
77	식민지	colony	[káləni]	77	colon**ize**	[kálənàiz]	탸 식민지로 **만들다**
78	요약	summary	[sʌ́məri]	78	summar**ize**	[sʌ́məràiz]	탸 요약**하여 말하다**
79	절약	economy	[ikánəmi]	79	econom**ize**	[ikánəmàiz]	탸 절약**하다**
80	조화, 화합	harmony	[há:rməni]	80	harmon**ize**	[há:rmənàiz]	탸 조화**시키다**
81	특성, 특질	character	[kǽriktər]	81	character**ize**	[kǽriktəràiz]	탸 ~의 특징을 **나타내다**
82	표준, 규격	standard	[stǽndərd]	82	standard**ize**	[stǽndərdàiz]	탸 표준(규격)**화하다**
83	학대, 압제	tyranny	[tírəni]	83	tyrann**ize**	[tírənàiz]	짜 탸 학대(압제)**하다**
84	혱 규칙적인 **regular**	**regular**	[régjələr]	84	regular**ize**	[régjələràiz]	탸 규칙**화하다** (혱 뒤 - **ize**)
85	기름진	fertile	[fə́:rtl]	85	fertil**ize**	[fə́:rtəlàiz]	탸 기름지게 **하다**
86	눈에 보이는	visual	[víʒuəl]	86	visual**ize**	[víʒuəlàiz]	탸 보이게 **하다**
87	문명의	civil	[sívəl]	87	civil**ize**	[sívəlàiz]	탸 문명**화하다**
88	인간의	human	[hjú:mən]	88	human**ize**	[hjú:mənàiz]	탸 인간답게 **만들다**
89	일반의	general	[dʒénərəl]	89	general**ize**	[dʒénərəlàiz]	짜 탸 일반**화하다**
90	자연의	natural	[nǽtʃərəl]	90	natural**ize**	[nǽtʃərəlàiz]	탸 자연을 좇게 **하다**
91	특별한	special	[spéʃəl]	91	special**ize**	[spéʃəlàiz]	탸 특수**화하다**
92	현대의	modern	[mádərn]	92	modern**ize**	[mádərnàiz]	짜 탸 현대**화하다**
93	현실의	real	[rí:əl]	93	real**ize**	[rí:əlàiz]	탸 현실**화하다**
94	명 기호, 표시 **sign**	**sign**	[sain]	94	sign**ify**	[sígnəfài]	탸 등급으로 **나누다** (명 뒤 - **ify**)
95	등급	class	[klæs]	95	class**ify**	[klǽsəfài]	탸 표시**하다**
96	아름다움	beauty	[bjú:ti]	96	beaut**ify**	[bjú:təfài]	탸 아름답게 **하다**
97	혱 강렬한 **intense**	**intense**	[inténs]	97	intens**ify**	[inténsəfài]	탸 강력하게 **하다** (혱 뒤 - **ify**)
98	단순한	simple	[símpəl]	98	simpl**ify**	[símpləfài]	탸 단순**화하다**
99	맑은, 순수한	pure	[pjuər]	99	pur**ify**	[pjúərəfài]	탸 맑게 **하다**
100	정당한	just	[dʒʌst]	100	just**ify**	[dʒʌ́stəfài]	탸 정당**화하다**

Unit 17

동사 반의어 1

1	**[타]가져오다**	1	**bring**	[briŋ]
2	[타]가져가다	2	take	[teik]
3	**[타]깨끗하게 하다**	3	**cleanse**	[klenz]
4	[타]더럽히다	4	stain	[stein]
5	**[타]건설하다**	5	**construct**	[kənstrʌ́kt]
6	[타]파괴하다	6	destroy	[distrɔ́i]
7	**[타]결합하다**	7	**join**	[dʒɔin]
8	[타]분리하다	8	separate	[sépərèit]
9	**[타]고용하다**	9	**employ, hire**	[emplɔ́i], [haiər]
10	[타]해고하다	10	dismiss, fire	[dismís], [faiər]
11	**[타]골라 뽑다**	11	**select**	[silékt]
12	[타]제외하다, 거절하다	12	reject	[ridʒékt]
13	**[타]공격하다**	13	**attack, aggress**	[ətǽk], [əgrés]
14	[타]방어하다	14	defend	[difénd]
15	**[타]곱하다**	15	**multiply**	[mʌ́ltəplài]
16	[타]나누다	16	divide	[diváid]
17	**[타]구하다**	17	**request**	[rikwést]
18	[타]주다, 허락하다	18	grant	[grænt]
19	**[타]굳게 하다**	19	**harden**	[há:rdn]
20	[타]부드럽게 하다	20	soften	[sɔ́:fən]
21	**[타]긍정하다**	21	**affirm**	[əfə́:rm]
22	[타]부정하다	22	deny	[dinái]
23	**[타]기쁘게 하다**	23	**please**	[pli:z]
24	[타]화나게 하다	24	vex	[veks]
25	**[타]나타내다, 드러내다**	25	**disclose, reveal**	[disklóuz], [riví:l]

26	㉰ 감추다	26	conceal, hide	[kənsíːl], [haid]
27	㉰ **밀다**	27	**push**	[puʃ]
28	㉰ 당기다	28	pull	[pul]
29	㉰ **더하다**	29	**add**	[æd]
30	㉰ 빼다	30	subtract	[səbtrǽkt]
31	㉰ **떠나다**	31	**depart**	[dipáːrt]
32	㉯ 도착하다	32	arrive	[əráiv]
33	㉰ **들어 올리다**	33	**lift**	[lift]
34	㉰ 떨어뜨리다	34	drop	[drɑp]
35	㉯ **뜨다**	35	**float**	[flout]
36	㉯ 가라앉다	36	sink	[siŋk]
37	㉯ ㉰ **만나다**	37	**meet**	[miːt]
38	㉯ 헤어지다	38	part	[pɑːrt]
39	㉰ **모으다**	39	**gather**	[gǽðər]
40	㉰ 흩뿌리다	40	scatter	[skǽtər]
41	㉯ **미소 짓다**	41	**smile**	[smail]
42	㉯ 찡그리다	42	frown	[fraun]
43	㉰ **믿다, 확신하다**	43	**believe, assure**	[bilíːv], [əʃúər]
44	㉰ 의심하다	44	doubt	[daut]
45	㉯ **반항하다**	45	**resist**	[rizíst]
46	㉯ 굴복하다	46	surrender	[səréndər]
47	㉰ **받아들이다**	47	**accept**	[æksépt]
48	㉰ 거부하다	48	reject	[ridʒékt]
49	㉰ **인정하다**	49	**acknowledge**	[æknálidʒ]
50	㉰ 부정하다	50	deny	[dinái]

Unit **17**
동사 반의어 1

51	[타] **제공하다**	51	**offer**	[ɔ́:fər]
52	[타] 받다	52	accept	[æksépt]
53	[타] **빌려주다**	53	**lend**	[lend]
54	[타] 빌리다	54	borrow	[bɔ:rou]
55	[타] **사다**	55	**buy**	[bai]
56	[타] 팔다	56	sell	[sel]
57	[타] **사랑하다**	57	**love**	[lʌv]
58	[타] 미워하다	58	hate	[heit]
59	[타] **상주다**	59	**reward**	[riwɔ́:rd]
60	[타] 벌주다	60	punish	[pʌ́niʃ]
61	[타] **생산하다**	61	**produce**	[prədjú:s]
62	[타] 소비하다	62	consume	[kənsú:m]
63	[자] [타] **서두르다**	63	**hasten**	[héisn]
64	[자] [타] 지연하다	64	delay	[diléi]
65	[타] **세놓다**	65	**let**	[let]
66	[타] 세내다	66	hire	[haiər]
67	[자] **수축하다**	67	**contract**	[kɑ́ntrækt]
68	[자] 팽창하다	68	expand	[ikspǽnd]
69	[타] **수출하다**	69	**export**	[ikspɔ́:rt]
70	[타] 수입하다	70	import	[impɔ́:rt]
71	[타] **승낙하다**	71	**permit, allow**	[pə:rmít], [əláu]
72	[타] 금지하다	72	prohibit, forbid	[prouhíbit], [fərbíd]
73	[타] **씻다**	73	**wash**	[wɑʃ]
74	[타] 더럽히다	74	soil	[sɔil]
75	[자] **앞서가다** / [타] **인도하다**	75	**precede / lead**	[sɔil] / [li:d]

76	[자] 뒤따르다	76	follow	[fálou]
77	[타] **연합하다**	77	**unite**	[ju:náit]
78	[타] 분리하다	78	divide	[diváid]
79	[자] **올라가다**	79	**rise**	[raiz]
80	[자] 떨어지다	80	fall	[fɔ:l]
81	[타] **올리다**	81	**raise**	[reiz]
82	[타] 내리다	82	drop	[drɑp]
83	[타] **요구하다**	83	**demand**	[dimǽnd]
84	[타] 공급하다	84	supply	[səplái]
85	[타] **용기를 북돋다**	85	**encourage**	[enkə́:ridʒ]
86	[타] 용기를 잃게 하다	86	discourage	[diskə́:ridʒ]
87	[타] **용서하다**	87	**forgive**	[fərgív]
88	[타] 처벌하다	88	punish	[pʌ́niʃ]
89	[타] **위로하다**	89	**console**	[kənsóul]
90	[타] 괴롭히다	90	afflict	[əflíkt]
91	[자] **일치하다**	91	**agree**	[əgrí:]
92	[자] 다르다	92	differ	[dífər]
93	[타] **잡다**	93	**catch**	[kætʃ]
94	[타] 놓치다	94	miss	[mis]
95	[타] **장식하다**	95	**decorate**	[dékərèit]
96	[타] 훼손하다	96	destroy	[distrɔ́i]
97	[자] **전진하다**	97	**advance**	[ædvǽns]
98	[자] 후퇴하다	98	retreat	[ri:trí:t]
99	[타] **정복하다**	99	**conquer**	[káŋkər]
100	[자] 항복하다	100	surrender	[səréndər]

Unit 18 동사 반의어 2 & 동사 유의어 1

1	[타] **얻다, 이기다**	1	**win**	[win]
2	[타] 잃다, 지다	2	lose	[lu:z]
3	[타] **절약하다**	3	**economize**	[ikánəmàiz]
4	[타] 낭비하다	4	waste	[weist]
5	[타] **제공하다**	5	**offer**	[ɔ́:fər]
6	[타] 받다	6	accept	[æksépt]
7	[타] **존경하다**	7	**respect**	[rispékt]
8	[타] 멸시하다	8	despise	[dispáiz]
9	[타] **주다**	9	**give**	[giv]
10	[타] 받다	10	receive	[risí:v]
11	[타] **주장하다**	11	**assert**	[əsə́:rt]
12	[타] 부인하다	12	deny	[dinái]
13	[자] **즐거워하다**	13	**delight**	[diláit]
14	[타] 괴로워하다	14	be distressed	[bi: distrést]
15	[자] **증가하다**	15	**increase**	[inkrí:s]
16	[자] 감소하다	16	decrease	[dikrí:s]
17	[자] **진화하다**	17	**evolve**	[iválv]
18	[자] 퇴화하다	18	degenerate	[didʒénərèit]
19	[타] **찬양하다**	19	**admire**	[ædmáiər]
20	[타] 멸시하다	20	despise	[dispáiz]
21	[자] **성공하다**	21	**succeed**	[səksí:d]
22	[자] 실패하다	22	fail	[feil]
23	[타] **체포하다, 구속하다**	23	**arrest**	[ərést]
24	[타] 석방하다, 풀어놓다	24	release	[rilí:s]
25	[타] **칭찬하다**	25	**praise**	[preiz]

26	타 꾸짖다 / 비난하다	26	scold / blame	[skould] / [bleim]
27	타 **크게 하다**	27	**enlarge**	[enlá:rdʒ]
28	타 작게 하다	28	lessen	[lésn]
29	타 **폐지하다**	29	**abolish**	[əbáliʃ]
30	타 유지하다	30	preserve	[prizə́:rv]
31	타 **버리다, 단념하다**	31	**abandon**	[əbǽndən]
32	타 지속하다	32	maintain	[meintéin]
33	타 **피하다**	33	**avoid**	[əvɔ́id]
34	타 직면하다	34	face	[feis]
35	자 타 **물어보다**	35	**ask**	[æsk]
36	자 타 대답하다	36	reply	[riplái]
37	타 **기억하다**	37	**remember**	[rimémbər]
38	타 잊어버리다	38	forget	[fərgét]
39	자 **끼어들다**	39	**intercede**	[ìntərsí:d]
40	자 끼어들다	40	interfere	[ìntərfíər]
41	자 끼어들다	41	interpose	[ìntərpóuz]
42	자 끼어들다	42	intervene	[ìntərví:n]
43	자 끼어들다	43	meddle	[médl]
44	자 끼어들다	44	mediate	[mí:dièit]
45	자 **나아가다, 전진하다**	45	**advance**	[ædvǽns]
46	자 나아가다, 전진하다	46	proceed	[prousí:d]
47	자 **나오다, 나타나다**	47	**appear**	[əpíər]
48	자 나오다, 나타나다	48	emerge	[imə́:rdʒ]
49	자 **논쟁하다**	49	**argue**	[á:rgju:]
50	자 논쟁하다	50	dispute	[dispjú:t]

51	㉔ 노력하다	51	**strive**	[straiv]
52	㉔ 노력하다	52	endeavor	[endévər]
53	㉔ 노력하다	53	try	[trai]
54	㉕ 노력하다	54	exert	[igzɔ́ːrt]
55	㉔ 동의하다	55	**agree**	[əgríː]
56	㉔ 동의하다	56	assent	[əsént]
57	㉔ 동의하다	57	consent	[kənsént]
58	㉔ 들러붙다, 점착하다	58	**cling**	[kliŋ]
59	㉔ 들러붙다, 점착하다	59	stick	[stik]
60	㉔ 들러붙다, 점착하다	60	adhere	[ædhíər]
61	㉔ 떠나다, 출발하다	61	**depart**	[dipáːrt]
62	㉔ 떠나다, 출발하다	62	start	[stɑːrt]
63	㉕ 떠나다, 출발하다	63	leave	[liːv]
64	㉔ 떨다	64	**shudder**	[ʃʌ́dər]
65	㉔ 떨다	65	shiver	[ʃívər]
66	㉔ 떨다	66	tremble	[trémbəl]
67	㉔ 떨다	67	wobble	[wábəl]
68	㉔ 반대하다, 대항하다	68	**object**	[ábdʒikt]
69	㉔ 반대하다, 대항하다	69	oppose	[əpóuz]
70	㉔ 사라지다	70	**disappear**	[dìsəpíər]
71	㉔ 사라지다	71	vanish	[vǽniʃ]
72	㉔ 순응하다	72	**adjust**	[ədʒʌ́st]
73	㉔ 순응하다	73	accommodate	[əkámədèit]
74	㉔ 신음하다	74	**groan**	[groun]
75	㉔ 신음하다	75	moan	[moun]

76	㉠번영하다, 번성하다	76	**prosper**	[práspər]
77	㉠번영하다, 번성하다	77	flourish	[flə́:riʃ]
78	㉠번영하다, 번성하다	78	thrive	[θraiv]
79	㉠숭배하다; 예배하다	79	**worship**	[wə́:rʃip]
80	㉠숭배하다; 숭모하다	80	adore	[ədɔ́:r]
81	㉠우상숭배하다	81	idolize	[áidəlàiz]
82	㉠슬퍼하다, 한탄하다	82	**grieve**	[gri:v]
83	㉠슬퍼하다, 한탄하다	83	deplore	[diplɔ́:r]
84	㉠슬퍼하다, 한탄하다	84	lament	[ləmént]
85	㉠슬퍼하다, 한탄하다	85	mourn	[mɔ:rn]
86	㉠시들다	86	**fade**	[feid]
87	㉠시들다	87	wither	[wíðər]
88	㉠시들다	88	wilt	[wilt]
89	㉠시들다	89	shrivel	[ʃríːvəl]
90	㉠썩다	90	**rot**	[rɑt]
91	㉠썩다	91	decay	[dikéi]
92	㉠[소리 내어] 울다	92	**weep**	[wi:p]
93	㉠[소리 내어] 울다	93	sob	[sɑb]
94	㉠[소리 내어] 울다	94	cry	[krai]
95	㉠응시하다, 빤히 보다	95	**stare**	[stɛər]
96	㉠응시하다, 빤히 보다	96	gaze	[geiz]
97	㉠일어나다, 생기다	97	**result**	[rizʌ́lt]
98	㉠일어나다, 생기다	98	arise	[əráiz]
99	㉠일어나다, 생기다	99	originate	[ərídʒənèit]
100	㉠일어나다, 생기다	100	stem	[stem]

Unit 19 동사 유의어 2

1	[자] **죽다**	1	**die**	[dai]
2	[자] 죽다	2	perish	[périʃ]
3	[자] 죽다	3	decease	[disí:s]
4	[자] 죽다	4	expire	[ikspáiər]
5	[자] **중요하다, 가치가 있다**	5	**matter**	[mǽtər]
6	[자] 중요하다, 가치가 있다	6	count	[kaunt]
7	[자] 중요하다, 가치가 있다	7	be important	[bi: impɔ́:rtənt]
8	[자] [타] **맹세하다**	8	**swear**	[swɛər]
9	[자] [타] 맹세하다	9	vow	[vau]
10	[자] [타] 맹세하다	10	pledge	[pledʒ]
11	[자] **흘끗 보다**	11	**glance**	[glæns]
12	[타] 흘끗 보다	12	glimpse	[glimps]
13	[자] [타] **조롱하다**	13	**ridicule**	[rídikjù:l]
14	[자] [타] 조롱하다	14	scoff	[skɔ:f]
15	[자] [타] 조롱하다	15	sneer	[sniər]
16	[자] [타] 조롱하다	16	jeer	[dʒiər]
17	[자] **항복하다**	17	**surrender**	[səréndər]
18	[자] 항복하다	18	yield	[ji:ld]
19	[자] 항복하다	19	submit	[səbmít]
20	[자] **간청하다, 탄원하다**	20	**appeal**	[əpí:l]
21	[타] 간청하다, 탄원하다	21	implore	[implɔ́:r]
22	[타] 간청하다, 탄원하다	22	beg	[beg]
23	[타] 간청하다, 탄원하다	23	entreat	[entrí:t]
24	[타] 간청하다, 탄원하다	24	petition	[pitíʃən]
25	[타] 간청하다, 탄원하다	25	solicit	[səlísit]

26	[타] **~보다 오래 살다**	26	**survive**	[sərváiv]
27	[타] ~보다 오래 살다	27	outlast	[àutlǽst]
28	[타] ~보다 오래 살다	28	outlive	[àutlív]
29	[타] **~에 도전하다**	29	**challenge**	[tʃǽlindʒ]
30	[타] ~에 도전하다	30	defy	[difái]
31	[타] **가정하다**	31	**assume**	[əsjú:m]
32	[타] 가정하다	32	presume	[prizú:m]
33	[타] **겪다, 경험하다**	33	**experience**	[ikspíəriəns]
34	[타] 겪다, 경험하다	34	undergo	[ʌ̀ndərgóu]
35	[타] **강조하다**	35	**emphasize**	[émfəsàiz]
36	[타] 강조하다	36	stress	[stres]
37	[타] 강조하다	37	underline	[ʌ̀ndərláin]
38	[타] **강화하다**	38	**enhance**	[enhǽns]
39	[타] 강화하다	39	fortify	[fɔ́:rtəfài]
40	[타] 강화하다	40	reinforce	[rì:infɔ́:rs]
41	[타] 강화하다	41	intensify	[inténsəfài]
42	[타] **결합하다**	42	**join**	[dʒɔin]
43	[타] 결합하다	43	unite	[ju:náit]
44	[타] **경고하다**	44	**alarm**	[əlá:rm]
45	[타] 경고하다	45	warn	[wɔ:rn]
46	[타] **경작하다, [땅을] 갈다**	46	**cultivate**	[kʌ́ltəvèit]
47	[타] 경작하다, [땅을] 갈다	47	till	[til]
48	[타] **고발하다, 고소하다**	48	**accuse**	[əkjú:z]
49	[타] 고발하다, 고소하다	49	sue	[su:]
50	[타] 고발하다, 고소하다	50	charge	[tʃɑ:rdʒ]

Unit 19 동사 유의어 2

51	**[자] 공격하다, 습격하다**	51	**attack**	[ətǽk]
52	[자] 공격하다, 습격하다	52	charge	[tʃɑːrdʒ]
53	[타] 공격하다, 습격하다	53	assault	[əsɔ́ːlt]
54	**[타] 공급하다**	54	**provide**	[prəváid]
55	[타] 공급하다	55	supply	[səplái]
56	[타] 공급하다	56	furnish	[fə́ːrniʃ]
57	**[타] 괴롭히다**	57	**annoy**	[ənɔ́i]
58	[타] 괴롭히다	58	bother	[báðər]
59	[타] 괴롭히다	59	trouble	[trʌ́bəl]
60	**[타] 대답하다**	60	**reply**	[riplái]
61	[타] 대답하다	61	answer	[ǽnsər]
62	**[자] 녹다, [타] 녹이다**	62	**dissolve**	[dizálv]
63	[자] 녹다, [타] 녹이다	63	thaw	[θɔː]
64	[자] 녹다, [타] 녹이다	64	melt	[melt]
65	**[타] 그만두다, 중지하다**	65	**cease**	[siːs]
66	[타] 그만두다, 중지하다	66	stop	[stɑp]
67	**[타] 담그다, 적시다**	67	**dip**	[dip]
68	[타] 담그다, 적시다	68	drench	[drentʃ]
69	[타] 담그다, 적시다	69	immerse	[imə́ːrs]
70	[타] 담그다, 적시다	70	plunge	[plʌndʒ]
71	[타] 담그다, 적시다	71	wet	[wet]
72	**[타] 나르다, 운반하다**	72	**carry**	[kǽri]
73	[타] 나르다, 운반하다	73	convey	[kənvéi]
74	[타] 나르다, 운반하다	74	transport	[trænspɔ́ːrt]
75	[타] 나르다, 운반하다	75	bear	[bɛər]

76	国 늘이다, 연장하다	76	**extend**	[iksténd]
77	国 늘이다, 연장하다	77	lengthen	[léŋkθən]
78	国 늘이다, 연장하다	78	prolong	[prouló:ŋ]
79	国 능가하다	79	**excel**	[iksél]
80	国 능가하다	80	exceed	[iksí:d]
81	国 능가하다	81	surpass	[sərpǽs]
82	国 ~를 대체하다, 바꾸다	82	**replace**	[ripléis]
83	国 ~를 대체하다, 바꾸다	83	displace	[displéis]
84	国 ~를 대체하다, 바꾸다	84	substitute	[sʌ́bstitjù:t]
85	国 드러내다, 폭로하다	85	**reveal**	[riví:l]
86	国 드러내다, 폭로하다	86	disclose	[disklóuz]
87	国 드러내다, 폭로하다	87	expose	[ikspóuz]
88	国 들어 올리다	88	**lift**	[lift]
89	国 들어 올리다	89	raise	[reiz]
90	国 들어 올리다	90	elevate	[éləvèit]
91	国 들어 올리다	91	hoist	[hɔist]
92	国 모으다	92	**collect**	[kəlékt]
93	国 모으다	93	assemble	[əsémbəl]
94	国 모으다	94	gather	[gǽðər]
95	国 매혹하다, 호리다	95	**attract**	[ətrǽkt]
96	国 매혹하다, 호리다	96	fascinate	[fǽsənèit]
97	国 매혹하다, 호리다	97	charm	[tʃɑ:rm]
98	国 매혹하다, 호리다	98	enchant	[entʃǽnt]
99	国 묻다, 질문하다	99	**ask**	[æsk]
100	国 묻다, 질문하다	100	inquire	[inkwáiər]

Unit 20 동사 유의어 3

1	[타] **무시하다, 간과하다**	1	**ignore**	[ignɔ́:r]
2	[타] 무시하다, 간과하다	2	neglect	[niglékt]
3	[타] 무시하다, 간과하다	3	disregard	[dìsrigɑ́:rd]
4	[타] 무시하다, 간과하다	4	defy	[difái]
5	[타] **미루다, 연기하다, 지연시키다**	5	**delay**	[diléi]
6	[타] 미루다, 연기하다, 지연시키다	6	defer	[difə́:r]
7	[타] 미루다, 연기하다, 지연시키다	7	postpone	[poustpóun]
8	[타] 미루다, 연기하다, 지연시키다	8	adjourn	[ədʒə́:rn]
9	[타] **발전시키다, 향상시키다**	9	**develop**	[divéləp]
10	[타] 발전시키다, 향상시키다	10	improve	[imprú:v]
11	[타] **보여주다, 전시하다**	11	**display**	[displéi]
12	[타] 보여주다, 전시하다	12	exhibit	[igzíbit]
13	[타] 보여주다, 전시하다	13	expose	[ikspóuz]
14	[타] 보여주다, 전시하다	14	show	[ʃou]
15	[타] **보증하다**	15	**guarantee**	[gæ̀rəntí:]
16	[타] 보증하다	16	assure	[əʃúər]
17	[타] 보증하다	17	ensure	[enʃúər]
18	[타] 보증하다	18	warrant	[wɔ́:rənt]
19	[타] **부인하다, 부정하다**	19	**deny**	[dinái]
20	[타] 부인하다, 부정하다	20	contradict	[kɑ̀ntrədíkt]
21	[타] 부인하다, 부정하다	21	contravene	[kɑ̀ntrəví:n]
22	[타] 부인하다, 부정하다	22	gainsay	[gèinséi]
23	[타] **선언하다**	23	**declare**	[dikléər]
24	[타] 선언하다	24	proclaim	[proukléim]
25	[타] 선언하다	25	announce	[ənáuns]

26 [타] **분배하다, 나누어주다**
27 [타] 분배하다, 나누어주다
28 [타] 분배하다, 나누어주다
29 [타] 분배하다, 나누어주다
30 [타] **사다, 구매하다**
31 [타] 사다, 구매하다
32 [타] **산출하다, [열매를] 맺다**
33 [타] 산출하다, [열매를] 맺다
34 [타] **생각해 내다, 상기하다**
35 [타] 생각해 내다, 상기하다
36 [타] 생각해 내다, 상기하다
37 [타] 생각해 내다, 상기하다
38 [타] **섞다**
39 [타] 섞다
40 [타] 섞다
41 [타] 섞다
42 [타] **설득하다**
43 [타] 설득하다
44 [자] 설득하다
45 [타] **속이다**
46 [타] 속이다
47 [타] 속이다
48 [타] 속이다
49 [타] **시도하다, 꾀하다**
50 [타] 시도하다, 꾀하다

26 **distribute** [distríbju:t]
27 divide [diváid]
28 dispense [dispéns]
29 dole [doul]
30 **buy** [bai]
31 purchase [pə́:rtʃəs]
32 **produce** [prədjú:s]
33 yield [ji:ld]
34 **recall** [rikɔ́:l]
35 recollect [rèkəlékt]
36 remember [rimémbər]
37 retrospect [rétrəspèkt]
38 **mix** [miks]
39 mingle [míŋgəl]
40 blend [blend]
41 compound [kəmpáund]
42 **convince** [kənvíns]
43 persuade [pə:rswéid]
44 prevail [privéil]
45 **deceive** [disí:v]
46 cheat [tʃi:t]
47 trick [trik]
48 delude [dilú:d]
49 **attempt** [ətémpt]
50 try [trai]

Unit 20 동사 유의어 3

51	[타] **숙고하다**	51	**speculate**	[spékjəlèit]
52	[타] 숙고하다	52	contemplate	[kántəmplèit]
53	[타] 숙고하다	53	meditate	[médətèit]
54	[타] 숙고하다	54	ponder	[pándər]
55	[타] 숙고하다	55	consider	[kənsídər]
56	[타] **숨기다**	56	**conceal**	[kənsí:l]
57	[타] 숨기다	57	hide	[haid]
58	[타] 숨기다	58	bury	[béri]
59	[타] 숨기다	59	secrete	[sikrí:t]
60	[타] **승인하다**	60	**approve**	[əprú:v]
61	[타] 승인하다	61	certify	[sə́:rtəfài]
62	[타] 승인하다	62	endorse	[endɔ́:rs]
63	[타] **실행하다**	63	**execute**	[éksikjù:t]
64	[타] 실행하다	64	practice	[prǽktis]
65	[타] 실행하다	65	perform	[pərfɔ́:rm]
66	[타] **양육하다; 가르치다**	66	**raise**	[reiz]
67	[타] 양육하다; 가르치다	67	breed	[bri:d]
68	[타] 양육하다; 가르치다	68	rear	[riər]
69	[타] 양육하다; 가르치다	69	educate	[édʒukèit]
70	[타] 양육하다; 가르치다	70	foster	[fɔ́:stər]
71	[타] **억지로 ~시키다**	71	**compel**	[kəmpél]
72	[타] 억지로 ~시키다	72	constrain	[kənstréin]
73	[타] 억지로 ~시키다	73	oblige	[əbláidʒ]
74	[타] 억지로 ~시키다	74	force	[fɔ:rs]
75	[타] 억지로 ~시키다	75	impel	[impél]

76	[타] **안내하다, 인도하다**	76	**guide**	[gaid]
77	[타] 안내하다, 인도하다	77	lead	[li:d]
78	[타] 안내하다, 인도하다	78	conduct	[kándʌkt]
79	[타] **암시하다**	79	**hint**	[hint]
80	[타] 암시하다	80	imply	[implái]
81	[타] 암시하다	81	intimate	[íntəmèit]
82	[타] 암시하다	82	suggest	[səgdʒést]
83	[타] **오염시키다**	83	**pollute**	[pəlú:t]
84	[타] 오염시키다	84	contaminate	[kəntǽmənèit]
85	[타] **왜곡시키다**	85	**distort**	[distɔ́:rt]
86	[타] 왜곡시키다	86	warp	[wɔ:rp]
87	[타] **요구하다**	87	**demand**	[dimǽnd]
88	[타] 요구하다	88	request	[rikwést]
89	[타] 요구하다	89	require	[rikwáiər]
90	[타] **위로하다, 위문하다**	90	**comfort**	[kʌ́mfərt]
91	[타] 위로하다, 위문하다	91	console	[kənsóul]
92	[타] 위로하다, 위문하다	92	relieve	[rilí:v]
93	[타] 위로하다, 위문하다	93	soothe	[su:ð]
94	[타] **유지하다, 지속하다**	94	**preserve**	[prizɔ́:rv]
95	[타] 유지하다, 지속하다	95	maintain	[meintéin]
96	[타] 유지하다, 지속하다	96	keep	[ki:p]
97	[타] **장식하다**	97	**adorn**	[ədɔ́:rn]
98	[타] 장식하다	98	decorate	[dékərèit]
99	[타] 장식하다	99	deck	[dek]
100	[타] 장식하다	100	ornament	[ɔ́:rnəmènt]

Unit 21 동사 유의어 4

1 [타] **적시다**
2 [타] 적시다
3 [타] 적시다
4 [타] 적시다
5 [타] **죽이다, 살해하다**
6 [타] 죽이다, 살인하다
7 [타] **제거하다, 버리다**
8 [타] 제거하다, 버리다
9 [타] 제거하다, 버리다
10 [타] 제거하다, 버리다
11 [타] **제한하다, 한정하다**
12 [타] 제한하다, 한정하다
13 [타] 제한하다, 한정하다
14 [타] **존경하다; 존중하다**
15 [타] 존경하다; 공경하다
16 [타] 존경하다; 숭배하다
17 [타] 존경하다; 경모하다
18 [타] **주장하다, 역설하다**
19 [타] 주장하다, 역설하다
20 [타] 주장하다, 역설하다
21 [타] 주장하다, 역설하다
22 [타] **주장하다, 단언하다**
23 [타] 주장하다, 단언하다
24 [타] 주장하다, 단언하다
25 [타] 주장하다, 단언하다

1 **wet** [wet]
2 drench [drentʃ]
3 saturate [sǽtʃərèit]
4 soak [souk]
5 **kill** [kil]
6 murder [mə́:rdər]
7 **eliminate** [ilímənèit]
8 remove [rimú:v]
9 exclude [iksklú:d]
10 discard [diská:rd]
11 **limit** [límit]
12 confine [kənfáin]
13 restrict [ristríkt]
14 **respect** [rispékt]
15 venerate [vénərèit]
16 revere [rivíər]
17 adore [ədɔ́:r]
18 **insist** [insíst]
19 persist [pə:rsíst]
20 assert [əsə́:rt]
21 urge [ə:rdʒ]
22 **declare** [dikléər]
23 affirm [əfə́:rm]
24 assert [əsə́:rt]
25 insist [insíst]

26	匝 조사하다, 검사하다; 주의 깊게 살펴보다	26	**examine**	[igzǽmin]
27	匝 조사하다, 검사하다; 주의 깊게 살펴보다	27	inspect	[inspékt]
28	匝 조사하다, 검사하다; 수사하다	28	investigate	[invéstəgèit]
29	匝 즐겁게 하다	29	**entertain**	[èntərtéin]
30	匝 즐겁게 하다	30	amuse	[əmjúːz]
31	匝 즐겁게 하다	31	please	[pliːz]
32	匝 줄이다, 감소시키다	32	**decrease**	[dikríːs]
33	匝 줄이다, 감소시키다	33	diminish	[dimíniʃ]
34	匝 줄이다, 감소시키다	34	lessen	[lésn]
35	匝 줄이다, 감소시키다	35	reduce	[ridjúːs]
36	匝 지지하다, 옹호하다	36	**support**	[səpɔ́ːrt]
37	匝 지지하다, 옹호하다	37	advocate	[ǽdvəkeit]
38	匝 지지하다, 옹호하다	38	back	[bæk]
39	匝 지키다, 방어하다	39	**defend**	[difénd]
40	匝 지키다, 방어하다	40	protect	[prətékt]
41	匝 지키다, 방어하다	41	shield	[ʃiːld]
42	匝 지키다, 방어하다	42	guard	[gɑːrd]
43	匝 지키다, 방어하다	43	safeguard	[séifgɑ̀ːrd]
44	匝 지키다, 방어하다	44	preserve	[prizɔ́ːrv]
45	匝 직면하다	45	**face**	[feis]
46	匝 직면하다	46	confront	[kənfrʌ́nt]
47	匝 짧게 줄이다, 단축하다	47	**shorten**	[ʃɔ́ːrtn]
48	匝 짧게 줄이다, 단축하다	48	curtail	[kəːrtéil]
49	匝 짧게 줄이다, 단축하다	49	abbreviate	[əbríːvièit]
50	匝 짧게 줄이다, 단축하다	50	abridge	[əbrídʒ]

Unit 21 동사 유의어 4

51	[타] **참다, 견디다, 인내하다**	51	**bear**	[bɛər]
52	[타] 참다, 견디다, 인내하다	52	endure	[endjúər]
53	[타] 참다, 견디다, 인내하다	53	stand	[stænd]
54	[타] 참다, 견디다, 인내하다	54	tolerate	[tálərèit]
55	[타] 참다, 견디다, 인내하다	55	withstand	[wiðstǽnd]
56	[타] **추방하다, 내쫓다**	56	**banish**	[bǽniʃ]
57	[타] 추방하다, 내쫓다	57	expel	[ikspél]
58	[타] **되찾다, 회복하다**	58	**regain**	[rigéin]
59	[타] 되찾다, 회복하다	59	restore	[ristɔ́:r]
60	[타] 되찾다, 회복하다	60	recover	[rikʌ́vər]
61	[타] **치료하다, 고치다**	61	**cure**	[kjuər]
62	[타] 치료하다, 고치다	62	heal	[hi:l]
63	[타] 치료하다, 고치다	63	remedy	[rémədi]
64	[타] **침입하다**	64	**invade**	[invéid]
65	[타] 침입하다	65	intrude	[intrú:d]
66	[자] 침입하다	66	trespass	[tréspəs]
67	[타] **칭찬하다**	67	**admire**	[ædmáiər]
68	[타] 칭찬하다	68	praise	[preiz]
69	[타] 칭찬하다	69	commend	[kəménd]
70	[타] **평가하다**	70	**judge**	[dʒʌdʒ]
71	[타] 평가하다	71	estimate	[éstəmèit]
72	[타] 평가하다	72	evaluate	[ivǽljuèit]
73	[타] **포함하다**	73	**contain**	[kəntéin]
74	[타] 포함하다	74	include	[inklú:d]
75	[타] 포함하다	75	involve	[inválv]

76	**[타] 피하다, 벗어나다**	76	**avoid**	[əvɔ́id]
77	[타] 피하다, 벗어나다	77	evade	[ivéid]
78	[타] 피하다, 벗어나다	78	escape	[iskéip]
79	**[타] 할당하다, 분배하다**	79	**allot**	[əlɑ́t]
80	[타] 할당하다, 분배하다	80	allocate	[ǽləkèit]
81	[타] 할당하다, 분배하다	81	apportion	[əpɔ́:rʃən]
82	[타] 할당하다, 분배하다	82	assign	[əsáin]
83	**[타] 해고하다, 해임하다**	83	**dismiss**	[dismís]
84	[타] 해고하다, 해임하다	84	fire	[faiər]
85	[타] 해고하다, 해임하다	85	discharge	[distʃɑ́:rdʒ]
86	**[타] 혐오하다**	86	**hate**	[heit]
87	[타] 혐오하다	87	abhor	[æbhɔ́:r]
88	[타] 혐오하다	88	detest	[ditést]
89	[타] 혐오하다	89	dislike	[disláik]
90	**[타] 다치게 하다, 손상시키다**	90	**wound**	[wu:nd]
91	[타] 다치게 하다, 손상시키다	91	injure	[índʒər]
92	[타] 다치게 하다, 손상시키다	92	hurt	[hə:rt]
93	[타] 다치게 하다, 손상시키다	93	harm	[hɑ:rm]
94	[타] 다치게 하다, 손상시키다	94	damage	[dǽmidʒ]
95	**[타] 단언하다, 확언하다**	95	**affirm**	[əfə́:rm]
96	[타] 단언하다, 확언하다	96	assert	[əsə́:rt]
97	[타] 단언하다, 확언하다	97	declare	[dikléər]
98	**[타] 바치다**	98	**dedicate**	[dédikèit]
99	[타] 바치다	99	devote	[divóut]
100	[타] 바치다	100	consecrate	[kɑ́nsikrèit]

Unit 22 동사 유의어 5 – 동사 유의어 심층탐구 1

1	**begin**	[bigín]	1	[자] [타] **[일의 과정을 처음으로] 시작하다, 개시하다**
2	start	[stɑːrt]	2	[자] [타] [활동하기] 시작하다
3	commence	[kəméns]	3	[타] [재판·종교의식 등을 잘 준비해] 시작하다
4	**end(↔begin)**	[end]	4	[자] **어떤 일의 과정이 종료되다, 끝나다**
5	finish(↔start)	[fíniʃ]	5	[자] 활동(운동) 상태가 목적을 이루고 종료되다, 끝나다
6	**split**	[split]	6	[타] **[선을 따라 균등하게] 나누다; 쪼개다**
7	share	[ʃɛər]	7	[타] [자기 것을 남에게] 나눠주다, 균등히 나눠 쓰다
8	divide	[diváid]	8	[타] [어떤 기준이나 치수에 따라] 세심하게 나누다
9	separate	[sépərèit]	9	[타] 원래 하나였던 것을 떼어(갈라)놓다; 나누다
10	**close**	[klouz]	10	[타] **[열린 것을 천천히] 닫다**
11	shut	[ʃʌt]	11	[타] [빠른 속도로] 닫아 버리다
12	**push**	[puʃ]	12	[타] **[자기와 반대 방향으로 이동하도록 힘주어] 밀다**
13	press	[pres]	13	[타] [정해진 방향으로 힘을 가해 대상을 압박해서] 밀다
14	**pull**	[pul]	14	[타] **[손으로 잡고 자기 쪽으로 오도록] 당기다**
15	draw	[drɔː]	15	[타] [안정된 속도와 힘으로 미끄러지듯] 당기다
16	drag	[dræg]	16	[타] [대상을 질질] 끌어당기다
17	tug	[tʌg]	17	[타] [대상에 힘을 가해 갑자기 여러 번 힘껏] 당기다
18	**help**	[help]	18	[타] **[긴급하고 절박한 상황에서 객관적인 입장으로] 돕다**
19	assist	[əsíst]	19	[타] [긴급하고 절박한 상황에서 객관적인 입장으로] 돕다
20	save	[seiv]	20	[타] [위험 따위에서] 구해내다, 건져내다
21	rescue	[réskjuː]	21	[타] 신속하고 조직적인 행동으로 구출하다
22	**fall**	[fɔːl]	22	[자] **[낙하산처럼 선을 이루며 서서히] 떨어지다**
23	drop	[drɑp]	23	[자] ['툭'하고 급히] 떨어지다; [타] ['툭'] 떨어뜨리다
24	**listen**	[lísən]	24	[타] **[일부러 의식을 모아 귀를 기울여] 듣다**
25	hear	[hiər]	25	[타] [귀에 들려오는 것을 들리는 대로] 듣다

26	**see**	[si:]	26	태 [눈에 보이는 대로] 보다; [의식적으로] 보다
27	look	[luk]	27	자 [정지해 있는 특정 대상을 의식적으로] 바라보다
28	watch	[wɑtʃ]	28	태 [움직이는 대상을 오래 관찰하여] 지켜보다
29	**meet**	[mi:t]	29	태 [우연히, 시간·날짜를 정해, 처음으로] 만나다
30	see	[si:]	30	태 [아는 사이에 서로] 만나다; 만나서 시간을 가지다
31	bump into	[bʌ́mp íntu]	31	자 [~와 우연히] 마주치다; 충돌하다
32	run into	[rʌ́n íntu]	32	자 [~와 우연히] 마주치다; 충돌하다
33	**have**	[hæv]	33	태 먹다, 마시다; 식사를 하다(식사라는 일을 표현)
34	eat	[i:t]	34	태 먹다, 마시다(먹는 행위 자체를 강조해서 표현)
35	drink	[driŋk]	35	태 마시다; 술을 마시다
36	take	[teik]	36	태 [영양을] 섭취하다; [약을] 먹다
37	**let**	[let]	37	태 허락하다, [원하는 것을 하도록] 시켜주다
38	have	[hæv]	38	태 [당연히 하게 되어 있는 것을 하도록] 시키다
39	make	[meik]	39	태 [강제로 하도록] 시키다
40	get	[get]	40	태 [설득해서 하도록] 시키다
41	**want**	[wɔnt]	41	태 [단순히 원하는 욕구·필요를 채우기를] 원하다
42	wish	[wiʃ]	42	태 [이루어질 가능성은 없지만 희망사항으로] 바라다
43	hope	[houp]	43	태 [가능성이 상당한 정도 있는 일을] 바라다
44	expect	[ikspékt]	44	태 [가능성이 꽤 높은 일을] 예측하다, 예상하다
45	**break**	[breik]	45	태 깨뜨리다, 부수다, 망가뜨리다
46	destroy	[distrɔ́i]	46	태 회복 불능 상태가 되도록 철저하게 파괴하다
47	ruin	[rú:in]	47	태 파괴하다; 파멸시켜 못쓰게 해놓다; 망쳐놓다
48	wreck	[rek]	48	태 자동차·열차를 파괴시키다; 자 난파하다
49	tear	[tɛər]	49	태 [힘주어 박박] 찢다, 잡아 뜯다
50	damage	[dæmidʒ]	50	태 손해나 손상을 입히다(수리·회복이 가능한 상태)

51	**cook**	[kuk]	51	타 [불을 사용해서] 요리하다
52	make	[meik]	52	타 [불을 사용하지 않고 음식을] 만들다
53	boil	[bɔil]	53	타 [물·국을] 끓이다; 조리다; 삶다; [밥을] 짓다
54	steam	[sti:m]	54	타 [증기로] 찌다
55	fry	[frai]	55	타 [기름으로] 튀기다; 볶다
56	bake	[beik]	56	타 [오븐에서 빵·케이크·쿠키 등을] 굽다
57	**move**	[mu:v]	57	자 [한 장소에서 다른 장소로] 움직이다, 이동하다
58	work	[wəːrk]	58	자 [기계·장비·두뇌 등이 제 기능대로] 작동하다
59	go	[gou]	59	자 [기계·장비 등이 켜져서 실제로] 작동하다
60	run	[rʌn]	60	자 [기계·장비 등이 켜져서 실제로] 작동하다
61	**become**	[bikʌ́m]	61	자 [과정이 어떻든 결과적으로] ~이 되다
62	get	[get]	62	자 [시간의 흐름에 따라 서서히] ~이 되다
63	grow	[grou]	63	자 [시간을 들여 서서히 변화되어] ~이 되다
64	go	[gou]	64	자 [나쁜 쪽으로 변해서] ~이 되다
65	come	[kʌm]	65	자 [좋은 쪽으로 변해서] ~이 되다
66	turn	[təːrn]	66	자 [원래의 상태와는 전혀 다른 상태로] 되다
67	fall	[fɔːl]	67	자 [갑자기 ~의 상태가] 되다
68	**happen**	[hǽpən]	68	자 [예상치 못한 일이 우연히] 발생하다, 일어나다
69	occur	[əkə́:r]	69	자 [어떤 특정한 일이 특정한 때에] 일어나다
70	take place	[téik plèis]	70	자 [예정되거나 계획된 일이] 일어나다
71	break out	[bréik àut]	71	자 ['전쟁·폭동' 등이 갑자기] 일어나다, 발발하다
72	**take**	[teik]	72	타 [내밀어진 것·주어진 것을 의지로] 취하다, 받다
73	get	[get]	73	타 [주어진 것을 의지와 상관없이] 받다; 어떻게든 얻다
74	**allow**	[əláu]	74	타 [개인적으로] 허가하다; [~하도록] 묵인해주다
75	permit	[pəːrmít]	75	타 [법률·규칙 등에 의해 공적으로] 허가하다

76	**stand**	[stænd]	76	(타) [어떤 사람·상황에 불쾌감을 느끼면서도] 참다
77	bear	[bɛər]	77	(타) 'stand'와 같은 뜻(문어체)
78	endure	[endjúər]	78	(타) [불쾌하고 고통스러운 상황에서 오랫동안] 꾹 참다
79	tolerate	[tálərèit]	79	(타) [바람직하지 못한 일을] 참다
80	**treat**	[tri:t]	80	(타) [사람·동물·물건·문제를] 다루다; 대접하다
81	deal with	[díːl wið]	81	(타) [어려운 문제나 상황·귀찮은 상대를] 다루다
82	handle	[hǽndl]	82	(타) [어떤 것을 손으로 직접] 다루다; 상품을 취급하다
83	operate	[ápərèit]	83	(타) [기계·장비를 조작하여] 다루다
84	**agree**	[əgríː]	84	(자) [의견 차이 없이] 동의하다, 찬동하다
85	assent	[əsént]	85	(자) [상대의 의견을 숙지하고 숙고하여] 동의하다
86	consent	[kənsént]	86	(자) [제안·요청에 따르기로 적극적으로] 동의하다
87	accede	[æksíːd]	87	(자) [상대가 요구하는 제안·요청 등에 양보하여] 동의하다
88	**think**	[θiŋk]	88	(자)(타) [분명한 결론·아이디어를 얻기 위해] 생각하다
89	reason	[ríːzən]	89	(자) [논리적 사고를 거쳐] 추론하다, 판단하다
90	reflect	[riflékt]	90	(자)(타) [마음에 떠오르는 것을 오랫동안] 숙고하다
91	consider	[kənsídər]	91	(자)(타) [어떤 것을 결정하기 전에 잘] 검토하다; 숙고하다
92	speculate	[spékjəlèit]	92	(자)(타) [이리저리 잘] 생각해보다; 심사숙고하다
93	deliberate	[dilíbərit]	93	(자) 잘 생각하다, 숙고하다
94	**carry out**	[kǽri àut]	94	(타) [어려움이 있어도 계획을] 실행하여 이룩하다
95	execute	[éksikjùːt]	95	(타) [명령·법률·계약·약속 등을] 실행하다(문어체)
96	perform	[pərfɔ́ːrm]	96	(타) [노력·주의·기술 등을 요하는 일을] 실행하다
97	practice	[prǽktis]	97	(타) [종교·신념·자기가 말한 것 등을] 실행하다
98	**demand**	[dimǽnd]	98	(타) [고자세·명령조로 필요한 것을 강력히] 요구하다
99	claim	[kleim]	99	(타) [자기의 당연한 소유권이 있는 것의 인도를] 요구하다
100	require	[rikwáiər]	100	(타) [어떤 사정·법률·규정 등에 의거해서] 요구하다

Unit 23 동사 유의어 6 – 동사 유의어 심층탐구 2

1	**cry**	[krai]	1	**[자] [무슨 소리든 기쁨·놀람·고통 등으로] 소리치다**
2	exclaim	[ikskléim]	2	[자] [기쁨·놀람 등으로 흥분해서] 갑자기 소리치다
3	shout	[ʃaut]	3	[자] [뜻을 알아들을 수 있는 말로 힘껏] 소리치다
4	scream	[skri:m]	4	[자] [놀람·공포·고통 등으로 크게] 째지는 소리를 내다
5	**endure**	[endjúər]	5	**[자] [외부의 영향, 압력 등에 저항하여] 존속하다**
6	continue	[kəntínju:]	6	[자] [어떤 일이 그치지 않고] 쭉 지속 중이다
7	persist	[pə:rsíst]	7	[자] [예상 밖으로 끈질기게] 오래 지속하다
8	last	[læst]	8	[자] [특정 기간이나 보통 이상으로] 오래 지속하다
9	**teach**	[ti:tʃ]	9	**[타] [지식·기술 등을] 가르치다, 교육하다**
10	educate	[édʒukèit]	10	[타] [정규교육으로] 가르치다, 교육하다
11	instruct	[instrʌ́kt]	11	[타] [어떤 특정 사항을 조직적으로] 가르치다
12	**refuse**	[rifjú:z]	12	**[타] [요구·부탁 등을] 분명히 거절하다**
13	reject	[ridʒékt]	13	[타] [강한 말투로 단호히] 거부하다
14	decline	[dikláin]	14	[타] [예의 바르게] 거절하다, 사양하다
15	**decide**	[disáid]	15	**[타] [결정을 미뤄온 것을 숙고해서] 결정하다**
16	determine	[ditə́:rmin]	16	[타] [결정한 것을 꼭 실행할 세부사항을] 정하다
17	resolve	[rizálv]	17	[타] [꼭 실행하려고] 결심하다, 결정하다
18	**despise**	[dispáiz]	18	**[타] [싫어하여 불쾌한 감정을 가지고] 경멸하다**
19	scorn	[skɔ:rn]	19	[타] [노여움을 가지고 조소하는 투로] 경멸하다
20	disdain	[disdéin]	20	[타] [상대를 천하게 여겨 우월감으로] 경멸하다
21	**choose(=elect)**	[tʃu:z]	21	**[타] [자기가 좋아하는 물건을 생각해] 고르다**
22	elect	[ilékt]	22	[타] [투표 등의 방법으로 사람을] 선출하다
23	select	[silékt]	23	[타] [다수 중 비교·대조를 거쳐] 신중히 고르다
24	pick	[pik]	24	[타] 'select'와 동의어; 또는 [감으로 찍어] 고르다
25	prefer	[prifə́:r]	25	[타] [둘 중 더 원하는 것을] 택하다

26	**repair**	[ripéər]	26	타	[복잡하고 특별한 기술이 필요한 것을] 고치다
27	mend	[mend]	27	타	[누구나 고칠 수 있는 간단한 것을] 고치다
28	fix	[fiks]	28	타	'repair, mend'의 뜻을 동시에 가진 동사
29	amend	[əménd]	29	타	[사람의 행실, 의안 등을] 고치다; 개정하다
30	**differentiate**	[difərénʃièit]	30	타	**[동일한 종류의 것들의 차이를] 엄밀히 구별하다**
31	discriminate	[diskrímənèit]	31	타	[비슷한 것들 간의 미세한 차이를] 구분하다
32	distinguish	[distíŋgwiʃ]	32	타	[어떤 것의 특징·특색을 보고 다른 것과] 구별하다
33	discern	[disə́ːrn]	33	타	[어떤 것의 차이를 인식하여] 구별하다
34	**forbid**	[fərbíd]	34	타	**[개인적으로] 금하다, 금지하다**
35	prohibit	[prouhíbit]	35	타	[법률·규제 등을 통해 공적으로] 금하다
36	ban	[bæn]	36	타	[법률 또는 사회적 압력을 통해] 금하다
37	inhibit	[inhíbit]	37	타	[특별한 상황의 필요에 의해] 금하다
38	keep	[kiːp]	38	타	[사람·상황·환경 등이] 금하다, 금지하다
39	hinder	[híndər]	39	타	[사람·상황·환경 등이] 금하다, 금지하다
40	restrain	[ristréin]	40	타	[사람·상황·환경 등이] 금하다, 금지하다
41	prevent	[privént]	41	타	[사람·상황·환경 등이] 금하다, 금지하다
42	stop	[stɑp]	42	타	[사람·상황·환경 등이] 금하다, 금지하다
43	discourage	[diskə́ːridʒ]	43	타	[사람·상황·환경 등이] 금하다, 금지하다
44	disable	[diséibəl]	44	타	[사람·상황·환경 등이] 금하다, 금지하다
45	dissuade	[diswéid]	45	타	[사람·상황·환경 등이] 금하다, 금지하다
46	**throw**	[θrou]	46	타	**[손으로 집어] 던지다**
47	cast	[kæst]	47	타	[가벼운 것을] 던지다
48	pitch / hurl	[pitʃ] / [həːrl]	48	타	[목표를 겨냥해서 힘주어] 던지다
49	toss	[tɔːs]	49	타	[아래쪽에서 위로, 또는 옆으로 가볍게] 던지다
50	fling	[fliŋ]	50	타	[열 받아서 세게] 내던지다

동사 유의어 6 - 동사 유의어 심층탐구 2

51	**surprise**	[sərpráiz]	51	囲 [예기치 못한 일로] 깜짝 놀라게 하다
52	astonish	[əstániʃ]	52	囲 [불가능해 보이는 일을 성취해서] 놀라게 하다
53	amaze	[əméiz]	53	囲 [당황하고 혼란을 일으킬 만큼] 놀라게 하다
54	startle	[stá:rtl]	54	囲 [놀람·공포 등으로] 깜짝 놀라게 하다
55	astound	[əstáund]	55	囲 [전무후무한 일로] 깜짝 놀라 기겁하게 하다
56	frighten	[fráitn]	56	囲 [두렵게 을러대서] 깜짝 놀라게 하다
57	**blame**	[bleim]	57	囲 **꾸짖다, 나무라다, 비난하다**
58	reprehend	[rèprihénd]	58	囲 꾸짖다, 나무라다, 비난하다
59	censure	[sénʃər]	59	囲 비난하다; 잘못을 책하다
60	criticize	[krítisàiz]	60	囲 비평하다, 혹평하다, 비난하다
61	denounce	[dináuns]	61	囲 [공공연히] 비난하다, 탄핵하다, 매도하다
62	reproach	[ripróutʃ]	62	囲 상대가 모욕감을 느낄 만큼 질책하다
63	rebuke	[ribjú:k]	63	囲 [엄하고 권위적인 태도로] 꾸짖다
64	condemn	[kəndém]	64	囲 꾸짖다, 비난하다; ~에게 형을 선고하다
65	reprimand	[réprəmænd]	65	囲 [어떤 뚜렷한 과실을 근거로] 꾸짖다
66	**bewilder**	[biwíldər]	66	囲 **당황케 하다**
67	embarrass	[imbærəs]	67	囲 [상대방을 거북케 해서] 침착성을 잃게 하다
68	puzzle	[pʌ́zl]	68	囲 [문제·사태 등이 복잡해서] 해결을 어렵게 하다
69	perplex	[pərpléks]	69	囲 [puzzle에 더해서] 불안한 상태로 만들다
70	confound	[kənfáund]	70	囲 [문제·사태 등이 복잡해서] 해결을 어렵게 하다
71	confuse	[kənfjú:z]	71	囲 [헷갈려서 혼동되게 하여] 당황케 하다
72	dismay	[disméi]	72	囲 [어렵거나 해결이 힘든 문제로] 낙담케 하다
73	**undress**	[ʌndrés]	73	囲 **옷을 벗기다**
74	unclothe	[ʌnklóuð]	74	囲 옷을 벗기다
75	strip	[strip]	75	囲 옷을 벗기다; [겉껍질을] 벗기다

76	**bark**	[bɑːrk]	76	타 [나무의] 껍질을 벗기다
77	pare	[pɛər]	77	타 [과일 등의] 껍질을 벗기다; [손톱을] 자르다
78	peel	[piːl]	78	타 [과일·계란 등의] 껍질을 손으로 벗기다
79	remove	[rimúːv]	79	타 [옷·표면의 이물질 등을] 벗기다
80	**hit**	[hit]	80	타 [목표를 겨냥해서] 한번 치다, 때리다
81	strike	[straik]	81	타 강하게 한번 치다, 때리다(문어체)
82	beat	[biːt]	82	타 [손·막대 등으로] 반복해서 때리다, 두드리다
83	slap	[slæp]	83	타 [손바닥·넓적한 것으로] 한번 찰싹 때리다
84	**change**	[tʃeindʒ]	84	타 [먼저 것과 뚜렷이 다르게] 바꾸다
85	alter	[ɔ́ːltər]	85	타 [본질은 그대로 두고 외관·일부만] 바꾸다
86	transform	[trænsfɔ́ːrm]	86	타 [형태·외형을] 바꾸다, 변화시키다
87	convert	[kənvɔ́ːrt]	87	타 [새로운 용도나 기능에 맞춰] 완전히 바꾸다
88	adapt	[ədǽpt]	88	타 [용도에 적절하게 만들기 위해] 바꾸다
89	modify	[mɑ́dəfài]	89	타 [필요에 맞춰 일부만 수정하여] 바꾸다, 변경하다
90	**accept**	[æksépt]	90	타 [어떤 제안이나 보내온 물건을] 기꺼이 받다
91	receive(=get)	[risíːv]	91	타 [보내온 것·주어진 것을 의지와 상관없이] 받다
92	**abandon**	[əbǽndən]	92	타 [어쩔 수 없어서 사람·사물을] 완전히 버리다
93	desert	[dizɔ́ːrt]	93	타 [처자를] 버리다; [신념 등을] 버리다
94	forsake	[fərséik]	94	타 [친밀한 사람과의 관계를 스스로] 끊다, 내버리다
95	discard	[diskɑ́ːrd]	95	타 [쓸모없는 물건·습관 등을] 버리다, 폐기처분하다
96	**separate**	[sépərèit]	96	타 분리하다; [붙어있던 것을 따로] 떼어놓다
97	divide	[diváid]	97	타 [자르거나 쪼개서 전체를 잘] 분할하다
98	**study**	[stÁdi]	98	타 공부하다; [지식을 얻기 위해] 노력을 들이다
99	learn	[ləːrn]	99	타 [배우거나 노력해서 지식·기술을] 습득하다
100	work	[wəːrk]	100	자 [시간과 노력을 들여 시험 등 목표를 위해] 공부하다

1	**achieve**	[ətʃíːv]	1	팀 [어려움·장애를 극복하고 중요한 일을] 성취하다
2	accomplish	[əkámpliʃ]	2	팀 [계획이나 목적을 성공적으로] 완수하다
3	attain	[ətéin]	3	팀 성취하다, 달성하다
4	fulfill	[fulfíl]	4	팀 [책임·약속·목적·계획 등을] 완전히 이루다
5	**get**	[get]	5	팀 [노력의 유무에 상관없이] 손에 넣다
6	gain	[gein]	6	팀 [경쟁·노력을 통해 물질적인 것을] 손에 넣다
7	acquire	[əkwáiər]	7	팀 [끊임없는 노력으로 차차] 획득하다
8	obtain	[əbtéin]	8	팀 [희망을 가지고 노력을 통해] 손에 넣다
9	**notify**	[nóutəfài]	9	팀 [주의나 행동이 요구되는 사항을] 알리다
10	announce	[ənáuns]	10	팀 [어떤 사실을 널리] 알리다, 통지하다
11	inform	[infɔ́ːrm]	11	팀 [어떤 상황에 대처하도록 정보를] 알리다
12	apprise	[əpráiz]	12	팀 [상대에게 특별히 중요한 사항을] 알리다
13	acquaint	[əkwéint]	13	팀 [경험·정보를 주어 몰랐던 것을] 알려주다
14	**notice**	[nóutis]	14	팀 시각·청각 등의 감각으로 알아채다
15	perceive	[pərsíːv]	15	팀 [시각·통찰력 등으로] 알아채다, 인지하다
16	discern	[disɔ́ːrn]	16	팀 [애쓴 끝에 대상을 겨우] 분별하다, 알아채다
17	**anticipate**	[æntísəpèit]	17	팀 어떤 일의 발생을 예측해서 대응책을 생각하다
18	expect	[ikspékt]	18	팀 [상당한 근거를 가지고 어떤 일의 발생을] 기다리다
19	**prophesy**	[práfəsài]	19	짜 팀 예언하다
20	foretell	[fɔːrtél]	20	짜 팀 예언하다; 예고하다
21	predict	[pridíkt]	21	짜 팀 예언하다; 예보하다
22	**forgive**	[fərgív]	22	짜 팀 [원한 복수심을 버리고 사람·죄를] 용서하다
23	excuse	[ikskjúːz]	23	짜 팀 [예절·관례 등의 실수를] 너그러이 봐주다
24	pardon	[páːrdn]	24	팀 [중대한 죄나 과실을] 용서하다; 사면하다
25	condone	[kəndóun]	25	팀 [죄·과실, 특히 간통을] 용서하다

26	**understand**	[ʌ̀ndərstǽnd]	26	타 [내용을] 이해하다, 깨닫다; ~의 말을 알아듣다
27	comprehend	[kàmprihénd]	27	타 [완전히] 이해하다, 깨닫다, 파악하다
28	apprehend	[æ̀prihénd]	28	타 [~의 뜻을] 파악하다; 이해하다; 우려하다
29	appreciate	[əprí:ʃièit]	29	타 [~의 가치를] 살펴 알다; 감지하다, 알아차리다
30	grasp	[græsp]	30	타 납득하다, 이해하다, 파악하다
31	**acknowledge**	[æknɑ́lidʒ]	31	타 [밝히고 싶지 않으나 드러날 듯해서] 인정하다
32	admit	[ædmít]	32	타 [압력을 받거나 설득을 당해 마지못해] 인정하다
33	recognize	[rékəgnàiz]	33	타 [공식적으로] 인정하다
34	**seize**	[si:z]	34	타 [어떤 것을 갑자기 우격다짐으로] 잡다
35	grip	[grip]	35	타 꽉 쥐다, 꼭 붙잡다
36	grab	[græb]	36	타 [상대방의 권리 따위 무시하고 난폭하게] 붙잡다
37	snatch	[snætʃ]	37	타 와락 붙잡다, 낚아채다, 강탈하다
38	clutch	[klʌtʃ]	38	타 [공포·불안 등으로] 꽉 붙잡다, 단단히 쥐다
39	hold	[hould]	39	타 [손으로] 꼭 잡다, 붙잡다
40	clasp	[klæsp]	40	타 [손 따위를] 꼭 잡다, 악수하다
41	grasp	[græsp]	41	타 붙잡다, 움켜쥐다(=grip); 파악하다
42	**arrest**	[ərést]	42	타 붙잡다, 체포하다; 구속하다
43	capture	[kǽptʃər]	43	타 붙잡다, 생포하다; 포획하다
44	seize	[si:z]	44	타 와락 붙잡다, 꽉 움켜쥐다; 포착하다
45	apprehend	[æ̀prihénd]	45	타 붙잡다, 체포하다
46	collar	[kɑ́lər]	46	타 붙잡다, 체포하다
47	**connect**	[kənékt]	47	타 잇다, 연결시키다
48	combine	[kəmbáin]	48	타 결합시키다, 연합시키다
49	join	[dʒɔin]	49	타 결합하다, 연결시키다
50	link	[liŋk]	50	타 잇다, 연접하다

Unit 24 동사 유의어 7 – 동사 유의어 심층탐구 3

51	**give**	[giv]	51	[타] **주다**
52	bestow	[bistóu]	52	[타] 주다, 수여하다, 증여하다
53	grant	[grænt]	53	[타] 주다, 수여하다; 교부하다
54	confer	[kənfə́:r]	54	[타] 주다, 수여하다; 증여하다
55	award	[əwɔ́:rd]	55	[타] 상을 주다, 수여하다; 지급하다
56	accord	[əkɔ́:rd]	56	[타] 주다, 수여하다
57	donate	[dóuneit]	57	[타] 주다, [자선사업 등에] 기부(기증)하다
58	**maintain**	[meintéin]	58	[타] **[어떤 상태나 관계 등을 계속] 지속시키다**
59	sustain	[səstéin]	59	[타] [사람의 생명·활력, 시설·설비 등을] 유지하다
60	uphold	[ʌphóuld]	60	[타] [전통·관습·법질서·명성 등을] 유지하다
61	**concentrate**	[kánsəntrèit]	61	[자] [타] **[흩어진 것들을 한곳에] 집중하다, 집중시키다**
62	focus	[fóukəs]	62	[자] [타] [여럿 중 하나에] 집중하다, 집중시키다
63	**liberate**	[líbərèit]	63	[타] **해방하다; 방면(해방·석방)하다**
64	release	[rilí:s]	64	[타] [붙들고 있던 것을] 놓다; 방면(해방)하다
65	free	[fri:]	65	[타] [~로부터] 자유롭게 하다; 해방하다
66	discharge	[distʃá:rdʒ]	66	[타] [속박·책임·의무로부터] 석방(해방·면제)하다
67	emancipate	[imǽnsəpèit]	67	[타] [노예 등을] 해방하다; [~에서] 자유롭게 되다
68	**gather**	[gǽðər]	68	[타] **[여러 곳에 흩어져 있는 것을] 한 데 모으다**
69	collect	[kəlékt]	69	[타] [일정한 목적을 가지고 동일한 것을] 수집(징수)하다
70	raise	[reiz]	70	[타] [사람·단체 등이 자금을] 모으다
71	**mimic**	[mímik]	71	[타] **[장난삼아 말씨·몸짓 등을] 흉내 내다**
72	imitate	[ímitèit]	72	[타] [원래의 것을 견본으로] 모방하다
73	mock	[mɑk]	73	[타] [상대를 놀려주려고 말씨·몸짓 등을] 흉내 내다
74	copy	[kápi]	74	[타] [원본과 최대한 동일하게] 베끼다, 모사하다
75	ape	[eip]	75	[타] [자기 것보다 우수한 것을] 따라 하다

76	**govern**	[gʌ́vərn]	76	[타] **민주적으로 통치하다, 다스리다**
77	reign	[rein]	77	[타] 국민 위에 군림하다(통치 여부와 상관없음)
78	rule	[ru:l]	78	[타] 독재적으로 권력을 휘둘러 다스리다
79	dominate	[dɑ́mənèit]	79	[타] 권세를 부리고 위압하여 다스리다
80	**retire**	[ritáiər]	80	[자] **물러나다, 퇴각하다; 은퇴하다**
81	retreat	[ri:trí:t]	81	[자] 퇴각하다; 후퇴하다; 손을 떼다
82	recede	[risí:d]	82	[자] 물러나다, 퇴각하다; 철회하다
83	withdraw	[wiðdrɔ́:]	83	[자] 물러나다, 철수(철수)하다; [돈을] 인출하다
84	resign	[rizáin]	84	[자] 물러나다; 사임하다
85	**defeat**	[difí:t]	85	[타] **[상대·적을 일시적으로] 패배시키다, 제압하다**
86	beat	[bi:t]	86	[타] [상대·적을 최종적으로] 이기다, 격파하다
87	overwhelm	[òuvərhwélm]	87	[타] [상대·적을] 압도하다, 제압하다; 궤멸시키다
88	win	[win]	88	[타] [시합·경쟁·싸움에서] 이기다
89	triumph	[tráiəmf]	89	[자] 승리를 거두다, 이기다, 이겨내다
90	surmount	[sərmáunt]	90	[타] [곤란·장애 등을] 이겨내다; 극복하다
91	overcome	[òuvərkʌ́m]	91	[타] [곤란·장애 등을] 이겨내다; 극복하다
92	conquer	[kɑ́ŋkər]	92	[타] 정복하다; [역경·유혹·버릇 따위를] 극복하다
93	subdue	[səbdjú:]	93	[타] [적·나라 등을] 정복하다; [반란 등을] 진압하다
94	overthrow	[òuvərθróu]	94	[타] [정부 등을] 뒤집어엎다, 타도하다, 무너뜨리다
95	vanquish	[vǽŋkwiʃ]	95	[타] [상대를 단번에] 쳐부수다; [감정을] 극복하다
96	**agree**	[əgrí:]	96	[자] **[진술·의견 등이 불화나 마찰 없이] 일치하다**
97	concur	[kənkɔ́:r]	97	[자] 진술이 같다, 일치하다, 동의하다
98	correspond	[kɔ̀:rəspɑ́nd]	98	[자] [두 가지가] 서로 일치하다
99	tally	[tǽli]	99	[자] [두 가지가] 서로 일치하다
100	accord	[əkɔ́:rd]	100	[자] [언행 등이] 일치하다, 조화하다

Unit 25

필수 불규칙동사 1

	원형		과거	과거분사	3인칭·단수·현재	현재분사/동명사
1	arise	[자] 일어나다	arose	arisen	arises	arising
2	awake	[타] 잠을 깨우다	awoke	awaken	awakes	awaking
3	be	[자] 이다, 있다	was/were	been	is	being
4	bear	[타] 참다, 견디다	bore	born/borne	bares	bearing
5	beat	[타] 치다, 두드리다	beat	beaten	beats	beating
6	become	[자] ~이 되다	became	become	becomes	becoming
7	begin	[자] 시작되다	began	begun	begins	beginning
8	behold	[타] ~을 보다	beheld	beheld	beholds	beholding
9	bend	[타] ~을 굽히다	bent	bent	bends	bending
10	bet	[타] ~을 걸다	bet	bet	bets	betting
11	bid	[타] ~에게 시키다	bid	bid	bids	bidding
12	bind	[타] ~을 묶다	bound	bound	binds	binding
13	bite	[타] ~을 깨물다	bit	bit/bitten	bits	biting
14	bleed	[자] 피를 흘리다	bled	bled	bleeds	bleeding
15	blow	[자] [바람이] 불다	blew	blown	blows	blowing
16	break	[타] ~을 깨뜨리다	broke	broken	breaks	breaking
17	breed	[타] ~을 기르다	bred	bred	breeds	breeding
18	bring	[타] ~을 가져오다	brought	brought	brings	bringing
19	broadcast	[자] [타] 방송하다	broadcast[ed]	broadcast[ed]	broadcasts	broadcasting
20	build	[타] 건축하다	built	built	builds	building
21	burn	[자] 타다 [타] 태우다	burned/burnt	burned/burnt	burns	burning
22	burst	[자] 폭발하다	burst	burst	bursts	bursting
23	bust	[타] 폭발시키다	bust	bust	busts	busting
24	buy	[타] ~을 사다	bought	bought	buys	buying
25	cast	[타] ~을 던지다	cast	cast	casts	casting

	원형		과거	과거분사	3인칭·단수·현재	현재분사/동명사
26	catch	⑤ ~을 붙잡다	caught	caught	catches	catching
27	choose	⑤ ~을 고르다	chose	chosen	chooses	choosing
28	clap	⑤ 박수치다	clapped/clapt	clapped/clapt	claps	clapping
29	cling	⑤ 착 달라붙다	clung	clung	clings	clinging
30	clothe	⑤ 옷을 입히다	clothed/clad	clothed/clad	clothes	clothing
31	come	⑤ 오다	came	come	comes	coming
32	cost	⑤ ~의 비용이 들다	cost	cost	costs	costing
33	creep	⑤ 기다	crept	crept	creeps	creeping
34	cut	⑤ 자르다, 베다	cut	cut	cuts	cutting
35	dare	⑤ 감히 ~하다	dared/durst	dared/durst	dares	daring
36	deal	⑤ 다루다	dealt	dealt	deals	dealing
37	dig	⑤ 파다	dug	dug	digs	digging
38	dive	⑤ 잠수하다	dived/dove	dived	dives	diving
39	do	⑤ ~을 하다	did	done	does	doing
40	draw	⑤ ~을 당기다	drew	drawn	draws	drawing
41	dream	⑤ 꿈꾸다	dream**ed**/-**t**	dream**ed**/-**t**	dreams	dreaming
42	drink	⑤ 마시다	drank	drunk	drinks	drinking
43	drive	⑤ 운전하다	drove	driven	drives	driving
44	dwell	⑤ 거주하다	dwelt	dwelt	dwells	dwelling
45	eat	⑤ 먹다	ate	eaten	eats	eating
46	fall	⑤ 떨어지다	fell	fallen	falls	falling
47	feed	⑤ 먹이를 주다	fed	fed	feeds	feeding
48	feel	⑤ 만져보다	felt	felt	feels	feeling
49	fight	⑤ 싸우다	fought	fought	fights	fighting
50	find	⑤ 발견하다	found	found	finds	finding

	원형		과거	과거분사	3인칭·단수·현재	현재분사/동명사
51	fit	〈타〉 ~에 맞다	fitted/fit	fitted/fit	fits	fitting
52	flee	〈자〉 도망치다	fled	fled	flees	fleeing
53	fling	〈타〉 내던지다	flung	flung	flings	flinging
54	fly	〈자〉 날다	flew	flown	flies	flying
55	forbid	〈타〉 금하다	forbade/-bad	forbidden	forbids	forbidding
56	foresee	〈타〉 예견하다	foresaw	foreseen	foresees	foreseeing
57	foretell	〈타〉 예언하다	foretold	foretold	foretells	foretelling
58	forget	〈타〉 잊다	forgot	forgotten	forgets	forgetting
59	forgive	〈타〉 용서하다	forgave	forgiven	forgives	forgiving
60	forsake	〈타〉 내버리다	forsook	forsaken	forsakes	forsaking
61	freeze	〈자〉 얼다	froze	frozen	freezes	freezing
62	frostbite	〈타〉 동해를 입히다	frostbit	frostbitten	frostbites	frostbitting
63	get	〈타〉 입수하다	got	got/gotten	gets	getting
64	give	〈타〉 주다	gave	given	gives	giving
65	go	〈자〉 가다	went	gone	goes	going
66	grind	〈타〉 갈다	ground	ground	grinds	grinding
67	grow	〈자〉 자라다	grew	grown	grows	growing
68	handwrite	〈타〉 손으로 쓰다	handwrote	handwritten	handwrites	handwriting
69	hang	〈타〉 목을 매다/걸다	hanged/hung	hanged/hung	hangs	hanging
70	have	〈타〉 소유하다	had	had	has	having
71	hear	〈타〉 듣다	heard	heard	hears	hearing
72	hide	〈타〉 숨기다	hid	hid	hides	hiding
73	hit	〈타〉 치다	hit	hit	hits	hitting
74	hold	〈타〉 붙잡다	held	held	holds	holding
75	hurt	〈타〉 다치게 하다	hurt	hurt	hurts	hurting

	원형		과거	과거분사	3인칭·단수·현재	현재분사/동명사
76	inlay	타 새겨 넣다	inlaid	inlaid	inlays	inlaying
77	input	타 입력하다	inputted/input	inputted/input	inputs	inputting
78	keep	타 유지하다	kept	kept	keeps	keeping
79	kneel[ni:l]	자 무릎 꿇다	knelt/kneeled	knelt/kneeled	kneels	kneeling
80	knit[nit]	타 짜다, 뜨다	knitted/knit	knitted/knit	knits	knitting
81	know[nou]	타 알다	knew	known	knows	knowing
82	lay	타 누이다	laid	laid	lays	laying
83	lead	타 인도하다	led	led	leads	leading
84	lean	자 기대다	leaned/leant	leaned/leant	leans	leaning
85	leap	자 뛰어오르다	leaped/leapt	leaped/leapt	leaps	leaping
86	learn	타 배우다	learned/learnt	learned/learnt	learns	learning
87	leave	타 남겨두다	left	left	leaves	leaving
88	lend	타 빌려주다	lent	lent	lends	lending
89	let	타 허락하다	let	let	lets	letting
90	lie	자 눕다	lay	lain	lies	lying
91	light	타 ~에 불을 켜다	lit	lit	lights	lighting
92	lose	타 잃다	lost	lost	loses	losing
93	make	타 만들다	made	made	makes	making
94	mean	타 의미하다	meant	meant	means	meaning
95	meet	타 만나다	met	met	meets	meeting
96	melt	자 녹다	melted	melted/molten	melts	melting
97	mistake	타 잘못 알다	mistook	mistaken	mistakes	mistaking
98	misunderstand	타 오해하다	misunderstood	misunderstood	misunderstands	misunderstanding
99	mow	타 풀을 베다	mowed	mown	mows	mowing
100	overdraw	타 과장하다	overdrew	overdrawn	overdraws	overdrawing

필수 불규칙동사 2

	원형		과거	과거분사	3인칭·단수·현재	현재분사/동명사
1	overhear	団 엿듣다	overheard	overheard	overhears	overhearing
2	overtake	団 따라잡다	overtook	overtaken	overtakes	overtaking
3	pay	団 갚다	paid	paid	pays	paying
4	preset	団 미리 설치하다	preset	preset	presets	presetting
5	prove	団 증명하다	proved	proved/proven	proves	proving
6	put	団 놓다, 두다	put	put	puts	putting
7	quit	団 그만두다	quit	quit	quits	quitting
8	read[ri:d]	団 읽다	read[red]	read[red]	reads	reading
9	rid	団 제거하다	ridded/rid	ridded/rid	rids	ridding
10	ride	困 타고 가다	rode	ridden	rides	riding
11	ring	団 울리다	rang	rung	rings	ringing
12	rise	困 일어나다	rose	risen	rises	rising
13	rive	団 잡아뜯다	rived	rived/riven	rives	riving
14	run	困 달리다	ran	run	runs	running
15	saw	団 톱으로 자르다	sawed	sawed/sawn	saws	sawing
16	say	団 ～을 말하다	said	said	says	saying
17	see	団 ～을 보다	saw	seen	sees	seeing
18	seek	団 추구하다	sought	sought	seeks	seeking
19	sell	団 팔다	sold	sold	sells	selling
20	send	団 보내다	sent	sent	sends	sending
21	set	団 갖춰 놓다	set	set	sets	setting
22	sew	団 꿰매다	sewed	sewed/sewn	sews	sewing
23	shake	団 흔들다	shook	shaken	shakes	shaking
24	shave	団 면도하다	shaved	shaved/shaven	shaves	shaving
25	shear	団 베어내다	sheared/shore	sheared/shorn	shears	shearing

	원형		과거	과거분사	3인칭·단수·현재	현재분사/동명사
26	shed	㉦ 흘리다	shed	shed	sheds	shedding
27	shine	㉦ 비추다	shone	shone	shines	shining
28	shoe	㉦ 편자를 박다	shod	shod	shoes	shoeing
29	shoot	㉦ 발사하다	shot	shot	shoots	shooting
30	show	㉦ 보여주다	showed	shown	shows	showing
31	shrink	㉧ 줄어들다	shrank	shrunk	shrinks	shrinking
32	shut	㉦ 닫다	shut	shut	shuts	shutting
33	sing	㉧ 노래하다	sang	sung	sings	singing
34	sink	㉧ 가라앉다	sank	sunk	sinks	sinking
35	sit	㉧ 앉다	sat	sat	sits	sitting
36	slay	㉦ 죽이다	slew	slain	slays	slaying
37	sleep	㉧ 잠자다	slept	slept	sleeps	sleeping
38	slide	㉧ 미끄러지다	slid	slid	slides	sliding
39	sling	㉦ 던지다	slung	slung	slings	slinging
40	slink	㉧ 가만히 걷다	slunk	slunk	slinks	slinking
41	slit	㉧ 쭉 째지다	slit	slit	slits	slitting
42	smell	㉦ 냄새 맡다	smelled/smelt	smelled/smelt	smells	smelling
43	sneak	㉧ 몰래 이동하다	sneaked/snuck	sneaked/snuck	sneaks	sneaking
44	soothsay	㉧ 예고하다	soothsaid	soothsaid	soothsays	soothsaying
45	sow	㉦ 씨를 뿌리다	sowed	sown	sows	sowing
46	speak	㉧ 말하다	spoke	spoken	speaks	speaking
47	speed	㉦ 빨리 보내다	speeded/sped	speeded/sped	speeds	speeding
48	spell	㉦ 철자하다	spelled/spelt	spelled/spelt	spells	spelling
49	spend	㉦ 소비하다	spent	spent	spends	spending
50	spill	㉦ 엎지르다	spilled/spilt	spilled/spilt	spills	spilling

필수 불규칙동사 2

	원형		과거	과거분사	3인칭·단수·현재	현재분사/동명사
51	spin	ⓣ 실을 내다	span/spun	spun	spins	spinning
52	spit	ⓣ 뱉다	spit/spat	spit/spat	spits	spitting
53	split	ⓣ 쪼개다	split	split	splits	splitting
54	spoil	ⓣ 망쳐놓다	spoiled/spoilt	spoiled/spoilt	spoils	spoiling
55	spread	ⓣ 펼치다	spread	spread	spreads	spreading
56	spring	ⓙ 뛰어오르다	sprang	sprung	springs	springing
57	stand	ⓙ 서 있다	stood	stood	stands	standing
58	steal	ⓣ 훔치다	stole	stolen	steals	stealing
59	stick	ⓣ 찌르다	stuck	stuck	sticks	sticking
60	sting	ⓣ 쏘다, 찌르다	stung	stung	stings	stinging
61	stink	ⓙ 악취가 나다	stank	stunk	stinks	stinking
62	stride	ⓙ 성큼성큼 걷다	strode	stridden	strides	striding
63	strike	ⓣ 치다	struck	struck/stricken	strikes	striking
64	string	ⓣ 묶다	strung	strung	strings	stringing
65	strip	ⓣ 벗겨내다	stripped/stript	stripped/stript	strips	stripping
66	strive	ⓙ 노력하다	strove	striven	strives	striving
67	sublet	ⓣ 재도급 주다	sublet	sublet	sublets	subletting
68	sunburn	ⓣ 햇볕에 태우다	sunburn**ed**/-**t**	sunburn**ed**/-**t**	sunburns	sunburning
69	swear	ⓙ 맹세하다	swore	sworn	swears	swearing
70	sweat	ⓙ 땀 흘리다	sweated/sweat	sweated/sweat	sweats	sweating
71	sweep	ⓣ 청소하다	swept	swept	sweeps	sweeping
72	swell	ⓙ 부풀다	swelled	swollen	swells	swelling
73	swim	ⓙ 헤엄치다	swam	swum	swims	swimming
74	swing	ⓙ 흔들거리다	swung	swung	swings	swinging
75	take	ⓣ 손에 잡다	took	taken	takes	taking

	원형		과거	과거분사	3인칭·단수·현재	현재분사/동명사
76	teach	ⓣ가르치다	taught	taught	teaches	teaching
77	tear[tɛər]	ⓣ찢다	tore	torn	tears	tearing
78	tell	ⓣ말해주다	told	told	tells	telling
79	think	ⓣ생각하다	thought	thought	thinks	thinking
80	thrive	ⓘ번창하다	throve	thriven	thrives	thriving
81	throw	ⓣ던지다	threw	thrown	throws	throwing
82	thrust	ⓣ밀어내다	thrust	thrust	thrusts	thrusting
83	tread	ⓣ밟다, 가다	trod	trodden	treads	treading
84	undergo	ⓣ겪다	underwent	undergone	undergoes	undergoing
85	understand	ⓣ이해하다	understood	understood	understands	understanding
86	undertake	ⓣ~을 떠맡다	undertook	undertaken	undertakes	undertaking
87	upset	ⓣ뒤집어엎다	upset	upset	upsets	upsetting
88	wake	ⓘ잠 깨다	woke	woken	wakes	waking
89	wear	ⓣ입고 있다	wore	worn	wears	wearing
90	weave	ⓣ짜다, 뜨다	wove	woven	weaves	weaving
91	wed	ⓣ~와 결혼하다	wedded/wed	wedded/wed	weds	wedding
92	weep	ⓘ울다	wept	wept	weeps	weeping
93	wet	ⓣ적시다	wetted/wet	wetted/wet	wets	wetting
94	win	ⓣ획득하다	won	won	wins	winning
95	wind	ⓣ감다	wound	wound	winds	winding
96	withdraw	ⓣ거두다	withdrew	withdrawn	withdraws	withdrawing
97	withhold	ⓣ보류하다	withheld	withheld	withholds	withholding
98	withstand	ⓣ~에 저항하다	withstood	withstood	withstands	withstanding
99	wring	ⓣ비틀다, 짜다	wrung	wrung	wrings	wrings
100	write	ⓣ쓰다	wrote	written	writes	writing

Chapter 03

필수 형용사
2800

								Tips
1	**gigantic**	[dʒaigǽntik]		1	거대한, 아주 큰			
2	great	[greit]		2	위대한, 거대한			1~5
3	huge	[hju:dʒ]		3	거대한, 막대한			Big/Large(큰/작은) 계열의 형용사 유의어
4	immense	[iméns]		4	막대한, 무한한			
5	massive	[mǽsiv]		5	부피가 큰, 육중한			
6	**microscopic**	[màikrəskápik]		6	극히 작은, 미시적인			6~10
7	minute	[mainjú:t]		7	미세한			Little/Small(작은/적은) 계열의 형용사 유의어
8	puny	[pjú:ni]		8	미약한, 하잘것없는			
9	tiny	[táini]		9	작은, 사소한			
10	weeny	[wí:ni]		10	아주 조그만(아동어)			
11	**exaggerated**	[igzǽdʒərèitid]		11	과장된			11~13
12	lofty	[lɔ́:fti]		12	높은, 치솟은; 고상한			Tall(키가 큰) 계열의 형용사 유의어
13	towering	[táuəriŋ]		13	높이 솟은			
14	**aerial**	[έəriəl]		14	공중에 치솟은			14~17
15	alpine	[ǽlpain]		15	높은 산의, 극히 높은			High(높은) 계열의 형용사 유의어
16	capital	[kǽpitl]		16	주요한, 으뜸의			
17	upper	[ʌ́pər]		17	위쪽의, 상부의			
18	**brief**	[bri:f]		18	간결한, 간단한			
19	compact	[kəmpǽkt]		19	아담한, 간결한			18~21
20	concise	[kənsáis]		20	간결한, 간명한			Short(짧은) 계열의 형용사 유의어
21	curt	[kə:rt]		21	간략한, 무뚝뚝한			
22	**wide**	[waid]		22	넓은			
23	extensive	[iksténsiv]		23	광대한, 넓은			
24	spacious	[spéiʃəs]		24	넓은, 넓은 범위의			22~25
25	vast	[vǽst]		25	광대한, 방대한			Wide(넓은) 계열의 형용사 유의어

26	**wide-ranging**	[wáidrèindʒiŋ]	26 **광범위한, 다방면에 걸친**	Tips
27	widespread	[wáidspréd]	27 널리 보급된, 넓게 펼친	● 26~30
28	expansive	[ikspǽnsiv]	28 팽창력이 있는; 광대한	Broad(매우 넓은) 계열 의 형용사 유의어
29	far-reaching	[fá:r rí:tʃiŋ]	29 멀리까지 미치는	
30	inclusive	[inklú:siv]	30 포괄적인, 모두 포함하는	
31	**confined**	[kənfáind]	31 **제한된, 좁은**	● 31~33
32	constricted	[kənstríktid]	32 꽉 죄인, 압축한	Narrow(좁은) 계열의 형용사 유의어
33	limited	[límitid]	33 한정된, 유한의	
34	**crowded**	[kráudid]	34 **붐비는, 혼잡한**	● 34~36
35	dense	[dens]	35 밀도가 높은, 짙은	Thick(두꺼운) 계열의 형용사 유의어
36	populous	[pápjələs]	36 인구가 조밀한, 붐비는	
37	**attenuated**	[əténjuèitid]	37 **가는, 얇은, 약한**	● 37~42
38	diluted	[dilú:tid]	38 희석한, 묽은	Thin(가는) 계열의 형용 사 유의어
39	dim	[dim]	39 [빛·색이] 어둑한, 어스레한	
40	faint	[feint]	40 [빛·색이] 희미한, 엷은	
41	lean	[li:n]	41 야윈, 깡마른	
42	slender	[sléndər]	42 홀쭉한, 날씬한	
43	**grave**	[greiv]	43 **근엄한, 진지한, 중대한**	● 43~50
44	grueling	[grú:əliŋ]	44 심한, 격렬한	Heavy(무거운) 계열의 형용사 유의어
45	serious	[síəriəs]	45 진지한, 엄숙한, 심각한	
46	solemn	[sáləm]	46 엄숙한, 근엄한	
47	stodgy	[stádʒi]	47 느끼한, 무거운	
48	substantial	[səbstǽnʃəl]	48 [양·크기가] 상당한	
49	weighty	[wéiti]	49 매우 무거운, 무게 있는	
50	intolerable	[intálərəbəl]	50 참을 수 없는, 과도한	

51	**effortless**	[éfərtləs]	51	**노력하지 않은, 쉬운**	Tips
52	slight	[slait]	52	가벼운, 사소한	● 51~54
53	undemanding	[ʌndimǽndiŋ]	53	힘들지 않은	Light(가벼운) 계열의 형용사 유의어
54	underweight	[ʌ́ndərwèit]	54	중량이 부족한	
55	**bottomless**	[bútəmlis]	55	**깊이를 알 수 없는, 밑 빠진**	● 55~58
56	deep-seated	[dí:p sí:tid]	56	심층의, 뿌리 깊은	Deep(깊은) 계열의 형용사 유의어
57	fathomless	[fǽðəmlis]	57	[바닥을] 헤아릴 수 없는	
58	profound	[prəfáund]	58	깊은, 뜻깊은, 심원한	
59	**superficial**	[sù:pərfíʃəl]	59	**표면적인, 피상적인**	● 59~64
60	skin-deep	[skíndí:p]	60	표면적인, 피상적인	Shallow(얕은) 계열의 형용사 유의어
61	frivolous	[frívələs]	61	보잘것없는, 경솔한	
62	knee-deep	[ní:dí:p]	62	무릎 깊이의	
63	trifling	[tráifliŋ]	63	하찮은, 시시한	
64	trivial	[tríviəl]	64	하찮은, 사소한	
65	**buoyant**	[bú:jənt]	65	**기운을 돋우는, 기운찬**	● 65~75
66	cheerful	[tʃíərfəl]	66	기분 좋은, 상쾌한	Bright(밝은) 계열의 형용사 유의어
67	colorful	[kʌ́lərfəl]	67	색채가 풍부한, 다채로운	
68	dazzling	[dǽzəliŋ]	68	눈부신, 현혹적인	
69	hopeful	[hóupfəl]	69	희망이 있는, 전도유망한	
70	pleasant	[pléznt]	70	즐거운, 기분 좋은, 유쾌한	
71	radiant	[réidiənt]	71	빛나는, 밝은	
72	reasonable	[rí:zənəbəl]	72	분별 있는, 사리를 아는	
73	sensible	[sénsəbəl]	73	분별 있는, 현명한	
74	shiny	[ʃáini]	74	빛나는, 번쩍이는	
75	smart	[smɑːrt]	75	약삭빠른, 재치 있는	

76	**gloomy**	[glú:mi]	76	**어둑어둑한, 음침한**
77	shadowy	[ʃǽdoui]	77	그림자가 많은, 어둑한
78	shady	[ʃéidi]	78	그늘의, 그늘이 많은
79	somber	[sámbər]	79	어둠침침한, 흐린
80	**durable**	[djúərəbəl]	80	**오래 견디는, 튼튼한**
81	heavy-duty	[hévidjú:ti]	81	격무에 견뎌낼 수 있는
82	loud	[laud]	82	[소리가] 큰, [색이] 튀는
83	mighty	[máiti]	83	강력한
84	powerful	[páuərfəl]	84	강한, 강력한
85	sturdy	[stə́:rdi]	85	억센, 튼튼한, 완강한
86	tough	[tʌf]	86	강인한, 단단한, 질긴
87	**delicate**	[délikət]	87	**섬세한, 우아한, 고운**
88	faint	[feint]	88	[빛·소리 등이] 어렴풋한, 희미한
89	feeble	[fí:bəl]	89	연약한, 약한, 희미한
90	flimsy	[flímzi]	90	무른, 취약한, 얄팍한
91	fragile	[frǽdʒəl]	91	부서지기 쉬운, 허약한
92	frail	[freil]	92	부서지기 쉬운, 허약한
93	helpless	[hélplis]	93	스스로는 아무것도 할 수 없는
94	mild	[maild]	94	순한, 독하지 않은
95	powerless	[páuərləs]	95	무력한, 무능한
96	sickly	[síkli]	96	병약한, 허약한, 골골하는
97	soft	[sɔ:ft]	97	부드러운, 유연한
98	vulnerable	[vʌ́lnərəbəl]	98	상처를 입기 쉬운, 약한
99	wishy-washy	[wíʃiwàʃi]	99	묽은, 멀건, 맥 빠진
100	inefficient	[ìnifíʃənt]	100	효과 없는, 쓸모없는

Tips

● 76~79
Dark(어두운) 계열의 형
용사 유의어

● 80~86
Strong(강한) 계열의 형
용사 유의어

● 87~100
Weak(약한) 계열의 형
용사 유의어

1	**acidic**	[əsídik]	1	산성의; 가시 돋친		Tips
2	acute	[əkjúːt]	2	날카로운, 뾰족한		
3	cutting	[kʌ́tiŋ]	3	잘 드는, 예리한		● 1~9
4	edged	[édʒid]	4	날을 세운, 날카로운		Sharp(예리한, 날카로운) 계열의 형용사 유의어
5	insightful	[ínsàitfəl]	5	통찰력이 있는		
6	perceptive	[pərséptiv]	6	통찰력이 있는, 명민한		
7	razor-like	[réizərlaik]	7	면도날 같은		
8	shrewd	[ʃruːd]	8	예민한, 날카로운, 영리한		
9	stinging	[stíŋiŋ]	9	찌르는, 신랄한		
10	**boring**	[bɔ́ːriŋ]	10	**지루한, 따분한**		● 10~14
11	insipid	[insípid]	11	김빠진, 맛없는, 재미없는		Dull(무딘, 둔한) 계열의 형용사 유의어
12	muffled	[mʌ́fəld]	12	잘 들리지 않는		
13	slow-witted	[slóuwítid]	13	이해가 더딘, 머리가 둔한		
14	tedious	[tíːdiəs]	14	지루한, 싫증 나는		
15	**hasty**	[héisti]	15	**급한, 바삐 서두르는, 황급한**		● 15~19
16	instant	[ínstənt]	16	즉시의, 즉석의, 즉각적인		Fast(빠른) 계열의 형용사 유의어
17	rapid	[rǽpid]	17	빠른, 재빠른, 신속한		
18	speedy	[spíːdi]	18	빠른, 급속한, 신속한		
19	swift	[swift]	19	날랜, 빠른, 신속한		
20	**current**	[kə́ːrənt]	20	**현재의, 현행의**		● 20~25
21	fresh	[freʃ]	21	새로운, 신선한		New(새로운) 계열의 형용사 유의어
22	latest	[léitist]	22	최신의, 최근의		
23	modern	[mádərn]	23	현대의, 현대적인		
24	novel	[návəl]	24	신기한, 새로운, 기발한		
25	recent	[ríːsənt]	25	근래의, 최근의, 새로운		

26	**belated**	[biléitid]	26	늦은, 뒤늦은
27	delayed	[diléid]	27	지체된, 지연된
28	tardy	[tá:rdi]	28	느린, 완만한, 늦은
29	up-to-date	[ʌ́ptədéit]	29	최신식의, 최근의
30	**aged**	[éidʒid]	30	늙은, 나이 든, 오래된
31	ancient	[éinʃənt]	31	옛날의, 고대의
32	antique	[æntí:k]	32	고대풍의, 구식의
33	elderly	[éldərly]	33	중년을 지난, 초로의
34	past	[pæ:st]	34	지나간, 과거의
35	senior	[sí:njər]	35	손위의, 연상의, 선배의
36	used	[ju:zd]	36	중고의
37	**accurate**	[ǽkjərit]	37	**정확한, 정밀한**
38	appropriate	[əpróuprièit]	38	적합한, 적절한, 적당한
39	correct	[kərékt]	39	옳은, 정확한, 정당한
40	exact	[igzǽkt]	40	정확한, 적확한, 엄밀한
41	flawless	[flɔ́:lis]	41	흠 없는, 완벽한
42	just	[dʒʌst]	42	올바른, 공정한, 정당한
43	perfect	[pə́:rfikt]	43	완전한, 더할 나위 없는
44	precise	[prisáis]	44	정밀한, 정확한, 엄밀한
45	proper	[prá:pər]	45	적당한, 타당한, 지당한
46	**erroneous**	[iróuniəs]	46	**잘못된, 틀린**
47	false	[fɔ:ls]	47	그릇된, 틀린, 가짜의
48	improper	[imprápər]	48	부적당한, 타당치 않은
49	inaccurate	[inǽkjərit]	49	부정확한, 정밀하지 않은
50	incorrect	[ìnkərékt]	50	부정확한, 틀린

Tips

● 26~29
Slow(느린, 늦은) 계열
의 형용사 유의어

● 30~36
Old(늙은, 오래된) 계열
의 형용사 유의어

● 37~45
Right(옳은, 바른) 계열
의 형용사 유의어

● 46~50
Wrong(틀린, 잘못된)
계열의 형용사 유의어

51	**beneficial**	[bènəfíʃəl]	51	유익한, 이익을 가져오는
52	excellent	[éksələnt]	52	우수한, 훌륭한, 뛰어난
53	fine	[fain]	53	훌륭한, 뛰어난
54	great	[greit]	54	굉장한, 멋진, 근사한
55	nice	[nais]	55	친절한, 고상한
56	pleasant	[pléznt]	56	호감이 가는, 상냥한
57	righteous	[ráitʃəs]	57	올바른, 정직한, 공정한
58	superb	[supə́:rb]	58	훌륭한, 멋진, 뛰어난
59	valid	[vǽlid]	59	정당한, 유효한
60	**defective**	[diféktiv]	60	**결함이 있는, 하자가 있는**
61	evil	[íːvəl]	61	나쁜, 사악한, 흉악한
62	harmful	[háːrmfəl]	62	해로운, 해가 되는
63	immoral	[imɔ́ːrəl]	63	부도덕한, 행실 나쁜
64	offensive	[əfénsiv]	64	불쾌한, 싫은, 모욕적인
65	wicked	[wíkid]	65	악한, 사악한, 불의한
66	**cheerful**	[tʃíərfəl]	66	**기분 좋은, 기운찬**
67	content	[kəntént]	67	만족한
68	delighted	[diláitid]	68	아주 기뻐하는
69	fortunate	[fɔ́ːrtʃənit]	69	행운의, 운 좋은
70	glad	[glæd]	70	기쁜, 반가운
71	joyful	[dʒɔ́ifəl]	71	즐거움이 충만한
72	lucky	[lʌ́ki]	72	행운의, 운 좋은
73	pleased	[pliːzd]	73	기뻐하는
74	satisfied	[sǽtisfàid]	74	만족한, 흡족한
75	thrilled	[θrild]	75	신나는, 짜릿한

Tips

● 51~59
Good(좋은, 훌륭한) 계열의 형용사 유의어

● 60~65
Bad(나쁜) 계열의 형용사 유의어

● 66~75
Happy(행복한, 기쁜) 계열의 형용사 유의어

76	**blue**	[blu:]	76	**우울한, 울적한**
77	depressed	[diprést]	77	우울한, 울적한
78	disappointed	[dìsəpɔ́intid]	78	실망한, 낙심한
79	gloomy	[glú:mi]	79	우울한, 울적한
80	grievous	[grí:vəs]	80	비통한, 괴로운
81	heartbroken	[há:rtbròukən]	81	비탄에 잠긴
82	lonely	[lóunli]	82	외로운, 고독한
83	mournful	[mɔ́:rnfəl]	83	슬픔에 잠긴
84	sorrowful	[sároufəl]	84	슬픈, 비탄에 잠긴
85	sorry	[sɔ́:ri]	85	슬픈, 유감스러운
86	unhappy	[ʌnhǽpi]	86	불행한, 비참한
87	unfortunate	[ʌnfɔ́:rtʃənit]	87	불운한, 불행한
88	**affable**	[ǽfəbəl]	88	**붙임성 있는, 싹싹한**
89	amiable	[éimiəbəl]	89	붙임성 있는, 상냥한
90	delightful	[diláitfəl]	90	매우 유쾌한, 애교 있는
91	likable	[láikəbəl]	91	마음에 드는, 호감이 가는
92	lovable	[lʌ́vəbəl]	92	사랑스러운, 매력적인
93	pleasant	[pléznt]	93	유쾌한, 기분 좋게 하는
94	**acrid**	[ǽkrid]	94	**매운, 쓴, 신랄한**
95	begrudging	[bigrʌ́dʒiŋ]	95	마지못한, 꺼리는 듯한
96	caustic	[kɔ:stik]	96	통렬한, 빈정대는
97	distressing	[distrésiŋ]	97	괴롭히는, 비참한
98	galling	[gɔ:liŋ]	98	짜증 나게 하는, 괴롭히는
99	hostile	[hástail]	99	적의 있는, 반감이 있는
100	nasty	[nǽsti]	100	불쾌한, 다루기 끔찍한

Tips

● 76~87
Sad(슬픈, 우울한) 계열
의 형용사 유의어

● 81~93
Sweet(상냥한, 친절한)
계열의 형용사 유의어

● 94~100
Bitter(쓴, 괴로운) 계열
의 형용사 유의어

절대필수 기초 형용사

1	**단**	1	**sweet**	[swi:t]
2	짠	2	salty	[sɔ́:lti]
3	신	3	sour	[sáuər]
4	쓴	4	bitter	[bítər]
5	떫은	5	astringent	[əstríndʒənt]
6	싱거운	6	bland, slipslop	[blænd], [slípslὰp]
7	매운	7	hot, spicy	[hɑt], [spáisi]
8	얼큰한	8	spicy	[spáisi]
9	담백한, 부드러운	9	mild, flat	[maild], [flæt]
10	느끼한, 기름진	10	greasy	[grí:si]
11	고소한, 견과 맛의	11	nutty	[nʌ́ti]
12	쫄깃한	12	chewy, gooey	[tʃú:i]; [gú:i]
13	비린내 나는	13	fishy	[fíʃi]
14	노린내 나는	14	stinking	[stíŋkiŋ]
15	~맛이(향이) 나는	15	~flavored	[fléivərd]
16	향긋한, 풍미 있는	16	savory	[séivəri]
17	입에 맞는, 적당한	17	palatable	[pǽlətəbəl]
18	입에 맞지 않는	18	unpalatable	[ʌnpǽlətəbəl]
19	매우 맛있는	19	delicious	[dilíʃəs]
20	맛있는	20	good, tasty	[gud], [téisti]
21	맛없는	21	unsavory, insipid	[ʌnséivəri], [insípid]
22	맛이 끔찍한	22	terrible	[térəbəl]
23	영양가 있는	23	nutritious	[nju:tríʃəs]
24	날것의	24	raw	[rɔ:]
25	요리된, 익은	25	cooked	[kukt]

Tips

- '1~33'
  맛과 음식에 관한 형용사 표현

- vanilla flavored
  바닐라 맛이(향이) 나는

- banana flavored milk
  바나나 맛 우유

26	천연 그대로의	26	crude	[kru:d]	Tips
27	**신선한**	27	**fresh**	[freʃ]	
28	썩은	28	rotten	[rátn]	
29	**배부른**	29	**full, stuffed**	[ful], [stʌft]	
30	배고픈; 굶주린	30	hungry; starved	[háŋgri]; [stɑːrvd]	
31	메슥거리는	31	nauseous	[nɔ́ːʃəs]	
32	**술 취한**	32	**drunk**	[drʌŋk]	
33	술 취하지 않은	33	sober	[sóubər]	
34	**따뜻한**	34	**warm; mild**	[wɔːrm]; [maild]	● 34~50 날씨에 관한 형용사 표현
35	시원한, 서늘한	35	cool	[kuːl]	
36	**더운**	36	**hot**	[hɑt]	
37	타는 듯이 더운	37	scorching	[skɔ́ːrtʃiŋ]	
38	추운, 차가운	38	cold	[kould]	
39	꽁꽁 얼게 추운	39	freezing	[fríːziŋ]	
40	화창한; 맑은	40	fine; clear	[fain]; [kliər]	
41	구름 낀	41	cloudy	[kláudi]	
42	바람 부는	42	windy	[wíndi]	
43	양지바른	43	sunny	[sáni]	
44	안개 낀	44	foggy	[fɔ́ːgi]	
45	비 오는	45	rainy	[réini]	
46	눈 오는	46	snowy	[snóui]	
47	서리가 내리는	47	frosty	[frɔ́ːsti]	
48	폭풍우 치는	48	stormy	[stɔ́ːrmi]	
49	**밝은**	49	**bright**	[brait]	
50	어두운	50	dark	[dɑ́ːrk]	

51	평평한	51	**flat**	[flæt]
52	둥근	52	round	[raund]
53	동쪽의	53	**eastern**	[íːstərn]
54	서쪽의	54	western	[wéstərn]
55	남쪽의	55	**southern**	[sʌ́ðərn]
56	북쪽의	56	northern	[nɔ́ːrðərn]
57	가까운	57	**near, close**	[niər], [klous]
58	근처의	58	nearby	[níərbai]
59	먼	59	**far, distant**	[fɑːr], [dístənt]
60	인접한	60	adjoining	[ədʒɔ́iniŋ]
61	떨어진	61	remote	[rimóut]
62	내부의	62	**internal**	[intɔ́ːrnl]
63	외부의	63	external	[ikstɔ́ːrnəl]
64	위쪽의	64	**upper**	[ʌ́pər]
65	아래쪽의	65	lower	[lóuər]
66	도시의	66	**urban**	[ɔ́ːrbən]
67	시골의	67	rural	[rúərəl]
68	도시풍의; 세련된	68	**urbane**	[əːrbéin]
69	시골풍의; 소박한	69	rustic	[rʌ́stik]
70	손과 육체를 쓰는	70	**manual**	[mǽnjuəl]
71	정신적인	71	mental	[méntl]
72	꼭 필요한, 필수적인	72	**indispensable**	[ìndispénsəbəl]
73	없어도 되는	73	dispensable	[dispénsəbəl]
74	보수적인	74	**conservative**	[kənsɔ́ːrvətiv]
75	급진적인	75	radical	[rǽdikəl]

Tips

● 51~69
방위 및 거리, 장소의 표현에 관한 형용사

● 69~100
기타 기초필수 형용사

76 급성의, 격심한	76 **acute**	[əkjúːt]	Tips
77 만성의, 고질적인	77 chronic	[kránik]	
78 문어체의	78 **literary**	[lítərèri]	
79 구어체의	79 colloquial	[kəlóukwiəl]	
80 검소한	80 **frugal**	[frúːgəl]	
81 씀씀이가 헤픈	81 extravagant	[ikstrǽvəgənt]	
82 비옥한	82 **fertile**	[fə́ːrtl]	
83 불모의	83 barren	[bǽrən]	
84 구체적인	84 **concrete**	[kánkriːt]	
85 추상적인	85 abstract	[æbstrǽkt]	
86 비정상적인	86 abnormal	[æbnɔ́ːrməl]	
87 사나운	87 **fierce**	[fiərs]	
88 온순한	88 meek	[miːk]	
89 재미있는	89 **interesting, fun**	[íntəristiŋ], [fʌn]	
90 재미없는	90 boring	[bɔ́ːriŋ]	
91 넓은	91 **wide; broad**	[waid]; [brɔːd]	
92 좁은	92 narrow	[nǽrou]	
93 굵은, 두꺼운	93 **thick**	[θik]	
94 가는, 얇은	94 thin	[θin]	
95 좋은	95 **good**	[gud]	
96 나쁜	96 bad	[bæd]	
97 새로운	97 **new**	[nju]	
98 오래된	98 old	[ould]	
99 젊은	99 **young**	[jʌŋ]	
100 늙은	100 old; aged	[ould]; [eidʒd]	

● 다음 주어진 우리말 단어 뜻을 보고 영단어를 말해 보세요.

1 단	26 천연 그대로의	51 평평한	76 급성의, 격심한
2 짠	27 신선한	52 둥근	77 만성의, 고질적인
3 신	28 썩은	53 동쪽의	78 문어체의
4 쓴	29 배부른	54 서쪽의	79 구어체의
5 떫은	30 배고픈; 굶주린	55 남쪽의	80 검소한
6 싱거운	31 메슥거리는	56 북쪽의	81 씀씀이가 헤픈
7 매운	32 술 취한	57 가까운	82 비옥한
8 얼큰한	33 술 취하지 않은	58 근처의	83 불모의
9 담백한, 부드러운	34 따뜻한	59 먼	84 구체적인
10 느끼한, 기름진	35 시원한, 서늘한	60 인접한	85 추상적인
11 고소한, 견과 맛의	36 더운	61 떨어진	86 비정상적인
12 쫄깃한	37 타는 듯이 더운	62 내부의	87 사나운
13 비린내 나는	38 추운, 차가운	63 외부의	88 온순한
14 노린내 나는	39 꽁꽁 얼게 추운	64 위쪽의	89 재미있는
15 ~향이 나는	40 화창한; 맑은	65 아래쪽의	90 재미없는
16 향긋한, 풍미 있는	41 구름 낀	66 도시의	91 넓은
17 입에 맞는, 적당한	42 바람 부는	67 시골의	92 좁은
18 입에 맞지 않는	43 양지바른	68 도시풍의; 세련된	93 굵은, 두꺼운
19 매우 맛있는	44 안개 낀	69 시골풍의; 소박한	94 가는, 얇은
20 맛있는	45 비 오는	70 손과 육체를 쓰는	95 좋은
21 맛없는	46 눈 오는	71 정신적인	96 나쁜
22 맛이 끔찍한	47 서리가 내리는	72 꼭 필요한, 필수적인	97 새로운
23 영양가 있는	48 폭풍우 치는	73 없어도 되는	98 오래된
24 날것의	49 밝은	74 보수적인	99 젊은
25 요리된, 익은	50 어두운	75 급진적인	100 늙은

● 다음 주어진 영단어를 보고 우리말 뜻을 말해 보세요.

1 sweet	26 crude	51 flat	76 acute
2 salty	27 fresh	52 round	77 chronic
3 sour	28 rotten	53 eastern	78 literary
4 bitter	29 full, stuffed	54 western	79 colloquial
5 astringent	30 hungry; starved	55 southern	80 frugal
6 bland; slipslop	31 nauseous	56 northern	81 extravagant
7 hot; spicy	32 drunk	57 near, close	82 fertile
8 spicy	33 sober	58 nearby	83 barren
9 mild; flat	34 warm; mild	59 far, distant	84 concrete
10 greasy	35 cool	60 adjoining	85 abstract
11 nutty	36 hot	61 remote	86 abnormal
12 chewy; gooey	37 scorching	62 internal	87 fierce
13 fishy	38 cold	63 external	88 meek
14 stinking	39 freezing	64 upper	89 interesting, fun
15 ~flavored	40 fine; clear	65 lower	90 boring
16 savory	41 cloudy	66 urban	91 wide; broad
17 palatable	42 windy	67 rural	92 narrow
18 unpalatable	43 sunny	68 urbane	93 thick
19 delicious	44 foggy	69 rustic	94 thin
20 good, tasty	45 rainy	70 manual	95 good
21 unsavory; insipid	46 snowy	71 mental	96 bad
22 terrible	47 frosty	72 indispensable	97 new
23 nutritious	48 stormy	73 dispensable	98 old
24 raw	49 bright	74 conservative	99 young
25 cooked	50 dark	75 radical	100 old; aged

	한국어		영어	발음	Tips
1	겁주는, 위협하는	1	scaring	[skéəriŋ]	

<table>
<tr><td>1</td><td>겁주는, 위협하는</td><td>1</td><td>scaring</td><td>[skéəriŋ]</td></tr>
<tr><td>2</td><td>무서워 겁먹은</td><td>2</td><td>scared</td><td>[skɛərd]</td></tr>
<tr><td>3</td><td>두려워하는</td><td>3</td><td>afraid</td><td>[əfréid]</td></tr>
<tr><td>4</td><td>무서운</td><td>4</td><td>frightening</td><td>[fráitniŋ]</td></tr>
<tr><td>5</td><td>깜짝 놀란</td><td>5</td><td>frightened</td><td>[fráitnd]</td></tr>
<tr><td>6</td><td>겁나게 하는</td><td>6</td><td>terrifying</td><td>[térəfàiŋ]</td></tr>
<tr><td>7</td><td>무서워 겁먹은</td><td>7</td><td>terrified</td><td>[térəfàid]</td></tr>
<tr><td>8</td><td>소름 끼치는</td><td>8</td><td>horrifying</td><td>[hɔ́:rəfàiŋ]</td></tr>
<tr><td>9</td><td>겁에 질린</td><td>9</td><td>horrified</td><td>[hɔ́:rəfàid]</td></tr>
<tr><td>10</td><td>놀랄 만한</td><td>10</td><td>surprising</td><td>[sərpráiziŋ]</td></tr>
<tr><td>11</td><td>[좋은 일로] 놀란</td><td>11</td><td>surprised</td><td>[sərpráizd]</td></tr>
<tr><td>12</td><td>깜짝 놀랄 만한</td><td>12</td><td>amazing</td><td>[əméiziŋ]</td></tr>
<tr><td>13</td><td>깜짝 놀란</td><td>13</td><td>amazed</td><td>[əméizd]</td></tr>
<tr><td>14</td><td>깜짝 놀랄 만한</td><td>14</td><td>astonishing</td><td>[əstániʃiŋ]</td></tr>
<tr><td>15</td><td>크게 놀란</td><td>15</td><td>astonished</td><td>[əstániʃt]</td></tr>
<tr><td>16</td><td>충격적인, 무서운</td><td>16</td><td>shocking</td><td>[ʃákiŋ]</td></tr>
<tr><td>17</td><td>충격을 받은</td><td>17</td><td>shocked</td><td>[ʃakt]</td></tr>
<tr><td>18</td><td>속상한</td><td>18</td><td>upset</td><td>[ʌpsét]</td></tr>
<tr><td>19</td><td>성가신, 귀찮은</td><td>19</td><td>annoying</td><td>[ənɔ́iŋ]</td></tr>
<tr><td>20</td><td>짜증 난, 약 오른</td><td>20</td><td>annoyed</td><td>[ənɔ́id]</td></tr>
<tr><td>21</td><td>짜증 나게 구는</td><td>21</td><td>vexing</td><td>[véksiŋ]</td></tr>
<tr><td>22</td><td>속 타는, 짜증 난</td><td>22</td><td>vexed</td><td>[vekst]</td></tr>
<tr><td>23</td><td>짜증 나게 구는</td><td>23</td><td>irritating</td><td>[írətèitiŋ]</td></tr>
<tr><td>24</td><td>짜증 난</td><td>24</td><td>irritated</td><td>[írətèitid]</td></tr>
<tr><td>25</td><td>화난, 성난</td><td>25</td><td>angry</td><td>[æŋgri]</td></tr>
</table>

Tips

● 끝이 '-ing'로 끝나는 형용사와 '-ed'로 끝나는 형용사 (주로 서술적용법으로 사용한다.) 각각 '현재분사'와 '과거분사'를 형용사로 쓰는 경우인데, '현재분사'인 '-ing' 꼴은 '피수식어인 명사가 원래부터 본질로서 항상 그런 성질을 가지고 있다는 것'을 나타내며, '과거분사'인 '-ed' 꼴은 '피수식어인 사람의 감정 상태가 일시적으로 그렇게 된 경우'를 나타낸다. 이때 먼저 '-ing'의 사건이 있었기에 '-ed'의 사건이 발생한 것이다.

● afraid
불안, 걱정, 불명한 것에 대한 두려움
I'm afraid of the dark.
(나는 어둠이 무섭다.)

● alarmed
갑자기 나타난 위험, 또는 예상되는 위험 따위를 알고 느끼는 급작스러운 불안

● frightened
신체적인 위기를 느껴 겁냄. 일시적이지만 강렬한 공포
The child was frightened by the fierce dog. (그 아이는 사나운 개에 겁이 덜컥 났다.)

● terrified
기겁을 할 정도의 무서움, 놀람

26 화가 많이 난	26 mad	[mæd]	Tips
27 몹시 화가 난	27 furious	[fjúəriəs]	
28 성가신, 귀찮은, 애타는	28 worrying	[wɔ́:riŋ]	
29 걱정되는	29 worried	[wɔ́:rid]	
30 걱정되는	30 concerned	[kənsɔ́:rnd]	
31 난처하게 하는, 성가신	31 embarrassing	[imbǽrəsiŋ]	
32 당혹스러운, 창피한	32 embarrassed	[imbǽrəst]	
33 부끄러워하는	33 shy	[ʃai]	
34 창피한, 수치스러운	34 ashamed	[əʃéimd]	
35 망신을 당한	35 disgraced	[disgréist]	
36 걱정스러운	36 anxious	[ǽŋkʃəs]	
37 긴장되는	37 nervous	[nɔ́:rvəs]	
38 스트레스를 주는	38 stressing	[strésiŋ]	
39 스트레스를 받은	39 stressed	[strest]	
40 감동시키는	40 moving	[mú:viŋ]	
41 감동받은	41 moved	[mu:vd]	
42 감동시키는	42 touching	[tʌ́tʃiŋ]	
43 감동받은	43 touched	[tʌ́tʃt]	
44 샘나는, 부러운	44 jealous	[dʒéləs]	
45 부러워하는	45 envious	[énviəs]	
46 지치게 하는, 지루한	46 tiring	[táiəriŋ]	
47 피곤한, 지친	47 tired	[taiərd]	
48 심신을 지치게 하는	48 exhausting	[igzɔ́:stiŋ]	
49 기진맥진한	49 exhausted	[igzɔ́:stid]	
50 절망적인, 필사적인	50 desperate	[déspərit]	

51	심각한	51	serious	[síəriəs]	Tips
52	혼란시키는	52	confusing	[kənfjú:ziŋ]	
53	헷갈리는, 당황한	53	confused	[kənfjú:zd]	
54	흥분시키는	54	exciting	[iksáitiŋ]	
55	신나는, 흥분한	55	excited	[iksáitid]	
56	지루한	56	boring	[bɔ́:riŋ]	
57	지루함을 느끼는	57	bored	[bɔ́:rd]	
58	궁금한, 호기심 있는	58	curious	[kjúəriəs]	
59	구역질 나는, 지겨운	59	disgusting	[disgʌ́stiŋ]	
60	넌더리가 나는	60	disgusted	[disgʌ́stid]	
61	**친절한, 상냥한**	61	**friendly**	[fréndli]	● 61~100 사람의 근본적인 성격이나 특징을 나타내는 형용사
62	관대한	62	generous	[dʒénərəs]	
63	믿음직한; 확실한	63	reliable	[riláiəbəl]	
64	상상력이 풍부한	64	imaginative	[imǽdʒənətiv]	
65	잘 참는; 끈기 있는	65	patient	[péiʃənt]	
66	지적인, 총명한	66	intelligent	[intélədʒənt]	
67	야심 있는	67	ambitious	[æmbíʃəs]	
68	동정적인, 인정 있는	68	sympathetic	[sìmpəθétik]	
69	동정심이 많은	69	compassionate	[kəmpǽʃənit]	
70	놀기 좋아하는	70	playful	[pléifəl]	
71	확신하는; 긍정적인	71	positive	[pázətiv]	
72	진취적인	72	progressive	[prəgrésiv]	
73	겸손한	73	humble, modest	[hʌ́mbəl], [mádist]	
74	다재다능한	74	versatile	[və́:rsətl]	
75	정직한	75	honest	[ánist]	

76	시간을 엄수하는	76	punctual	[pʌ́ŋktʃuəl]	Tips
77	재치 있는	77	witty	[wíti]	
78	열정적인; 성미 급한	78	passionate	[pǽʃənit]	
79	개방적인, 외향적인	79	outgoing	[áutgòuiŋ]	
80	개방적인, 대범한	80	liberal	[líbərəl]	
81	사교적인	81	sociable	[sóuʃəbəl]	
82	활동적인	82	energetic	[ènərdʒétik]	
83	적극적인	83	active	[ǽktiv]	
84	외향적인	84	extroverted	[ékstrouvə̀:rtid]	
85	태평한; 원만한	85	easy‑going	[í:zigóuiŋ]	
86	솔직한	86	frank	[fræŋk]	
87	거리낌 없는; 솔직한	87	outspoken	[áutspóukən]	
88	행실이 좋은	88	well‑behaved	[wélbihéivd]	
89	낙천적인	89	optimistic	[ὰptəmístik]	
90	유머감각이 있는	90	humorous	[hjú:mərəs]	
91	자신감 있는	91	self‑confident	[sélfkánfidənt]	
92	재미있는, 유쾌한	92	fun	[fʌn]	
93	익살맞은	93	funny	[fʌ́ni]	
94	즐거운, 명랑한	94	cheerful	[tʃíərfəl]	
95	사랑스러운	95	lovely	[lʌ́vli]	
96	점잖은, 예의 바른	96	gentle	[dʒéntl]	
97	공손한, 예의 바른	97	polite	[pəláit]	
98	동정심 많은	98	considerate	[kənsídərit]	
99	사려 깊은	99	thoughtful	[θɔ́:tfəl]	
100	분별 있는, 현명한	100	sensible	[sénsəbəl]	

● 다음 주어진 우리말 단어 뜻을 보고 영단어를 말해 보세요.

1 겁주는, 위협하는	26 화가 많이 난	51 심각한	76 시간을 엄수하는
2 무서워 겁먹은	27 몹시 화가 난	52 혼란시키는	77 재치 있는
3 두려워하는	28 성가신, 귀찮은, 애타는	53 헷갈리는, 당황한	78 열정적인; 성미 급한
4 무서운	29 걱정되는	54 흥분시키는	79 개방적인, 외향적인
5 깜짝 놀란	30 걱정되는	55 신나는, 흥분한	80 개방적인, 대범한
6 겁나게 하는	31 난처하게 하는, 성가신	56 지루한	81 사교적인
7 무서워 겁먹은	32 당혹스러운, 창피한	57 지루함을 느끼는	82 활동적인
8 소름 끼치는	33 부끄러워하는	58 궁금한, 호기심 있는	83 적극적인
9 겁에 질린	34 창피한, 수치스러운	59 구역질 나는, 지겨운	84 외향적인
10 놀랄 만한	35 망신을 당한	60 넌더리가 나는	85 태평한; 원만한
11 [좋은 일로] 놀란	36 걱정스러운	61 친절한, 상냥한	86 솔직한
12 깜짝 놀랄 만한	37 긴장되는	62 관대한	87 거리낌 없는; 솔직한
13 깜짝 놀란	38 스트레스를 주는	63 믿음직한; 확실한	88 행실이 좋은
14 깜짝 놀랄 만한	39 스트레스를 받은	64 상상력이 풍부한	89 낙천적인
15 크게 놀란	40 감동시키는	65 잘 참는; 끈기 있는	90 유머감각이 있는
16 충격적인, 무서운	41 감동받은	66 지적인, 총명한	91 자신감 있는
17 충격을 받은	42 감동시키는	67 야심 있는	92 재미있는, 유쾌한
18 속상한	43 감동받은	68 동정적인, 인정 있는	93 익살맞은
19 성가신, 귀찮은	44 샘나는, 부러운	69 동정심이 많은	94 즐거운, 명랑한
20 짜증 난, 약 오른	45 부러워하는	70 놀기 좋아하는	95 사랑스러운
21 짜증 나게 구는	46 지치게 하는, 지루한	71 확신하는; 긍정적인	96 점잖은, 예의바른
22 속 타는, 짜증 난	47 피곤한, 지친	72 진취적인	97 공손한, 예의바른
23 짜증 나게 구는	48 심신을 지치게 하는	73 겸손한	98 동정심 많은
24 짜증 난	49 기진맥진한	74 다재다능한	99 사려 깊은
25 화난, 성난	50 절망적인, 필사적인	75 정직한	100 분별 있는, 현명한

● 다음 주어진 영단어를 보고 우리말 뜻을 말해 보세요.

1 scaring	26 mad	51 serious	76 punctual
2 scared	27 furious	52 confusing	77 witty
3 afraid	28 worrying	53 confused	78 passionate
4 frightening	29 worried	54 exciting	79 outgoing
5 frightened	30 concerned	55 excited	80 liberal
6 terrifying	31 embarrassing	56 boring	81 sociable
7 terrified	32 embarrassed	57 bored	82 energetic
8 horrifying	33 shy	58 curious	83 active
9 horrified	34 ashamed	59 disgusting	84 extroverted
10 surprising	35 disgraced	60 disgusted	85 easy-going
11 surprised	36 anxious	61 friendly	86 frank
12 amazing	37 nervous	62 generous	87 outspoken
13 amazed	38 stressing	63 reliable	88 well-behaved
14 astonishing	39 stressed	64 imaginative	89 optimistic
15 astonished	40 moving	65 patient	90 humorous
16 shocking	41 moved	66 intelligent	91 self-confident
17 shocked	42 touching	67 ambitious	92 fun
18 upset	43 touched	68 sympathetic	93 funny
19 annoying	44 jealous	69 compassionate	94 cheerful
20 annoyed	45 envious	70 playful	95 lovely
21 vexing	46 tiring	71 positive	96 gentle
22 vexed	47 tired	72 progressive	97 polite
23 irritating	48 exhausting	73 humble, modest	98 considerate
24 irritated	49 exhausted	74 versatile	99 thoughtful
25 angry	50 desperate	75 honest	100 sensible

				Tips
1	근면한	1	**diligent** [dílədʒənt]	
2	부지런한	2	hardworking [háːrdwə̀ːrkiŋ]	● 1~42
3	근면한, 부지런한	3	industrious [indʌ́striəs]	사람이 타고난 근본적
4	순진한	4	innocent [ínəsnt]	인 성격이나 평소의 성
5	부끄럼타는	5	shy [ʃai]	격적인 특징을 나타내
6	예민한, 과민한	6	sensitive [sénsətiv]	는 형용사
7	긴장하는	7	tense [tens]	
8	수동적인	8	passive [pǽsiv]	
9	비관적인	9	pessimistic [pèsəmístik]	
10	이기적인	10	selfish [sélfiʃ]	
11	인색한, 치사한	11	mean [miːn]	
12	탐욕스러운	12	greedy [gríːdi]	
13	비판적인	13	critical [krítikəl]	
14	거만한	14	arrogant [ǽrəgənt]	
15	고집 센, 완고한	15	stubborn [stʌ́bərn]	
16	버릇없는, 무례한	16	rude [ruːd]	
17	잔인한	17	cruel [krúːəl]	
18	공격적인	18	aggressive [əgrésiv]	
19	어린애 같은, 유치한	19	childish [tʃáildiʃ]	
20	변덕스러운	20	moody [múːdi]	
21	까다로운	21	fussy [fʌ́si]	
22	까다로운	22	picky [píki]	
23	잘 잊어버리는	23	forgetful [fərgétfəl]	
24	조급한, 참을성 없는	24	impatient [impéiʃənt]	
25	허영심 많은	25	vain [vein]	

26	심술궂은	26	bad-tempered	[bǽd tèmpərd]
27	수다스러운	27	talkative	[tɔ́:kətiv]
28	자만심이 강한	28	big-headed	[bíg hèdid]
29	자만심이 강한	29	conceited	[kənsí:tid]
30	완고한, 고집 센	30	obstinate	[ábstənit]
31	괴상한, 괴짜인	31	eccentric	[ikséntrik]
32	엄격한, 엄한	32	strict	[strikt]
33	소극적인, 부정적인	33	negative	[négətiv]
34	무정한, 냉혹한	34	unfeeling	[ʌnfí:liŋ]
35	인색한	35	stingy	[stíndʒi]
36	무식한, 문맹의	36	illiterate	[ilítərit]
37	미숙한, 유치한	37	immature	[ìmətjúər]
38	충동적인	38	impulsive	[impʌ́lsiv]
39	파렴치한, 뻔뻔한	39	shameless	[ʃéimlis]
40	보수적인	40	conservative	[kənsə́:rvətiv]
41	비겁한	41	cowardly	[káuərdli]
42	광신적 애국주의의	42	chauvinistic	[ʃòuviní stik]
43	**안심되는**	**43**	**relieved**	[rilí:vd]
44	희망에 차 있는	44	hopeful	[hóupfəl]
45	고마워하는	45	grateful	[gréitfəl]
46	고무된	46	encouraged	[enkɔ́:ridʒd]
47	만족스러운	47	pleased, content	[pli:zd], [kəntént]
48	미안해하는	48	apologetic	[əpàlədʒétik]
49	흥분한	49	excited	[iksáitid]
50	상쾌한	50	cheerful	[tʃíərfəl]

Tips

● 43~66
사람의 일시적인 감정이
나 심리상태를 나타내
는 형용사

51	당황하는	51	bewildered	[biwíldərd]
52	침울한, 우울한	52	depressed	[diprést]
53	성난, 기분 상한	53	offended	[əféndid]
54	낙심한, 실망한	54	disappointed	[dìsəpɔ́intid]
55	격노한, 맹렬한	55	furious, rageful	[fjúəriəs],[reidʒfəl]
56	낙담한, 낙심한	56	discouraged	[diskə́:ridʒd]
57	슬픔에 잠긴	57	sorrowful	[sároufəl]
58	뉘우치는, 후회하는	58	regretful	[rigrétfəl]
59	불쌍한, 비참한	59	miserable	[mízərəbəl]
60	좌절감을 느끼는	60	frustrated	[frʌ́streitid]
61	향수병에 걸린	61	homesick	[hóumsìk]
62	향수를 불러일으키는	62	nostalgic	[nɔstǽldʒik]
63	오싹한, 짜릿한	63	thrilled	[θrild]
64	불안해하는, 겁먹은	64	alarmed	[əlá:rmd]
65	의심에 찬, 의심스러운	65	doubtful	[dáutfəl]
66	조바심이 난	66	impatient	[impéiʃənt]
67	**뻣뻣한, 경직된**	67	**stiff**	[stif]
68	임신한	68	pregnant	[prégnənt]
69	아픈, 괴로운	69	painful	[péinfəl]
70	지친; 녹초가 된	70	weary	[wíəri]
71	졸리는, 졸음이 오는	71	drowsy	[dráuzi]
72	어찔한, 무기력한	72	faint	[feint]
73	의식 불명의	73	unconscious	[ʌnkánʃəs]
74	기절한	74	stunned	[stʌnd]
75	술 취하지 않은	75	sober	[sóubər]

Tips

● 67~75
사람의 일시적인 상태를 나타내는 형용사

244

76	즐거운, 재미있는	76 amusing	[əmjúːziŋ]
77	흥미진진한	77 exciting	[iksáitiŋ]
78	교훈적인	78 instructive	[instrʌ́ktiv]
79	슬픈	79 sorrowful	[sɔ́roufəl]
80	평화로운	80 peaceful	[píːsfəl]
81	비판적인	81 critical	[krítikəl]
82	냉소적인, 비꼬는	82 cynical	[sínikəl]
83	빈정거리는	83 sarcastic	[sɑːrkǽstik]
84	반어의, 비꼬는	84 ironical	[airánikəl]
85	풍자적인, 비꼬는	85 satirical	[sətírikəl]
86	우울한, 음산한	86 gloomy	[glúːmi]
87	모욕적인, 무례한	87 insulting	[insʌ́ltiŋ]
88	사실적인	88 realistic	[rìːəlístik]
89	공상적인; 굉장한	89 fantastic	[fæntǽstik]
90	낭만적인	90 romantic	[roumǽntik]
91	신파조의	91 melodramatic	[mèloudrəmǽtik]
92	감상적인	92 sentimental	[sèntəméntl]
93	이성적인	93 rational	[rǽʃənl]
94	판에 박힌, 일상의	94 routine	[ruːtíːn]
95	단조로운	95 monotonous	[mənátənəs]
96	호의적인	96 favorable	[féivərəbəl]
97	축제 분위기의	97 festive	[féstiv]
98	무력한	98 helpless	[hélplis]
99	회의적인, 믿지 않는	99 skeptical	[sképtikəl]
100	비극의, 비극적인	100 tragic	[trǽdʒik]

Tips

● 76~100
말이나 문장의 분위기를 나타내는 형용사

● 다음 주어진 우리말 단어 뜻을 보고 영단어를 말해 보세요.

1 근면한	26 심술궂은	51 당황하는	76 즐거운, 재미있는
2 부지런한	27 수다스러운	52 침울한, 우울한	77 흥미진진한
3 근면한, 부지런한	28 자만심이 강한	53 성난, 기분 상한	78 교훈적인
4 순진한	29 자만심이 강한	54 낙심한, 실망한	79 슬픈
5 부끄럼타는	30 완고한, 고집 센	55 격노한, 맹렬한	80 평화로운
6 예민한, 과민한	31 괴상한, 괴짜인	56 낙담한, 낙심한	81 비판적인
7 긴장하는	32 엄격한, 엄한	57 슬픔에 잠긴	82 냉소적인, 비꼬는
8 수동적인	33 소극적인, 부정적인	58 뉘우치는, 후회하는	83 빈정거리는
9 비관적인	34 무정한, 냉혹한	59 불쌍한, 비참한	84 반어의, 비꼬는
10 이기적인	35 인색한	60 좌절감을 느끼는	85 풍자적인, 비꼬는
11 인색한, 치사한	36 무식한, 문맹의	61 향수병에 걸린	86 우울한, 음산한
12 탐욕스러운	37 미숙한, 유치한	62 향수를 불러일으키는	87 모욕적인, 무례한
13 비판적인	38 충동적인	63 오싹한, 짜릿한	88 사실적인
14 거만한	39 파렴치한, 뻔뻔한	64 불안해하는, 겁먹은	89 공상적인; 굉장한
15 고집 센, 완고한	40 보수적인	65 의심에 찬, 의심스러운	90 낭만적인
16 버릇없는, 무례한	41 비겁한	66 조바심이 난	91 신파조의
17 잔인한	42 광신적 애국주의의	67 뻣뻣한, 경직된	92 감상적인
18 공격적인	43 안심이 되는	68 임신한	93 이성적인
19 어린애 같은, 유치한	44 희망에 차 있는	69 아픈, 괴로운	94 판에 박힌, 일상의
20 변덕스러운	45 고마워하는	70 지친; 녹초가 된	95 단조로운
21 까다로운	46 고무된	71 졸리는, 졸음이 오는	96 호의적인
22 까다로운	47 만족스러운	72 어찔한, 무기력한	97 축제 분위기의
23 잘 잊어버리는	48 미안해하는	73 의식 불명의	98 무력한
24 조급한, 참을성 없는	49 흥분한	74 기절한	99 회의적인, 믿지 않는
25 허영심 많은	50 상쾌한	75 술 취하지 않은	100 비극의, 비극적인

● 다음 주어진 영단어를 보고 우리말 뜻을 말해 보세요.

1 diligent	26 bad-tempered	51 bewildered	76 amusing
2 hardworking	27 talkative	52 depressed	77 exciting
3 industrious	28 big-headed	53 offended	78 instructive
4 innocent	29 conceited	54 disappointed	79 sorrowful
5 shy	30 obstinate	55 furious, rageful	80 peaceful
6 sensitive	31 eccentric	56 discouraged	81 critical
7 tense	32 strict	57 sorrowful	82 cynical
8 passive	33 negative	58 regretful	83 sarcastic
9 pessimistic	34 unfeeling	59 miserable	84 ironical
10 selfish	35 stingy	60 frustrated	85 satirical
11 mean	36 illiterate	61 homesick	86 gloomy
12 greedy	37 immature	62 nostalgic	87 insulting
13 critical	38 impulsive	63 thrilled	88 realistic
14 arrogant	39 shameless	64 alarmed	89 fantastic
15 stubborn	40 conservative	65 doubtful	90 romantic
16 rude	41 cowardly	66 impatient	91 melodramatic
17 cruel	42 chauvinistic	67 stiff	92 sentimental
18 aggressive	43 relieved	68 pregnant	93 rational
19 childish	44 hopeful	69 painful	94 routine
20 moody	45 grateful	70 weary	95 monotonous
21 fussy	46 encouraged	71 drowsy	96 favorable
22 picky	47 pleased, content	72 faint	97 festive
23 forgetful	48 apologetic	73 unconscious	98 helpless
24 impatient	49 excited	74 stunned	99 skeptical
25 vain	50 cheerful	75 sober	100 tragic

1	곧은	1	**straight**	[streit]
2	곱슬거리는	2	curly	[kə́:rli]
3	구불거리는	3	wavy	[wéivi]
4	짧은	4	short	[ʃɔːrt]
5	긴	5	long	[lɔːŋ]
6	단발의	6	bobbed	[bɑbd]
7	까까머리의	7	shaven	[ʃéivən]
8	대머리의	8	bald	[bɔːld]
9	금발의	9	blond	[blɑnd]
10	검은색의	10	black	[blæk]
11	진갈색의	11	brunette	[bruːnét]
12	회색의, 반백의	12	gray(미), grey(영)	[grei]
13	흰	13	white	[wait]
14	[머리숱이] 많은	14	thick	[θik]
15	[머리숱이] 적은	15	thin	[θin]
16	부스스한	16	messy	[mési]
17	건성의, 푸석푸석한	17	dry	[drai]
18	기름진, 떡진	18	greasy, oily	[grí:si], [ɔ́ili]
19	**키가 큰**	19	**tall**	[tɔːl]
20	몸집이 큰	20	big	[big]
21	덩치가 매우 큰	21	bulky	[bʌ́lki]
22	덩치가 매우 큰	22	enormous	[inɔ́:rməs]
23	덩치가 매우 큰	23	huge	[hjuːdʒ]
24	근육질의	24	muscular	[mʌ́skjələr]
25	체격이 좋은	25	well-built	[wélbílt]

Tips

● 1~18
헤어스타일의 표현에 관한 형용사

● 19~53
사람의 신체·외모에 관한 형용사

26	체격이 다부진	26 stocky	[stáki]
27	키가 작은	27 short	[ʃɔːrt]
28	몸집이 작은	28 small	[smɔːl]
29	[여자가] 자그마한	29 petite	[pətíːt]
30	호리호리한	30 slim	[slim]
31	날씬한	31 slender	[sléndər]
32	깡마른, 군살 없는	32 lean	[liːn]
33	마른, 야윈	33 thin	[θin]
34	바싹 여윈	34 skinny	[skíni]
35	토실토실한	35 chubby	[tʃʌ́bi]
36	포동포동한	36 plump	[plʌmp]
37	통통한	37 stout	[staut]
38	과체중의	38 overweight	[óuvərwèit]
39	뚱뚱한(경멸적 의미)	39 fat	[fæt]
40	살찐, 뚱뚱한	40 obese	[oubíːs]
41	평범한 외모의	41 plain looking	[plein lúkiŋ]
42	보통 외모의	42 ordinary looking	[ɔ́ːrdənèri lúkiŋ]
43	매력적인	43 charming	[tʃáːrmiŋ]
44	매력적인	44 attractive	[ətrǽktiv]
45	귀여운, 예쁜	45 cute	[kjuːt]
46	예쁜, 귀여운	46 pretty	[príti]
47	아름다운, 고운	47 beautiful	[bjúːtəfəl]
48	멋진, 화려한	48 gorgeous	[gɔ́ːrdʒəs]
49	잘생긴(주로 남자)	49 handsome	[hǽnsəm]
50	잘생긴(남녀공용)	50 good-looking	[gúdlúkiŋ]

Tips

51	매력 없는	51	unattractive	[ʌnətrǽktiv]
52	못생긴, 매력 없는	52	homely	[hóumli]
53	못생긴	53	ugly	[ʌ́gli]
54	어른의, 성인만의	54	adult	[ədʌ́lt]
55	성장한; 성인용의	55	grown-up	[gróunʌp]
56	어른스러운	56	mature	[mətʃúər]
57	중년의	57	middle-aged	[mídléidʒd]
58	나이 지긋한	58	elderly	[éldərli]
59	**유행하는**	59	**fashionable**	[fǽʃənəbəl]
60	평범한, 수수한	60	plain	[plein]
61	화려한, 장식적인	61	fancy	[fǽnsi]
62	색이 튀는	62	loud	[laud]
63	새로 산, 신품의	63	brand new	[brǽnd njú:]
64	편한	64	comfortable	[kʌ́mfərtəbəl]
65	불편한	65	uncomfortable	[ʌnkʌ́mfərtəbəl]
66	잘 맞는	66	fit	[fit]
67	꼭 끼는	67	tight	[tait]
68	헐렁한	68	loose, baggy	[lu:s], [bǽgi]
69	넉넉한	69	roomy	[rú(:)mi]
70	민무늬의	70	plain	[plein]
71	물방울무늬의	71	dotted	[dátid]
72	줄무늬의	72	striped	[straipt]
73	바둑판무늬의	73	checked	[tʃekt]
74	격자무늬의	74	plaid	[plæd]
75	꽃무늬의	75	flowered	[fláuərd]

Tips

● 59~80
의류 및 의복의 표현에
관한 형용사

76	주름이 있는	76	pleated	[plí:tid]
77	주름진, 구겨진	77	wrinkled	[ríŋkəld]
78	[그림 등이] 인쇄된	78	printed	[príntid]
79	수놓인	79	embroidered	[embrɔ́idərd]
80	페이즐리 무늬의	80	paisley	[péizli]
81	**웃기는**	81	**funny**	[fʌ́ni]
82	화려한, 장관의	82	spectacular	[spektǽkjələr]
83	매력적인	83	charming	[tʃá:rmiŋ]
84	놀라운, 훌륭한	84	marvelous	[má:rvələs]
85	황홀케 하는	85	fascinating	[fǽsənèitiŋ]
86	재미있는, 즐거운	86	entertaining	[èntərtéiniŋ]
87	눈에 띄는, 현저한	87	outstanding	[àutstǽndiŋ]
88	환상적인	88	fantastic	[fæntǽstik]
89	굉장히 멋진	89	awesome	[ɔ́:səm]
90	그럭저럭 쓸 만한	90	not bad	[nát bæ̀d]
91	터무니없는	91	ridiculous	[ridíkjələs]
92	폭력적인	92	violent	[váiələnt]
93	색정적인	93	erotic	[irátik]
94	비현실적인	94	unrealistic	[ʌ̀nri:əlístik]
95	실망시키는	95	disappointing	[dìsəpɔ́intiŋ]
96	좌절감을 주는	96	frustrating	[frʌ́streitiŋ]
97	끔찍한, 엉망인	97	terrible	[térəbəl]
98	아주 형편없는	98	lousy	[láuzi]
99	정보를 주는	99	informative	[infɔ́:rmətiv]
100	교육적인	100	educational	[èdʒukéiʃənəl]

Tips
● pleated skirt
주름치마

● 81~100
영화·책 등의 내용에 관
한 형용사

● 다음 주어진 우리말 단어 뜻을 보고 영단어를 말해 보세요.

1	곧은	26	체격이 다부진	51	매력 없는	76	주름이 있는
2	곱슬거리는	27	키가 작은	52	못생긴, 매력 없는	77	주름진, 구겨진
3	구불거리는	28	몸집이 작은	53	못생긴	78	[그림 등이] 인쇄된
4	짧은	29	[여자가] 자그마한	54	어른의, 성인만의	79	수놓인
5	긴	30	호리호리한	55	성장한; 성인용의	80	페이즐리 무늬의
6	단발의	31	날씬한	56	어른스러운	81	웃기는
7	까까머리의	32	깡마른, 군살 없는	57	중년의	82	화려한, 장관의
8	대머리의	33	마른, 야윈	58	나이 지긋한	83	매력적인
9	금발의	34	바싹 여윈	59	유행하는	84	놀라운, 훌륭한
10	검은색의	35	토실토실한	60	평범한, 수수한	85	황홀케 하는
11	진갈색의	36	포동포동한	61	화려한, 장식적인	86	재미있는, 즐거운
12	회색의, 반백의	37	퉁퉁한	62	색이 튀는	87	눈에 띄는, 현저한
13	흰	38	과체중의	63	새로 산, 신품의	88	환상적인
14	[머리숱이] 많은	39	뚱뚱한(경멸적 의미)	64	편한	89	굉장히 멋진
15	[머리숱이] 적은	40	살찐, 뚱뚱한	65	불편한	90	그럭저럭 쓸 만한
16	부스스한	41	평범한 외모의	66	잘 맞는	91	터무니없는
17	건성의, 푸석푸석한	42	보통 외모의	67	꼭 끼는	92	폭력적인
18	기름진, 떡진	43	매력적인	68	헐렁한	93	색정적인
19	키가 큰	44	매력적인	69	넉넉한	94	비현실적인
20	몸집이 큰	45	귀여운, 예쁜	70	민무늬의	95	실망시키는
21	덩치가 매우 큰	46	예쁜, 귀여운	71	물방울무늬의	96	좌절감을 주는
22	덩치가 매우 큰	47	아름다운, 고운	72	줄무늬의	97	끔찍한, 엉망인
23	덩치가 매우 큰	48	멋진, 화려한	73	바둑판무늬의	98	아주 형편없는
24	근육질의	49	잘생긴(주로 남자)	74	격자무늬의	99	정보를 주는
25	체격이 좋은	50	잘생긴(남녀공용)	75	꽃무늬의	100	교육적인

● 다음 주어진 영단어를 보고 우리말 뜻을 말해 보세요.

1 straight	26 stocky	51 unattractive	76 pleated
2 curly	27 short	52 homely	77 wrinkled
3 wavy	28 small	53 ugly	78 printed
4 short	29 petite	54 adult	79 embroidered
5 long	30 slim	55 grown-up	80 paisley
6 bobbed	31 slender	56 mature	81 funny
7 shaven	32 lean	57 middle-aged	82 spectacular
8 bald	33 thin	58 elderly	83 charming
9 blond	34 skinny	59 fashionable	84 marvelous
10 black	35 chubby	60 plain	85 fascinating
11 brunette	36 plump	61 fancy	86 entertaining
12 gray(미), grey(영)	37 stout	62 loud	87 outstanding
13 white	38 overweight	63 brand new	88 fantastic
14 thick	39 fat	64 comfortable	89 awesome
15 thin	40 obese	65 uncomfortable	90 not bad
16 messy	41 plain looking	66 fit	91 ridiculous
17 dry	42 ordinary looking	67 tight	92 violent
18 greasy, oily	43 charming	68 loose, baggy	93 erotic
19 tall	44 attractive	69 roomy	94 unrealistic
20 big	45 cute	70 plain	95 disappointing
21 bulky	46 pretty	71 dotted	96 frustrating
22 enormous	47 beautiful	72 striped	97 terrible
23 huge	48 gorgeous	73 checked	98 lousy
24 muscular	49 handsome	74 plaid	99 informative
25 well-built	50 good-looking	75 flowered	100 educational

1 감탄할 만한	1 admir**able**	[ǽdmərəbəl]
2 견딜 만한	2 toler**able**	[tάlərəbəl]
3 견딜 수 있는	3 bear**able**	[bέərəbəl]
4 귀중한, 값비싼	4 valu**able**	[vǽljuːəbəl]
5 기분 좋은, 유쾌한	5 agree**able**	[əgríːəbəl]
6 기분 좋은, 편안한	6 comfort**able**	[kʌ́mfərtəbəl]
7 기억할 만한	7 memor**able**	[mémərəbəl]
8 눈에 띄는, 관찰할 수 있는	8 observ**able**	[əbzə́ːrvəbəl]
9 눈에 띄는, 현저한	9 notice**able**	[nóutisəbəl]
10 눈에 띄는, 현저한	10 remark**able**	[rimάːrkəbəl]
11 능력 있는; 가능한	11 cap**able**	[kéipəbəl]
12 들고 다닐 수 있는	12 port**able**	[pɔ́ːrtəbəl]
13 뚜렷한	13 appreci**able**	[əpríːʃiəbəl]
14 명예로운	14 honor**able**	[άnərəbəl]
15 무서운, 만만찮은, 대단한	15 formid**able**	[fɔ́ːrmədəbl]
16 믿음직한	16 reli**able**	[riláiəbəl]
17 바람직한, 매력 있는	17 desir**able**	[dizáiərəbəl]
18 받아들일 수 있는; 허용되는	18 accept**able**	[ækséptəbəl]
19 변하기 쉬운	19 change**able**	[tʃéindʒəbəl]
20 변하기 쉬운; 변경 가능한	20 vari**able**	[vέəriəbəl]
21 분별 있는, 적당한	21 reason**able**	[ríːzənəbəl]
22 불쌍한, 비참한	22 miser**able**	[mízərəbəl]
23 붙임성 있는, 상냥한	23 ami**able**	[éimiəbəl]
24 비교되는, 동등한	24 compar**able**	[kάmpərəbəl]
25 성미가 급한; 민감한	25 irrit**able**	[írətəbəl]

Tips

● '-able, -ible'
동사, 명사에 붙어서 '~할 수 있는; ~이 될 수 있는; ~에 알맞은, ~에 적합한; ~할 만한; ~하기 쉬운'의 뜻을 나타내는 형용사를 만드는 접미사
* '-ible'은 '-able'의 변형인 라틴계 형용사 어미

26	셀 수 없는, 무수한	26	innumer**able**	[injúːmərəbəl]	Tips
27	셀 수 있는	27	count**able**	[káuntəbəl]	
28	손에 넣을 수 있는	28	obtain**able**	[əbtéinəbəl]	
29	썩기 쉬운	29	perish**able**	[périʃəbəl]	
30	움직일 수 있는	30	mov**able**	[múːvəbəl]	
31	유리한, 이로운	31	profit**able**	[práfitəbəl]	
32	유행하는, 사교계의	32	fashion**able**	[fǽʃənəbəl]	
33	이용할 수 있는	33	avail**able**	[əvéiləbəl]	
34	적당한, 알맞은	34	suit**able**	[súːtəbəl]	
35	중요한, 상당한	35	consider**able**	[kənsídərəbəl]	
36	증가할 수 있는	36	multipli**able**	[mʌ́ltəplàiəbəl]	
37	차라리 나은	37	prefer**able**	[préfərəbəl]	
38	통탄할; 가엾은	38	lament**able**	[ləméntəbəl]	
39	평화를 좋아하는	39	peace**able**	[píːsəbəl]	
40	후히 대접하는	40	hospit**able**	[háspitəbəl]	
41	흥분하기 쉬운	41	excit**able**	[iksáitəbəl]	
42	가능한; 있음 직한	42	poss**ible**	[pásəbəl]	
43	끔찍한; 엉망인	43	terr**ible**	[térəbəl]	
44	[눈에] 보이는	44	vis**ible**	[vízəbəl]	
45	먹을 수 있는	45	ed**ible**	[édəbəl]	
46	모순되지 않는, 조화되는	46	compat**ible**	[kəmpǽtəbəl]	
47	무서운, 끔찍한	47	horr**ible**	[hɔ́ːrəbəl]	
48	무시할 만한, 하찮은	48	contempt**ible**	[kəntémptəbəl]	
49	믿을 만한, 확실한	49	cred**ible**	[krédəbəl]	
50	바꿀 수 있는	50	convert**ible**	[kənvə́ːrtəbəl]	

51	분별 있는, 현명한	51	sens**ible**	[sénsəbəl]	Tips
52	억지로 시키는; 힘찬	52	forc**ible**	[fɔ́:rsəbəl]	
53	적격의, 적임의	53	elig**ible**	[élidʒəbəl]	
54	접근하기 쉬운	54	access**ible**	[æksésəbəl]	
55	책임이 있는	55	respons**ible**	[rispúnsəbəl]	
56	판독하기 힘든	56	illeg**ible**	[ilédʒəbəl]	
57	가설의, 가정의	57	hypothetic**al**	[hàipəθétikəl]	● '-al'
58	가을의; 초로의	58	autumn**al**	[ɔ:tʌ́mnəl]	'-의, -와 같은, -의 성질
59	감정적인, 감상적인	59	sentiment**al**	[sèntəméntl]	을 가진'이라는 뜻의 형
60	같은, 동등한	60	equ**al**	[í:kwəl]	용사를 만드는 접미사
61	개개의, 개인적인	61	individu**al**	[ìndəvídʒuəl]	
62	개인의; 본인의	62	person**al**	[pə́:rsənəl]	
63	검약한, 소박한	63	frug**al**	[frú:gəl]	
64	경제적인, 알뜰한	64	economic**al**	[ì:kənámikəl]	
65	고전적인, 정통파의	65	classic**al**	[klǽsikəl]	
66	공간의; 지방의	66	loc**al**	[lóukəl]	
67	공기의; 항공의	67	aeri**al**	[éəriəl]	
68	공 모양의; 세계적인	68	glob**al**	[glóubəl]	
69	공업의, 산업의	69	industri**al**	[indʌ́striəl]	
70	공평한, 편벽되지 않은	70	imparti**al**	[impá:rʃəl]	
71	국민의, 국가의	71	nation**al**	[nǽʃənəl]	
72	귀의; 청각의	72	aur**al**	[ɔ́:rəl]	
73	균형 잡힌, 대칭의	73	symmetric**al**	[simétrikəl]	
74	근본적인; 급진적인	74	radic**al**	[rǽdikəl]	
75	기계의, 기계적인	75	mechanic**al**	[məkǽnikəl]	

76	기념비적인, 대단한	76	monumental	[mànjəméntl]	Tips
77	기념의; 추도의	77	memorial	[məmɔ́:riəl]	
78	기밀의; 친한	78	confidential	[kùnfidénʃəl]	
79	기본의, 근본적인	79	fundamental	[fʌ̀ndəméntl]	
80	기술적인; 전문의	80	technical	[téknikəl]	
81	꽃의, 꽃 같은	81	floral	[flɔ́:rəl]	
82	내부의, 내면적인	82	internal	[intɔ́:rnl]	
83	냉소적인, 비꼬는	83	cynical	[sínikəl]	
84	논리적인	84	logical	[ládʒikəl]	
85	논쟁의; 논쟁의 대상인	85	controversial	[kùntrəvɔ́:rʃəl]	
86	눈의, 시각의	86	optical	[áptikəl]	
87	도구의; 유효한	87	instrumental	[ìnstrəméntl]	
88	도덕의, 윤리의	88	moral	[mɔ́:rəl]	
89	동물학의	89	zoological	[zòuəládʒikəl]	
90	때때로의, 임시의	90	occasional	[əkéiʒənəl]	
91	마음의, 정신의	91	mental	[méntl]	
92	말단의; 종점의	92	terminal	[tɔ́:rmənəl]	
93	말의, 동사의	93	verbal	[vɔ́:rbəl]	
94	매혹적인; 마법의	94	magical	[mǽdʒikəl]	
95	몇몇의; 각기의	95	several	[sévərəl]	
96	목가적인, 목축용의	96	pastoral	[pǽstərəl]	
97	목소리의, 목소리를 내는	97	vocal	[vóukəl]	
98	문법상의; 문법에 맞는	98	grammatical	[grəmǽtikəl]	
99	문자적인, 글자대로의	99	literal	[lítərəl]	
100	문화의, 교양의	100	cultural	[kʌ́ltʃərəl]	

● 다음 주어진 우리말 단어 뜻을 보고 영단어를 말해 보세요.

1 감탄할 만한	26 셀 수 없는, 무수한	51 분별 있는, 현명한	76 기념비적인, 대단한
2 견딜 만한	27 셀 수 있는	52 억지로 시키는; 힘찬	77 기념의; 추도의
3 견딜 수 있는	28 손에 넣을 수 있는	53 적격의, 적임의	78 기밀의; 친한
4 귀중한, 값비싼	29 썩기 쉬운	54 접근하기 쉬운	79 기본의, 근본적인
5 기분 좋은, 유쾌한	30 움직일 수 있는	55 책임이 있는	80 기술적인; 전문의
6 기분 좋은, 편안한	31 유리한, 이로운	56 판독하기 힘든	81 꽃의, 꽃 같은
7 기억할 만한	32 유행하는, 사교계의	57 가설의, 가정의	82 내부의, 내면적인
8 눈에 띄는, 관찰할 수 있는	33 이용할 수 있는	58 가을의; 초로의	83 냉소적인, 비꼬는
9 눈에 띄는, 현저한	34 적당한, 알맞은	59 감정적인, 감상적인	84 논리적인
10 눈에 띄는, 현저한	35 중요한, 상당한	60 같은, 동등한	85 논쟁의; 논쟁의 대상인
11 능력 있는; 가능한	36 증가할 수 있는	61 개개의, 개인적인	86 눈의, 시각의
12 들고 다닐 수 있는	37 차라리 나은	62 개인의; 본인의	87 도구의; 유효한
13 뚜렷한	38 통탄할; 가엾은	63 검약한, 소박한	88 도덕의, 윤리의
14 명예로운	39 평화를 좋아하는	64 경제적인, 알뜰한	89 동물학의
15 무서운, 만만찮은, 대단한	40 후히 대접하는	65 고전적인, 정통파의	90 때때로의, 임시의
16 믿음직한	41 흥분하기 쉬운	66 공간의; 지방의	91 마음의, 정신의
17 바람직한, 매력 있는	42 가능한; 있음 직한	67 공기의; 항공의	92 말단의; 종점의
18 받아들일 수 있는; 허용되는	43 끔찍한; 엉망인	68 공 모양의; 세계적인	93 말의, 동사의
19 변하기 쉬운	44 [눈에] 보이는	69 공업의, 산업의	94 매혹적인; 마법의
20 변하기 쉬운; 변경 가능한	45 먹을 수 있는	70 공평한, 편벽되지 않은	95 몇몇의; 각기의
21 분별 있는, 적당한	46 모순되지 않는, 조화되는	71 국민의, 국가의	96 목가적인, 목축용의
22 불쌍한, 비참한	47 무서운, 끔찍한	72 귀의; 청각의	97 목소리의, 목소리를 내는
23 붙임성 있는, 상냥한	48 무시할 만한, 하찮은	73 균형 잡힌, 대칭의	98 문법상의; 문법에 맞는
24 비교되는, 동등한	49 믿을 만한, 확실한	74 근본적인; 급진적인	99 문자적인, 글자대로의
25 성미가 급한; 민감한	50 바꿀 수 있는	75 기계의, 기계적인	100 문화의, 교양의

● 다음 주어진 영단어를 보고 우리말 뜻을 말해 보세요.

1 admirable	26 innumerable	51 sensible	76 monumental
2 tolerable	27 countable	52 forcible	77 memorial
3 bearable	28 obtainable	53 eligible	78 confidential
4 valuable	29 perishable	54 accessible	79 fundamental
5 agreeable	30 movable	55 responsible	80 technical
6 comfortable	31 profitable	56 illegible	81 floral
7 memorable	32 fashionable	57 hypothetical	82 internal
8 observable	33 available	58 autumnal	83 cynical
9 noticeable	34 suitable	59 sentimental	84 logical
10 remarkable	35 considerable	60 equal	85 controversial
11 capable	36 multipliable	61 individual	86 optical
12 portable	37 preferable	62 personal	87 instrumental
13 appreciable	38 lamentable	63 frugal	88 moral
14 honorable	39 peaceable	64 economical	89 zoological
15 formidable	40 hospitable	65 classical	90 occasional
16 reliable	41 excitable	66 local	91 mental
17 desirable	42 possible	67 aerial	92 terminal
18 acceptable	43 terrible	68 global	93 verbal
19 changeable	44 visible	69 industrial	94 magical
20 variable	45 edible	70 impartial	95 several
21 reasonable	46 compatible	71 national	96 pastoral
22 miserable	47 horrible	72 aural	97 vocal
23 amiable	48 contemptible	73 symmetrical	98 grammatical
24 comparable	49 credible	74 radical	99 literal
25 irritable	50 convertible	75 mechanical	100 cultural

형용사 접미어 2 '-al'

1	범죄의; 형사상의	1 criminal	[krímənl]
2	법률상의; 합법의	2 legal	[líːgəl]
3	봉건의, 영지의	3 feudal	[fjúːdl]
4	부가적인, 추가의	4 additional	[ədíʃənəl]
5	부도덕한, 음란한	5 immoral	[imɔ́ːrəl]
6	부분적인, 편파적인	6 partial	[páːrʃəl]
7	부자연한, 이상한	7 unnatural	[ʌnnǽtʃərəl]
8	불멸의, 불후의	8 immortal	[imɔ́ːrtl]
9	비공식의; 격식 없는	9 informal	[infɔ́ːrməl]
10	비꼬는, 풍자적인	10 ironical	[airɑ́nikəl]
11	비판의; 위기의	11 critical	[krítikəl]
12	사실의, 실제의	12 factual	[fǽktʃuəl]
13	생명의; 지극히 중요한	13 vital	[váitl]
14	선풍적 인기의; 굉장한	14 sensational	[senséiʃənəl]
15	성의, 성적인	15 sexual	[sékʃuəl]
16	손의, 수동의	16 manual	[mǽnjuəl]
17	수직의	17 vertical	[vɔ́ːrtikəl]
18	수평의, 지평선의	18 horizontal	[hɔ̀ːrəzántl]
19	습관적인, 상습적인	19 habitual	[həbítʃuəl]
20	시각의; 선명한	20 visual	[víʒuəl]
21	시간을 엄수하는	21 punctual	[pʌ́ŋktʃuəl]
22	시골의; 농사의	22 rural	[rúərəl]
23	시의	23 poetical	[pouétikəl]
24	식물의, 식물성의	24 botanical	[bətǽnikəl]
25	신부의	25 bridal	[bráidl]

26	실제상의, 실질적인	26 virtu**al**	[vɔ́:rtʃuəl]
27	실제의, 실용적인	27 practic**al**	[prǽktikəl]
28	실질적인; 풍부한	28 substanti**al**	[səbstǽnʃəl]
29	실험의, 실험적인	29 experiment**al**	[ikspèrəméntl]
30	아버지다운; 아버지의	30 patern**al**	[pətɔ́:rnl]
31	아주 동일한, 같은	31 identic**al**	[aidéntikəl]
32	어머니의; 모성의	32 matern**al**	[mətɔ́:rnl]
33	어버이다운, 부모의	33 parent**al**	[pəréntl]
34	역사상의, 역사적인	34 historic**al**	[histɔ́:rikəl]
35	역설적인, 모순된	35 paradoxic**al**	[pæ̀rədáksikəl]
36	열대의	36 tropic**al**	[trúpikəl]
37	영원한, 끝없는	37 etern**al**	[itɔ́:rnəl]
38	영적인, 정신적인	38 spiritu**al**	[spíritʃuəl]
39	영향을 미치는, 유력한	39 influenti**al**	[ìnfluénʃəl]
40	온화한; 다정한	40 geni**al**	[dʒí:njəl]
41	왕의, 왕가의	41 roy**al**	[rɔ́iəl]
42	외부의, 표면의	42 extern**al**	[ikstɔ́:rnəl]
43	우연한, 비격식의	43 casu**al**	[kǽʒuəl]
44	우연한, 우발적인	44 accident**al**	[æ̀ksidéntl]
45	위선의; 위선적인	45 hypocritic**al**	[hìpəkrítikəl]
46	육체의; 물질적인	46 physic**al**	[fízikəl]
47	음악의, 음악적인	47 music**al**	[mjú:zikəl]
48	의심 많은, 회의적인	48 skeptic**al**	[sképtikəl]
49	의학의, 의술의	49 medic**al**	[médikəl]
50	이론상의; 공론의	50 theoretic**al**	[θì:ərétikəl]

Tips

51	이상의, 이상적인	51	ide**al**	[aidí:əl]	Tips
52	이성적인; 합리적인	52	ration**al**	[rǽʃənl]	
53	일 년에 걸친	53	annu**al**	[ǽnjuəl]	
54	임상의; 객관적인	54	clinic**al**	[klínikəl]	
55	임의의, 선택의	55	option**al**	[ápʃənəl]	
56	자연의, 타고난	56	natur**al**	[nǽtʃərəl]	
57	자유주의의; 관대한	57	liber**al**	[líbərəl]	
58	잔인한, 사나운	58	brut**al**	[brú:tl]	
59	장례식의; 장례식용의	59	funer**al**	[fjú:nərəl]	
60	전체의, 합계의	60	tot**al**	[tóutl]	
61	전통의; 전설의	61	tradition**al**	[trədíʃənl]	
62	전통적인, 관습의	62	convention**al**	[kənvénʃənəl]	
63	전형적인, 대표적인	63	typic**al**	[típikəl]	
64	점진적인, 단계적인	64	gradu**al**	[grǽdʒuəl]	
65	정상의, 표준적인	65	norm**al**	[nɔ́:rməl]	
66	정상이 아닌, 병적인	66	abnorm**al**	[æbnɔ́:rməl]	
67	정치의, 정략적인	67	politic**al**	[pəlítikəl]	
68	조건부의, 가정적인	68	condition**al**	[kəndíʃənəl]	
69	조수의, 간만의	69	tid**al**	[táidl]	
70	조직적인, 체계적인	70	systematic**al**	[sìstəmǽtikəl]	
71	주요한, 자본의	71	capit**al**	[kǽpitl]	
72	주요한, 주된	72	princip**al**	[prínsəpəl]	
73	주위의; 환경의	73	environment**al**	[invàiərənméntl]	
74	죽어야 할 운명의	74	mort**al**	[mɔ́:rtl]	
75	중립의, 공평한	75	neutr**al**	[njú:trəl]	

76	중세(풍)의, 구식의	76	medieval	[mìːdíːvəl]	Tips
77	중심의; 중심적인	77	central	[séntrəl]	
78	지적인; 총명한	78	intellectual	[ìntəléktʃuəl]	
79	직업상의	79	occupational	[ùkjəpéiʃənəl]	
80	직업의, 전문적인	80	professional	[prəféʃənəl]	
81	진심에서 우러난	81	cordial	[kɔ́ːrdʒəl]	
82	진짜의, 현실의	82	real	[ríːəl]	
83	처음의; 어두의	83	initial	[iníʃəl]	
84	초점의, 초점에 있는	84	focal	[fóukəl]	
85	최소의, 극미한	85	minimal	[mínəməl]	
86	최초의, 원본의	86	original	[ərídʒənəl]	
87	치명적인	87	fatal	[féitl]	
88	치아의; 치과의	88	dental	[déntl]	
89	쾌활한, 명랑한	89	jovial	[dʒóuviəl]	
90	편집의; 사설의	90	editorial	[èdətɔ́ːriəl]	
91	평상시와 다른; 색다른	91	unusual	[ʌnjúːʒuəl]	
92	풍자적인, 비꼬는	92	satirical	[sətírikəl]	
93	필수적인; 본질적인	93	essential	[isénʃəl]	
94	하찮은, 사소한	94	trivial	[tríviəl]	
95	형식의, 격식적인	95	formal	[fɔ́ːrməl]	
96	형제의; 형제 같은	96	fraternal	[frətɔ́ːrnəl]	
97	화학의, 화학적인	97	chemical	[kémikəl]	
98	효성스러운	98	filial	[fíliəl]	
99	흔히 있는; 우발의	99	incidental	[ìnsədéntl]	
100	히스테리성의	100	hysterical	[histérikəl]	

● 다음 주어진 우리말 단어 뜻을 보고 영단어를 말해 보세요.

1 범죄의; 형사상의	26 실제상의, 실질적인	51 이상의, 이상적인	76 중세(풍)의, 구식의
2 법률상의; 합법의	27 실제의, 실용적인	52 이성적인; 합리적인	77 중심의; 중심적인
3 봉건의, 영지의	28 실질적인; 풍부한	53 일 년에 걸친	78 지적인; 총명한
4 부가적인, 추가의	29 실험의, 실험적인	54 임상의; 객관적인	79 직업상의
5 부도덕한, 음란한	30 아버지다운; 아버지의	55 임의의, 선택의	80 직업의, 전문적인
6 부분적인, 편파적인	31 아주 동일한, 같은	56 자연의, 타고난	81 진심에서 우러난
7 부자연한, 이상한	32 어머니의; 모성의	57 자유주의의; 관대한	82 진짜의, 현실의
8 불멸의, 불후의	33 어버이다운, 부모의	58 잔인한, 사나운	83 처음의; 어두의
9 비공식의; 격식 없는	34 역사상의, 역사적인	59 장례식의; 장례식용의	84 초점의, 초점에 있는
10 비꼬는, 풍자적인	35 역설적인, 모순된	60 전체의, 합계의	85 최소의, 극미한
11 비판의; 위기의	36 열대의	61 전통의; 전설의	86 최초의, 원본의
12 사실의, 실제의	37 영원한, 끝없는	62 전통적인, 관습의	87 치명적인
13 생명의; 지극히 중요한	38 영적인, 정신적인	63 전형적인, 대표적인	88 치아의; 치과의
14 선풍적 인기의; 굉장한	39 영향을 미치는, 유력한	64 점진적인, 단계적인	89 쾌활한, 명랑한
15 성의, 성적인	40 온화한; 다정한	65 정상의, 표준적인	90 편집의; 사설의
16 손의, 수동의	41 왕의, 왕가의	66 정상이 아닌, 병적인	91 평상시와 다른; 색다른
17 수직의	42 외부의, 표면의	67 정치의, 정략적인	92 풍자적인, 비꼬는
18 수평의, 지평선의	43 우연한, 비격식의	68 조건부의, 가정적인	93 필수적인; 본질적인
19 습관적인, 상습적인	44 우연한, 우발적인	69 조수의, 간만의	94 하찮은, 사소한
20 시각의; 선명한	45 위선의; 위선적인	70 조직적인, 체계적인	95 형식의, 격식적인
21 시간을 엄수하는	46 육체의; 물질적인	71 주요한, 자본의	96 형제의; 형제 같은
22 시골의; 농사의	47 음악의, 음악적인	72 주요한, 주된	97 화학의, 화학적인
23 시의	48 의심 많은, 회의적인	73 주위의; 환경의	98 효성스러운
24 식물의, 식물성의	49 의학의, 의술의	74 죽어야 할 운명의	99 흔히 있는; 우발의
25 신부의	50 이론상의; 공론의	75 중립의, 공평한	100 히스테리성의

● 다음 주어진 영단어를 보고 우리말 뜻을 말해 보세요.

1 criminal	26 virtual	51 ideal	76 medieval
2 legal	27 practical	52 rational	77 central
3 feudal	28 substantial	53 annual	78 intellectual
4 additional	29 experimental	54 clinical	79 occupational
5 immoral	30 paternal	55 optional	80 professional
6 partial	31 identical	56 natural	81 cordial
7 unnatural	32 maternal	57 liberal	82 real
8 immortal	33 parental	58 brutal	83 initial
9 informal	34 historical	59 funeral	84 focal
10 ironical	35 paradoxical	60 total	85 minimal
11 critical	36 tropical	61 traditional	86 original
12 factual	37 eternal	62 conventional	87 fatal
13 vital	38 spiritual	63 typical	88 dental
14 sensational	39 influential	64 gradual	89 jovial
15 sexual	40 genial	65 normal	90 editorial
16 manual	41 royal	66 abnormal	91 unusual
17 vertical	42 external	67 political	92 satirical
18 horizontal	43 casual	68 conditional	93 essential
19 habitual	44 accidental	69 tidal	94 trivial
20 visual	45 hypocritical	70 systematical	95 formal
21 punctual	46 physical	71 capital	96 fraternal
22 rural	47 musical	72 principal	97 chemical
23 poetical	48 skeptical	73 environmental	98 filial
24 botanical	49 medical	74 mortal	99 incidental
25 bridal	50 theoretical	75 neutral	100 hysterical

형용사 접미어 3 '-ant', '-ar', '-ary', '-ate', '-ete', '-ial'

1	거만한	1	arrog**ant**	[ǽrəgənt]
2	관대한, 아량 있는	2	toler**ant**	[tálərənt]
3	도전적인, 반항적인	3	defi**ant**	[difáiənt]
4	마음 내키지 않는	4	reluct**ant**	[rilʎktənt]
5	무지한, 무례한	5	ignor**ant**	[ígnərənt]
6	보조의, 도와주는	6	assist**ant**	[əsístənt]
7	부단히 경계하는	7	vigil**ant**	[vídʒələnt]
8	불변의, 부단한	8	const**ant**	[kánstənt]
9	사치스러운, 낭비하는	9	extravag**ant**	[ikstrǽvəgənt]
10	수행의, 시중드는	10	attend**ant**	[əténdənt]
11	예상하는	11	anticip**ant**	[æntísəpənt]
12	유아의; 초기의	12	inf**ant**	[ínfənt]
13	주의 깊은; 준수하는	13	observ**ant**	[əbzɔ́:rvənt]
14	주저하는	14	hesit**ant**	[hézətənt]
15	중대한; 뚜렷한	15	signific**ant**	[signífikənt]
16	중요한; 유력한	16	import**ant**	[impɔ́:rtənt]
17	즉시의; 긴급한	17	inst**ant**	[ínstənt]
18	찬란하게 빛나는	18	brilli**ant**	[bríljənt]
19	풍부한, 많은	19	abund**ant**	[əbʎndənt]
20	향기로운	20	fragr**ant**	[fréigrənt]
21	후회하는, 뉘우치는	21	repent**ant**	[ripéntənt]
22	근육의; 강력한	22	muscul**ar**	[mʎskjələr]
23	남극(북극)의	23	pol**ar**	[póulər]
24	눈의; 시각상의	24	ocul**ar**	[ákjələr]
25	달의, 음력의	25	lun**ar**	[lú:nər]

Tips

● '-ant'
'-의, -한 성질의, -을 하는,'이라는 뜻의 형용사를 만드는 접미사

● '-ar'
'-의, -와 같은, -한 성질의'라는 뜻의 형용사를 만드는 접미사

26 대중의; 인기 있는	26 popul**ar**	[pápjələr]	Tips
27 독특한; 괴상한	27 peculi**ar**	[pikjú:ljər]	
28 모난; 고집 센	28 angul**ar**	[ǽŋgjələr]	
29 반도의	29 peninsul**ar**	[pinínsələr]	
30 분자의	30 molecul**ar**	[moulékjulər]	
31 섬의, 섬사람의	31 insul**ar**	[ínsələr]	
32 유사한, 닮은	32 simil**ar**	[símələr]	
33 유일한; 뛰어난	33 singul**ar**	[síŋgjələr]	
34 저속한, 통속적인	34 vulg**ar**	[vʌ́lgər]	
35 정규적인; 통례의	35 regul**ar**	[régjələr]	
36 직선의; 선과 같은	36 line**ar**	[líniər]	
37 친숙한, 낯익은	37 famili**ar**	[fəmíljər]	
38 태양의	38 sol**ar**	[sóulər]	
39 특별한, 특정한	39 particul**ar**	[pərtíkjələr]	
40 현세의, 세속의	40 secul**ar**	[sékjələr]	
41 고독한, 외로운	41 solit**ary**	[sálitèri]	● '–ary' '–의, –에 관한'이라는 뜻의 형용사를 만드는 접미사
42 군대의, 군사의	42 milit**ary**	[mílitèri]	
43 동시대의, 현대의	43 contempor**ary**	[kəntémpərèri]	
44 명예의; 명예직의	44 honor**ary**	[ánərèri]	
45 문학의, 문필의	45 liter**ary**	[lítərèri]	
46 반동의; 반응의	46 reaction**ary**	[ri:ǽkʃənèri]	
47 보조의, 조동사의	47 auxili**ary**	[ɔːgzíljəri]	
48 보충하는	48 complement**ary**	[kàmpləméntəri]	
49 보통의, 평범한	49 ordin**ary**	[ɔ́:rdənèri]	
50 상상의, 가상의	50 imagin**ary**	[imǽdʒənèri]	

51	순간의, 잠깐의	51	moment**ary**	[móuməntèri]	**Tips**
52	습관적인, 재래의	52	custom**ary**	[kʌ́stəmèri]	
53	예비의, 임시의	53	prelimin**ary**	[prilímənèri]	
54	위생의, 위생적인	54	sanit**ary**	[sǽnətèri]	
55	일시적인, 임시의	55	tempor**ary**	[témpərèri]	
56	임의의, 멋대로의	56	arbitr**ary**	[á:rbitrèri]	
57	자발적인, 지원의	57	volunt**ary**	[váləntèri]	
58	전설의, 전설적인	58	legend**ary**	[lédʒəndèri]	
59	제2위의, 부차적인	59	second**ary**	[sékəndèri]	
60	첫째의, 최초의	60	prim**ary**	[práimèri]	
61	초보의; 원소의	61	element**ary**	[èləméntəri]	
62	칭찬의, 찬사의	62	compliment**ary**	[kàmpləméntəri]	
63	혁명의, 대변혁의	63	revolution**ary**	[rèvəlú:ʃənèri]	
64	환상의, 가공의	64	vision**ary**	[víʒənèri]	
65	훈련의; 규율의	65	disciplin**ary**	[dísəplənèri]	
66	공들인, 정교한	66	elabor**ate**	[ilǽbərèit]	● '–ate, –ete'
67	대략적인	67	approxim**ate**	[əprɑ́ksəmit]	'ate'는 '–의 특징을 갖
68	뒤얽힌, 복잡한	68	intric**ate**	[íntrəkit]	는, (특징으로 하여) –을
69	불운한, 불행한	69	unfortun**ate**	[ʌnfɔ́:rtʃənit]	갖는, –의'라는 뜻의 형
70	사적인, 사립의	70	priv**ate**	[práivit]	용사를 만드는 접미사이
71	섬세한; 민감한	71	delic**ate**	[délikət]	며, '–ete'는 이것의 변형
72	애정 깊은; 다정한	72	affection**ate**	[əfékʃənit]	이다.
73	열렬한, 성미 급한	73	passion**ate**	[pǽʃənit]	
74	온화한; 삼가는	74	temper**ate**	[témpərit]	
75	완고한, 고집 센	75	obstin**ate**	[ábstənit]	

76 운 좋은, 행운의	76 fortun**ate**	[fɔ́:rtʃənit]	Tips
77 이중의; 복제의	77 duplic**ate**	[djú:pləkit]	
78 적당한, 알맞은	78 adequ**ate**	[ǽdikwət]	
79 적절한, 적합한	79 appropri**ate**	[əpróuprièit]	
80 절제하는, 적당한	80 moder**ate**	[mάdərət]	
81 정확한, 빈틈없는	81 accur**ate**	[ǽkjərit]	
82 직접의, 즉시의	82 immedi**ate**	[imí:diət]	
83 최후의, 궁극적인	83 ultim**ate**	[ʌ́ltəmit]	
84 친밀한, 절친한	84 intim**ate**	[íntəmit]	
85 타고난, 천부의	85 inn**ate**	[inéit]	
86 하위의, 하급의	86 subordin**ate**	[səbɔ́:rdənit]	
87 합법의; 적출의	87 legitim**ate**	[lidʒítəmit]	
88 가득 찬, 충만한	88 repl**ete**	[riplí:t]	
89 구체적인; 현실의	89 concr**ete**	[kάnkri:t]	
90 완벽한; 전부의	90 compl**ete**	[kəmplí:t]	
91 공식적인, 공무상의	91 offic**ial**	[əfíʃəl]	● '–ial'
92 상업의, 영리적인	92 commerc**ial**	[kəmɔ́:rʃəl]	'–의 성질을 띠는'이라는
93 얼굴의, 표면상의	93 fac**ial**	[féiʃəl]	뜻의 형용사를 만드는
94 유익한, 이로운	94 benefic**ial**	[bènəfíʃəl]	접미사이다.
95 인공의, 인조의	95 artific**ial**	[ὰ:rtəfíʃəl]	
96 인종의, 종족의	96 rac**ial**	[réiʃəl]	
97 지방의, 시골의	97 provinc**ial**	[prəvínʃəl]	
98 특별한, 특수한	98 spec**ial**	[spéʃəl]	
99 표면상의, 피상적인	99 superfic**ial**	[sὺ:pərfíʃəl]	
100 희생의, 희생적인	100 sacrific**ial**	[sὰkrəfíʃəl]	

● 다음 주어진 우리말 단어 뜻을 보고 영단어를 말해 보세요.

1 거만한	26 대중의; 인기 있는	51 순간의, 잠깐의	76 운 좋은, 행운의
2 관대한, 아량 있는	27 독특한; 괴상한	52 습관적인, 재래의	77 이중의; 복제의
3 도전적인, 반항적인	28 모난; 고집 센	53 예비의, 임시의	78 적당한, 알맞은
4 마음 내키지 않는	29 반도의	54 위생의, 위생적인	79 적절한, 적합한
5 무지한, 무례한	30 분자의	55 일시적인, 임시의	80 절제하는, 적당한
6 보조의, 도와주는	31 섬의, 섬사람의	56 임의의, 멋대로의	81 정확한, 빈틈없는
7 부단히 경계하는	32 유사한, 닮은	57 자발적인, 지원의	82 직접의, 즉시의
8 불변의, 부단한	33 유일한; 뛰어난	58 전설의, 전설적인	83 최후의, 궁극적인
9 사치스러운, 낭비하는	34 저속한, 통속적인	59 제2위의, 부차적인	84 친밀한, 절친한
10 수행의, 시중드는	35 정규적인; 통례의	60 첫째의, 최초의	85 타고난, 천부의
11 예상하는	36 직선의; 선과 같은	61 초보의; 원소의	86 하위의, 하급의
12 유아의; 초기의	37 친숙한, 낯익은	62 칭찬의, 찬사의	87 합법의; 적출의
13 주의 깊은; 준수하는	38 태양의	63 혁명의, 대변혁의	88 가득 찬, 충만한
14 주저하는	39 특별한, 특정한	64 환상의, 가공의	89 구체적인; 현실의
15 중대한; 뚜렷한	40 현세의, 세속의	65 훈련의; 규율의	90 완벽한; 전부의
16 중요한; 유력한	41 고독한, 외로운	66 공들인, 정교한	91 공식적인, 공무상의
17 즉시의; 긴급한	42 군대의, 군사의	67 대략적인	92 상업의, 영리적인
18 찬란하게 빛나는	43 동시대의, 현대의	68 뒤얽힌, 복잡한	93 얼굴의, 표면상의
19 풍부한, 많은	44 명예의; 명예직의	69 불운한, 불행한	94 유익한, 이로운
20 향기로운	45 문학의, 문필의	70 사적인, 사립의	95 인공의, 인조의
21 후회하는, 뉘우치는	46 반동의; 반응의	71 섬세한; 민감한	96 인종의, 종족의
22 근육의; 강력한	47 보조의, 조동사의	72 애정 깊은; 다정한	97 지방의, 시골의
23 남극(북극)의	48 보충하는	73 열렬한, 성미 급한	98 특별한, 특수한
24 눈의; 시각상의	49 보통의, 평범한	74 온화한; 삼가는	99 표면상의, 피상적인
25 달의, 음력의	50 상상의, 가상의	75 완고한, 고집 센	100 희생의, 희생적인

● 다음 주어진 영단어를 보고 우리말 뜻을 말해 보세요.

1 arrogant	26 popular	51 momentary	76 fortunate
2 tolerant	27 peculiar	52 customary	77 duplicate
3 defiant	28 angular	53 preliminary	78 adequate
4 reluctant	29 peninsular	54 sanitary	79 appropriate
5 ignorant	30 molecular	55 temporary	80 moderate
6 assistant	31 insular	56 arbitrary	81 accurate
7 vigilant	32 similar	57 voluntary	82 immediate
8 constant	33 singular	58 legendary	83 ultimate
9 extravagant	34 vulgar	59 secondary	84 intimate
10 attendant	35 regular	60 primary	85 innate
11 anticipant	36 linear	61 elementary	86 subordinate
12 infant	37 familiar	62 complimentary	87 legitimate
13 observant	38 solar	63 revolutionary	88 replete
14 hesitant	39 particular	64 visionary	89 concrete
15 significant	40 secular	65 disciplinary	90 complete
16 important	41 solitary	66 elaborate	91 official
17 instant	42 military	67 approximate	92 commercial
18 brilliant	43 contemporary	68 intricate	93 facial
19 abundant	44 honorary	69 unfortunate	94 beneficial
20 fragrant	45 literary	70 private	95 artificial
21 repentant	46 reactionary	71 delicate	96 racial
22 muscular	47 auxiliary	72 affectionate	97 provincial
23 polar	48 complementary	73 passionate	98 special
24 ocular	49 ordinary	74 temperate	99 superficial
25 lunar	50 imaginary	75 obstinate	100 sacrificial

1	가장한, 거짓의	1	pretend**ed**	[priténdid]
2	걱정되는, 관련된	2	concern**ed**	[kənsə́:rnd]
3	결심한, 확정된	3	determin**ed**	[ditə́:rmind]
4	결정적인; 단호한	4	decid**ed**	[disáidid]
5	고립한; 격리된	5	isolat**ed**	[áisəlèitid]
6	교육받은, 교양 있는	6	educat**ed**	[édʒukèitid]
7	기뻐하는, 흡족한	7	pleas**ed**	[pli:zd]
8	깜짝 놀란	8	frighten**ed**	[fráitnd]
9	꼬부라진, 비뚤어진	9	crook**ed**	[krúkid]
10	꽃잎이 있는	10	petall**ed**	[pétld]
11	날개가 있는	11	wing**ed**	[wiŋd]
12	누덕누덕한	12	ragg**ed**	[rǽgid]
13	늙은, 나이 든	13	ag**ed**	[éidʒid]
14	마음씨가 따뜻한	14	warm-heart**ed**	[wɔ́:rm há:rtid]
15	마음이 좁은, 옹졸한	15	narrow-mind**ed**	[nǽrou máindid]
16	만족한, 흡족한	16	satisfi**ed**	[sǽtisfàid]
17	명백한, 공인된	17	admitt**ed**	[ædmítid]
18	무서워하는, 겁먹은	18	terrifi**ed**	[térəfàid]
19	무장한	19	arm**ed**	[ɑ:rmd]
20	발코니가 달린	20	balconi**ed**	[bǽlkənid]
21	벌거벗은, 나체의	21	nak**ed**	[néikid]
22	병든	22	diseas**ed**	[dizí:zd]
23	불쌍한, 비참한	23	wretch**ed**	[rétʃid]
24	성급한, 성 잘 내는	24	quick-temper**ed**	[kwík témpərd]
25	성취한, 완성한	25	accomplish**ed**	[əkámpliʃt]

Tips

● '-ed'
주로 '규칙동사의 과거분사'를 만들 때 쓰이며, 이 과거분사를 '형용사'로 쓰면 '–한, –된, –해진, –되어진'이라는 뜻이 된다. 또 '명사 뒤'에 붙여서 '–이 있는, –을 갖춘(가진)'이라는 뜻의 형용사를 만드는 접미사이다.

26	술 취한	26 intoxicat**ed**	[intáksikèitid]	Tips
27	신성한, 신께 바쳐진	27 sacr**ed**	[séikrid]
28	악한, 사악한	28 wick**ed**	[wíkid]
29	연합한, 합병한	29 unit**ed**	[ju:náitid]
30	예기치 않은, 뜻밖의	30 unexpect**ed**	[ʌ̀nikspéktid]
31	예약된, 저장된	31 reserv**ed**	[rizə́:rvd]
32	~와 아는 사이인	32 acquaint**ed**	[əkwéintid]
33	완강한; 집요한	33 dogg**ed**	[dɔ́:gid]
34	유명한, 저명한	34 celebrat**ed**	[séləbrèitid]
35	재주 있는	35 talent**ed**	[tǽləntid]
36	재치 있는	36 quick-witt**ed**	[kwík wítid]
37	지루해진, 따분한	37 bor**ed**	[bɔ:rd]
38	짜증난, 신경질 난	38 irritat**ed**	[írətèitid]
39	취득한, 획득한	39 acquir**ed**	[əkwáiərd]
40	학문이 있는, 박학한	40 learn**ed**	[lə́:rnid]
41	헷갈리는, 당황한	41 confus**ed**	[kənfjú:zd]
42	거주하는	42 resid**ent**	[rézidənt]
43	격렬한; 폭력적인	43 viol**ent**	[váiələnt]
44	결백한; 순진한	44 innoc**ent**	[ínəsnt]
45	고집하는, 완고한	45 persist**ent**	[pə:rsístənt]
46	과묵한; 말이 적은	46 retic**ent**	[rétəsənt]
47	관대한, 눈감아주는	47 indulg**ent**	[indʌ́ldʒənt]
48	근래의, 최근의	48 rec**ent**	[rí:sənt]
49	긴급한; 재촉하는	49 urg**ent**	[ə́:rdʒənt]
50	다른; 특이한	50 differ**ent**	[dífərənt]

Tips

● '-ent'
'agent', 즉 '행위자'를 뜻하는 '형용사 어미'로서, 그 뜻은 '현재분사의 형용사적 용법'과 같이 '-한, -된, -해진,-되어진' 이라는 뜻이 된다.

51	독립한; 독자적인	51 independ**ent**	[ìndipéndənt]
52	동등한, 같은	52 equival**ent**	[ikwívələnt]
53	또렷이 보이는, 명백한	53 appar**ent**	[əpǽrənt]
54	만족하는, 감수하는	54 cont**ent**	[kəntént]
55	무관심한, 냉담한	55 indiffer**ent**	[indífərənt]
56	반대하는, 반대 측의	56 oppon**ent**	[əpóunənt]
57	부족한; 불완전한	57 defici**ent**	[difíʃənt]
58	사용하기 편리한	58 conveni**ent**	[kənví:njənt]
59	성급한, 참을성 없는	59 impati**ent**	[impéiʃənt]
60	소홀한, 태만한	60 neglig**ent**	[néglidʒənt]
61	숙달된, 능숙한	61 profici**ent**	[prəfíʃənt]
62	순종하는, 유순한	62 obedi**ent**	[oubí:diənt]
63	순종하지 않는	63 disobedi**ent**	[dìsəbí:diənt]
64	숨어있는, 잠재적인	64 lat**ent**	[léitənt]
65	신중한, 분별 있는	65 prud**ent**	[prú:dənt]
66	열렬한, 격렬한	66 ard**ent**	[á:rdənt]
67	옛날의, 고대의	67 anci**ent**	[éinʃənt]
68	우수한, 뛰어난	68 excell**ent**	[éksələnt]
69	유명한, 탁월한	69 emin**ent**	[émənənt]
70	유창한	70 flu**ent**	[flú:ənt]
71	유행하는, 대세인	71 preval**ent**	[prévələnt]
72	의존하는	72 depend**ent**	[dipéndənt]
73	자비로운, 호의적인	73 benevol**ent**	[bənévələnt]
74	장엄한, 막대한	74 magnific**ent**	[mægnífəsənt]
75	적임의, 유능한	75 compet**ent**	[kámpətənt]

Tips

76	절박한, 긴급한	76	imminent	[ímənənt]	Tips
77	주장하는, 강요하는	77	insistent	[insístənt]	
78	지적인, 영리한	78	intelligent	[intélədʒənt]	
79	충분한, 족한	79	sufficient	[səfíʃənt]	
80	침묵하는, 무언의	80	silent	[sáilənt]	
81	투명한	81	transparent	[trænspéərənt]	
82	특허의; 명백한	82	patent	[pǽtənt]	
83	현저한, 두드러진	83	prominent	[prάmənənt]	
84	현행의, 유행되고 있는	84	current	[kɔ́:rənt]	
85	확신하는, 자신 있는	85	confident	[kάnfidənt]	
86	[기계 등이] 효율적인	86	efficient	[ifíʃənt]	
87	감사하는	87	thankful	[θǽŋkfəl]	
88	강한, 강력한	88	powerful	[páuərfəl]	
89	고마워하는; 쾌적한	89	grateful	[gréitfəl]	
90	그리워하는, 동경하는	90	wistful	[wístfəl]	
91	기분 좋은, 즐거운	91	cheerful	[tʃíərfəl]	
92	놀라운, 훌륭한	92	wonderful	[wΛ́ndərfəl]	
93	능숙한, 숙련된	93	skillful	[skílfəl]	
94	도움이 되는, 유용한	94	helpful	[hélpfəl]	
95	두려운; 불쾌한	95	awful	[ɔ́:fəl]	
96	매우 기쁜, 즐거운	96	delightful	[diláitfəl]	
97	사려 깊은, 주의 깊은	97	thoughtful	[θɔ́:tfəl]	
98	성공한, 성공적인	98	successful	[səksésfəl]	
99	슬픈, 비탄에 잠긴	99	sorrowful	[sároufəl]	
100	쓸모 있는, 유용한	100	useful	[jú:sfəl]	

● '-ful'
'–이 가득한, –이 많은, –의 특성이 있는'이라는 뜻의 '형용사 어미'이다.
① 명사에 붙어서 '–의 성질을 가진, –을 내포하는, –이 많은'이란 뜻의 형용사를 만든다.
ex) beautiful, careful 등.
② 동사·형용사에 붙어서 '–하기 쉬운'이란 뜻의 형용사를 만든다.
ex) forgetful(잘 잊는)

● 다음 주어진 우리말 단어 뜻을 보고 영단어를 말해 보세요.

1 가장한, 거짓의	26 술 취한	51 독립한; 독자적인	76 절박한, 긴급한
2 걱정되는, 관련된	27 신성한, 신께 바쳐진	52 동등한, 같은	77 주장하는, 강요하는
3 결심한, 확정된	28 악한, 사악한	53 또렷이 보이는, 명백한	78 지적인, 영리한
4 결정적인; 단호한	29 연합한, 합병한	54 만족하는, 감수하는	79 충분한, 족한
5 고립한; 격려된	30 예기치 않은, 뜻밖의	55 무관심한, 냉담한	80 침묵하는, 무언의
6 교육받은, 교양 있는	31 예약된, 저장된	56 반대하는, 반대 측의	81 투명한
7 기뻐하는, 흡족한	32 ~와 아는 사이인	57 부족한; 불완전한	82 특허의; 명백한
8 깜짝 놀란	33 완강한; 집요한	58 사용하기 편리한	83 현저한, 두드러진
9 꼬부라진, 비뚤어진	34 유명한, 저명한	59 성급한, 참을성 없는	84 현행의, 유행되고 있는
10 꽃잎이 있는	35 재주 있는	60 소홀한, 태만한	85 확신하는, 자신 있는
11 날개가 있는	36 재치 있는	61 숙달된, 능숙한	86 [기계 등이] 효율적인
12 누덕누덕한	37 지루해진, 따분한	62 순종하는, 유순한	87 감사하는
13 늙은, 나이 든	38 짜증 난, 신경질 난	63 순종하지 않는	88 강한, 강력한
14 마음씨가 따뜻한	39 취득한, 획득한	64 숨어있는, 잠재적인	89 고마워하는; 쾌적한
15 마음이 좁은, 옹졸한	40 학문이 있는, 박학한	65 신중한, 분별 있는	90 그리워하는, 동경하는
16 만족한, 흡족한	41 헷갈리는, 당황한	66 열렬한, 격렬한	91 기분 좋은, 즐거운
17 명백한, 공인된	42 거주하는	67 옛날의, 고대의	92 놀라운, 훌륭한
18 무서워하는, 겁먹은	43 격렬한; 폭력적인	68 우수한, 뛰어난	93 능숙한, 숙련된
19 무장한	44 결백한; 순진한	69 유명한, 탁월한	94 도움이 되는, 유용한
20 발코니가 달린	45 고집하는, 완고한	70 유창한	95 두려운; 불쾌한
21 벌거벗은, 나체의	46 과묵한; 말이 적은	71 유행하는, 대세인	96 매우 기쁜, 즐거운
22 병든	47 관대한, 눈감아주는	72 의존하는	97 사려 깊은, 주의 깊은
23 불쌍한, 비참한	48 근래의, 최근의	73 자비로운, 호의적인	98 성공한, 성공적인
24 성급한, 성 잘 내는	49 긴급한; 재촉하는	74 장엄한, 막대한	99 슬픈, 비탄에 잠긴
25 성취한, 완성한	50 다른; 특이한	75 적임의, 유능한	100 쓸모 있는, 유용한

● 다음 주어진 영단어를 보고 우리말 뜻을 말해 보세요.

1 pretended	26 intoxicated	51 independent	76 imminent
2 concerned	27 sacred	52 equivalent	77 insistent
3 determined	28 wicked	53 apparent	78 intelligent
4 decided	29 united	54 content	79 sufficient
5 isolated	30 unexpected	55 indifferent	80 silent
6 educated	31 reserved	56 opponent	81 transparent
7 pleased	32 acquainted	57 deficient	82 patent
8 frightened	33 dogged	58 convenient	83 prominent
9 crooked	34 celebrated	59 impatient	84 current
10 petalled	35 talented	60 negligent	85 confident
11 winged	36 quick-witted	61 proficient	86 efficient
12 ragged	37 bored	62 obedient	87 thankful
13 aged	38 irritated	63 disobedient	88 powerful
14 warm-hearted	39 acquired	64 latent	89 grateful
15 narrow-minded	40 learned	65 prudent	90 wistful
16 satisfied	41 confused	66 ardent	91 cheerful
17 admitted	42 resident	67 ancient	92 wonderful
18 terrified	43 violent	68 excellent	93 skillful
19 armed	44 innocent	69 eminent	94 helpful
20 balconied	45 persistent	70 fluent	95 awful
21 naked	46 reticent	71 prevalent	96 delightful
22 diseased	47 indulgent	72 dependent	97 thoughtful
23 wretched	48 recent	73 benevolent	98 successful
24 quick-tempered	49 urgent	74 magnificent	99 sorrowful
25 accomplished	50 different	75 competent	100 useful

1	아름다운, 고운	1	beauti**ful**	[bjúːtəfəl]
2	아픈, 괴로운	2	pain**ful**	[péinfəl]
3	우아한, 정중한	3	grace**ful**	[gréisfəl]
4	은혜를 모르는	4	ungrate**ful**	[ʌngréitfəl]
5	의미심장한, 뜻있는	5	meaning**ful**	[míːniŋfəl]
6	의심스러운	6	doubt**ful**	[dáutfəl]
7	자랑하는, 허풍 떠는	7	boast**ful**	[bóustfəl]
8	자비로운, 인정 많은	8	merci**ful**	[mɔ́ːrsifəl]
9	잘 잊는	9	forget**ful**	[fərgétfəl]
10	젊은, 발랄한	10	youth**ful**	[júːθfəl]
11	정직한; 진실한	11	truth**ful**	[trúːθfəl]
12	존경하는, 공손한	12	respect**ful**	[rispéktfəl]
13	주의 깊은	13	care**ful**	[kéərfəl]
14	주의 깊은; 잊지 않는	14	mind**ful**	[máindfəl]
15	즐거운, 기쁜	15	joy**ful**	[dʒɔ́ifəl]
16	충실한, 믿을 수 있는	16	faith**ful**	[féiθfəl]
17	평화로운, 평온한	17	peace**ful**	[píːsfəl]
18	해로운, 해가 되는	18	harm**ful**	[háːrmfəl]
19	후회하는, 뉘우치는	19	regret**ful**	[rigrétfəl]
20	경제의, 경제학의	20	econom**ic**	[ìːkənámik]
21	경치의; 극적인	21	scen**ic**	[síːnik]
22	과학적인, 과학의	22	scientif**ic**	[sàiəntífik]
23	관용구적인	23	idiomat**ic**	[ìdiəmǽtik]
24	괴짜인; 중심을 벗어난	24	eccentr**ic**	[ikséntrik]
25	귀족의; 귀족적인	25	aristocrat**ic**	[ərìstəkrǽtik]

Tips

● '-ful'
'─이 가득한, ─이 많은, ─의 특성이 있는'이라는 뜻의 '형용사 어미'이다.
① 명사에 붙어서 '─의 성질을 가진, ─을 내포하는, ─이 많은'이란 뜻의 형용사를 만든다.
ex) beautiful, careful 등
② 동사·형용사에 붙어서 '─하기 쉬운'이란 뜻의 형용사를 만든다.
ex) forgetful(잘 잊는)

● '-ic'
'─의, ─의 성질의, ─와 같은, ─적인, ─에 속하는, ─으로 된'이라는 뜻의 형용사를 만드는 접미사이다.
(화학) '-ous로 끝나는 형용사보다 높은 원자가가 있는'의 뜻
ex) rustic, magnetic 등

26	극의, 극적인	26	dramat**ic**	[drəmǽtik]	Tips
27	기초적인, 기본적인	27	bas**ic**	[béisik]	
28	기하학적인	28	geometr**ic**	[dʒìːəmétrik]	
29	낙관적인, 낙천적인	29	optimist**ic**	[ùptəmístik]	
30	남극의	30	antarct**ic**	[æntáːrktik]	
31	눈의, 광학의	31	opt**ic**	[áptik]	
32	당황한, 공황적인	32	pan**ic**	[pǽnik]	
33	대기 중의, 분위기의	33	atmospher**ic**	[ætməsférik]	
34	대양의, 해양성의	34	ocean**ic**	[òuʃiǽnik]	
35	대중의, 공공의	35	publ**ic**	[pʌ́blik]	
36	도자기의	36	ceram**ic**	[sərǽmik]	
37	독단적인; 교의적인	37	dogmat**ic**	[dɔːgmǽtik]	
38	독성의; 유독한	38	tox**ic**	[táksik]	
39	동정적인, 공감하는	39	sympathet**ic**	[sìmpəθétik]	
40	마취성의, 마약의	40	narcot**ic**	[nɑːrkátik]	
41	미학의; 심미적인	41	aesthet**ic**	[esθétik]	
42	믿을 만한, 인증된	42	authent**ic**	[ɔːθéntik]	
43	북극의	43	arct**ic**	[áːrktik]	
44	분해의, 분석적인	44	analyt**ic**	[ænəlítik]	
45	비관적인, 염세적인	45	pessimist**ic**	[pèsəmístik]	
46	비꼬는, 풍자의	46	sarcast**ic**	[sɑːrkǽstik]	
47	빼어난, 멋진	47	terrif**ic**	[tərífik]	
48	사진의, 사진 같은	48	photograph**ic**	[fòutəgrǽfik]	
49	상반되는, 모순되는	49	antagonist**ic**	[æntǽgənístik]	
50	상징적인, 부호의	50	symbol**ic**	[simbálik]	

51	서정시의, 서정적인	51 lyr**ic**	[lírik]	Tips
52	선사시대의, 구식의	52 prehistor**ic**	[prì:histɔ́:rik]	
53	시골의; 교양 없는	53 rust**ic**	[rʌ́stik]	
54	시의, 시적인	54 poet**ic**	[pouétik]	
55	신비적인, 공상적인	55 romant**ic**	[roumǽntik]	
56	신화의, 신화적인	56 myth**ic**	[míθik]	
57	알코올 [중독]의	57 alcohol**ic**	[æ̀lkəhɔ́:lik]	
58	애국적인, 애국의	58 patriot**ic**	[pèitriátik]	
59	애처로운, 슬픈	59 pathet**ic**	[pəθétik]	
60	언어의; 언어학의	60 linguist**ic**	[liŋgwístik]	
61	역사에 남는	61 histor**ic**	[histɔ́:rik]	
62	열대의, 열대지방의	62 trop**ic**	[trápik]	
63	영웅적인, 용감한	63 hero**ic**	[hiróuik]	
64	예술의, 예술적인	64 artist**ic**	[ɑ:rtístik]	
65	예언의, 예언적인	65 prophet**ic**	[prəfétik]	
66	외교의; 외교관의	66 diplomat**ic**	[dìpləmǽtik]	
67	우주의	67 cosm**ic**	[kázmik]	
68	운동의, 운동가의	68 athlet**ic**	[æθlétik]	
69	원자의, 원자력에 의한	69 atom**ic**	[ətámik]	
70	위생적인, 위생학의	70 hygien**ic**	[hàidʒiénik]	
71	유기체의, 유기적인	71 organ**ic**	[ɔ:rgǽnik]	
72	음성의, 음성학의	72 phonet**ic**	[fənétik]	
73	입방의, 세제곱의	73 cub**ic**	[kjú:bik]	
74	자석의, 매력 있는	74 magnet**ic**	[mægnétik]	
75	장엄한, 위엄 있는	75 majest**ic**	[mədʒéstik]	

76 전기의; 열광적인	76 electric	[iléktrik]	Tips
77 전략상의	77 strategic	[strətí:dʒik]	
78 전자[학]의	78 electronic	[ilèktránik]	
79 전형적인, 고전의	79 classic	[klǽsik]	
80 정력적인, 효과적인	80 energetic	[ènərdʒétik]	
81 주기적인, 정기의	81 periodic	[pìəriádik]	
82 체계적인, 계통적인	82 systematic	[sìstəmǽtik]	
83 탄력성 있는; 유연한	83 elastic	[ilǽstik]	
84 특유의, 독자적인	84 characteristic	[kæ̀riktərístik]	
85 특유한; 상세한	85 specific	[spisífik]	
86 플라스틱의, 조형적인	86 plastic	[plǽstik]	
87 학원의, 학구적인	87 academic	[æ̀kədémik]	
88 현실주의의	88 realistic	[rì:əlístik]	
89 화산의	89 volcanic	[vɑlkǽnik]	
90 흉내 내는, 모방의	90 mimic	[mímik]	
91 부속의, 보조적인	91 accessory	[æksésəri]	● '–ory' '명사·동사'에 붙여서 '–의, –의 성질을 가진'이라는 뜻의 형용사를 만드는 접미사이다.
92 산만한, 변덕스러운	92 desultory	[désəltɔ̀:ri]	
93 설명적인, 해석상의	93 explanatory	[iksplǽnətɔ̀:ri]	
94 약속하는, 약속의	94 promissory	[práməsɔ̀:ri]	
95 의무적인; 필수의	95 compulsory	[kəmpálsəri]	
96 의무적인; 필수의	96 obligatory	[əblígətɔ̀:ri]	
97 이주하는	97 migratory	[máigrətɔ̀:ri]	
98 축하의	98 congratulatory	[kəngrǽtʃələtɔ̀:ri]	
99 충분히 만족한	99 satisfactory	[sæ̀tisfǽktəri]	
100 환상의; 착각의	100 illusory	[ilú:səri]	

● 다음 주어진 우리말 단어 뜻을 보고 영단어를 말해 보세요.

1 아름다운, 고운	26 극의, 극적인	51 서정시의, 서정적인	76 전기의; 열광적인
2 아픈, 괴로운	27 기초적인, 기본적인	52 선사시대의, 구식의	77 전략상의
3 우아한, 정중한	28 기하학적인	53 시골의; 교양 없는	78 전자[학]의
4 은혜를 모르는	29 낙관적인, 낙천적인	54 시의, 시적인	79 전형적인, 고전의
5 의미심장한, 뜻있는	30 남극의	55 신비적인, 공상적인	80 정력적인, 효과적인
6 의심스러운	31 눈의, 광학의	56 신화의, 신화적인	81 주기적인, 정기의
7 자랑하는, 허풍 떠는	32 당황한, 공황적인	57 알코올 [중독]의	82 체계적인, 계통적인
8 자비로운, 인정 많은	33 대기 중의, 분위기의	58 애국적인, 애국의	83 탄력성 있는; 유연한
9 잘 잊는	34 대양의, 해양성의	59 애처로운, 슬픈	84 특유의, 독자적인
10 젊은, 발랄한	35 대중의, 공공의	60 언어의; 언어학의	85 특유한; 상세한
11 정직한; 진실한	36 도자기의	61 역사에 남는	86 플라스틱의, 조형적인
12 존경하는, 공손한	37 독단적인; 교의적인	62 열대의, 열대지방의	87 학원의, 학구적인
13 주의 깊은	38 독성의; 유독한	63 영웅적인, 용감한	88 현실주의의
14 주의 깊은; 잊지 않는	39 동정적인, 공감하는	64 예술의, 예술적인	89 화산의
15 즐거운, 기쁜	40 마취성의, 마약의	65 예언의, 예언적인	90 흉내 내는, 모방의
16 충실한, 믿을 수 있는	41 미학의; 심미적인	66 외교의; 외교관의	91 부속의, 보조적인
17 평화로운, 평온한	42 믿을 만한, 인증된	67 우주의	92 산만한, 변덕스러운
18 해로운, 해가 되는	43 북극의	68 운동의, 운동가의	93 설명적인, 해석상의
19 후회하는, 뉘우치는	44 분해의, 분석적인	69 원자의, 원자력에 의한	94 약속하는, 약속의
20 경제의, 경제학의	45 비관적인, 염세인	70 위생적인, 위생학의	95 의무적인; 필수의
21 경치의; 극적인	46 비꼬는, 풍자의	71 유기체의, 유기적인	96 의무적인; 필수의
22 과학적인, 과학의	47 빼어난, 멋진	72 음성의, 음성학의	97 이주하는
23 관용구적인	48 사진의, 사진 같은	73 입방의, 세제곱의	98 축하의
24 괴짜인; 중심을 벗어난	49 상반되는, 모순되는	74 자석의, 매력 있는	99 충분히 만족한
25 귀족의; 귀족적인	50 상징적인, 부호의	75 장엄한, 위엄 있는	100 환상의; 착각의

● 다음 주어진 영단어를 보고 우리말 뜻을 말해 보세요.

1	beautiful	26	dramatic	51	lyric	76	electric
2	painful	27	basic	52	prehistoric	77	strategic
3	graceful	28	geometric	53	rustic	78	electronic
4	ungrateful	29	optimistic	54	poetic	79	classic
5	meaningful	30	antarctic	55	romantic	80	energetic
6	doubtful	31	optic	56	mythic	81	periodic
7	boastful	32	panic	57	alcoholic	82	systematic
8	merciful	33	atmospheric	58	patriotic	83	elastic
9	forgetful	34	oceanic	59	pathetic	84	characteristic
10	youthful	35	public	60	linguistic	85	specific
11	truthful	36	ceramic	61	historic	86	plastic
12	respectful	37	dogmatic	62	tropic	87	academic
13	careful	38	toxic	63	heroic	88	realistic
14	mindful	39	sympathetic	64	artistic	89	volcanic
15	joyful	40	narcotic	65	prophetic	90	mimic
16	faithful	41	aesthetic	66	diplomatic	91	accessory
17	peaceful	42	authentic	67	cosmic	92	desultory
18	harmful	43	arctic	68	athletic	93	explanatory
19	regretful	44	analytic	69	atomic	94	promissory
20	economic	45	pessimistic	70	hygienic	95	compulsory
21	scenic	46	sarcastic	71	organic	96	obligatory
22	scientific	47	terrific	72	phonetic	97	migratory
23	idiomatic	48	photographic	73	cubic	98	congratulatory
24	eccentric	49	antagonistic	74	magnetic	99	satisfactory
25	aristocratic	50	symbolic	75	majestic	100	illusory

1	가슴이 찢어질 듯한, 애끓는	1	heartbreak**ing**	[háːrtbrèikiŋ]
2	감동시키는, 애처로운	2	touch**ing**	[tʌ́tʃiŋ]
3	기꺼이 ~하는	3	will**ing**	[wíliŋ]
4	놀라운, 굉장한	4	amaz**ing**	[əméiziŋ]
5	놀랄 만한, 놀라운	5	astonish**ing**	[əstániʃiŋ]
6	눈에 띄는, 현저한	6	outstand**ing**	[àutstǽndiŋ]
7	떠는, 전율하는	7	trembl**ing**	[trémbliŋ]
8	매력적인, 아름다운	8	charm**ing**	[tʃáːrmiŋ]
9	먼저의, 전술한	9	forego**ing**	[fɔːrgóuiŋ]
10	상급의; 뛰어난	10	rank**ing**	[rǽnkiŋ]
11	선도적인, 이끄는	11	lead**ing**	[líːdiŋ]
12	섬뜩하게 하는; 지독한	12	appall**ing**	[əpɔ́ːliŋ]
13	애정 어린, 애정이 깊은	13	lov**ing**	[lʌ́viŋ]
14	없어진, 행방불명의	14	miss**ing**	[mísiŋ]
15	우세한, 유력한	15	prevail**ing**	[privéiliŋ]
16	전염성의; 매력적인	16	catch**ing**	[kǽtʃiŋ]
17	즐거운, 재미있는	17	amus**ing**	[əmjúːziŋ]
18	충격적인; 형편없는	18	shock**ing**	[ʃákiŋ]
19	협박하는; 위험한	19	threaten**ing**	[θrétniŋ]
20	회전식의	20	revolv**ing**	[riválviŋ]
21	근거 없는, 사실무근한	21	ground**less**	[gráundlis]
22	녹슬지 않는; 흠이 없는	22	stain**less**	[stéinlis]
23	목적이 없는, 정처 없는	23	aim**less**	[éimlis]
24	무관심한; 부주의한	24	regard**less**	[rigáːrdlis]
25	무선의	25	wire**less**	[wáiərlis]

Tips

● '-ing'
'동사의 현재분사형'을 형용사로 쓰는 경우이며, '-하는, [근본적으로] -의 성질을 가진'이라는 뜻을 가진다.

● '-less'
① 명사에 붙여서 '-이 없는, -을 모면한' 또는 '무한한, 무수의'의 뜻을 가진 형용사를 만든다.
ex) childless, homeless 등
② 동사에 붙여서 '-할 수 없는, -않는'의 뜻의 형용사를 만든다.

26	무중력의	26	weight**less**	[wéitlis]	Tips
27	무한한, 끝없는	27	bound**less**	[báundlis]	
28	부주의한, 생각 없는	28	mind**less**	[máindlis]	
29	생각이 없는, 경솔한	29	thought**less**	[θɔ́:tlis]	
30	생명이 없는; 죽은	30	life**less**	[láiflis]	
31	셀 수 없이 많은	31	count**less**	[káuntlis]	
32	숨찬; 숨을 거둔	32	breath**less**	[bréθlis]	
33	의심할 바 없는, 확실한	33	doubt**less**	[dáutlis]	
34	침착하지 못한; 활동적인	34	rest**less**	[réstlis]	
35	곱슬머리의, 꼬부라진	35	cur**ly**	[kɔ́:rli]	
36	교활한	36	s**ly**	[slai]	
37	남자다운, 씩씩한	37	man**ly**	[mǽnli]	
38	매일의, 일상의	38	dai**ly**	[déili]	
39	못생긴, 꼴사나운	39	ug**ly**	[ʌ́gli]	
40	사랑스러운; 멋진	40	love**ly**	[lʌ́vli]	
41	생기 넘치는, 활기찬	41	live**ly**	[láivli]	
42	신성한, 거룩한	42	ho**ly**	[hóuli]	
43	어리석은, 저능한	43	sil**ly**	[síli]	
44	외로운, 고독한	44	lone**ly**	[lóunli]	
45	우울한, 슬픈	45	melancho**ly**	[mélənkàli]	
46	우호적인, 자기편의	46	friend**ly**	[fréndli]	
47	이 세상의, 세속적인	47	world**ly**	[wɔ́:rldli]	
48	있음 직하지 않은, 가망 없는	48	unlike**ly**	[ʌnláikli]	
49	있음 직한, ~할 것 같은	49	like**ly**	[láikli]	
50	적시의, 때에 알맞은	50	time**ly**	[táimli]	

● '-ly'
① 명사에 붙여서 '-와 같은, -다운'의 뜻을 가진 형용사를 만든다.
ex) friendly, manly 등
② [드물게] 형용사에 붙여서 '-의 경향이 있는'이란 뜻을 가진 형용사를 만든다.
ex) kindly, sickly 등

51	정돈된; 예의 바른	51	order**ly**	[ɔ́:rdərli]
52	차가운; 쌀쌀한	52	chil**ly**	[tʃíli]
53	거대한, 막대한	53	enorm**ous**	[inɔ́:rməs]
54	관대한, 후한	54	gener**ous**	[dʒénərəs]
55	근면한; 열심인	55	industri**ous**	[indʌ́striəs]
56	놀라운; 굉장한	56	marvel**ous**	[má:rvələs]
57	다수의, 수많은	57	numer**ous**	[njú:mərəs]
58	다양한, 갖가지의	58	vari**ous**	[véəriəs]
59	단조로운; 지루한	59	monoton**ous**	[mənátənəs]
60	덕이 높은, 정숙한	60	virtu**ous**	[vɔ́:rtʃuəs]
61	동시의, 동시에 일어나는	61	simultane**ous**	[sàiməltéiniəs]
62	만장일치의, 합의의	62	unanim**ous**	[ju:nǽnəməs]
63	맛있는; 통쾌한	63	delici**ous**	[dilíʃəs]
64	명백한, 분명한	64	obvi**ous**	[ábviəs]
65	모험적인, 위험한	65	adventur**ous**	[ædvéntʃərəs]
66	무서운, 굉장한, 엄청난	66	tremend**ous**	[triméndəs]
67	미신적인; 미신에 의한	67	superstiti**ous**	[sù:pərstíʃəs]
68	바라는, 열망하는	68	desir**ous**	[dizáiərəs]
69	번영하는, 부유한	69	prosper**ous**	[práspərəs]
70	변덕스러운	70	caprici**ous**	[kəpríʃəs]
71	부러워하는, 시기하는	71	envi**ous**	[énviəs]
72	비참한; 재난의	72	disastr**ous**	[dizǽstrəs]
73	사악한, 악의 있는	73	vici**ous**	[víʃəs]
74	사치스러운, 호사스러운	74	luxuri**ous**	[lʌgʒúəriəs]
75	성난, 격노한	75	furi**ous**	[fjúəriəs]

Tips

● '–ous'
'–이 많은, –성(性)의, –의 특징을 지닌, –와 비슷한; 자주 –하는, –의 버릇이 있는'의 뜻의 형용사를 만드는 접미사이다.

				Tips
76	쉽사리 믿는, 귀가 얇은	76	credul**ous**	[krédʒələs]
77	승리를 거둔, 승리의	77	victori**ous**	[viktɔ́:riəs]
78	신비한, 불가사의한	78	mysteri**ous**	[mistíəriəs]
79	악의 있는, 심술궂은	79	malici**ous**	[məlíʃəs]
80	애매모호한, 불명료한	80	ambigu**ous**	[æmbígjuəs]
81	야심 있는, 야심찬	81	ambiti**ous**	[æmbíʃəs]
82	양심적인, 성실한	82	conscienti**ous**	[kànʃiénʃəs]
83	연속적인, 끊임없는	83	continu**ous**	[kəntínjuəs]
84	열심인; 열성적인	84	zeal**ous**	[zéləs]
85	영광스러운; 훌륭한	85	glori**ous**	[glɔ́:riəs]
86	원기 왕성한, 활발한	86	vigor**ous**	[vígərəs]
87	위험한, 위태로운	87	danger**ous**	[déindʒərəs]
88	유독한, 해로운	88	poison**ous**	[pɔ́izənəs]
89	유명한; 멋진	89	fam**ous**	[féiməs]
90	의식(자각)하고 있는	90	consci**ous**	[kúnʃəs]
91	익살스러운	91	humor**ous**	[hjú:mərəs]
92	조화된; 화목한	92	harmoni**ous**	[hɑ:rmóuniəs]
93	종교의, 신앙의	93	religi**ous**	[rilídʒəs]
94	주의 깊은, 신중한	94	cauti**ous**	[kɔ́:ʃəs]
95	중대한, 중요한	95	moment**ous**	[mouméntəs]
96	질투심이 많은	96	jeal**ous**	[dʒéləs]
97	해로운; 부당한	97	injuri**ous**	[indʒúəriəs]
98	허구의, 가공의	98	fictiti**ous**	[fiktíʃəs]
99	호화로운; 멋진	99	gorge**ous**	[gɔ́:rdʒəs]
100	힘든, 고된	100	labori**ous**	[ləbɔ́:riəs]

● 다음 주어진 우리말 단어 뜻을 보고 영단어를 말해 보세요.

1	가슴이 찢어질 듯한, 애끓는	26	무중력의	51	정돈된; 예의 바른	76	쉽사리 믿는, 귀가 얇은
2	감동시키는, 애처로운	27	무한한, 끝없는	52	차가운; 쌀쌀한	77	승리를 거둔, 승리의
3	기꺼이 ~하는	28	부주의한, 생각 없는	53	거대한, 막대한	78	신비한, 불가사의한
4	놀라운, 굉장한	29	생각이 없는, 경솔한	54	관대한, 후한	79	악의 있는, 심술궂은
5	놀랄 만한, 놀라운	30	생명이 없는; 죽은	55	근면한; 열심인	80	애매모호한, 불명료한
6	눈에 띄는, 현저한	31	셀 수 없이 많은	56	놀라운; 굉장한	81	야심 있는, 야심찬
7	떠는, 전율하는	32	숨찬; 숨을 거둔	57	다수의, 수많은	82	양심적인, 성실한
8	매력적인, 아름다운	33	의심할 바 없는, 확실한	58	다양한, 갖가지의	83	연속적인, 끊임없는
9	먼저의, 전술한	34	침착하지 못한; 활동적인	59	단조로운; 지루한	84	열심인; 열성적인
10	상급의; 뛰어난	35	곱슬머리의, 꼬부라진	60	덕이 높은, 정숙한	85	영광스러운; 훌륭한
11	선도적인, 이끄는	36	교활한	61	동시의, 동시에 일어나는	86	원기 왕성한, 활발한
12	섬뜩하게 하는; 지독한	37	남자다운, 씩씩한	62	만장일치의, 합의의	87	위험한, 위태로운
13	애정 어린, 애정이 깊은	38	매일의, 일상의	63	맛있는; 통쾌한	88	유독한, 해로운
14	없어진, 행방불명의	39	못생긴, 꼴사나운	64	명백한, 분명한	89	유명한; 멋진
15	우세한, 유력한	40	사랑스러운; 멋진	65	모험적인, 위험한	90	의식(자각)하고 있는
16	전염성의; 매력적인	41	생기 넘치는, 활기찬	66	무서운, 굉장한, 엄청난	91	익살스러운
17	즐거운, 재미있는	42	신성한, 거룩한	67	미신적인; 미신에 의한	92	조화된; 화목한
18	충격적인; 형편없는	43	어리석은, 저능한	68	바라는, 열망하는	93	종교의, 신앙의
19	협박하는; 위험한	44	외로운, 고독한	69	번영하는, 부유한	94	주의 깊은, 신중한
20	회전식의	45	우울한, 슬픈	70	변덕스러운	95	중대한, 중요한
21	근거 없는, 사실무근한	46	우호적인, 자기편의	71	부러워하는, 시기하는	96	질투심이 많은
22	녹슬지 않는; 흠이 없는	47	이 세상의, 세속적인	72	비참한; 재난의	97	해로운; 부당한
23	목적이 없는, 정처 없는	48	있음 직하지 않은, 가망 없는	73	사악한, 악의 있는	98	허구의, 가공의
24	무관심한; 부주의한	49	있음 직한, ~할 것 같은	74	사치스러운, 호사스러운	99	호화로운; 멋진
25	무선의	50	적시의, 때에 알맞은	75	성난, 격노한	100	힘든, 고된

● 다음 주어진 영단어를 보고 우리말 뜻을 말해 보세요.

1 heartbreaking	26 weightless	51 orderly	76 credulous
2 touching	27 boundless	52 chilly	77 victorious
3 willing	28 mindless	53 enormous	78 mysterious
4 amazing	29 thoughtless	54 generous	79 malicious
5 astonishing	30 lifeless	55 industrious	80 ambiguous
6 outstanding	31 countless	56 marvelous	81 ambitious
7 trembling	32 breathless	57 numerous	82 conscientious
8 charming	33 doubtless	58 various	83 continuous
9 foregoing	34 restless	59 monotonous	84 zealous
10 ranking	35 curly	60 virtuous	85 glorious
11 leading	36 sly	61 simultaneous	86 vigorous
12 appalling	37 manly	62 unanimous	87 dangerous
13 loving	38 daily	63 delicious	88 poisonous
14 missing	39 ugly	64 obvious	89 famous
15 prevailing	40 lovely	65 adventurous	90 conscious
16 catching	41 lively	66 tremendous	91 humorous
17 amusing	42 holy	67 superstitious	92 harmonious
18 shocking	43 silly	68 desirous	93 religious
19 threatening	44 lonely	69 prosperous	94 cautious
20 revolving	45 melancholy	70 capricious	95 momentous
21 groundless	46 friendly	71 envious	96 jealous
22 stainless	47 worldly	72 disastrous	97 injurious
23 aimless	48 unlikely	73 vicious	98 fictitious
24 regardless	49 likely	74 luxurious	99 gorgeous
25 wireless	50 timely	75 furious	100 laborious

형용사 접미어 7 '-ive'; '-tive'; '-y'

1	값비싼	1	expens**ive**	[ikspénsiv]
2	강한; 집중적인	2	intens**ive**	[inténsiv]
3	결정적인; 단호한	3	decis**ive**	[disáisiv]
4	공격적인; 진취적인	4	aggress**ive**	[əgrésiv]
5	과도한, 지나친	5	excess**ive**	[iksésiv]
6	광대한, 넓은	6	extens**ive**	[iksténsiv]
7	무례한, 공격적인	7	offens**ive**	[əfénsiv]
8	방어의, 방어용의	8	defens**ive**	[difénsiv]
9	설득력 있는	9	persuas**ive**	[pərswéisiv]
10	수동의, 소극적인	10	pass**ive**	[pǽsiv]
11	염려하는; 이해가 빠른	11	apprehens**ive**	[æprihénsiv]
12	육중한, 단단한	12	mass**ive**	[mǽsiv]
13	잇따른, 계속되는	13	success**ive**	[səksésiv]
14	충동적인	14	impuls**ive**	[impʌ́lsiv]
15	호응을 잘 하는	15	respons**ive**	[rispánsiv]
16	각각의, 각자의	16	respec**tive**	[rispéktiv]
17	감상할 줄 아는, 감사하는	17	apprecia**tive**	[əprí:ʃətiv]
18	객관적인, 목적의	18	objec**tive**	[əbdʒéktiv]
19	건설적인; 구조상의	19	construc**tive**	[kənstrʌ́ktiv]
20	결함이 있는; 부족한	20	defec**tive**	[diféktiv]
21	경쟁의, 경쟁적인	21	competi**tive**	[kəmpétətiv]
22	교훈적인, 교육적인	22	instruc**tive**	[instrʌ́ktiv]
23	권위 있는, 당국의	23	authorita**tive**	[əθɔ́:ritèitiv]
24	기대되는; 장래의	24	prospec**tive**	[prəspéktiv]
25	단언적인, 긍정의	25	affirma**tive**	[əfə́:rmətiv]

Tips

● '–ive'
'–의 경향이 있는, –의 성질을 지닌, –하기 쉬운'의 뜻의 형용사를 만드는 접미사이다.
ex) active, attractive 등

● '–tive'= '–ive'의 변형이며 '동일한 뜻'으로 쓰인다.

26	단정적인; 독단적인	26	asser**tive**	[əsə́ːrtiv]	Tips
27	독특한; 구별이 분명한	27	distinc**tive**	[distíŋktiv]	
28	마음을 끄는; 매력적인	28	attrac**tive**	[ətræktiv]	
29	명시하는; 설명적인	29	demonstra**tive**	[dimánstrətiv]	
30	민감한, 예민한	30	sensi**tive**	[sénsətiv]	
31	반사하는; 반성적인	31	reflec**tive**	[rifléktiv]	
32	보수적인	32	conserva**tive**	[kənsə́ːrvətiv]	
33	본능적인, 직관적인	33	instinc**tive**	[instíŋktiv]	
34	부정의, 소극적인	34	nega**tive**	[négətiv]	
35	분출하는; 폭발하는	35	erup**tive**	[irʌ́ptiv]	
36	비교의, 비교적인	36	compara**tive**	[kəmpǽrətiv]	
37	상상의, 가공의	37	imagina**tive**	[imǽdʒənətiv]	
38	생산적인; 다산의	38	produc**tive**	[prədʌ́ktiv]	
39	소화의; 소화를 돕는	39	diges**tive**	[daidʒéstiv]	
40	시사하는, ~을 연상케 하는	40	sugges**tive**	[səgdʒéstiv]	
41	실행 가능한; 관리직의	41	execu**tive**	[igzékjətiv]	
42	양자택일의; 대신의	42	alterna**tive**	[ɔːltə́ːrnətiv]	
43	연구의, 조사의	43	investiga**tive**	[invéstəgèitiv]	
44	원시시대의; 소박한	44	primi**tive**	[prímətiv]	
45	유효한; [약 등이] 효과적인	45	effec**tive**	[iféktiv]	
46	이야기의, 설화식의	46	narra**tive**	[nǽrətiv]	
47	장난하며 노는; 까부는	47	spor**tive**	[spɔ́ːrtiv]	
48	장식적인, 장식의	48	decora**tive**	[dékərèitiv]	
49	제거할 수 있는	49	elimina**tive**	[ilímənèitiv]	
50	주관적인; 사적인	50	subjec**tive**	[səbdʒéktiv]	

51	주의 깊은, 마음 쓰는	51	atten**tive**	[əténtiv]	**Tips**
52	직관적인	52	intui**tive**	[intjú:itiv]	
53	집합적; 공동적	53	collec**tive**	[kəléktiv]	
54	창조적인, 건설적인	54	crea**tive**	[kri:éitiv]	
55	처음의; 진취적인	55	initia**tive**	[iníʃiətiv]	
56	철저한; 소모적인	56	exhaus**tive**	[igzɔ́:stiv]	
57	축제의, 명절 기분의	57	fes**tive**	[féstiv]	
58	출생지의, 본국의	58	na**tive**	[néitiv]	
59	출혈성의	59	conges**tive**	[kəndʒéstiv]	
60	탐정의	60	detec**tive**	[ditéktiv]	
61	현혹시키는, 사기의	61	decep**tive**	[diséptiv]	
62	협조적인, 협동의	62	coopera**tive**	[kouápərèitiv]	
63	호전적인, 투쟁적인	63	comba**tive**	[kəmbǽtiv]	
64	확신하는, 긍정적인	64	posi**tive**	[pázətiv]	
65	활동적인, 적극적인	65	ac**tive**	[ǽktiv]	

66	가난한, 곤궁한	66	need**y**	[ní:di]
67	가치 있는; 훌륭한	67	worth**y**	[wɔ́:rði]
68	강력한; 대단한	68	might**y**	[máiti]
69	고정된; 견고한	69	stead**y**	[stédi]
70	급한; 경솔한	70	hast**y**	[héisti]
71	껍질의; 목이 쉰	71	husk**y**	[háski]
72	끈적끈적한	72	stick**y**	[stíki]
73	녹슨, 녹이 난	73	rust**y**	[rásti]
74	다루기 쉬운, 간편한	74	hand**y**	[hǽndi]
75	더러운, 외설적인	75	dirt**y**	[dɔ́:rti]

● '-y'
① '명사'에 붙어서 '~투성이의, ~으로 찬, ~로 된, ~와 같은'의 뜻을 나타내는 형용사를 만든다.
ex) dirty, greedy, hairy, icy, watery 등

② '색을 나타내는 형용사'에 붙어서 '~빛이 도는'의 뜻을 나타낸다.
ex) pinky, yellowy 등

76	먼지투성이의	76 dust**y**	[dʌ́sti]
77	목마른; 갈망하는	77 thirst**y**	[θə́:rsti]
78	미끄러운	78 slipper**y**	[slípəri]
79	미친; 홀딱 빠진	79 craz**y**	[kréizi]
80	바람이 잘 통하는; 가벼운	80 air**y**	[ɛ́əri]
81	변덕스러운, 뚱한	81 mood**y**	[mú:di]
82	불의; 불같은	82 fier**y**	[fáiəri]
83	솜털의; 포근한	83 down**y**	[dáuni]
84	쓰레기의	84 rubbish**y**	[rʌ́biʃi]
85	안개가 낀	85 fog**gy**	[fɔ́:gi]
86	어둑어둑한, 음울한	86 gloom**y**	[glú:mi]
87	어지러운, 현기증 나는	87 dizz**y**	[dízi]
88	연기 나는; 그은	88 smok**y**	[smóuki]
89	오만한, 거만한	89 haught**y**	[hɔ́:ti]
90	욕심 많은, 탐욕스러운	90 greed**y**	[grí:di]
91	유죄의, 죄책을 느끼는	91 guilt**y**	[gílti]
92	장밋빛의; 유망한	92 ros**y**	[róuzi]
93	전능한, 만능의	93 almight**y**	[ɔːlmáiti]
94	지쳐 있는; 싫증 나는	94 wear**y**	[wíəri]
95	진흙의; 진창의	95 mudd**y**	[mʌ́di]
96	짠, 소금기가 있는	96 salt**y**	[sɔ́:lti]
97	털이 많은; 텁수룩한	97 hair**y**	[hɛ́əri]
98	폭풍우의; 격렬한	98 storm**y**	[stɔ́:rmi]
99	피투성이의, 피의	99 blood**y**	[blʌ́di]
100	향기로운, 은은한	100 balm**y**	[báːmi]

Tips

● 다음 주어진 우리말 단어 뜻을 보고 영단어를 말해 보세요.

1	값비싼	26	단정적인; 독단적인	51	주의 깊은, 마음 쓰는	76	먼지투성이의
2	강한; 집중적인	27	독특한; 구별이 분명한	52	직관적인	77	목마른; 갈망하는
3	결정적인; 단호한	28	마음을 끄는; 매력적인	53	집합적; 공동적	78	미끄러운
4	공격적인; 진취적인	29	명시하는; 설명적인	54	창조적인, 건설적인	79	미친; 홀딱 빠진
5	과도한, 지나친	30	민감한, 예민한	55	처음의; 진취적인	80	바람이 잘 통하는; 가벼운
6	광대한, 넓은	31	반사하는; 반성적인	56	철저한; 소모적인	81	변덕스러운, 뚱한
7	무례한, 공격적인	32	보수적인	57	축제의, 명절 기분의	82	불의; 불같은
8	방어의, 방어용의	33	본능적인, 직관적인	58	출생지의, 본국의	83	솜털의; 포근한
9	설득력 있는	34	부정의, 소극적인	59	출혈성의	84	쓰레기의
10	수동의, 소극적인	35	분출하는; 폭발하는	60	탐정의	85	안개가 낀
11	염려하는; 이해가 빠른	36	비교의, 비교적인	61	현혹시키는, 사기의	86	어둑어둑한, 음울한
12	육중한, 단단한	37	상상의, 가공의	62	협조적인, 협동의	87	어지러운, 현기증 나는
13	잇따른, 계속되는	38	생산적인; 다산의	63	호전적인, 투쟁적인	88	연기 나는; 그은
14	충동적인	39	소화의; 소화를 돕는	64	확신하는, 긍정적인	89	오만한, 거만한
15	호응을 잘 하는	40	시사하는, ~을 연상케 하는	65	활동적인, 적극적인	90	욕심 많은, 탐욕스러운
16	각각의, 각자의	41	실행 가능한; 관리직의	66	가난한, 곤궁한	91	유죄의, 죄책을 느끼는
17	감상할 줄 아는, 감사하는	42	양자택일의; 대신의	67	가치 있는; 훌륭한	92	장밋빛의; 유망한
18	객관적인, 목적의	43	연구의, 조사의	68	강력한; 대단한	93	전능한, 만능의
19	건설적인; 구조상의	44	원시시대의; 소박한	69	고정된; 견고한	94	지쳐 있는; 싫증 나는
20	결함이 있는; 부족한	45	유효한; [약 등에] 효과적인	70	급한; 경솔한	95	진흙의; 진창의
21	경쟁의, 경쟁적인	46	이야기의, 설화식의	71	껍질의; 목이 쉰	96	짠, 소금기가 있는
22	교훈적인, 교육적인	47	장난하며 노는; 까부는	72	끈적끈적한	97	털이 많은; 텁수룩한
23	권위 있는, 당국의	48	장식적인, 장식의	73	녹슨, 녹이 난	98	폭풍우의; 격렬한
24	기대되는; 장래의	49	제거할 수 있는	74	다루기 쉬운, 간편한	99	피투성이의, 피의
25	단언적인, 긍정의	50	주관적인; 사적인	75	더러운, 외설적인	100	향기로운, 은은한

● 다음 주어진 영단어를 보고 우리말 뜻을 말해 보세요.

1	expensive	26	assertive	51	attentive	76	dusty
2	intensive	27	distinctive	52	intuitive	77	thirsty
3	decisive	28	attractive	53	collective	78	slippery
4	aggressive	29	demonstrative	54	creative	79	crazy
5	excessive	30	sensitive	55	initiative	80	airy
6	extensive	31	reflective	56	exhaustive	81	moody
7	offensive	32	conservative	57	festive	82	fiery
8	defensive	33	instinctive	58	native	83	downy
9	persuasive	34	negative	59	congestive	84	rubbishy
10	passive	35	eruptive	60	detective	85	foggy
11	apprehensive	36	comparative	61	deceptive	86	gloomy
12	massive	37	imaginative	62	cooperative	87	dizzy
13	successive	38	productive	63	combative	88	smoky
14	impulsive	39	digestive	64	positive	89	haughty
15	responsive	40	suggestive	65	active	90	greedy
16	respective	41	executive	66	needy	91	guilty
17	appreciative	42	alternative	67	worthy	92	rosy
18	objective	43	investigative	68	mighty	93	almighty
19	constructive	44	primitive	69	steady	94	weary
20	defective	45	effective	70	hasty	95	muddy
21	competitive	46	narrative	71	husky	96	salty
22	instructive	47	sportive	72	sticky	97	hairy
23	authoritative	48	decorative	73	rusty	98	stormy
24	prospective	49	eliminative	74	handy	99	bloody
25	affirmative	50	subjective	75	dirty	100	balmy

형용사 접미어 8 '-some' & 기타 형용사

1	건강에 좋은; 건전한	1	whole**some**	[hóulsəm]
2	골치 아픈, 귀찮은	2	trouble**some**	[trʌ́blsəm]
3	기쁜, 즐거운	3	glad**some**	[glǽdsəm]
4	모험을 즐기는	4	adventure**some**	[ædvéntʃərsəm]
5	쓸쓸한, 고독한	5	lone**some**	[lóunsəm]
6	오지랖 넓은	6	meddle**some**	[médlsəm]
7	잘생긴	7	hand**some**	[hǽnsəm]
8	즐거운, 유쾌한	8	blithe**some**	[bláiðsəm]
9	지치는; 성가신	9	tire**some**	[táiərsəm]
10	피곤케 하는, 싫증 나는	10	weari**some**	[wíərisəm]
11	가파른; 터무니없는	11	steep	[sti:p]
12	간결한, 간명한	12	concise	[kənsáis]
13	거친, 울퉁불퉁한	13	rough	[rʌf]
14	계획적인; 신중한	14	deliberate	[dilíbərit]
15	고상한; 입맛 까다로운	15	dainty	[déinti]
16	곧은, 일직선의	16	straight	[streit]
17	공백의, 백지의	17	blank	[blæŋk]
18	공손한, 예의 바른	18	polite	[pəláit]
19	공통의; 평범한	19	common	[kúmən]
20	교활한; 귀여운	20	cunning	[kʌ́niŋ]
21	극도의; 맨 끝의	21	extreme	[ikstrí:m]
22	기묘한, 기이한	22	quaint	[kweint]
23	깨닫고(알고) 있는	23	aware	[əwéər]
24	나선 모양의	24	spiral	[spáiərəl]
25	날카로운, 격심한	25	acute	[əkjú:t]

Tips

● '–some'
명사·형용사에 붙여서
'–에 적합한, –을 가져
오는, –하게 하는'의 뜻
ex) handsome
　　 blithesome 등
'–하기 쉬운, –경향이 있
는, –하는'의 뜻
ex) tiresome

26	눈먼, 맹목적인	26 blind	[blaind]
27	단단히 맨, 꼭 끼는	27 tight	[tait]
28	동등한, 대등한	28 coordinate	[kouɔ́:rdənit]
29	드문, 진기한	29 rare	[rɛər]
30	따뜻한, 온난한	30 warm	[wɔ:rm]
31	떠서, 해상에	31 afloat	[əflóut]
32	뛰어난, 탁월한	32 predominant	[pridámənənt]
33	먼, 외딴; 크게 다른	33 remote	[rimóut]
34	명랑한, 유쾌한	34 jolly	[dʒáli]
35	무른; 의지가 약한	35 frail	[freil]
36	밀집한; 아담한	36 compact	[kəmpǽkt]
37	방랑하는, 떠도는	37 vagrant	[véigrənt]
38	방심 않는, 민첩한	38 alert	[əlɔ́:rt]
39	번듯한; 품위 있는	39 decent	[dí:sənt]
40	병에 걸린; 넌더리 나는	40 sick	[sik]
41	보다 높은, 상급의	41 superior	[supíəriər]
42	볼록한	42 convex	[kɑnvéks]
43	부드러운, 연한	43 tender	[téndər]
44	부서진, 깨어진	44 broken	[bróukən]
45	부적당한, 맞지 않는	45 improper	[imprápər]
46	부적당한; 불충분한	46 inadequate	[inǽdikwit]
47	비범한; 의외의	47 extraordinary	[ikstrɔ́:rdənèri]
48	비스듬한, 기울어진	48 oblique	[əblí:k]
49	빈, 공허한	49 empty	[émpti]
50	빈, 공허한, 무익한	50 void	[vɔid]

Tips

● '빈'이라는 동일한 뜻을 가진 말들인 empty와 vacant, 그리고 void의 차이점
–empty는 어떤 용기 안에 아무것도 안 들어 있음을 나타낸다.
–vacant는 방, 주차장 등 어떤 공간이 비어 있어서 그 공간의 사용이 가능함을 나타낸다.
–void는 우주공간처럼 어떤 장소에 눈에 보이는 것이 아무것도 없는 텅 빈 '무'의 상태임을 나타낸다.

51	빈곤한, 결핍한	51	destitute	[déstətjùːt]	Tips
52	빛나는; 민첩한	52	bright	[brait]	
53	뻔뻔스러운	53	impudent	[ímpjədənt]	
54	살아 있는, 생생한	54	alive	[əláiv]	
55	생생한, 선명한	55	vivid	[vívid]	
56	성가신, 까다로운	56	fussy	[fʌ́si]	
57	시민의; 정중한	57	civil	[sívəl]	
58	신속한, 즉시 하는	58	prompt	[prɑmpt]	
59	신의, 신성한; 아주 멋진	59	divine	[diváin]	
60	암묵의; 맹목적인	60	implicit	[implísit]	
61	야생의; 거친, 사나운	61	wild	[waild]	
62	약한, 무력한	62	weak	[wiːk]	
63	언, 냉동한	63	frozen	[fróuzən]	
64	여분의; 특별한	64	extra	[ékstrə]	
65	여자다운; 유약한	65	womanish	[wúməniʃ]	
66	연약한, 미약한	66	feeble	[fíːbəl]	
67	열망하는, 간절히 바라는	67	eager	[íːgər]	
68	영구한, 항구적인	68	permanent	[pə́ːrmənənt]	
69	온순한, 점잖은	69	gentle	[dʒéntl]	
70	옴폭한, 오목한	70	concave	[kɑnkéiv]	
71	외국의; 타지방의	71	foreign	[fɔ́ːrin]	
72	우회하는, 간접적인	72	indirect	[indərékt]	
73	웅장한, 성대한	73	grand	[grænd]	
74	원자핵의; 핵무기의	74	nuclear	[njúːkliər]	
75	유동체의; 유동적인	75	fluid	[flúːid]	

76	유일한, 개개의	76	singular	[síŋgjələr]
77	익명의	77	anonymous	[ənánəməs]
78	익어 달콤한, 향기로운	78	mellow	[mélou]
79	자비로운; 우아한	79	humane	[hju:méin]
80	재주가 많은, 용도가 넓은	80	versatile	[vɔ́:rsətl]
81	전체의, 완전한	81	whole	[houl]
82	절묘한; 극상의	82	exquisite	[ekskwízit]
83	접근한, 인접한	83	adjacent	[ədʒéisənt]
84	정밀한, 정확한	84	precise	[prisáis]
85	정직한, 공정한	85	candid	[kǽndid]
86	정확한; 정밀한	86	exact	[igzǽkt]
87	조잡한; 결이 거친	87	coarse	[kɔ:rs]
88	준비가 된, 각오가 된	88	ready	[rédi]
89	짧은; 간결한	89	brief	[bri:f]
90	책임이 있는, ~하기 쉬운	90	liable	[láiəbəl]
91	첫째의, 제1급의	91	prime	[praim]
92	최고의, 궁극의	92	supreme	[suprí:m]
93	축축한, 습기 찬	93	damp	[dæmp]
94	충분한; ~하기에 족한	94	enough	[inʌ́f]
95	[칼집에서] 빼낸	95	drawn	[drɔ:n]
96	특히 좋아하는	96	favorite	[féivərit]
97	평행의, 나란한	97	parallel	[pǽrəlèl]
98	하위의, 하등의	98	inferior	[infíəriər]
99	합성의, 복합의	99	compound	[kámpáund]
100	황량한, 쓸쓸한	100	desolate	[désəlit]

Tips

● 다음 주어진 우리말 단어 뜻을 보고 영단어를 말해 보세요.

1	건강에 좋은; 건전한	26	눈먼, 맹목적인	51	빈곤한, 결핍한	76	유일한, 개개의
2	골치 아픈, 귀찮은	27	단단히 맨, 꼭 끼는	52	빛나는; 민첩한	77	익명의
3	기쁜, 즐거운	28	동등한, 대등한	53	뻔뻔스러운	78	익어 달콤한, 향기로운
4	모험을 즐기는	29	드문, 진기한	54	살아 있는, 생생한	79	자비로운; 우아한
5	쓸쓸한, 고독한	30	따뜻한, 온난한	55	생생한, 선명한	80	재주가 많은, 용도가 넓은
6	오지랖 넓은	31	떠서, 해상에	56	성가신, 까다로운	81	전체의, 완전한
7	잘생긴	32	뛰어난, 탁월한	57	시민의; 정중한	82	절묘한; 극상의
8	즐거운, 유쾌한	33	먼, 외딴; 크게 다른	58	신속한, 즉시 하는	83	접근한, 인접한
9	지치는; 성가신	34	명랑한, 유쾌한	59	신의, 신성한; 아주 멋진	84	정밀한, 정확한
10	피곤케 하는, 싫증 나는	35	무른; 의지가 약한	60	암묵의; 맹목적인	85	정직한, 공정한
11	가파른; 터무니없는	36	밀집한; 아담한	61	야생의; 거친, 사나운	86	정확한; 정밀한
12	간결한, 간명한	37	방랑하는, 떠도는	62	약한, 무력한	87	조잡한; 결이 거친
13	거친, 울퉁불퉁한	38	방심 않는, 민첩한	63	언, 냉동한	88	준비가 된, 각오가 된
14	계획적인; 신중한	39	번듯한; 품위 있는	64	여분의; 특별한	89	짧은; 간결한
15	고상한; 입맛 까다로운	40	병에 걸린; 넌더리 나는	65	여자다운; 유약한	90	책임이 있는, ~하기 쉬운
16	곧은, 일직선의	41	보다 높은, 상급의	66	연약한, 미약한	91	첫째의, 제1급의
17	공백의, 백지의	42	볼록한	67	열망하는, 간절히 바라는	92	최고의, 궁극의
18	공손한, 예의 바른	43	부드러운, 연한	68	영구한, 항구적인	93	축축한, 습기 찬
19	공통의; 평범한	44	부서진, 깨어진	69	온순한, 점잖은	94	충분한; ~하기에 족한
20	교활한; 귀여운	45	부적당한, 맞지 않는	70	옴폭한, 오목한	95	[칼집에서] 빼낸
21	극도의; 맨 끝의	46	부적당한; 불충분한	71	외국의; 타지방의	96	특히 좋아하는
22	기묘한, 기이한	47	비범한; 의외의	72	우회하는, 간접적인	97	평행의, 나란한
23	깨닫고(알고) 있는	48	비스듬한, 기울어진	73	웅장한, 성대한	98	하위의, 하등의
24	나선 모양의	49	빈, 공허한	74	원자핵의; 핵무기의	99	합성의, 복합의
25	날카로운, 격심한	50	빈, 공허한, 무익한	75	유동체의; 유동적인	100	황량한, 쓸쓸한

● 다음 주어진 영단어를 보고 우리말 뜻을 말해 보세요.

1 wholesome	26 blind	51 destitute	76 singular
2 troublesome	27 tight	52 bright	77 anonymous
3 gladsome	28 coordinate	53 impudent	78 mellow
4 adventuresome	29 rare	54 alive	79 humane
5 lonesome	30 warm	55 vivid	80 versatile
6 meddlesome	31 afloat	56 fussy	81 whole
7 handsome	32 predominant	57 civil	82 exquisite
8 blithesome	33 remote	58 prompt	83 adjacent
9 tiresome	34 jolly	59 divine	84 precise
10 wearisome	35 frail	60 implicit	85 candid
11 steep	36 compact	61 wild	86 exact
12 concise	37 vagrant	62 weak	87 coarse
13 rough	38 alert	63 frozen	88 ready
14 deliberate	39 decent	64 extra	89 brief
15 dainty	40 sick	65 womanish	90 liable
16 straight	41 superior	66 feeble	91 prime
17 blank	42 convex	67 eager	92 supreme
18 polite	43 tender	68 permanent	93 damp
19 common	44 broken	69 gentle	94 enough
20 cunning	45 improper	70 concave	95 drawn
21 extreme	46 inadequate	71 foreign	96 favorite
22 quaint	47 extraordinary	72 indirect	97 parallel
23 aware	48 oblique	73 grand	98 inferior
24 spiral	49 empty	74 nuclear	99 compound
25 acute	50 void	75 fluid	100 desolate

형용사 반의어 1 (사람과 관련된 형용사들&기타1)

					Tips
1	결석한	1	**absent**	[ǽbsənt]	
2	출석한	2	present	[prézənt]	
3	살아있는	3	**alive**	[əláiv]	
4	죽은	4	dead	[ded]	
5	아마추어의	5	**amateur**	[ǽmətʃùər]	
6	직업적인	6	professional	[prəféʃənəl]	
7	즐거워하는	7	**amused**	[əmjúːzd]	
8	싫증나는	8	bored	[bɔːrd]	
9	부끄러워하는	9	**ashamed**	[əʃéimd]	
10	뽐내는	10	proud	[praud]	
11	깨어있는	11	**awake**	[əwéik]	
12	잠자는	12	asleep	[əslíːp]	
13	알고 있는	13	**aware**	[əwéər]	
14	무식한	14	ignorant	[ígnərənt]	
15	벗은, 대머리의	15	**bare**	[bɛər]	
16	쓴, 덮인	16	covered	[kʌ́vərd]	
17	행복한	17	**blessed**	[blésid]	● [blest] 축복받았다(과거형)
18	저주받은	18	cursed	[kɔ́ːrsid]	
19	현명한	19	**clever**	[klévər]	● [kəːrst] 저주받았다(과거형)
20	우둔한	20	stupid	[stjúːpid]	
21	용감한	21	**courageous**	[kəréidʒəs]	
22	겁이 많은	22	cowardly	[káuərdli]	
23	살찐	23	**fat**	[fæt]	
24	여윈	24	lean	[liːn]	
25	친한	25	**friendly**	[fréndli]	

26 적의 있는	26 hostile	[hástil]	Tips
27 **고상한**	27 **noble**	[nóubəl]	
28 천한, 겸손한	28 humble	[hʌ́mbəl]	
29 **부지런한**	29 **diligent**	[dílədʒənt]	● '부지런한'은 구어체로 'hardworking'도 있다.
30 게으른	30 idle	[áidl]	
31 **유식한**	31 **learned**	[lə́:rnid]	
32 무지한	32 ignorant	[ígnərənt]	
33 **배운, 학식 있는**	33 **educated**	[édʒukèitid]	
34 못 배운, 무식한	34 illiterate	[ilítərit]	
35 **무례한, 거만한**	35 **insolent**	[ínsələnt]	
36 겸손한	36 humble	[hʌ́mbəl]	
37 **맑은 정신의**	37 **sane**	[sein]	
38 미친	38 insane, mad	[inséin], [mæd]	
39 **남성의**	39 **male**	[meil]	
40 여성의	40 female	[fí:meil]	
41 **즐거운**	41 **cheerful**	[tʃíərfəl]	
42 우울한	42 melancholy	[mélənkàli]	
43 **정신적인**	43 **mental**	[méntl]	
44 육체적인	44 physical	[fízikəl]	
45 **능동적인, 활동적인**	45 **active**	[ǽktiv]	
46 수동적인	46 passive	[pǽsiv]	
47 **기쁜**	47 **glad**	[glæd]	
48 슬픈	48 sad	[sæd]	
49 **문명의, 개화된**	49 **civilized**	[sívəlàizd]	
50 야만의, 미개한	50 savage	[sǽvidʒ]	

51	분별 있는	51	**sensible**	[sénsəbəl]	Tips
52	몰상식한	52	senseless	[sénslis]	
53	날씬한	53	**slender**	[sléndər]	
54	뚱뚱한	54	stout	[staut]	
55	영리한, 산뜻한	55	**smart**	[smɑːrt]	
56	둔한, 무딘	56	dull	[dʌl]	
57	맑은 정신의	57	**sober**	[sóubər]	
58	술 취한	58	drunk[en]	[drʌ́ŋk(ən)]	
59	활수한, 후한	59	**generous**	[dʒénərəs]	
60	인색한	60	stingy	[stíndʒi]	
61	관대한, 자비로운	61	**lenient**	[líːniənt]	
62	엄중한	62	strict	[strikt]	
63	야성의	63	**wild**	[waild]	
64	길들여진	64	tame	[teim]	
65	건강한	65	**healthy**	[hélθi]	
66	병든, 아픈	66	ill, sick	[il], [sik]	
67	아름다운, 고운	67	**beautiful**	[bjúːtəfəl]	
68	추한, 못생긴	68	ugly	[ʌ́gli]	
69	관심 있는	69	**interested**	[íntəristid]	
70	무관심한	70	indifferent	[indífərənt]	
71	결혼한, 기혼의	71	**married**	[mǽrid]	
72	미혼의, 독신의	72	single	[síŋgəl]	
73	온순한, 상냥한	73	**mild**	[maild]	
74	엄격한, 모진	74	severe	[sivíər]	
75	선천적인, 타고난	75	**inborn**	[ínbɔ́ːrn]	

76	후천적인, 획득한	76	acquired	[əkwáiərd]	Tips
77	**절대적인**	77	**absolute**	[ǽbsəlùːt]	
78	상대적인	78	relative	[rélətiv]	
79	**구체적인**	79	**concrete**	[kánkriːt]	
80	추상적인	80	abstract	[æbstrǽkt]	
81	**풍부한**	81	**abundant**	[əbʌ́ndənt]	
82	부족한	82	scarce	[skɛərs]	
83	**고대의**	83	**ancient**	[éinʃənt]	
84	현대의	84	modern	[mádərn]	
85	**보다 전의(선천적인)**	85	**anterior**	[æntíəriər]	● anterior/posterior
86	보다 후의(후천적인)	86	posterior	[pɑstíəriər]	모두 '공간적으로 전면과 후면, 시간적으로 전과 후'를 나타낸다.
87	**인공적인**	87	**artificial**	[ùːrtəfíʃəl]	
88	자연의	88	natural	[nǽtʃərəl]	
89	**불모의**	89	**barren**	[bǽrən]	
90	기름진	90	fertile	[fɔ́ːrtl]	
91	**유익한**	91	**beneficial**	[bènəfíʃəl]	
92	해로운	92	harmful	[háːrmfəl]	
93	**달콤한**	93	**sweet**	[swiːt]	
94	쓴	94	bitter	[bítər]	
95	**넓은**	95	**broad**	[brɔːd]	
96	좁은	96	narrow	[nǽrou]	
97	**바쁜**	97	**busy**	[bízi]	
98	자유로운	98	free	[friː]	
99	**값싼**	99	**cheap**	[tʃiːp]	
100	비싼	100	expensive	[ikspénsiv]	

Review Test ❶

THE VOCABULARY
1401 - 1500

● 다음 주어진 우리말 단어 뜻을 보고 영단어를 말해 보세요.

1	결석한	26	적의 있는	51	분별 있는	76	후천적인, 획득한
2	출석한	27	고상한	52	몰상식한	77	절대적인
3	살아있는	28	천한, 겸손한	53	날씬한	78	상대적인
4	죽은	29	부지런한	54	뚱뚱한	79	구체적인
5	아마추어의	30	게으른	55	영리한, 산뜻한	80	추상적인
6	직업적인	31	유식한	56	둔한, 무딘	81	풍부한
7	즐거워하는	32	무지한	57	맑은 정신의	82	부족한
8	싫증나는	33	배운, 학식 있는	58	술 취한	83	고대의
9	부끄러워하는	34	못 배운, 무식한	59	활수한, 후한	84	현대의
10	뽐내는	35	무례한, 거만한	60	인색한	85	보다 전의(선천적인)
11	깨어있는	36	겸손한	61	관대한, 자비로운	86	보다 후의(후천적인)
12	잠자는	37	맑은 정신의	62	엄중한	87	인공적인
13	알고 있는	38	미친	63	야성의	88	자연의
14	무식한	39	남성의	64	길들여진	89	불모의
15	벗은, 대머리의	40	여성의	65	건강한	90	기름진
16	쓴, 덮인	41	즐거운	66	병든, 아픈	91	유익한
17	행복한	42	우울한	67	아름다운, 고운	92	해로운
18	저주받은	43	정신적인	68	추한, 못생긴	93	달콤한
19	현명한	44	육체적인	69	관심 있는	94	쓴
20	우둔한	45	능동적인, 활동적인	70	무관심한	95	넓은
21	용감한	46	수동적인	71	결혼한, 기혼의	96	좁은
22	겁이 많은	47	기쁜	72	미혼의, 독신의	97	바쁜
23	살찐	48	슬픈	73	온순한, 상냥한	98	자유로운
24	여윈	49	문명의, 개화된	74	엄격한, 모진	99	값싼
25	친한	50	야만의, 미개한	75	선천적인, 타고난	100	비싼

● 다음 주어진 영단어를 보고 우리말 뜻을 말해 보세요.

1 absent	26 hostile	51 sensible	76 acquired
2 present	27 noble	52 senseless	77 absolute
3 alive	28 humble	53 slender	78 relative
4 dead	29 diligent	54 stout	79 concrete
5 amateur	30 idle	55 smart	80 abstract
6 professional	31 learned	56 dull	81 abundant
7 amused	32 ignorant	57 sober	82 scarce
8 bored	33 educated	58 drunk[en]	83 ancient
9 ashamed	34 illiterate	59 generous	84 modern
10 proud	35 insolent	60 stingy	85 anterior
11 awake	36 humble	61 lenient	86 posterior
12 asleep	37 sane	62 strict	87 artificial
13 aware	38 insane, mad	63 wild	88 natural
14 ignorant	39 male	64 tame	89 barren
15 bare	40 female	65 healthy	90 fertile
16 covered	41 cheerful	66 ill, sick	91 beneficial
17 blessed	42 melancholy	67 beautiful	92 harmful
18 cursed	43 mental	68 ugly	93 sweet
19 clever	44 physical	69 interested	94 bitter
20 stupid	45 active	70 indifferent	95 broad
21 courageous	46 passive	71 married	96 narrow
22 cowardly	47 glad	72 single	97 busy
23 fat	48 sad	73 mild	98 free
24 lean	49 civilized	74 severe	99 cheap
25 friendly	50 savage	75 inborn	100 expensive

1	맑은	1	**clear**	[kliər]
2	구름 낀	2	cloudy	[kláudi]
3	열린	3	**open**	[óupən]
4	닫힌	4	close	[klous]
5	세밀한	5	**fine**	[fain]
6	거친	6	coarse	[kɔːrs]
7	추운	7	**cold**	[kould]
8	더운	8	hot	[hɑt]
9	의무적인	9	**compulsory**	[kəmpʌ́lsəri]
10	선택의	10	selective	[siléktiv]
11	보수적인	11	**conservative**	[kənsɔ́ːrvətiv]
12	진보적인	12	progressive	[prəgrésiv]
13	현저한	13	**conspicuous**	[kənspíkjuəs]
14	모호한	14	obscure	[əbskjúər]
15	마른, 건조한	15	**dry**	[drai]
16	습기 찬	16	damp	[dæmp]
17	밝은	17	**light, bright**	[lait], [brait]
18	어두운	18	dark	[dáːrk]
19	깊은	19	**deep**	[diːp]
20	얕은	20	shallow	[ʃǽlou]
21	충분한	21	**sufficient**	[səfíʃənt]
22	부족한	22	deficient	[difíʃənt]
23	같은	23	**same**	[seim]
24	다른	24	different	[dífərənt]
25	쉬운	25	**easy**	[íːzi]

Tips

● '막연한'을 나타내는 말들
–obscure 숨겨져 똑똑히 보이지 않는 것, 또는 분명치 않은 것에 비유적으로 쓰임
– vague 명확하지 못하거나 애매한 일 등에 쓰임 : a vague idea(막연한 생각)

308

26 어려운	26 difficult	[dífikʌlt]	Tips
27 국내의, 가정의	27 **domestic**	[douméstik]	
28 외국의	28 foreign	[fɔ́:rən]	
29 마른, 건조한	29 **dry**	[drai]	
30 젖은, 습기 찬	30 wet	[wet]	
31 날카로운	31 **sharp**	[ʃɑ:rp]	
32 무딘	32 dull	[dʌl]	
33 동적인	33 **dynamic**	[dainǽmik]	
34 정적인	34 static	[stǽtik]	
35 세상의	35 **earthly**	[ɔ́:rθli]	
36 하늘의, 천국의	36 heavenly	[hévənli]	
37 정교한	37 **elaborate**	[ilǽbərit]	
38 조잡한	38 shoddy	[ʃádi]	
39 우아한	39 **elegant**	[éləgənt]	
40 거친	40 coarse	[kɔ:rs]	
41 가득 찬	41 **full**	[ful]	
42 빈	42 empty	[émpti]	
43 독점적인	43 **exclusive**	[iksklú:siv]	
44 포함하는	44 inclusive	[inklú:siv]	
45 검소한, 알뜰한	45 **economical**	[ì:kənámikəl]	
46 낭비하는	46 extravagant	[ikstrǽvəgənt]	
47 정당한, 예쁜	47 **fair**	[fɛər]	
48 부정한, 더러운	48 foul	[faul]	
49 진실한	49 **true**	[tru:]	
50 잘못된, 거짓의	50 false	[fɔ:ls]	

51	친밀한	51	**familiar**	[fəmíljər]	Tips
52	낯선, 이상한	52	strange	[streindʒ]	
53	고향의	53	**home, native**	[houm], [néitiv]	
54	외국의	54	foreign	[fɔ́:rən]	
55	전의	55	**former**	[fɔ́:rmər]	
56	후의	56	latter	[lǽtər]	
57	빈번한	57	**frequent**	[frí:kwənt]	
58	드문, 희소한	58	rare	[rɛər]	
59	일반적인	59	**general**	[dʒénərəl]	
60	특별한	60	special	[spéʃəl]	
61	진짜의	61	**genuine**	[dʒénjuin]	
62	거짓의	62	false	[fɔːls]	
63	완만한	63	**gradual**	[grǽdʒuəl]	
64	갑작스러운	64	sudden	[sʌ́dn]	
65	유죄의	65	**guilty**	[gílti]	
66	무죄의	66	innocent	[ínəsnt]	
67	무거운	67	**heavy**	[hévi]	
68	가벼운	68	light	[lait]	
69	높은	69	**high**	[hái]	
70	낮은	70	low	[lou]	
71	수평의	71	**horizontal**	[hɔ̀:rəzántl]	
72	수직의	72	vertical	[vɔ́:rtikəl]	
73	중요한	73	**important**	[impɔ́:rtənt]	
74	사소한	74	trivial	[tríviəl]	
75	간단한	75	**simple**	[símpəl]	

76	복잡한, 뒤얽힌	76	intricate	[íntrəkit]	Tips
77	**피할 수 있는**	77	**avoidable**	[əvɔ́idəbl]	
78	피할 수 없는	78	inevitable	[inévitəbəl]	
79	**고급의, 상위의**	79	**superior**	[səpíəriər]	
80	하급의, 열등한	80	inferior	[infíəriər]	
81	**내부의**	81	**interior**	[intíəriər]	
82	외부의	82	exterior	[ikstíəriər]	
83	**큰 편인**	83	**large**	[lɑ:rdʒ]	
84	작은 편인	84	small	[smɔ:l]	
85	**근면한**	85	**industrious**	[indʌ́striəs]	
86	태만한	86	lazy	[léizi]	
87	**팽팽한**	87	**tight**	[tait]	
88	헐거운, 느슨한	88	loose	[lu:s]	
89	**큰 소리의**	89	**loud**	[laud]	
90	낮은 소리의	90	low	[lou]	
91	**위의**	91	**upper**	[ʌ́pər]	
92	밑의	92	lower	[lóuər]	
93	**영적인**	93	**spiritual**	[spíritʃuəl]	
94	물질적인	94	material	[mətíəriəl]	
95	**긍정의, 적극적**	95	**positive**	[pázətiv]	
96	부정의, 소극적	96	negative	[négətiv]	
97	**실제적인**	97	**substantial**	[səbstǽnʃəl]	
98	명목상의	98	nominal	[námənl]	
99	**주관적인**	99	**subjective**	[səbdʒéktiv]	
100	객관적인	100	objective	[əbdʒéktiv]	

● 다음 주어진 우리말 단어 뜻을 보고 영단어를 말해 보세요.

1 맑은	26 어려운	51 친밀한	76 복잡한, 뒤얽힌
2 구름 낀	27 국내의, 가정의	52 낯선, 이상한	77 피할 수 있는
3 열린	28 외국의	53 고향의	78 피할 수 없는
4 닫힌	29 마른, 건조한	54 외국의	79 고급의, 상위의
5 세밀한	30 젖은, 습기 찬	55 전의	80 하급의, 열등한
6 거친	31 날카로운	56 후의	81 내부의
7 추운	32 무딘	57 빈번한	82 외부의
8 더운	33 동적인	58 드문, 희소한	83 큰 편인
9 의무적인	34 정적인	59 일반적인	84 작은 편인
10 선택의	35 세상의	60 특별한	85 근면한
11 보수적인	36 하늘의, 천국의	61 진짜의	86 태만한
12 진보적인	37 정교한	62 거짓의	87 팽팽한
13 현저한	38 조잡한	63 완만한	88 헐거운, 느슨한
14 모호한	39 우아한	64 갑작스러운	89 큰 소리의
15 마른, 건조한	40 거친	65 유죄의	90 낮은 소리의
16 습기 찬	41 가득 찬	66 무죄의	91 위의
17 밝은	42 빈	67 무거운	92 밑의
18 어두운	43 독점적인	68 가벼운	93 영적인
19 깊은	44 포함하는	69 높은	94 물질적인
20 얕은	45 검소한, 알뜰한	70 낮은	95 긍정의, 적극적
21 충분한	46 낭비하는	71 수평의	96 부정의, 소극적
22 부족한	47 정당한, 예쁜	72 수직의	97 실제적인
23 같은	48 부정한, 더러운	73 중요한	98 명목상의
24 다른	49 진실한	74 사소한	99 주관적인
25 쉬운	50 잘못된, 거짓의	75 간단한	100 객관적인

● 다음 주어진 영단어를 보고 우리말 뜻을 말해 보세요.

1 clear	26 difficult	51 familiar	76 intricate
2 cloudy	27 domestic	52 strange	77 avoidable
3 open	28 foreign	53 home, native	78 inevitable
4 close	29 dry	54 foreign	79 superior
5 fine	30 wet	55 former	80 inferior
6 coarse	31 sharp	56 latter	81 interior
7 cold	32 dull	57 frequent	82 exterior
8 hot	33 dynamic	58 rare	83 large
9 compulsory	34 static	59 general	84 small
10 selective	35 earthly	60 special	85 industrious
11 conservative	36 heavenly	61 genuine	86 lazy
12 progressive	37 elaborate	62 false	87 tight
13 conspicuous	38 shoddy	63 gradual	88 loose
14 obscure	39 elegant	64 sudden	89 loud
15 dry	40 coarse	65 guilty	90 low
16 damp	41 full	66 innocent	91 upper
17 light, bright	42 empty	67 heavy	92 lower
18 dark	43 exclusive	68 light	93 spiritual
19 deep	44 inclusive	69 high	94 material
20 shallow	45 economical	70 low	95 positive
21 sufficient	46 extravagant	71 horizontal	96 negative
22 deficient	47 fair	72 vertical	97 substantial
23 same	48 foul	73 important	98 nominal
24 different	49 true	74 trivial	99 subjective
25 easy	50 false	75 simple	100 objective

						Tips
1	명백한	1	**obvious**	[ábviəs]		
2	모호한	2	obscure	[əbskjúər]		
3	일반적인	3	**general**	[dʒénərəl]		
4	독특한	4	particular	[pərtíkjələr]		
5	앞서는, 전술한	4	**preceding**	[prisí:diŋ]		
6	다음의	6	following	[fálouiŋ]		
7	그 이전의	7	**the previous**	[prí:viəs]		
8	그 다음의	8	the next	[ðənékst]		
9	값비싼, 귀중한	9	**precious**	[préʃəs]		
10	가치 없는	10	worthless	[wɔ́:rθlis]		
11	공적인	11	**public, official**	[pʌ́blik], [əfíʃəl]		
12	사적인	12	private	[práivit]		
13	빠른	13	**quick, fast**	[kwik], [fæst]		
14	느린	14	slow	[slou]		
15	해가 난	15	**sunny**	[sʌ́ni]		
16	비 오는	16	rainy	[réini]		
17	보통의, 일반의	17	**common**	[kámən]		
18	드문, 희귀한	18	rare	[rɛər]		
19	익은, 여문	19	**ripe**	[raip]		
20	날것의, 미숙한	20	raw	[rɔ:]		
21	바른, 옳은	21	**right**	[rait]		
22	틀린, 잘못된	22	wrong	[rɔ:ŋ]		
23	굳은, 휘지 않는	23	**rigid**	[rídʒid]		
24	탄력성 있는	24	elastic	[ilǽstik]		
25	도시의	25	**urban**	[ɔ́:rbən]		

26	시골의	26 rural	[rúərəl]
27	**세련된, 우아한**	27 **polished**	[pálist]
28	울퉁불퉁한, 거친	28 rugged	[rʌ́gid]
29	**예리한, 날카로운**	29 **sharp**	[ʃɑ:rp]
30	둔한, 무딘	30 blunt	[blʌnt]
31	**간단한**	31 **simple**	[símpəl]
32	복잡한	32 complex	[kámpleks]
33	**하나의, 유일한**	33 **single**	[síŋgəl]
34	두 배의	34 double	[dʌ́bəl]
35	**매끄러운, 미끈한**	35 **smooth**	[smu:ð]
36	거친	36 rough	[rʌf]
37	**[면적이] 넓은**	37 **spacious**	[spéiʃəs]
38	[면적이] 좁은	38 small	[smɔ:l]
39	**신선한**	39 **fresh**	[freʃ]
40	상한, 신선하지 않은	40 stale	[steil]
41	**강한**	41 **strong**	[strɔ:ŋ]
42	약한	42 weak	[wi:k]
43	**이전의, 선행하는**	43 **preceding**	[prisí:diŋ]
44	다음의	44 subsequent	[sʌ́bsikwənt]
45	**최고의**	45 **supreme**	[səprí:m]
46	최저의	46 lowest	[lóuist]
47	**즐거운**	47 **amusing**	[əmjú:ziŋ]
48	지루한	48 tedious	[tí:diəs]
49	**일시적인**	49 **temporary**	[témpərèri]
50	영구적인	50 permanent	[pɔ́:rmənənt]

Tips

			Tips
51 두꺼운	51 **thick**	[θik]	
52 얇은	52 thin	[θin]	
53 거대한	53 **huge**	[hju:dʒ]	
54 미소한	54 tiny	[táini]	
55 부드러운	55 **tender**	[téndər]	
56 거친, 질긴	56 tough	[tʌf]	
57 희극의	57 **comic**	[kámik]	
58 비극의	58 tragic	[trǽdʒik]	
59 일시적인	59 **transient**	[trǽnʃənt]	
60 영원한	60 permanent	[pə́:rmənənt]	
61 투명한	61 **transparent**	[trænspéərənt]	
62 불투명한	62 opaque	[oupéik]	
63 빈, 비어있는	63 **vacant**	[véikənt]	
64 점령한, 사용 중인	64 occupied	[ákjəpàid]	
65 분명한, 맑은	65 **clear**	[kliər]	
66 모호한, 애매한	66 vague	[veig]	
67 준수한, 관찰한	67 **observed**	[əbzə́:rvd]	
68 어긴, 무시한	68 violated	[váiəlèitid]	
69 유효한, 확실한	69 **valid**	[vǽlid]	
70 무효의, 공허한	70 void	[vɔid]	
71 동물학적인	71 **zoological**	[zòuəládʒikəl]	
72 식물학적인	72 botanical	[bətǽnikəl]	
73 긴	73 **long**	[lɔ:ŋ]	
74 짧은	74 short	[ʃɔ:rt]	
75 많은	75 **many, much**	[méni], [mʌtʃ]	

			Tips
76 적은	76 few, little	[fju:], [lítl]	
77 먼	77 **far**	[fɑ:r]	
78 가까운	78 near	[niər]	
79 이른	79 **early**	[ə́:rli]	
80 늦은	80 late	[leit]	
81 따뜻한	81 **warm**	[wɔ:rm]	
82 시원한	82 cool	[ku:l]	
83 부드러운	83 **soft**	[sɔ:ft]	
84 딱딱한	84 hard	[hɑ:rd]	
85 더러운	85 **dirty**	[də́:rti]	
86 깨끗한	86 clean	[kli:n]	
87 시끄러운	87 **noisy**	[nɔ́izi]	
88 조용한	88 quiet	[kwáiət]	
89 내부의	89 **internal**	[intə́:rnl]	
90 외부의	90 external	[ikstə́:rnəl]	
91 다수의, 더 중요한	91 **major**	[méidʒər]	
92 소수의, 덜 중요한	92 minor	[máinər]	
93 자연의	93 **natural**	[nǽtʃərəl]	
94 초자연의	94 supernatural	[sù:pərnǽtʃərəl]	
95 긍정의, 찬성의	95 **affirmative**	[əfə́:rmətiv]	
96 부정의, 반대의	96 negative	[négətiv]	
97 홀수의	97 **odd**	[ɑd]	
98 짝수의	98 even	[í:vən]	
99 묽은	99 **thin**	[θin]	
100 진한, 걸쭉한	100 dense	[dens]	

● 다음 주어진 우리말 단어 뜻을 보고 영단어를 말해 보세요.

1 명백한	26 시골의	51 두꺼운	76 적은
2 모호한	27 세련된, 우아한	52 얇은	77 먼
3 일반적인	28 울퉁불퉁한, 거친	53 거대한	78 가까운
4 독특한	29 예리한, 날카로운	54 미소한	79 이른
5 앞서는, 전술한	30 둔한, 무딘	55 부드러운	80 늦은
6 다음의	31 간단한	56 거친, 질긴	81 따뜻한
7 그 이전의	32 복잡한	57 희극의	82 시원한
8 그 다음의	33 하나의, 유일한	58 비극의	83 부드러운
9 값비싼, 귀중한	34 두 배의	59 일시적인	84 딱딱한
10 가치 없는	35 매끄러운, 미끈한	60 영원한	85 더러운
11 공적인	36 거친	61 투명한	86 깨끗한
12 사적인	37 **[면적이]** 넓은	62 불투명한	87 시끄러운
13 빠른	38 [면적이] 좁은	63 빈, 비어있는	88 조용한
14 느린	39 신선한	64 점령한, 사용 중인	89 내부의
15 해가 난	40 상한, 신선하지 않은	65 분명한, 맑은	90 외부의
16 비 오는	41 강한	66 모호한, 애매한	91 다수의, 더 중요한
17 보통의, 일반의	42 약한	67 준수한, 관찰한	92 소수의, 덜 중요한
18 드문, 희귀한	43 이전의, 선행하는	68 어긴, 무시한	93 자연의
19 익은, 여문	44 다음의	69 유효한, 확실한	94 초자연의
20 날것의, 미숙한	45 최고의	70 무효의, 공허한	95 긍정의, 찬성의
21 바른, 옳은	46 최저의	71 동물학적인	96 부정의, 반대의
22 틀린, 잘못된	47 즐거운	72 식물학적인	97 홀수의
23 굳은, 휘지 않는	48 지루한	73 긴	98 짝수의
24 탄력성 있는	49 일시적인	74 짧은	99 묽은
25 도시의	50 영구적인	75 많은	100 진한, 걸쭉한

● 다음 주어진 영단어를 보고 우리말 뜻을 말해 보세요.

1 obvious	26 rural	51 thick	76 few, little
2 obscure	27 polished	52 thin	77 far
3 general	28 rugged	53 huge	78 near
4 particular	29 sharp	54 tiny	79 early
4 preceding	30 blunt	55 tender	80 late
6 following	31 simple	56 tough	81 warm
7 the previous	32 complex	57 comic	82 cool
8 the next	33 single	58 tragic	83 soft
9 precious	34 double	59 transient	84 hard
10 worthless	35 smooth	60 permanent	85 dirty
11 public, official	36 rough	61 transparent	86 clean
12 private	37 spacious	62 opaque	87 noisy
13 quick	38 small	63 vacant	88 quiet
14 slow	39 fresh	64 occupied	89 internal
15 sunny	40 stale	65 clear	90 external
16 rainy	41 strong	66 vague	91 major
17 common	42 weak	67 observed	92 minor
18 rare	43 preceding	68 violated	93 natural
19 ripe	44 subsequent	69 valid	94 supernatural
20 raw	45 supreme	70 void	95 affirmative
21 right	46 lowest	71 zoological	96 negative
22 wrong	47 amusing	72 botanical	97 odd
23 rigid	48 tedious	73 long	98 even
24 elastic	49 temporary	74 short	99 thin
25 urban	50 permanent	75 many, much	100 dense

1	감사하는, 고마워하는	1	**thankful**	[θǽŋkfəl]		Tips
2	감사하는, 고마워하는	2	grateful	[gréitfəl]		
3	건방진, 무례한	3	**impudent**	[ímpjədənt]		
4	건방진, 무례한	4	insolent	[ínsələnt]		
5	건방진, 무례한	5	saucy	[sɔ́:si]		
6	겁 많은	6	**cowardly**	[káuərdli]		
7	겁 많은	7	timid	[tímid]		
8	겸손한	8	**humble**	[hʌ́mbəl]		
9	겸손한	9	modest	[mádist]		
10	공손한, 정중한	10	**civil**	[sívəl]		
11	공손한, 정중한	11	courteous	[kɔ́:rtiəs]		
12	공손한, 정중한	12	polite	[pəláit]		
13	공손한, 정중한	13	respectful	[rispéktfəl]		
14	근면한	14	**diligent**	[dílədʒənt]		
15	근면한	15	industrious	[indʌ́striəs]		
16	근면한	16	hardworking	[há:rdwə̀:rkiŋ]		
17	꺼리는, 하고 싶지 않은	17	**averse**	[əvə́:rs]		
18	꺼리는, 하고 싶지 않은	18	disinclined	[dìsinkláind]		
19	꺼리는, 하고 싶지 않은	19	hesitant	[hézətənt]		
20	꺼리는, 하고 싶지 않은	20	reluctant	[rilʌ́ktənt]		
21	꺼리는, 하고 싶지 않은	21	unwilling	[ʌnwíliŋ]		
22	도덕적인, 의로운	22	**ethical**	[éθikəl]		
23	도덕적인, 의로운	23	moral	[mɔ́:rəl]		
24	도덕적인, 의로운	24	righteous	[ráitʃəs]		
25	도덕적인, 의로운	25	virtuous	[və́:rtʃuəs]		

26	나이 든	26	**aged**	[éidʒid]	Tips
27	나이 든	27	elderly	[éldərli]	
28	나이 든	28	old	[ould]	
29	남자의, 남자다운	29	**male**	[meil]	
30	남자의, 남자다운	30	manful	[mǽnfəl]	
31	남자의, 남자다운	31	manly	[mǽnli]	
32	남자의, 남자다운	32	mannish	[mǽniʃ]	
33	남자의, 남자다운	33	masculine	[mǽskjəlin]	
34	단호한	34	**definite**	[défənit]	
35	단호한	35	determined	[ditə́:rmind]	
36	단호한	36	resolute	[rézəlù:t]	
37	독단적인	37	**arbitrary**	[á:rbitrèri]	
38	독단적인	38	dictatorial	[dìktətɔ́:riəl]	
39	독단적인	39	dogmatic	[dɔ:gmǽtik]	
40	독실한, 경건한	40	**devoted**	[divóutid]	
41	독실한, 경건한	41	religious	[rilídʒəs]	
42	독실한, 경건한	42	pious	[páiəs]	
43	두려워하는, 겁먹은	43	**afraid**	[əfréid]	
44	두려워하는, 겁먹은	44	fearful	[fíərfəl]	
45	두려워하는, 겁먹은	45	frightened	[fráitnd]	
46	두려워하는, 겁먹은	46	scared	[skɛərd]	
47	두려워하는, 겁먹은	47	terrified	[térəfàid]	
48	매력적인, 끌리는	48	**attractive**	[ətrǽktiv]	
49	매력적인, 끌리는	49	charming	[tʃá:rmiŋ]	
50	매력적인, 끌리는	50	fascinating	[fǽsənèitiŋ]	

			Tips
51 무뚝뚝한, 퉁명스러운	51 **blunt**	[blʌnt]	
52 무뚝뚝한, 퉁명스러운	52 brusque	[brʌsk]	
53 무뚝뚝한, 퉁명스러운	53 curt	[kə:rt]	
54 무뚝뚝한, 퉁명스러운	54 gruff	[grʌf]	
55 무례한, 버릇없는	55 **discourteous**	[diskɔ́:rtiəs]	
56 무례한, 버릇없는	56 impolite	[ìmpəláit]	
57 무례한, 버릇없는	57 rude	[ru:d]	
58 무례한, 버릇없는	58 uncivil	[ʌnsívəl]	
59 무서운, 두려운	59 **dreadful**	[drédfəl]	
60 무서운, 두려운	60 horrible	[hɔ́:rəbəl]	
61 무서운, 두려운	61 frightful	[fráitfəl]	
62 무서운, 두려운	62 terrible	[térəbəl]	
63 무서운, 두려운	63 terrific	[tərífik]	● 'terrific'은 구어체에서 일반적으로 '멋진, 기가 막힌'이라는 뜻으로 자주 쓰이는데 'terrible'과 철자가 비슷해서 혼동하기 쉬우므로 주의가 필요하다.
64 무식한, 못 배운	64 **ignorant**	[ígnərənt]	
65 무식한, 못 배운	65 uneducated	[ʌnédʒukèitid]	
66 미친	66 **crazy**	[kréizi]	
67 미친	67 insane	[inséin]	
68 미친	68 lunatic	[lú:nətik]	
69 미친	69 mad	[mæd]	
70 배고픈	70 **hungry**	[hʌ́ŋgri]	
71 배고픈	71 starved	[stɑ:rvd]	
72 배고픈	72 famished	[fǽmiʃt]	
73 벌거벗은, 나체의	73 **bare**	[bɛər]	
74 벌거벗은, 나체의	74 naked	[néikid]	
75 벌거벗은, 나체의	75 nude	[nju:d]	

76 벙어리의, 말을 못 하는	76 **dumb**	[dʌm]	Tips
77 벙어리의, 말을 못 하는	77 mute	[mju:t]	
78 변덕스러운	78 **capricious**	[kəpríʃəs]	
79 변덕스러운	79 fickle	[fíkəl]	
80 변덕스러운	80 inconstant	[inkánstənt]	
81 변덕스러운	81 unstable	[ʌnstéibl]	
82 부패한, 썩은	82 **corrupt**	[kərʌ́pt]	
83 부패한, 썩은	83 decayed	[dikéid]	
84 부패한, 썩은	84 rotten	[rátn]	
85 분별 있는, 신중한	85 **discreet**	[diskrí:t]	
86 분별 있는, 신중한	86 prudent	[prú:dənt]	
87 비천한, 저속한	87 **vulgar**	[vʌ́lgər]	
88 비천한, 저속한	88 humble	[hʌ́mbəl]	
89 비천한, 저속한	89 ignoble	[ignóubəl]	
90 비천한, 저속한	90 mean	[mi:n]	
91 비평하는, 헐뜯는	91 **critical**	[krítikəl]	
92 비평하는, 헐뜯는	92 faultfinding	[fɔ́:ltfàindiŋ]	
93 비평하는, 헐뜯는	93 hypercritical	[hàipərkrítikəl]	
94 사악한, 나쁜	94 **evil**	[í:vəl]	
95 사악한, 나쁜	95 wicked	[wíkid]	
96 사악한, 나쁜	96 malicious	[məlíʃəs]	
97 사악한, 나쁜	97 vicious	[víʃəs]	
98 성숙한	98 **mature**	[mətjúər]	
99 성숙한	99 ripe	[raip]	
100 성숙한	100 grown	[groun]	

● 다음 주어진 우리말 단어 뜻을 보고 영단어를 말해 보세요.

1	감사하는, 고마워하는	26	나이 든	51	무뚝뚝한, 퉁명스러운	76	벙어리의, 말을 못 하는
2	감사하는, 고마워하는	27	나이 든	52	무뚝뚝한, 퉁명스러운	77	벙어리의, 말을 못 하는
3	건방진, 무례한	28	나이 든	53	무뚝뚝한, 퉁명스러운	78	변덕스러운
4	건방진, 무례한	29	남자의, 남자다운	54	무뚝뚝한, 퉁명스러운	79	변덕스러운
5	건방진, 무례한	30	남자의, 남자다운	55	무례한, 버릇없는	80	변덕스러운
6	겁 많은	31	남자의, 남자다운	56	무례한, 버릇없는	81	변덕스러운
7	겁 많은	32	남자의, 남자다운	57	무례한, 버릇없는	82	부패한, 썩은
8	겸손한	33	남자의, 남자다운	58	무례한, 버릇없는	83	부패한, 썩은
9	겸손한	34	단호한	59	무서운, 두려운	84	부패한, 썩은
10	공손한, 정중한	35	단호한	60	무서운, 두려운	85	분별 있는, 신중한
11	공손한, 정중한	36	단호한	61	무서운, 두려운	86	분별 있는, 신중한
12	공손한, 정중한	37	독단적인	62	무서운, 두려운	87	비천한, 저속한
13	공손한, 정중한	38	독단적인	63	무서운, 두려운	88	비천한, 저속한
14	근면한	39	독단적인	64	무식한, 못 배운	89	비천한, 저속한
15	근면한	40	독실한, 경건한	65	무식한, 못 배운	90	비천한, 저속한
16	근면한	41	독실한, 경건한	66	미친	91	비평하는, 헐뜯는
17	꺼리는, 하고 싶지 않은	42	독실한, 경건한	67	미친	92	비평하는, 헐뜯는
18	꺼리는, 하고 싶지 않은	43	두려워하는, 겁먹은	68	미친	93	비평하는, 헐뜯는
19	꺼리는, 하고 싶지 않은	44	두려워하는, 겁먹은	69	미친	94	사악한, 나쁜
20	꺼리는, 하고 싶지 않은	45	두려워하는, 겁먹은	70	배고픈	95	사악한, 나쁜
21	꺼리는, 하고 싶지 않은	46	두려워하는, 겁먹은	71	배고픈	96	사악한, 나쁜
22	도덕적인, 의로운	47	두려워하는, 겁먹은	72	배고픈	97	사악한, 나쁜
23	도덕적인, 의로운	48	매력적인, 끌리는	73	벌거벗은, 나체의	98	성숙한
24	도덕적인, 의로운	49	매력적인, 끌리는	74	벌거벗은, 나체의	99	성숙한
25	도덕적인, 의로운	50	매력적인, 끌리는	75	벌거벗은, 나체의	100	성숙한

● 다음 주어진 영단어를 보고 우리말 뜻을 말해 보세요.

1	thankful	26	aged	51	blunt	76	dumb
2	grateful	27	elderly	52	brusque	77	mute
3	impudent	28	old	53	curt	78	capricious
4	insolent	29	male	54	gruff	79	fickle
5	saucy	30	manful	55	discourteous	80	inconstant
6	cowardly	31	manly	56	impolite	81	unstable
7	timid	32	mannish	57	rude	82	corrupt
8	humble	33	masculine	58	uncivil	83	decayed
9	modest	34	definite	59	dreadful	84	rotten
10	civil	35	determined	60	horrible	85	discreet
11	courteous	36	resolute	61	frightful	86	prudent
12	polite	37	arbitrary	62	terrible	87	vulgar
13	respectful	38	dictatorial	63	terrific	88	humble
14	diligent	39	dogmatic	64	ignorant	89	ignoble
15	industrious	40	devoted	65	uneducated	90	mean
16	hardworking	41	religious	66	crazy	91	critical
17	averse	42	pious	67	insane	92	faultfinding
18	disinclined	43	afraid	68	lunatic	93	hypercritical
19	hesitant	44	fearful	69	mad	94	evil
20	reluctant	45	frightened	70	hungry	95	wicked
21	unwilling	46	scared	71	starved	96	malicious
22	ethical	47	terrified	72	famished	97	vicious
23	moral	48	attractive	73	bare	98	mature
24	righteous	49	charming	74	naked	99	ripe
25	virtuous	50	fascinating	75	nude	100	grown

1	선천적인, 타고난	1	**inborn**	[ínbɔ́ːrn]		Tips
2	선천적인, 타고난	2	inbred	[ínbréd]		
3	선천적인, 타고난	3	inherent	[inhíərənt]		
4	선천적인, 타고난	4	innate	[inéit]		
5	선천적인, 타고난	5	natural	[nǽtʃərəl]		
6	솔직한	6	**frank**	[fræŋk]		
7	솔직한	7	candid	[kǽndid]		
8	솜씨 좋은, 능숙한	8	**handy**	[hǽndi]		
9	솜씨 좋은, 능숙한	9	skillful	[skílfəl]		
10	솜씨 좋은, 능숙한	10	deft	[deft]		
11	수줍어하는	11	**shy**	[ʃai]		
12	수줍어하는	12	bashful	[bǽʃfəl]		
13	수줍어하는	13	coy	[kɔi]		
14	수줍어하는	14	diffident	[dífidənt]		
15	수치스러운	15	**humiliated**	[hjuːmílièitid]		
16	수치스러운	16	ashamed	[əʃéimd]		
17	수치스러운	17	mortified	[mɔ́ːrtəfàid]		
18	숙련된, 능숙한	18	**skilled**	[skíld]		
19	숙련된, 능숙한	19	skillful	[skílfəl]		
20	숙련된, 능숙한	20	expert	[ékspəːrt]		
21	숙련된, 능숙한	21	proficient	[prəfíʃənt]		
22	숙련된, 능숙한	22	adept	[ədépt]		
23	신성한	23	**holy**	[hóuli]		
24	신성한	24	divine	[diváin]		
25	신성한	25	sacred	[séikrid]		

#	Korean	#	English	Pronunciation	Tips
26	순박한, 순진한	26	**innocent**	[ínəsnt]	Tips
27	순박한, 순진한	27	naive	[nɑːíːv]	
28	순박한, 순진한	28	simple	[símpəl]	
29	순박한, 순진한	29	natural	[nǽtʃərəl]	
30	순박한, 순진한	30	artless	[ɑ́ːrtlis]	
31	순박한, 순진한	31	ingenuous	[indʒénjuːəs]	
32	순박한, 순진한	32	unsophisticated	[ʌ̀nsəfístəkeitid]	
33	순종하는, 유순한	33	**obedient**	[oubíːdiənt]	
34	순종하는, 유순한	34	tame	[teim]	
35	순종하는, 유순한	35	amendable	[əméndəbl]	
36	순종하는, 유순한	36	compliant	[kəmpláiənt]	
37	순종하는, 유순한	37	docile	[dásəl]	
38	순종하는, 유순한	38	tractable	[trǽktəbəl]	
39	슬픈	39	**sorrowful**	[sɔ́ːroufəl]	
40	슬픈	40	sad	[sæd]	
41	슬픈	41	depressed	[diprést]	
42	슬픈	42	melancholy	[mélənkàli]	
43	주의 깊은, 세심한	43	**thoughtful**	[θɔ́ːtfəl]	
44	주의 깊은, 세심한	44	considerate	[kənsídərit]	
45	주의 깊은, 세심한	45	attentive	[əténtiv]	
46	주의 깊은, 세심한	46	solicitous	[səlísətəs]	
47	신중한, 주의 깊은	47	**careful**	[kéərfəl]	
48	신중한, 주의 깊은	48	cautious	[kɔ́ːʃəs]	
49	신중한, 주의 깊은	49	prudent	[prúːdənt]	
50	신중한, 주의 깊은	50	discreet	[diskríːt]	

51 악명 높은	51 **infamous**	[ínfəməs]	Tips
52 악명 높은	52 notorious	[noutɔ́:riəs]	
53 야만의, 미개한	53 **savage**	[sǽvidʒ]	
54 야만의, 미개한	54 barbarous	[bá:rbərəs]	
55 야비한	55 **mean**	[mi:n]	
56 야비한	56 ignoble	[ignóubəl]	
57 야비한	57 low	[lou]	
58 야비한	58 degrading	[digréidiŋ]	
59 어리석은, 미련한	59 **foolish**	[fú:liʃ]	
60 어리석은, 미련한	60 silly	[síli]	
61 어리석은, 미련한	61 ridiculous	[ridíkjələs]	
62 어리석은, 미련한	62 stupid	[stjú:pid]	
63 어리석은, 미련한	63 absurd	[æbsɔ́:rd]	
64 어리석은, 미련한	64 dumb	[dʌm]	
65 엄격한, 엄밀한	65 **severe**	[sivíər]	
66 엄격한, 엄밀한	66 strict	[strikt]	
67 엄격한, 엄밀한	67 stern	[stə:rn]	
68 엄격한, 엄밀한	68 rigid	[rídʒid]	
69 활발한, 활동적인	69 **active**	[ǽktiv]	
70 활발한, 활동적인	70 energetic	[ènərdʒétik]	
71 활발한, 활동적인	71 lively	[láivli]	
72 활발한, 활동적인	72 vigorous	[vígərəs]	
73 효과적인, 유효한	73 **effective**	[iféktiv]	
74 효과적인, 유효한	74 efficient	[ifíʃənt]	
75 효과적인, 유효한	75 effectual	[iféktʃuəl]	

76	열망하는	76	**anxious**	[ǽŋkʃəs]	Tips
77	열망하는	77	eager	[íːgər]	
78	열망하는	78	zealous	[zéləs]	
79	열망하는	79	earnest	[ɔ́ːrnist]	
80	열망하는	80	ardent	[áːrdənt]	
81	예의 바른, 정중한	81	**polite**	[pəláit]	
82	예의 바른, 정중한	82	decent	[díːsənt]	
83	예의 바른, 정중한	83	civil	[sívəl]	
84	예의 바른, 정중한	84	courteous	[kɔ́ːrtiəs]	
85	예의 바른, 정중한	85	courtly	[kɔːrtli]	
86	예의 바른, 정중한	86	gallant	[gǽlənt]	
87	완고한	87	**stubborn**	[stʌ́bərn]	
88	완고한	88	obstinate	[ʌ́bstənit]	
89	완고한	89	dogged	[dɔ́ːgid]	
90	외국의	90	**foreign**	[fɔ́ːrən]	
91	외국의	91	alien	[éiliən]	
92	욕심 많은, 탐욕스러운	92	**greedy**	[gríːdi]	
93	욕심 많은, 탐욕스러운	93	covetous	[kʌ́vitəs]	
94	욕심 많은, 탐욕스러운	94	acquisitive	[əkwízətiv]	
95	욕심 많은, 탐욕스러운	95	grasping	[grǽspiŋ]	
96	우울한, 울적한	96	**depressed**	[diprést]	
97	우울한, 울적한	97	gloomy	[glúːmi]	
98	우울한, 울적한	98	dismal	[dízməl]	
99	우울한, 울적한	99	melancholic	[mèlənkálik]	
100	우울한, 울적한	100	melancholy	[mélənkàli]	

● 다음 주어진 우리말 단어 뜻을 보고 영단어를 말해 보세요.

1 선천적인, 타고난	26 순박한, 순진한	51 악명 높은	76 열망하는
2 선천적인, 타고난	27 순박한, 순진한	52 악명 높은	77 열망하는
3 선천적인, 타고난	28 순박한, 순진한	53 야만의, 미개한	78 열망하는
4 선천적인, 타고난	29 순박한, 순진한	54 야만의, 미개한	79 열망하는
5 선천적인, 타고난	30 순박한, 순진한	55 야비한	80 열망하는
6 솔직한	31 순박한, 순진한	56 야비한	81 예의 바른, 정중한
7 솔직한	32 순박한, 순진한	57 야비한	82 예의 바른, 정중한
8 솜씨 좋은, 능숙한	33 순종하는, 유순한	58 야비한	83 예의 바른, 정중한
9 솜씨 좋은, 능숙한	34 순종하는, 유순한	59 어리석은, 미련한	84 예의 바른, 정중한
10 솜씨 좋은, 능숙한	35 순종하는, 유순한	60 어리석은, 미련한	85 예의 바른, 정중한
11 수줍어하는	36 순종하는, 유순한	61 어리석은, 미련한	86 예의 바른, 정중한
12 수줍어하는	37 순종하는, 유순한	62 어리석은, 미련한	87 완고한
13 수줍어하는	38 순종하는, 유순한	63 어리석은, 미련한	88 완고한
14 수줍어하는	39 슬픈	64 어리석은, 미련한	89 완고한
15 수치스러운	40 슬픈	65 엄격한, 엄밀한	90 외국의
16 수치스러운	41 슬픈	66 엄격한, 엄밀한	91 외국의
17 수치스러운	42 슬픈	67 엄격한, 엄밀한	92 욕심 많은, 탐욕스러운
18 숙련된, 능숙한	43 주의 깊은, 세심한	68 엄격한, 엄밀한	93 욕심 많은, 탐욕스러운
19 숙련된, 능숙한	44 주의 깊은, 세심한	69 활발한, 활동적인	94 욕심 많은, 탐욕스러운
20 숙련된, 능숙한	45 주의 깊은, 세심한	70 활발한, 활동적인	95 욕심 많은, 탐욕스러운
21 숙련된, 능숙한	46 주의 깊은, 세심한	71 활발한, 활동적인	96 우울한, 울적한
22 숙련된, 능숙한	47 신중한, 주의 깊은	72 활발한, 활동적인	97 우울한, 울적한
23 신성한	48 신중한, 주의 깊은	73 효과적인, 유효한	98 우울한, 울적한
24 신성한	49 신중한, 주의 깊은	74 효과적인, 유효한	99 우울한, 울적한
25 신성한	50 신중한, 주의 깊은	75 효과적인, 유효한	100 우울한, 울적한

● 다음 주어진 영단어를 보고 우리말 뜻을 말해 보세요.

1 inborn	26 innocent	51 infamous	76 anxious
2 inbred	27 naive	52 notorious	77 eager
3 inherent	28 simple	53 savage	78 zealous
4 innate	29 natural	54 barbarous	79 earnest
5 natural	30 artless	55 mean	80 ardent
6 frank	31 ingenuous	56 ignoble	81 polite
7 candid	32 unsophisticated	57 low	82 decent
8 handy	33 obedient	58 degrading	83 civil
9 skillful	34 tame	59 foolish	84 courteous
10 deft	35 amendable	60 silly	85 courtly
11 shy	36 compliant	61 ridiculous	86 gallant
12 bashful	37 docile	62 stupid	87 stubborn
13 coy	38 tractable	63 absurd	88 obstinate
14 diffident	39 sorrowful	64 dumb	89 dogged
15 humiliated	40 sad	65 severe	90 foreign
16 ashamed	41 depressed	66 strict	91 alien
17 mortified	42 melancholy	67 stern	92 greedy
18 skilled	43 thoughtful	68 rigid	93 covetous
19 skillful	44 considerate	69 active	94 acquisitive
20 expert	45 attentive	70 energetic	95 grasping
21 proficient	46 solicitous	71 lively	96 depressed
22 adept	47 careful	72 vigorous	97 gloomy
23 holy	48 cautious	73 effective	98 dismal
24 divine	49 prudent	74 efficient	99 melancholic
25 sacred	50 discreet	75 effectual	100 melancholy

형용사 동의어 3 (사람의 성격 3)

1	용감한, 씩씩한	1	**brave**	[breiv]	Tips
2	용감한, 씩씩한	2	bold	[bould]	
3	용감한, 씩씩한	3	courageous	[kəréidʒəs]	
4	우호적인	4	**friendly**	[fréndli]	
5	우호적인	5	amiable	[éimiəbəl]	
6	우호적인	6	amicable	[æmikəbəl]	
7	원한을 품은	7	**revengeful**	[rivéndʒfəl]	
8	원한을 품은	8	vengeful	[véndʒfəl]	
9	원한을 품은	9	spiteful	[spáitfəl]	
10	원한을 품은	10	vindictive	[vindíktiv]	
11	유명한	11	**famous**	[féiməs]	
12	유명한	12	famed	[féimd]	
13	유명한	13	renowned	[rináund]	
14	유명한	14	eminent	[émənənt]	
15	유명한	15	prominent	[prámənənt]	
16	유익한, 도움이 되는	16	**helpful**	[hélpfəl]	
17	유익한, 도움이 되는	17	beneficial	[bènəfíʃəl]	
18	유익한, 도움이 되는	18	profitable	[práfitəbəl]	
19	유익한, 도움이 되는	19	useful	[júːsfəl]	
20	유익한, 도움이 되는	20	instructive	[instrʌ́ktiv]	
21	유창한	21	**fluent**	[flúːənt]	
22	유창한	22	eloquent	[éləkwənt]	
23	의식하는, 알고 있는	23	**aware**	[əwéər]	
24	의식하는, 알고 있는	24	conscious	[kánʃəs]	
25	의식하는, 알고 있는	25	sensible	[sénsəbəl]	

26 유쾌한, 즐거운	26 **pleasant**	[pléznt]	Tips
27 유쾌한, 즐거운	27 amusing	[əmjúːziŋ]	
28 유쾌한, 즐거운	28 enjoyable	[endʒɔ́iəbəl]	
29 유쾌한, 즐거운	29 agreeable	[əgríːəbəl]	
30 융통성 있는	30 **elastic**	[ilǽstik]	
31 융통성 있는	31 flexible	[fléksəbəl]	
32 의심하는	32 **doubtful**	[dáutfəl]	
33 의심하는	33 suspicious	[səspíʃəs]	
34 자발적인	34 **voluntary**	[váləntèri]	
35 자발적인	35 willing	[wíliŋ]	
36 자발적인	36 spontaneous	[spɑntéiniəs]	
37 자비로운	37 **humane**	[hjuːméin]	
38 자비로운	38 humanitarian	[hjuːmæ̀nətéəriən]	
39 자비로운	39 charitable	[tʃǽrətəbəl]	
40 자비로운	40 benevolent	[bənévələnt]	
41 잔인한	41 **brutal**	[brúːtl]	
42 잔인한	42 cruel	[krúːəl]	
43 잔인한	43 pitiless	[pítilis]	
44 잔인한	44 ruthless	[rúːθlis]	
45 잔인한	45 inhuman	[inhjúːmən]	
46 재능 있는	46 **talented**	[tǽləntid]	
47 재능 있는	47 gifted	[gíftid]	
48 졸린, 졸음이 오는	48 **sleepy**	[slíːpi]	
49 졸린, 졸음이 오는	49 drowsy	[dráuzi]	
50 졸린, 졸음이 오는	50 slumberous	[slʌ́mbərəs]	

51 정신의	51 **mental**	[méntl]	Tips
52 정신의(영적인)	52 spiritual	[spíritʃuəl]	
53 정이 있는	53 **warm**	[wɔ:rm]	
54 정이 있는	54 warmhearted	[wɔ́:rmhá:tid]	
55 정이 있는	55 sympathetic	[sìmpəθétik]	
56 정이 있는	56 fond	[fɑnd]	
57 정이 있는	57 compassionate	[kəmpǽʃənit]	
58 정이 있는	58 tended	[téndid]	
59 지친	59 **tired**	[taiərd]	
60 지친	60 exhausted	[igzɔ́:stid]	
61 지친	61 weary	[wíəri]	
62 지친	62 fatigued	[fətí:gd]	
63 진심 어린	63 **sincere**	[sinsíər]	
64 진심 어린	64 cordial	[kɔ́:rdʒəl]	
65 진짜의, 정품인	65 **genuine**	[dʒénjuin]	
66 진짜의, 정품인	66 real	[rí:əl]	
67 진지한, 엄숙한	67 **serious**	[síəriəs]	
68 진지한, 엄숙한	68 solemn	[sáləm]	
69 진지한, 엄숙한	69 sober	[sóubər]	
70 진지한, 엄숙한	70 grave	[greiv]	
71 충실한	71 **faithful**	[féiθfəl]	
72 충실한	72 loyal	[lɔ́iəl]	
73 쾌활한	73 **cheerful**	[tʃíərfəl]	
74 쾌활한	74 jolly	[dʒáli]	
75 쾌활한	75 merry	[méri]	

76	친한, 친밀한	76	**close**	[klous]	Tips
77	친한, 친밀한	77	intimate	[íntəmit]	
78	친한, 친밀한	78	familiar	[fəmíljər]	
79	친한, 친밀한	79	confidential	[kànfidénʃəl]	
80	할 수 있는	80	**able**	[éibəl]	
81	할 수 있는	81	capable	[kéipəbəl]	
82	할 수 있는	82	qualified	[kwáləfàid]	
83	할 수 있는	83	competent	[kámpətənt]	
84	허약한, 나약한	84	**weak**	[wiːk]	
85	허약한, 나약한	85	feeble	[fíːbəl]	
86	허약한, 나약한	86	fragile	[frǽdʒəl]	
87	허약한, 나약한	87	frail	[freil]	
88	허약한, 나약한	88	delicate	[délikət]	
89	허약한, 나약한	89	infirm	[infɔ́ːrm]	
90	현명한, 신중한	90	**wise**	[waiz]	
91	현명한, 신중한	91	prudent	[prúːdənt]	
92	현명한, 신중한	92	sensible	[sénsəbəl]	
93	현명한, 신중한	93	sage	[seidʒ]	
94	현명한, 신중한	94	judicious	[dʒuːdíʃəs]	
95	훌륭한, 빼어난	95	**wonderful**	[wʌ́ndərfəl]	
96	훌륭한, 빼어난	96	splendid	[spléndid]	
97	훌륭한, 빼어난	97	excellent	[éksələnt]	
98	훌륭한, 빼어난	98	fantastic	[fæntǽstik]	
99	훌륭한, 빼어난	99	marvelous	[máːrvələs]	
100	훌륭한, 빼어난	100	brilliant	[bríljənt]	

● 다음 주어진 우리말 단어 뜻을 보고 영단어를 말해 보세요.

1	용감한, 씩씩한	26	유쾌한, 즐거운	51	정신의	76	친한, 친밀한
2	용감한, 씩씩한	27	유쾌한, 즐거운	52	정신의(영적인)	77	친한, 친밀한
3	용감한, 씩씩한	28	유쾌한, 즐거운	53	정이 있는	78	친한, 친밀한
4	우호적인	29	유쾌한, 즐거운	54	정이 있는	79	친한, 친밀한
5	우호적인	30	융통성 있는	55	정이 있는	80	할 수 있는
6	우호적인	31	융통성 있는	56	정이 있는	81	할 수 있는
7	원한을 품은	32	의심하는	57	정이 있는	82	할 수 있는
8	원한을 품은	33	의심하는	58	정이 있는	83	할 수 있는
9	원한을 품은	34	자발적인	59	지친	84	허약한, 나약한
10	원한을 품은	35	자발적인	60	지친	85	허약한, 나약한
11	유명한	36	자발적인	61	지친	86	허약한, 나약한
12	유명한	37	자비로운	62	지친	87	허약한, 나약한
13	유명한	38	자비로운	63	진심 어린	88	허약한, 나약한
14	유명한	39	자비로운	64	진심 어린	89	허약한, 나약한
15	유명한	40	자비로운	65	진짜의, 정품인	90	현명한, 신중한
16	유익한, 도움이 되는	41	잔인한	66	진짜의, 정품인	91	현명한, 신중한
17	유익한, 도움이 되는	42	잔인한	67	진지한, 엄숙한	92	현명한, 신중한
18	유익한, 도움이 되는	43	잔인한	68	진지한, 엄숙한	93	현명한, 신중한
19	유익한, 도움이 되는	44	잔인한	69	진지한, 엄숙한	94	현명한, 신중한
20	유익한, 도움이 되는	45	잔인한	70	진지한, 엄숙한	95	훌륭한, 빼어난
21	유창한	46	재능 있는	71	충실한	96	훌륭한, 빼어난
22	유창한	47	재능 있는	72	충실한	97	훌륭한, 빼어난
23	의식하는, 알고 있는	48	졸린, 졸음이 오는	73	쾌활한	98	훌륭한, 빼어난
24	의식하는, 알고 있는	49	졸린, 졸음이 오는	74	쾌활한	99	훌륭한, 빼어난
25	의식하는, 알고 있는	50	졸린, 졸음이 오는	75	쾌활한	100	훌륭한, 빼어난

● 다음 주어진 영단어를 보고 우리말 뜻을 말해 보세요.

1 brave	26 pleasant	51 mental	76 close
2 bold	27 amusing	52 spiritual	77 intimate
3 courageous	28 enjoyable	53 warm	78 familiar
4 friendly	29 agreeable	54 warmhearted	79 confidential
5 amiable	30 elastic	55 sympathetic	80 able
6 amicable	31 flexible	56 fond	81 capable
7 revengeful	32 doubtful	57 compassionate	82 qualified
8 vengeful	33 suspicious	58 tended	83 competent
9 spiteful	34 voluntary	59 tired	84 weak
10 vindictive	35 willing	60 exhausted	85 feeble
11 famous	36 spontaneous	61 weary	86 fragile
12 famed	37 humane	62 fatigued	87 frail
13 renowned	38 humanitarian	63 sincere	88 delicate
14 eminent	39 charitable	64 cordial	89 infirm
15 prominent	40 benevolent	65 genuine	90 wise
16 helpful	41 brutal	66 real	91 prudent
17 beneficial	42 cruel	67 serious	92 sensible
18 profitable	43 pitiless	68 solemn	93 sage
19 useful	44 ruthless	69 sober	94 judicious
20 instructive	45 inhuman	70 grave	95 wonderful
21 fluent	46 talented	71 faithful	96 splendid
22 eloquent	47 gifted	72 loyal	97 excellent
23 aware	48 sleepy	73 cheerful	98 fantastic
24 conscious	49 drowsy	74 jolly	99 marvelous
25 sensible	50 slumberous	75 merry	100 brilliant

1	가짜의, 모조의	1	**fake**	[feik]	Tips
2	가짜의, 모조의	2	false	[fɔːls]	
3	가짜의, 모조의	3	forged	[fɔːrdʒd]	
4	가짜의, 모조의	4	counterfeit	[káuntərfit]	
5	감동적인	5	**touching**	[tʌ́tʃiŋ]	
6	감동적인	6	moving	[múːviŋ]	
7	감동적인	7	affecting	[əféktiŋ]	
8	감동적인	8	pathetic	[pəθétik]	
9	감동적인(통렬한)	9	poignant	[pɔ́injənt]	
10	강한	10	**strong**	[strɔːŋ]	
11	강한	11	tough	[tʌf]	
12	강한	12	stout	[staut]	
13	강한	13	sturdy	[stɔ́ːrdi]	
14	강한	14	stalwart	[stɔ́ːlwərt]	
15	거대한	15	**huge**	[hjuːdʒ]	
16	거대한	16	immense	[iméns]	
17	거대한	17	enormous	[inɔ́ːrməs]	
18	거대한	18	vast	[væst]	
19	거대한	19	gigantic	[dʒaigǽntik]	
20	거대한	20	titanic	[taitǽnik]	
21	거대한	21	tremendous	[triméndəs]	
22	거친, 울퉁불퉁한	22	**rough**	[rʌf]	
23	거친, 울퉁불퉁한	23	harsh	[hɑːrʃ]	
24	거친, 울퉁불퉁한	24	rugged	[rʌ́gid]	
25	거친, 울퉁불퉁한	25	uneven	[ʌníːvən]	

26	거만한	26	**arrogant**	[ǽrəgənt]	Tips
27	거만한	27	proud	[praud]	
28	격식 없는	28	**informal**	[infɔ́:rməl]	
29	격식 없는	29	casual	[kǽʒuəl]	
30	격식 없는	30	careless	[kéərlis]	
31	격식 없는	31	irregular	[irégjələr]	
32	계속되는, 끝없는	32	**continuous**	[kəntínjuəs]	
33	계속되는, 끝없는	33	continual	[kəntínjuəl]	
34	계속되는, 끝없는	34	constant	[kánstənt]	
35	계속되는, 끝없는	35	unceasing	[ʌnsí:siŋ]	
36	계속되는, 끝없는	36	eternal	[itɔ́:rnəl]	
37	계속되는, 끝없는	37	everlasting	[èvərlǽstiŋ]	
38	계속되는, 끝없는	38	incessant	[insésənt]	
39	계속되는, 끝없는	39	interminable	[intɔ́:rmənəbəl]	
40	계속되는, 끝없는	40	perpetual	[pərpétʃuəl]	
41	고대의, 옛날의	41	**ancient**	[éinʃənt]	
42	고대의, 옛날의	42	antique	[æntí:k]	
43	궁극의, 극단의	43	**ultimate**	[ʌ́ltəmit]	
44	궁극의, 극단의	44	final	[fáinəl]	
45	기본적인, 기초적인	45	**basic**	[béisik]	
46	기본적인, 기초적인	46	fundamental	[fʌndəméntl]	
47	기본적인, 기초적인	47	primary	[práimèri]	
48	기본적인, 기초적인	48	elementary	[èləméntəri]	
49	낭비하는	49	**wasteful**	[wéistfəl]	
50	낭비하는	50	extravagant	[ikstrǽvəgənt]	

			Tips
51 갑작스러운, 뜻밖의	51 **sudden**	[sʌ́dn]	
52 갑작스러운, 뜻밖의	52 abrupt	[əbrʌ́pt]	
53 갑작스러운, 뜻밖의	53 unexpected	[ʌ̀nikspéktid]	
54 공평한	54 **fair**	[fɛər]	
55 공평한	55 just	[dʒʌst]	
56 공평한	56 impartial	[impáːrʃəl]	
57 공평한	57 disinterested	[disíntərəstid]	
58 귀중한, 소중한	58 **valuable**	[vǽljuːəbəl]	● valuable '가치가 있는': 주로 금전적인 가치, 또는 가령 금전으로 환산한 경우의 추정적인 가치를 말한다. (a valuable watch 값비싼 시계)
59 귀중한, 소중한	59 precious	[préʃəs]	
60 귀중한, 소중한	60 priceless	[práislis]	
61 귀중한, 소중한	61 invaluable	[invǽljuəbəl]	
62 냉담한, 무감각한	62 **apathetic**	[æpəθétik]	● precious '희귀하여 또는 그 자체가 귀중하기 때문에 가치 있는' (a precious stone 보석) (precious memory 소중한 추억)
63 냉담한, 무감각한	63 impassive	[impǽsiv]	
64 냉담한, 무감각한	64 stoical	[stóuikəl]	
65 냉담한, 무감각한	65 phlegmatic	[flegmǽtik]	
66 눈부신, 화려한	66 **splendid**	[spléndid]	● priceless, invaluable '매우 귀하고 가치가 있어 값을 매길 수 없는'
67 눈부신, 화려한	67 glorious	[glɔ́ːriəs]	
68 눈부신, 화려한	68 gorgeous	[gɔ́ːrdʒəs]	
69 독특한, 특유의	69 **unique**	[juːníːk]	
70 독특한, 특유의	70 peculiar	[pikjúːljər]	
71 독특한, 특유의	71 distinctive	[distíŋktiv]	
72 독특한, 특유의	72 characteristic	[kæ̀riktərístik]	
73 모순된, 정반대의	73 **contradictory**	[kàntrədíktəri]	
74 모순된, 정반대의	74 contrary	[kántreri]	
75 모순된, 정반대의	75 opposite	[ápəzit]	

76	단정한, 말쑥한	76	**neat**	[ni:t]	Tips
77	단정한, 말쑥한	77	tidy	[táidi]	
78	단정한, 말쑥한	78	trim	[trim]	
79	더러운	79	**dirty**	[dɔ́:rti]	
80	더러운	80	foul	[faul]	
81	더러운	81	nasty	[nǽsti]	
82	더러운	82	messy	[mési]	
83	더러운	83	grimy	[gráimi]	
84	무거운	84	**heavy**	[hévi]	
85	무거운	85	weighty	[wéiti]	
86	무거운	86	burdensome	[bɔ́:rdnsəm]	
87	무거운	87	massive	[mǽsiv]	
88	무거운	88	ponderous	[pándərəs]	
89	무수한, 셀 수 없는	89	**countless**	[káuntlis]	
90	무수한, 셀 수 없는	90	innumerable	[injú:mərəbəl]	
91	무수한, 셀 수 없는	91	innumerous	[injú:mərəs]	
92	보통의, 일반적인	92	**common**	[kámən]	
93	보통의, 일반적인	93	general	[dʒénərəl]	
94	보통의, 일반적인	94	ordinary	[ɔ́:rdənèri]	
95	보통의, 일반적인	95	popular	[pápjələr]	
96	부드러운, 온화한	96	**soft**	[sɔ:ft]	
97	부드러운, 온화한	97	mild	[maild]	
98	부드러운, 온화한	98	gentle	[dʒéntl]	
99	부드러운, 온화한	99	genial	[dʒí:niəl]	
100	부드러운, 온화한	100	bland	[blænd]	

● 다음 주어진 우리말 단어 뜻을 보고 영단어를 말해 보세요.

1	가짜의, 모조의	26	거만한	51	갑작스러운, 뜻밖의	76	단정한, 말쑥한
2	가짜의, 모조의	27	거만한	52	갑작스러운, 뜻밖의	77	단정한, 말쑥한
3	가짜의, 모조의	28	격식 없는	53	갑작스러운, 뜻밖의	78	단정한, 말쑥한
4	가짜의, 모조의	29	격식 없는	54	공평한	79	더러운
5	감동적인	30	격식 없는	55	공평한	80	더러운
6	감동적인	31	격식 없는	56	공평한	81	더러운
7	감동적인	32	계속되는, 끝없는	57	공평한	82	더러운
8	감동적인	33	계속되는, 끝없는	58	귀중한, 소중한	83	더러운
9	감동적인(통렬한)	34	계속되는, 끝없는	59	귀중한, 소중한	84	무거운
10	강한	35	계속되는, 끝없는	60	귀중한, 소중한	85	무거운
11	강한	36	계속되는, 끝없는	61	귀중한, 소중한	86	무거운
12	강한	37	계속되는, 끝없는	62	냉담한, 무감각한	87	무거운
13	강한	38	계속되는, 끝없는	63	냉담한, 무감각한	88	무거운
14	강한	39	계속되는, 끝없는	64	냉담한, 무감각한	89	무수한, 셀 수 없는
15	거대한	40	계속되는, 끝없는	65	냉담한, 무감각한	90	무수한, 셀 수 없는
16	거대한	41	고대의, 옛날의	66	눈부신, 화려한	91	무수한, 셀 수 없는
17	거대한	42	고대의, 옛날의	67	눈부신, 화려한	92	보통의, 일반적인
18	거대한	43	궁극의, 극단의	68	눈부신, 화려한	93	보통의, 일반적인
19	거대한	44	궁극의, 극단의	69	독특한, 특유의	94	보통의, 일반적인
20	거대한	45	기본적인, 기초적인	70	독특한, 특유의	95	보통의, 일반적인
21	거대한	46	기본적인, 기초적인	71	독특한, 특유의	96	부드러운, 온화한
22	거친, 울퉁불퉁한	47	기본적인, 기초적인	72	독특한, 특유의	97	부드러운, 온화한
23	거친, 울퉁불퉁한	48	기본적인, 기초적인	73	모순된, 정반대의	98	부드러운, 온화한
24	거친, 울퉁불퉁한	49	낭비하는	74	모순된, 정반대의	99	부드러운, 온화한
25	거친, 울퉁불퉁한	50	낭비하는	75	모순된, 정반대의	100	부드러운, 온화한

● 다음 주어진 영단어를 보고 우리말 뜻을 말해 보세요.

1 fake	26 arrogant	51 sudden	76 neat
2 false	27 proud	52 abrupt	77 tidy
3 forged	28 informal	53 unexpected	78 trim
4 counterfeit	29 casual	54 fair	79 dirty
5 touching	30 careless	55 just	80 foul
6 moving	31 irregular	56 impartial	81 nasty
7 affecting	32 continuous	57 disinterested	82 messy
8 pathetic	33 continual	58 valuable	83 grimy
9 poignant	34 constant	59 precious	84 heavy
10 strong	35 unceasing	60 priceless	85 weighty
11 tough	36 eternal	61 invaluable	86 burdensome
12 stout	37 everlasting	62 apathetic	87 massive
13 sturdy	38 incessant	63 impassive	88 ponderous
14 stalwart	39 interminable	64 stoical	89 countless
15 huge	40 perpetual	65 phlegmatic	90 innumerable
16 immense	41 ancient	66 splendid	91 innumerous
17 enormous	42 antique	67 glorious	92 common
18 vast	43 ultimate	68 gorgeous	93 general
19 gigantic	44 final	69 unique	94 ordinary
20 titanic	45 basic	70 peculiar	95 popular
21 tremendous	46 fundamental	71 distinctive	96 soft
22 rough	47 primary	72 characteristic	97 mild
23 harsh	48 elementary	73 contradictory	98 gentle
24 rugged	49 wasteful	74 contrary	99 genial
25 uneven	50 extravagant	75 opposite	100 bland

1	무한한	1	**infinite**	[ínfənit]	Tips
2	무한한	2	limitless	[límitlis]	
3	무한한	3	boundless	[báundlis]	
4	부적당한, 어울리지 않는	4	**improper**	[imprápər]	
5	부적당한, 어울리지 않는	5	unfit	[ʌnfít]	
6	부적당한, 어울리지 않는	6	indecent	[indí:snt]	
7	부적당한, 어울리지 않는	7	unsuitable	[ʌnsú:təbəl]	
8	부적당한, 어울리지 않는	8	unbecoming	[ʌnbikʌ́miŋ]	
9	부적당한, 어울리지 않는	9	unseemly	[ʌnsí:mli]	
10	불가피한	10	**unavoidable**	[ʌnəvɔ́idəbəl]	
11	불가피한	11	inevitable	[inévitəbəl]	
12	불가피한	12	inescapable	[ìneskéipəbəl]	
13	비참한, 초라한	13	**miserable**	[mízərəbəl]	
14	비참한, 초라한	14	shabby	[ʃǽbi]	
15	비참한, 초라한	15	wretched	[rétʃit]	
16	빈정대는, 비꼬는	16	**sarcastic**	[sɑ:rkǽstik]	
17	빈정대는, 비꼬는	17	sarcastical	[sɑ:rkǽstikəl]	
18	빈정대는, 비꼬는	18	sardonic	[sɑ:rdánik]	
19	빈정대는, 비꼬는	19	satiric	[sətírik]	
20	빈정대는, 비꼬는	20	satirical	[sətírikəl]	
21	빈정대는, 비꼬는	21	ironic	[airánik]	
22	빈정대는, 비꼬는	22	ironical	[airánikəl]	
23	사소한, 하찮은	23	**trivial**	[tríviəl]	
24	사소한, 하찮은	24	trifling	[tráifliŋ]	
25	사소한, 하찮은	25	slight	[slait]	

26	부서지기 쉬운	26	**fragile**	[frǽdʒəl]	Tips
27	부서지기 쉬운	27	frail	[freil]	
28	부서지기 쉬운	28	crisp	[krisp]	
29	부서지기 쉬운	29	brittle	[brítl]	
30	빛나는	30	**bright**	[brait]	
31	빛나는	31	brilliant	[bríljənt]	
32	빛나는	32	shining	[ʃáiniŋ]	
33	빛나는	33	luminous	[lú:mənəs]	
34	빛나는	34	lustrous	[lʌ́strəs]	
35	빛나는	35	radiant	[réidiənt]	
36	상상의	36	**fantastic**	[fæntǽstik]	
37	상상의	37	fanciful	[fǽnsifəl]	
38	상상의	38	imaginary	[imǽdʒənèri]	
39	상상의	39	visionary	[víʒənèri]	
40	상호 간의	40	**mutual**	[mjú:tʃuəl]	
41	상호 간의	41	reciprocal	[risíprəkəl]	
42	생생한	42	**vivid**	[vívid]	
43	생생한	43	graphic	[grǽfik]	
44	생생한	44	picturesque	[pìktʃərésk]	
45	수직의	45	**vertical**	[vɔ́:rtikəl]	
46	수직의	46	plumb	[plʌm]	
47	안정된	47	**stable**	[stéibl]	
48	안정된	48	steady	[stédi]	
49	안정된	48	firm	[fə:rm]	
50	안정된	50	fixed	[fikst]	

51	실제의	51 **actual**	[ǽktʃuəl]
52	실제의	52 real	[ríːəl]
53	실제의	53 true	[truː]
54	심오한	54 **deep**	[diːp]
55	심오한	55 profound	[prəfáund]
56	영원한, 끝없는	56 **eternal**	[itə́ːrnəl]
57	영원한, 끝없는	57 everlasting	[èvərlǽstiŋ]
58	영원한, 끝없는	58 endless	[éndlis]
59	영원한, 끝없는	59 perpetual	[pərpétʃuəl]
60	외국의	60 **foreign**	[fɔ́ːrən]
61	외국의	61 alien	[éiliən]
62	외부의	62 **external**	[ikstə́ːrnəl]
63	외부의	63 exterior	[ikstíəriər]
64	외부의	64 extrinsic	[ekstrínzik]
65	외부의	65 extraneous	[ikstréiniəs]
66	우연한	66 **accidental**	[æ̀ksidéntl]
67	우연한	67 incidental	[ìnsədéntl]
68	우연한	68 casual	[kǽʒuəl]
69	이전의, 전술한	69 **previous**	[príːviəs]
70	이전의, 전술한	70 prior	[práiər]
71	이전의, 전술한	71 precedent	[présədənt]
72	이전의, 전술한	72 preceding	[prisíːdiŋ]
73	이전의, 전술한	73 foregoing	[fɔːrgóuiŋ]
74	이전의, 전술한	74 antecedent	[æ̀ntəsíːdənt]
75	이전의, 전술한	75 anterior	[æntíəriər]

Tips

76	웅장한, 장대한	76	**grand**	[grænd]	Tips
77	웅장한, 장대한	77	magnificent	[mægnífəsənt]	
78	웅장한, 장대한	78	spectacular	[spektǽkjələr]	
79	위치한	79	**located**	[lóukèitid]	
80	위치한	80	situated	[sítʃuèitid]	
81	유망한, 가망 있는	81	**hopeful**	[hóupfəl]	
82	유망한, 가망 있는	82	promising	[práməsiŋ]	
83	우세한, 탁월한	83	**dominant**	[dámənənt]	
84	우세한, 탁월한	84	prevailing	[privéiliŋ]	
85	우세한, 탁월한	85	predominant	[pridámənənt]	
86	우세한, 탁월한	86	preeminent	[priémənənt]	
87	우세한, 탁월한	87	preponderant	[pripándərənt]	
88	우세한, 탁월한	88	prevailing	[privéiliŋ]	
89	우세한, 탁월한	89	paramount	[pǽrəmàunt]	
90	인접한	90	**neighboring**	[néibəriŋ]	
91	인접한	91	adjoining	[ədʒɔ́iiŋ]	
92	인접한	92	adjacent	[ədʒéisənt]	
93	전체의	93	**whole**	[houl]	
94	전체의	94	entire	[entáiər]	
95	전체의	95	total	[tóutl]	
96	전체의	96	universal	[jù:nəvə́:rsəl]	
97	절망적인	97	**hopeless**	[hóuplis]	
98	절망적인	98	desperate	[déspərit]	
99	절망적인	99	despairing	[dispéəriŋ]	
100	절망적인	100	despondent	[dispándənt]	

● 다음 주어진 우리말 단어 뜻을 보고 영단어를 말해 보세요.

1	무한한	26	부서지기 쉬운	51	실제의	76	웅장한, 장대한
2	무한한	27	부서지기 쉬운	52	실제의	77	웅장한, 장대한
3	무한한	28	부서지기 쉬운	53	실제의	78	웅장한, 장대한
4	부적당한, 어울리지 않는	29	부서지기 쉬운	54	심오한	79	위치한
5	부적당한, 어울리지 않는	30	빛나는	55	심오한	80	위치한
6	부적당한, 어울리지 않는	31	빛나는	56	영원한, 끝없는	81	유망한, 가망 있는
7	부적당한, 어울리지 않는	32	빛나는	57	영원한, 끝없는	82	유망한, 가망 있는
8	부적당한, 어울리지 않는	33	빛나는	58	영원한, 끝없는	83	우세한, 탁월한
9	부적당한, 어울리지 않는	34	빛나는	59	영원한, 끝없는	84	우세한, 탁월한
10	불가피한	35	빛나는	60	외국의	85	우세한, 탁월한
11	불가피한	36	상상의	61	외국의	86	우세한, 탁월한
12	불가피한	37	상상의	62	외부의	87	우세한, 탁월한
13	비참한, 초라한	38	상상의	63	외부의	88	우세한, 탁월한
14	비참한, 초라한	39	상상의	64	외부의	89	우세한, 탁월한
15	비참한, 초라한	40	상호 간의	65	외부의	90	인접한
16	빈정대는, 비꼬는	41	상호 간의	66	우연한	91	인접한
17	빈정대는, 비꼬는	42	생생한	67	우연한	92	인접한
18	빈정대는, 비꼬는	43	생생한	68	우연한	93	전체의
19	빈정대는, 비꼬는	44	생생한	69	이전의, 전술한	94	전체의
20	빈정대는, 비꼬는	45	수직의	70	이전의, 전술한	95	전체의
21	빈정대는, 비꼬는	46	수직의	71	이전의, 전술한	96	전체의
22	빈정대는, 비꼬는	47	안정된	72	이전의, 전술한	97	절망적인
23	사소한, 하찮은	48	안정된	73	이전의, 전술한	98	절망적인
24	사소한, 하찮은	49	안정된	74	이전의, 전술한	99	절망적인
25	사소한, 하찮은	50	안정된	75	이전의, 전술한	100	절망적인

● 다음 주어진 영단어를 보고 우리말 뜻을 말해 보세요.

1 infinite	26 fragile	51 actual	76 grand
2 limitless	27 frail	52 real	77 magnificent
3 boundless	28 crisp	53 true	78 spectacular
4 improper	29 brittle	54 deep	79 located
5 unfit	30 bright	55 profound	80 situated
6 indecent	31 brilliant	56 eternal	81 hopeful
7 unsuitable	32 shining	57 everlasting	82 promising
8 unbecoming	33 luminous	58 endless	83 dominant
9 unseemly	34 lustrous	59 perpetual	84 prevailing
10 unavoidable	35 radiant	60 foreign	85 predominant
11 inevitable	36 fantastic	61 alien	86 preeminent
12 inescapable	37 fanciful	62 external	87 preponderant
13 miserable	38 imaginary	63 exterior	88 prevailing
14 shabby	39 visionary	64 extrinsic	89 paramount
15 wretched	40 mutual	65 extraneous	90 neighboring
16 sarcastic	41 reciprocal	66 accidental	91 adjoining
17 sarcastical	42 vivid	67 incidental	92 adjacent
18 sardonic	43 graphic	68 casual	93 whole
19 satiric	44 picturesque	69 previous	94 entire
20 satirical	45 vertical	70 prior	95 total
21 ironic	46 plumb	71 precedent	96 universal
22 ironical	47 stable	72 preceding	97 hopeless
23 trivial	48 steady	73 foregoing	98 desperate
24 trifling	48 firm	74 antecedent	99 despairing
25 slight	50 fixed	75 anterior	100 despondent

1	일시적인	1	**temporary**	[témpərèri]
2	일시적인	2	momentary	[móuməntèri]
3	일시적인	3	transient	[trǽnʃənt]
4	적당한	4	**proper**	[prápər]
5	적당한	5	appropriate	[əpróuprièit]
6	적당한	6	suitable	[súːtəbəl]
7	적당한	7	fit	[fit]
8	적당한	8	adequate	[ǽdikwət]
9	절약하는, 검소한	9	**economical**	[ìːkənámikəl]
10	절약하는, 검소한	10	sparing	[spéəriŋ]
11	절약하는, 검소한	11	provident	[právədənt]
12	절약하는, 검소한	12	frugal	[frúːgəl]
13	절약하는, 검소한	13	thrifty	[θrífti]
14	정확한, 정밀한	14	**correct**	[kərékt]
15	정확한, 정밀한	15	accurate	[ǽkjərit]
16	정확한, 정밀한	16	exact	[igzǽkt]
17	정확한, 정밀한	17	precise	[prisáis]
18	조잡한, 저속한	18	**coarse**	[kɔːrs]
19	조잡한, 저속한	19	vulgar	[vʌ́lgər]
20	조잡한, 저속한	20	gross	[grous]
21	조잡한, 저속한	21	crude	[kruːd]
22	중요한, 중대한	22	**important**	[impɔ́ːrtənt]
23	중요한, 중대한	23	significant	[signífikənt]
24	중요한, 중대한	24	crucial	[krúːʃəl]
25	중요한, 중대한	25	critical	[krítikəl]

Tips

				Tips
26	지나친	26	**excessive** [iksésiv]	
27	지나친	27	extravagant [ikstrǽvəgənt]	
28	지나친	28	immoderate [imúdərit]	
29	주된, 주요한	29	**main** [mein]	
30	주된, 주요한	30	major [méidʒər]	
31	주된, 주요한	31	prime [praim]	
32	주된, 주요한	32	chief [tʃi:f]	
33	주된, 주요한	33	principal [prínsəpəl]	
34	지루한	34	**bored** [bɔ:rd]	● bored: [사람이] 지루함을 느끼는
35	지루한	35	boring [bɔ́:riŋ]	
36	지루한	36	tedious [tí:diəs]	● boring: [어떤 사물의 본질이나 일의 상태개] 지루한
37	지루한	37	tiresome [táiərsəm]	
38	충심의, 진정한	38	**cordial** [kɔ́:rdʒəl]	
39	충심의, 진정한	39	hearty [há:rti]	
40	필수불가결한	40	**essential** [isénʃəl]	
41	필수불가결한	41	vital [váitl]	
42	필수불가결한	42	necessary [nésəsèri]	
43	필수불가결한	43	indispensable [ìndispénsəbəl]	
44	~하기 쉬운	44	**apt to** [æpt tu]	
45	~하기 쉬운	45	liable to [láiəbəl tu]	
46	~하기 쉬운	46	likely to [láikli tu]	
47	~하기 쉬운	47	prone to [proun tu]	
48	화나게 하는, 귀찮은	48	**provoking** [prəvóukiŋ]	
49	화나게 하는, 귀찮은	49	irritating [írətèitiŋ]	
50	화나게 하는, 귀찮은	50	annoying [ənɔ́iŋ]	

51	기술의, 전문의	51 technical	[téknikəl]
52	전형적인, 특유의	52 typical	[típikəl]
53	육체의, 물질의	53 physical	[fízikəl]
54	실용적인, 실제의	54 practical	[prǽktikəl]
55	결정적인, 중대한	55 crucial	[krúːʃəl]
56	표면적인, 천박한	56 superficial	[sùːpərfíʃəl]
57	잠재적인, 가망 있는	57 potential	[pouténʃəl]
58	입의, 구두의	58 oral	[ɔ́ːrəl]
59	우주의, 보편적인	59 universal	[jùːnəvə́ːrsəl]
60	서로의, 공통의	60 mutual	[mjúːtʃuəl]
61	뻣뻣한, 굳은	61 stiff	[stif]
62	전부의, 종합적인	62 overall	[óuvərɔ̀ːl]
63	무서운; 지독한	63 dreadful	[drédfəl]
64	편평한, 납작한	64 flat	[flæt]
65	약간의, 가벼운	65 slight	[slait]
66	초조해하는, 불안한	66 uptight	[ʌ́ptáit]
67	임신한; ~이 가득 찬	67 pregnant	[prégnənt]
68	잘 참는, 근면한	68 patient	[péiʃənt]
69	닥치는 대로의, 임의의	69 random	[rǽndəm]
70	지나간, 과거의	70 past	[pæst]
71	습기 있는; 눈물 어린	71 moist	[mɔist]
72	가장 큰; 대부분의	72 most	[moust]
73	다음의, 그 다음의	73 next	[nekst]
74	유복한, 풍부한	74 wealthy	[wélθi]
75	몰래 하는; 비열한	75 sneaky	[sníːki]

Tips

			Tips
76 가짜의, 엉터리의	76 phony	[fóuni]	
77 질퍽한; 조잡한	77 sloppy	[slápi]	
78 반대의; **고집 센**	78 contrary	[kántreri]	
79 어느 ~이나 다	79 every	[évri:]	
80 중간의, 보통의	80 medium	[mí:diəm]	
81 최소의, 극소의	81 minimum	[mínəməm]	
82 최대의, 극대의	82 maximum	[mǽksəməm]	
83 불안한; 불편한	83 uneasy	[ʌní:zi]	
84 안 좋은, 엉망인	84 lousy	[láuzi]	
85 장난꾸러기의, 짓궂은	85 naughty	[nɔ́:ti]	
86 불쾌한; 불결한	86 nasty	[nǽsti]	
87 눈에 띄는, 출중한	87 distinguished	[distíŋgwiʃt]	
88 하고픈 맘이 드는	88 inclined	[inkláind]	
89 구식의, 유행에 뒤지는	89 old-fashioned	[óuldfǽʃənd]	
90 내리눌린, 우울한	90 depressed	[diprést]	
91 ~에 익숙해진	91 used	[ju:st]	
92 실망한, 낙담한	92 disappointed	[dìsəpɔ́intid]	
93 가족의, 한 세대의	93 household	[háushòuld]	
94 꼭 하게 되어 있는	94 bound	[baund]	
95 깊은, 뜻깊은	95 profound	[prəfáund]	
96 서투른, 어색한	96 awkward	[ɔ́:kwərd]	
97 수상한, 이상한	97 weird	[wiərd]	
98 불합리한, 바보스러운	98 absurd	[æbsɔ́:rd]	
99 친절한, 우아한	99 gracious	[gréiʃəs]	
100 열심인, 열광적인	100 enthusiastic	[enθù:ziǽstik]	

● 다음 주어진 우리말 단어 뜻을 보고 영단어를 말해 보세요.

1	일시적인	26	지나친	51	기술의, 전문의	76	가짜의, 엉터리의
2	일시적인	27	지나친	52	전형적인, 특유의	77	질퍽한; 조잡한
3	일시적인	28	지나친	53	육체의, 물질의	78	반대의; 고집 센
4	적당한	29	주된, 주요한	54	실용적인, 실제의	79	어느 ~이나 다
5	적당한	30	주된, 주요한	55	결정적인, 중대한	80	중간의, 보통의
6	적당한	31	주된, 주요한	56	표면적인, 천박한	81	최소의, 극소의
7	적당한	32	주된, 주요한	57	잠재적인, 가망 있는	82	최대의, 극대의
8	적당한	33	주된, 주요한	58	입의, 구두의	83	불안한; 불편한
9	절약하는, 검소한	34	지루한	59	우주의, 보편적인	84	안 좋은, 엉망인
10	절약하는, 검소한	35	지루한	60	서로의, 공통의	85	장난꾸러기의, 짓궂은
11	절약하는, 검소한	36	지루한	61	뻣뻣한, 굳은	86	불쾌한; 불결한
12	절약하는, 검소한	37	지루한	62	전부의, 종합적인	87	눈에 띄는, 출중한
13	절약하는, 검소한	38	충심의, 진정한	63	무서운; 지독한	88	하고픈 맘이 드는
14	정확한, 정밀한	39	충심의, 진정한	64	편평한, 납작한	89	구식의, 유행에 뒤지는
15	정확한, 정밀한	40	필수불가결한	65	약간의, 가벼운	90	내리눌린, 우울한
16	정확한, 정밀한	41	필수불가결한	66	초조해하는, 불안한	91	~에 익숙해진
17	정확한, 정밀한	42	필수불가결한	67	임신한; ~이 가득 찬	92	실망한, 낙담한
18	조잡한, 저속한	43	필수불가결한	68	잘 참는, 근면한	93	가족의, 한 세대의
19	조잡한, 저속한	44	~하기 쉬운	69	닥치는 대로의, 임의의	94	꼭 하게 되어 있는
20	조잡한, 저속한	45	~하기 쉬운	70	지나간, 과거의	95	깊은, 뜻깊은
21	조잡한, 저속한	46	~하기 쉬운	71	습기 있는; 눈물 어린	96	서투른, 어색한
22	중요한, 중대한	47	~하기 쉬운	72	가장 큰; 대부분의	97	수상한, 이상한
23	중요한, 중대한	48	화나게 하는, 귀찮은	73	다음의, 그 다음의	98	불합리한, 바보스러운
24	중요한, 중대한	49	화나게 하는, 귀찮은	74	유복한, 풍부한	99	친절한, 우아한
25	중요한, 중대한	50	화나게 하는, 귀찮은	75	몰래 하는; 비열한	100	열심인, 열광적인

● 다음 주어진 영단어를 보고 우리말 뜻을 말해 보세요.

1 temporary	26 excessive	51 technical	76 phony
2 momentary	27 extravagant	52 typical	77 sloppy
3 transient	28 immoderate	53 physical	78 contrary
4 proper	29 main	54 practical	79 every
5 appropriate	30 major	55 crucial	80 medium
6 suitable	31 prime	56 superficial	81 minimum
7 fit	32 chief	57 potential	82 maximum
8 adequate	33 principal	58 oral	83 uneasy
9 economical	34 bored	59 universal	84 lousy
10 sparing	35 boring	60 mutual	85 naughty
11 provident	36 tedious	61 stiff	86 nasty
12 frugal	37 tiresome	62 overall	87 distinguished
13 thrifty	38 cordial	63 dreadful	88 inclined
14 correct	39 hearty	64 flat	89 old-fashioned
15 accurate	40 essential	65 slight	90 depressed
16 exact	41 vital	66 uptight	91 used
17 precise	42 necessary	67 pregnant	92 disappointed
18 coarse	43 indispensable	68 patient	93 household
19 vulgar	44 apt to	69 random	94 bound
20 gross	45 liable to	70 past	95 profound
21 crude	46 likely to	71 moist	96 awkward
22 important	47 prone to	72 most	97 weird
23 significant	48 provoking	73 next	98 absurd
24 crucial	49 irritating	74 wealthy	99 gracious
25 critical	50 annoying	75 sneaky	100 enthusiastic

기초필수 형용사 유의어 심층탐구 1

1	**big**	[big]	1	[물리적으로는 물론 감정적인 느낌으로] 큰; 중요한
2	great	[greit]	2	[감정적 느낌으로 놀랍게] 큰; 위대한, 탁월한
3	large	[lɑ:rdʒ]	3	[단순히 물리적인 사이즈가 평균보다] 큰; 넓은
4	**high**	[hái]	4	[공중에서 보기에 꼭대기가] 높은
5	tall	[tɔ:l]	5	[지면에서 보기에 폭이 좁고 위로 길어] 키 큰
6	**wide**	[waid]	6	[일반적으로 폭이 평균치보다 비교적] 넓은
7	broad	[brɔ:d]	7	[폭이 매우] 넓은
8	**small**	[smɔ:l]	8	[평균치보다 물리적·객관적으로] 작은; 좁은
9	little	[lítl]	9	[화자의 주관적 느낌상] 작은; 어린
10	minute	[mainjú:t]	10	[자세히 안 보면 눈에 잘 안 띌 만큼] 아주 작은
11	tiny	[táini]	11	[자세히 안 보면 눈에 잘 안 띌 만큼] 아주 작은
12	weeny	[wí:ni]	12	아주 조그만(구어체 아동어)
13	microscopic	[màikrəskápik]	13	[현미경으로만 볼 수 있게] 극히 작은, 미시적인
14	**small**	[smɔ:l]	14	[면적이] 좁은
15	narrow	[nǽrou]	15	[폭이] 좁은
16	**clear**	[kliər]	16	[눈에 띄는 이물질이 없어 물리적으로] 깨끗하고 맑은
17	clean	[kli:n]	17	[불순물도 없고 오염되지 않아] 깨끗한; 위생적인
18	**dirty**	[dɔ́:rti]	18	[먼지·쓰레기·진흙 등으로 표면이 오염되어] 더러운
19	messy	[mési]	19	[정리되어 있지 않아서] 어질러진, 지저분한
20	**precious**	[préʃəs]	20	[본질적으로 대단한 가치가 있어서] 소중한
21	dear	[diər]	21	[가족·친구·특정사물에 애정·애착을 가지고] 소중히 여기는
22	valuable	[vǽlju:əbəl]	22	[금전적 가치, 유용성, 편의의 관점에서] 가치 있는
23	**true**	[tru:]	23	[실제로 존재하는 것과] 일치하는
24	real	[rí:əl]	24	[가짜나 상상의 산물이 아닌] 진짜의, 실재하는
25	actual	[ǽktʃuəl]	25	[상상·이론이 아닌] 실제로 존재하는; 현실의

26	**fat**	[fæt]	26	[가장 일반적 의미의] 살찐 ('돼지 같은'의 어감)
27	stout	[staut]	27	['fat' 대신 완곡하게 쓰는] 살찐, 뚱뚱한; 튼튼한
28	plump	[plʌmp]	28	토실토실한, 포동포동한; 보기 좋게 살찐
29	chubby	[tʃʌ́bi]	29	아기가 보기 좋게 살쪄있어 귀여운
30	overweight	[óuvərwèit]	30	지나치게 뚱뚱한, 과체중의
31	**thin**	[θin]	31	[병·과로·영양실조 등으로] 삐쩍 마른, 여윈
32	gaunt	[gɔ:nt]	32	[굶거나 심한 과로로 인해 몹시 말라] 뼈가 앙상한
33	slight	[slait]	33	홀쭉한, 가냘픈
34	skinny	[skíni]	34	몹시 마른, 피골이 상접한
35	lean	[li:n]	35	[지방질이 적고 근육질이라서 매력 있게] 날씬한
36	slender	[sléndər]	36	호리호리하고 날씬하며 균형이 잡혀 아름다운
37	slim	[slim]	37	'slender'와 같은 뜻의 구어체
38	**sure**	[ʃuər]	38	[주관적인 판단·느낌·직관에 근거해서] 확신하는
39	certain	[sɔ́:rtən]	39	[분명한 객관적 이유·근거에 입각해서] 확신하는
40	confident	[kánfidənt]	40	['sure'보다 강하게 틀림없다고 적극] 확신하는
41	positive	[pázətiv]	41	[자기 의견이나 결론 등을 지나칠 만큼] 확신하는
42	**correct**	[kərékt]	42	[어떤 기준·사실에 비추어 과오나 결점 없이] 정확한
43	right	[rait]	43	[법률이나 도덕적으로 보아] 정당한, 정확한
44	accurate	[ǽkjərit]	44	[진실·규범에 세세히 일치되게] 정확한, 정밀한
45	exact	[igzǽkt]	45	[진실·기준·규범과 완전히] 일치하는, 정확한
46	precise	[prisáis]	46	[세세한 부분까지 꼼꼼히] 정확한, 딱 들어맞는
47	**special**	[spéʃəl]	47	[같은 종류의 다른 것들과 구별된 특징으로] 특별한
48	especial	[ispéʃəl]	48	'special'과 같은 뜻(문어적 표현)
49	particular	[pərtíkjələr]	49	[같은 종류의 다른 것들과 뚜렷이 구별되어] 독특한
50	specific	[spisífik]	50	[그것만이 가지고 있는] 특유의, 특정한

51	**obvious**	[ábviəs]	51	[누가 보아도 바로 확실히 알 수 있도록] **분명한**
52	clear	[kliər]	52	[애매함·착각·혼란의 여지없이] 명백한, 명료한
53	plain	[plein]	53	[복잡한 것이 없고 단순하여] 분명한, 쉬운
54	apparent	[əpǽrənt]	54	[한눈에 알아볼 수 있을 만큼] 뚜렷한, 명백한
55	evident	[évidənt]	55	[상황·사실·증거에 비춰보아] 분명한, 명백한
56	manifest	[mǽnəfèst]	56	[외견상 명백하여 더 이상 따질 것 없이] 명백한
57	distinct	[distíŋkt]	57	[눈에 띄게 구별되어] 명백한, 분명한
58	**obscure**	[əbskjúər]	58	[감춰져 있거나 이해력 부족으로] **애매모호한**
59	vague	[veig]	59	[그 자체의 정확성·정밀도가 떨어져] 막연한, 애매한
60	ambiguous	[æmbígjuəs]	60	[둘 이상의 해석이 가능해서 어느 쪽인지] 불명료한
61	equivocal	[ikwívəkəl]	61	[일부러 'ambiguous'하게 하여] 애매모호한
62	**brave**	[breiv]	62	[위험·위협·어려움 등을] **두려워하지 않는, 용감한**
63	courageous	[kəréidʒəs]	63	[위험·어려움 등을 직면할 때 맞서는] 담력이 있는
64	bold	[bould]	64	[용감할 뿐 아니라 위험 등에 도전하려는] 담력이 있는
65	valiant	[vǽljənt]	65	용감한(목적 달성을 위해 결연한 의지로 맞서는)
66	gallant	[gǽlənt]	66	[화려하고 명예로운 용감성을 지녀] 용감한
67	**cowardly**	[káuərdli]	67	**겁 많은**(위험·곤란한 상황에서 뒤로 물러서는)
68	timid	[tímid]	68	겁 많은(평소에도 항상 찌질대고 쭈뼛거리는)
69	**good**	[gud]	69	**우수한**(가장 일반적인 뜻)
70	excellent	[éksələnt]	70	'good'과 같은 뜻이나 뜻이 더 강함
71	superior	[səpíəriər]	71	[다른 것과 비교해서 상대적으로] 더 우수한
72	predominant	[pridámənənt]	72	[다른 것에 비해 눈에 띄게] 뛰어난, 탁월한
73	**able**	[éibəl]	73	[어떤 일에 보통 이상의 능력이 있어] **유능한**
74	capable	[kéipəbəl]	74	[어떤 일을 보통 수준 이상으로 해낼] 역량이 있는
75	competent	[kámpətənt]	75	[특정한 일에 요구되는 능력을 갖춰서] 역량이 있는

76	**clever**	[klévər]	76	**영리한(이해나 머리 회전이 빨라 상황 대처가 재빠른)**
77	intelligent	[intélədʒənt]	77	지적인(이해·학습·판단 능력이 보통 이상으로 뛰어난)
78	bright	[brait]	78	영리한(두뇌 회전·말·태도 등이 재치 있고 활발한)
79	smart	[smɑːrt]	79	[남보다 뛰어나게 민첩하고] 재치 있는
80	brilliant	[bríljənt]	80	[두뇌가] 날카로운, 고도의 지식을 갖춘
81	**famous**	[féiməs]	81	**[널리 알려져 있어] 유명한**
82	renowned	[rináund]	82	유명한(뛰어난 업적으로 얻은 지속적인 명성이 있는)
83	celebrated	[séləbrèitid]	83	유명한, [매스컴을 통해] 세상에 잘 알려진
84	noted	[nóutid]	84	[어떤 특정한 일로 세상에] 알려진, 유명한
85	notorious	[noutɔ́ːriəs]	85	[나쁜 일로] 유명한
86	well-known	[wélnóun]	86	[좋든 나쁘든 여러 사람들에게] 잘 알려져 있는
87	**noticeable**	[nóutisəbəl]	87	**[남의 눈길을 피할 수 없을 만큼] 현저한**
88	remarkable	[rimɑ́ːrkəbəl]	88	[주목할 만한 가치가 있는 특징 때문에] 현저한
89	outstanding	[àutstǽndiŋ]	89	[같은 종류의 다른 것보다 월등하게] 현저한
90	striking	[stráikiŋ]	90	[다른 것과 매우 다르고 특이해서] 현저한
91	prominent	[prɑ́mənənt]	91	[주변·배후에 있는 것들보다 두드러져] 탁월한
92	conspicuous	[kənspíkjuəs]	92	[누구나 알아볼 만큼 매우 뚜렷해서] 눈에 띄는
93	**fast**	[fæst]	93	**[계속적 동작·운동의 속도가 일정하게] 빠른**
94	quick	[kwik]	94	[한 동작의 시작에서 끝까지 걸리는 시간이] 빠른
95	rapid	[rǽpid]	95	'quick'과 같은 뜻(딱딱한 표현)
96	speedy	[spíːdi]	96	빠른(=quick); 급속한, 신속한
97	prompt	[prɑmpt]	97	[머뭇거리지 않고] 신속한, 기민한; 즉석의
98	**idle**	[áidl]	98	**[할 일이 없거나 본인의 게으름으로] 빈둥거리고 있는**
99	indolent	[índələnt]	99	[날 때부터 비활동적이고 일하기를 싫어해서] 게으른
100	lazy	[léizi]	100	[성격적·습관적으로 지독히] 게으른

1	**careful**	[kέərfəl]	1	**신중한(잘못·손해를 피하고 완벽을 기하려 주의하는)**
2	cautious	[kɔ́:ʃəs]	2	주의 깊은(발생 가능성 있는 위험에 대해 매우 경계하는)
3	discreet	[diskrí:t]	3	분별 있는, 신중한(강하게 자제하는)
4	wary	[wέəri]	4	[위험·계략 등을 탐지하기 위해] 경계하는, 신중한
5	**serious**	[síəriəs]	5	**진지한(정말 중요한 일에 진지하게 관심을 가지는)**
6	earnest	[ɔ́:rnist]	6	성실한(어떤 일에 성실하고 열의 있게 임하는)
7	sober	[sóubər]	7	[용모·말·태도 등이 경박하지 않고] 침착한, 진실한
8	solemn	[sáləm]	8	[경외감을 가지게 할 만큼] 엄숙한, 근엄한
9	grave	[greiv]	9	근엄한, 진지한; 근심스러운
10	**empty**	[έmpti]	10	**텅 빈, 공허한, 비어있는**
11	vacant	[véikənt]	11	[사용할 수 있도록] 비어있는↔occupied(사용 중인)
12	**cheap**	[tʃi:p]	12	**[질이 낮고] 값싼; 싸구려의**
13	inexpensive	[ìnikspénsiv]	13	[품질에 비해] 값이 싼 (=low-priced)
14	**polite**	[pəláit]	14	**[말·태도·행동이 단지 예의상] 공손하고 정중한**
15	courteous	[kɔ́:rtiəs]	15	[마음에서 우러난 진심을 담아] 공손하고 정중한
16	civil	[sívəl]	16	[무례함을 보이지 않을 만큼 최소한의] 예의를 지키는
17	**rude**	[ru:d]	17	**[남의 기분을 고의로 무시하고] 버릇없는, 무례한**
18	discourteous	[diskɔ́:rtiəs]	18	'rude'와 비슷하나 친절함·품위가 없음 암시
19	impolite	[ìmpəláit]	19	[사교상의 예절을 지키지 않아] 버릇없는, 무례한
20	ill-mannered	[í:lmǽnərd]	20	[버릇없이 자라거나 경험 부족으로] 예의를 모르는
21	ungracious	[ʌngréiʃəs]	21	[경험 부족·자기의 기분 때문에] 불친절한
22	**proud**	[praud]	22	**[합당한 자존심으로; 남을 얕보고] 거만한**
23	arrogant	[ǽrəgənt]	23	[자신의 권력·지위를 믿고 필요 이상으로] 거드럭거리는
24	haughty	[hɔ́:ti]	24	[가문·지위·계급 등을 믿고 남들을] 깔보는, 오만한
25	insolent	[ínsələnt]	25	[아랫사람이 윗사람에게] 무례한, 거만한

26	**frank**	[fræŋk]	26	**솔직한(자신의 생각·느낌을 서슴없이 표명하는)**
27	candid	[kǽndid]	27	노골적인(듣는 이가 당황할 만큼 직구의)
28	open	[óupən]	28	솔직한(꾸미거나 숨기거나 체면치레가 없는)
29	outspoken	[áutspóukən]	29	거리낌 없는(가리지 않고 숨김없이 말하는)
30	straightforward	[strèitfɔ́ːrwərd]	30	솔직한(돌려 말하지 않고 직구로 말하는)
31	**ingenuous**	[indʒénjuːəs]	31	**순진한(자신의 감정·의도 등을 감추지 못하는)**
32	naive	[nɑːíːv]	32	순진한(천진난만하고 세상 물정을 잘 몰라 속기 쉬운)
33	unsophisticated	[ʌ̀nsəfístəkèitid]	33	순진한(경험·훈련 부족으로 생활의 지혜가 없는)
34	artless	[áːrtləs]	34	[남의 이목을 상관치 않아 꾸밈없고] 소박한
35	**complex**	[kámpleks]	35	**[여러 부분·요소·개념이 얽혀 있어서] 복잡한**
36	complicated	[kámplikèitid]	36	[매우 복잡하게 얽혀 있어서 이해·해결이] 까다로운
37	intricate	[íntrəkit]	37	[작거나 마구 얽혀있어서 식별하기] 난해한
38	involved	[inválvd]	38	[이리저리 뒤얽혀 있어서 혼란하고] 복잡한
39	**comfortable**	[kʌ́mfərtəbəl]	39	**편안한(장소·의복 등이 안락하고 기분 좋은)**
40	cozy	[kóuzi]	40	[폭풍우·추위 등으로부터 보호되어 있어] 아늑한
41	snug	[snʌg]	41	[꼭 필요한 만큼의 것을 갖추고 있어서] 안락한
42	easy	[íːzi]	42	[육체적·정신적 불편함을 주는 요인이 없어] 편안한
43	restful	[réstfəl]	43	휴식을 주는; 평온한
44	**easy**	[íːzi]	44	**쉬운(육체적·정신적 노력을 많이 안 들여 할 수 있는)**
45	simple	[símpəl]	45	쉬운(전혀 복잡하지 않아 이해·사용·실행이 쉬운)
46	effortless	[éfərtləs]	46	쉬운(별다른 노력이 필요치 않은)
47	**tedious**	[tíːdiəs]	47	**[변화가 없고 단조로우며 장황하고] 지루한**
48	tiresome	[táiərsəm]	48	[즐겁게 해주는 활기·재미가 없고 답답하고] 지루한
49	dull	[dʌl]	49	[흥미를 끌 만한 부분이 전혀 없이] 지루한
50	boring	[bɔ́ːriŋ]	50	[참을 수 없이 답답하고 짜증 나게] 지겨운

51	**calm**	[kɑ:m]	51	[날씨·상황이] **잔잔한, 평온한**
52	tranquil	[trǽŋkwil]	52	['calm'보다 한층 안정적이고 영속적으로] 평온한
53	serene	[sirí:n]	53	[날씨가] 구름 한 점 없는; [사람이] 침착한
54	placid	[plǽsid]	54	침착한(쉽게 화를 내거나 흥분하지 않는)
55	peaceful	[pí:sfəl]	55	평화로운(전쟁·싸움·소란과 대조되는 상태)
56	**still**	[stil]	56	[소리도 움직임도 없이] **조용한**
57	calm	[kɑ:m]	57	[바다에 파도·바람이 없어] 평온한
58	quiet	[kwáiət]	58	[흥분·소란·동요 없이] 평온하고 조용한
59	noiseless	[nɔ́izləs]	59	소리 없는, 고요한
60	silent	[sáilənt]	60	사람의 목소리가 전혀 없는, 침묵의
61	tranquil	[trǽŋkwil]	61	[마음·바다가] 차분한, 평화로운
62	**rich**	[ritʃ]	62	[필요나 욕망을 충족할 수 있는 이상으로] **부유한**
63	wealthy	[wélθi]	63	[영속적이고 안정되게 부를 누릴 만큼 충분히] 부유한
64	well-off	[wélɔ́:f]	64	[안락한 생활을 누리기에 충분할 만큼] 잘 사는
65	well-to-do	[wéltədú:]	65	'well-off'와 같은 뜻의 예스러운 말
66	**enough**	[inʌ́f]	66	[어떤 목적·욕구를 충족시키기에] **충분한**
67	sufficient	[səfíʃənt]	67	'enough'와 같은 뜻이나 격식체
68	adequate	[ǽdikwət]	68	[어떤 필요를 부족하지 않을 만큼] 충족시키는
69	ample	[ǽmpl]	69	[필요를 충당하고도 여분이 남을 만큼] 충분한
70	plenty of	[plénti ʌv]	70	'ample'과 같은 뜻
71	**rare**	[rɛər]	71	드문(수·빈도가 매우 적어서 희귀한, ∴가치가 높은)
72	uncommon	[ʌnkámən]	72	[흔히 일어나는 일이 아니므로] 예외적인, 진귀한
73	unusual	[ʌnjú:ʒuəl]	73	'uncommon'과 같은 뜻
74	infrequent	[infrí:kwənt]	74	희귀한, 드문(어쩌다가 한 번씩 일어나는)
75	scarce	[skɛərs]	75	'infrequent'와 같은 뜻

76	**beautiful**	[bjúːtəfəl]	76	**'아름다운'을 나타내는 가장 일반적 표현**
77	pretty	[príti]	77	[작고 여성적이고 귀여워서] 예쁜
78	lovely	[lʌ́vli]	78	[마음으로부터 애정을 자아낼 만큼] 사랑스러운
79	fair	[fɛər]	79	[신선하고 밝아서] 티 없이 아름다운
80	good-looking	[gúdlúkiŋ]	80	[사람의 용모가 시원스럽게] 아름다운
81	handsome	[hǽnsəm]	81	[주로 남자가 반듯하고 수려하게] 잘 생긴
82	**glad**	[glæd]	82	**기쁜(기쁨으로 마음에 설레는)**
83	happy	[hǽpi]	83	기쁜, 즐거운(소원성취·행운으로 큰 기쁨을 느끼는)
84	delighted	[diláitid]	84	아주 기뻐하는(기뻐하고 있음을 몸짓·말로 표현함)
85	pleased	[pliːzd]	85	[어떤 것에 만족하여] 기뻐하는, 마음에 든
86	cheerful	[tʃíərfəl]	86	[쾌활·명랑하고 늘 낙관적인 기분을 가져서] 기운찬
87	joyful	[dʒɔ́ifəl]	87	[평소 기질로 인해 의기양양하고] 기쁜
88	joyous	[dʒɔ́iəs]	88	[특정 원인으로 인해 의기양양하고] 기쁜
89	**pleasant**	[pléznt]	89	**[사물이] 기분 좋게 해주는, 유쾌한**
90	pleasing	[plíːziŋ]	90	즐거운, 기분 좋은, 유쾌한
91	agreeable	[əgríːəbəl]	91	[기호나 취향에 딱 들어맞아] 기분 좋은
92	enjoyable	[endʒɔ́iəbəl]	92	유쾌한; 즐길 수 있는
93	gratifying	[grǽtəfàiŋ]	93	즐거운, 만족시키는, 유쾌한
94	**exciting**	[iksáitiŋ]	94	**흥분시키는, 자극적인, 몹시 흥취를 자극하는**
95	interesting	[íntəristiŋ]	95	[흥미·관심을 불러일으키는 성질을 가져] 흥미로운
96	amusing	[əmjúːziŋ]	96	[흥미가 있어서 웃음이 나고] 즐거운, 재미있는
97	entertaining	[èntərtéiniŋ]	97	재미있는, 즐거움을 주는
98	funny	[fʌ́ni]	98	익살맞은, 웃기는; 재미있는
99	laughable	[lǽfəbl]	99	웃기는, 터무니없는; 어쭙잖은
100	comic	[kámik]	100	익살스러운, 웃기는

1	**lucky**	[lʌ́ki]	1	[작지만 우연히 좋은 결과를 얻어] 운 좋은
2	fortunate	[fɔ́:rtʃənit]	2	[꽤 크고 영속적인 일이 예상보다 잘 되어] 운이 좋은
3	happy	[hǽpi]	3	행운의; [행운으로] 기쁜, 행복에 가득 찬
4	providential	[prɑ̀vədénʃəl]	4	천우의(신적인 힘에 의해 좋은 결과를 얻은)
5	**satisfied**	[sǽtisfàid]	5	[요구·희망이 충분히 채워져] 만족한, 흡족한
6	satisfactory	[sæ̀tisfǽktəri]	6	[필요한 만큼 충분히] 만족한; 납득이 가는
7	content	[kəntént]	7	[다소 불만은 있지만 아쉬운 대로] 만족(감수)하는
8	**disappointed**	[dìsəpɔ́intid]	8	[일이 자기의 바람대로 되지 않아] 실망한
9	discouraged	[diskə́:ridʒd]	9	[용기·자신감·의욕 등을 잃고서] 낙심한
10	distressed	[distrést]	10	[정신적·육체적 고통·괴로움으로] 고뇌에 지친
11	**gloomy**	[glú:mi]	11	[날씨·환경·분위기가] 음울한; [사람이] 울적해 하는
12	depressed	[diprést]	12	[좋지 않은 여건이나 결과로] 우울한, 의기소침한
13	melancholy	[mélənkàli]	13	[습관적·체질적으로] 우울(울적)해 하는
14	blue	[blu:]	14	희망이 없고 슬픈(서술적 용법으로만 쓰임)
15	**close**	[klous]	15	[사이사이에 빈틈이 없이] 조밀한
16	thick	[θik]	16	숱이 많은, 빽빽한; [액체 등이] 진한, 걸쭉한
17	dense	[dens]	17	밀집한, 조밀한; [액체 등이] 진한, 걸쭉한
18	compact	[kəmpǽkt]	18	[좁은 공간에] 빽빽이 들어찬, 밀집한
19	strong	[strɔ:ŋ]	19	[맛·냄새 등이] 강한, 진한; [알코올 도수가] 높은
20	**weak**	[wi:k]	20	[정신적·물리적·육체적·도덕적인 면에서] 약한
21	feeble	[fí:bəl]	21	[경멸이나 동정심을 자아낼 만큼] 연약한
22	frail	[freil]	22	[태생적·근본적으로 약해서] 부서지기 쉬운; 연약한
23	infirm	[infə́:rm]	23	[신체적으로] 약한; 쇠약한; 마음이 약한
24	**eager**	[í:gər]	24	[어떤 것을 하고 싶거나 갖고 싶어] 매우 열심인
25	anxious	[ǽŋkʃəs]	25	[얻을 수 없을지도 모른다는 걱정을 하며] 갈망하는

26	**embarrassed**	[imbǽrəst]	26	[실수·창피한 상황 때문에] **무안한, 당혹스러운**
27	ashamed	[əʃéimd]	27	[범죄·나쁜 짓 등에 대해서] 부끄럽게 여기는
28	**damp**	[dæmp]	28	[춥고 불쾌하게 느낄 정도로] **축축한, 습한**
29	humid	[hjú:mid]	29	무덥고 습기가 많은
30	moist	[mɔist]	30	[알맞게] 촉촉한
31	**stiff**	[stif]	31	[움직일 수 없을 만큼] **경직된, 뻣뻣한**
32	solid	[sálid]	32	[속이 꽉 차고 단단하고 견고해서] 튼튼한, 딱딱한
33	tough	[tʌf]	33	단단하고 질긴
34	hard	[hɑ:rd]	34	[자르거나 구부리거나 쪼갤 수 없이] 굳세고 단단한
35	firm	[fə:rm]	35	견고한(고무처럼 다른 형태로 변형시키기 어려운)
36	rigid	[rídʒid]	36	굳은, 단단한, 휘어지지 않는
37	inflexible	[infléksəbəl]	37	구부러지지(굽지) 않는; 불굴의; 강직한
38	**severe**	[sivíər]	38	**엄한, 가혹한(엄격해서 관용·타협을 허용치 않는)**
39	stern	[stə:rn]	39	[말·조처 따위가] 준엄한, 용서 없는
40	strict	[strikt]	40	엄한; 엄밀한(규칙·기준·조건 등에 완전히 일치하는)
41	austere	[ɔ:stíər]	41	엄한; [검소하고 자제하며] 금욕적인
42	**fit**	[fit]	42	**[어떤 목적·용도에 필요한 것들을 갖추고 있어] 알맞은**
43	suitable	[sú:təbəl]	43	[특정한 요구·조건·상황에] 알맞은, 어울리는
44	apt	[æpt]	44	'suitable'과 같은 말
45	proper	[prápər]	45	[본래의 성질·조건 등이 목적·용도에] 합당한, 적당한
46	appropriate	[əpróuprièit]	46	안성맞춤의, 딱 어울리는; 시의적절한
47	**artificial**	[ù:rtəfíʃəl]	47	**인조의(천연재료가 아닌 인공재료로 만든)**
48	man-made	[mǽnméid]	48	인공의(사람의 손으로 만든); 합성의
49	**envious**	[énviəs]	49	**부러워하는; 질투심이 강한**
50	jealous	[dʒéləs]	50	부러워하는(이 뜻으로는 보통 이 말을 쓴다.)

51	**bad**	[bæd]	51	'나쁜'의 의미로 가장 널리 쓰이는 말
52	evil	[íːvəl]	52	[도덕적으로] 나쁜, 악한, 흉악한(bad보다 더 악한)
53	wicked	[wíkid]	53	악한, 사악한; 심술궂은, 장난기 있는
54	**tasty**	[téisti]	54	맛있는 (=good)
55	delicious	[dilíʃəs]	55	향기나 맛이 매우 좋은(=very tasty)
56	**legal**	[líːgəl]	56	합법의, 적법한, 정당한
57	lawful	[lɔ́ːfəl]	57	합법의, 적법의, 정당한
58	**illegal**	[ilíːgəl]	58	불법의, 위법의
59	illegitimate	[ìlidʒítəmit]	59	불법의, 위법의
60	**total**	[tóutl]	60	전체의(관계되는 모든 것을 합친)
61	gross	[grous]	61	[공제할 부분을 공제하지 않은 상태에서] 총계의
62	entire	[entáiər]	62	[빠진 부분이 없이 다 갖추어진] 전체의, 온전한
63	whole	[houl]	63	[제외되거나 무시된 부분이 전혀 없이] 전부의
64	**chief**	[tʃiːf]	64	[지위·계급·권력·중요성 등에서] 으뜸인, 최고의
65	main	[mein]	65	주된(전체의 구성요소 중 크기·세력 등이 가장 큰)
66	leading	[líːdiŋ]	66	[남을 지도하는 위치에서] 선도하는; 주요한, 주된
67	principal	[prínsəpəl]	67	주요한; 제1의(실력·영향력·역할이 중심적인)
68	major	[méidʒər]	68	주요(중요)한(둘로 나눠 볼 때 중요도가 더 큰)
69	capital	[kǽpitl]	69	[중요도·우수성 등이 동종의 것들 중] 최고인
70	foremost	[fɔ́ːrmòust]	70	맨 먼저의, 최초의(선두에 앞서 나아가고 있는)
71	**temporary**	[témpərèri]	71	일시적인, 임시변통의(오래가지 않을 것인)
72	momentary	[móuməntèri]	72	순간의, 잠깐의, 일시적인(불과 한 순간만 지속되는)
73	transient	[trǽnʃənt]	73	일시적인; 순간적인(일시적으로만 지속되는)
74	transitory	[trǽnsətɔ̀ːri]	74	일시적인, 덧없는(그 자체의 성질상 곧 사라지는)
75	provisional	[prəvíʒənəl]	75	일시적인, 임시의(확정되지 않아 언제든 변할 수 있는)

76	**impudent**	[ímpjədənt]	76	[손윗사람에게 언동이] 무례하고 건방진
77	cheeky	[tʃíːki]	77	'impudent'의 구어체 표현
78	shameless	[ʃéimlis]	78	[겸손·양심·체면에 아랑곳 않고] 뻔뻔스러운
79	saucy	[sɔ́ːsi]	79	[손윗사람에게 존경심을 보이지 않고] 건방진
80	barefaced	[béərfèist]	80	[자신의 잘못에 아랑곳 않고] 극도로 철면피한
81	**economy**	[ikánəmi]	81	**경제적인, 덕용의(=bulk), 싼**
82	economical	[ìːkənámikəl]	82	경제적인(비용이 싸게 먹히는)
83	economic	[ìːkənámik]	83	경제의(경제에 관련된), 경제상의, 경제학의
84	**fashionable**	[fǽʃənəbəl]	84	**[의복·모양·물건 등이] 유행하는**
85	prevailing	[privéiliŋ]	85	널리 행해지고 있는, 유행하고 있는
86	prevalent	[prévələnt]	86	[널리] 보급된, 널리 행해지는; 유행하고 있는
87	current	[kɔ́ːrənt]	87	현재 통용하고 있는; 현행의
88	**strange**	[streindʒ]	88	**이상한; 낯선, [눈·귀에 익숙지 않아] 생소한**
89	singular	[síŋgjələr]	89	[많이 이상해서] 기묘한, 야릇한
90	odd	[ɑd]	90	기묘한, 이상한, 뜻밖의; 색다른
91	peculiar	[pikjúːljər]	91	[다른 것과 구별되어] 독특한, 고유의, 특이한
92	queer	[kwiər]	92	이상한; 색다른, 괴상한; 图남성 동성애자
93	quaint	[kweint]	93	기묘한, 기이한; 색다르고 재미있는
94	abnormal	[æbnɔ́ːrməl]	94	보통과 다른, 정상이 아닌; 변태의, 병적인
95	eccentric	[ikséntrik]	95	보통과 다른, 괴상한, 괴짜인
96	**opposite**	[ápəzit]	96	**[위치·방향·행동·성질 등이] 정반대의, 맞은편의**
97	contrary	[kántreri]	97	반대의(의견·생각·의도 등이 극도로 대립된)
98	reverse	[rivɔ́ːrs]	98	[위치·순서·방향이] 반대의, 거꾸로의
99	**ready to**	[rédi tu]	99	**[적극적으로 자원하는 마음으로] 기꺼이 ~하다**
100	willing to	[wíliŋ tu]	100	[원한다면] 기꺼이 ~하다

1	대공의, 방공용의	1	**anti**aircraft	[æ̀ntiéərkræft]
2	반국가적인	2	**anti**national	[æ̀ntinǽʃənəl]
3	반사회적인	3	**anti**social	[æ̀ntisóuʃəl]
4	방범의	4	**anti**crime	[ǽntikràim]
5	항생물질의	5	**anti**biotic	[æ̀ntibaiátik]
6	반작용의; 방해하는	6	**counter**active	[kàuntərǽktiv]
7	마음에 들지 않는	7	**dis**agreeable	[dìsəgríːəbəl]
8	불만인	8	**dis**content	[dìskəntént]
9	과외의	9	**extra**curricular	[èkstrəkəríkjələr]
10	대단한, 비상한	10	**extra**ordinary	[ikstrɔ́ːrdənèri]
11	치외법권의	11	**extra**territorial	[èkstrəterətɔ́ːriəl]
12	무식한, 문맹의	12	**il**literate	[ilítərit]
13	불법의, 위법의	13	**il**legal	[ilíːgəl]
14	비논리적인	14	**il**logical	[iládʒikəl]
15	위법의, 서출의	15	**il**legitimate	[ìlidʒítəmit]
16	인색한, 교양 없는	16	**il**liberal	[ilíbərəl]
17	판독이 어려운	17	**il**legible	[ilédʒəbəl]
18	감지할 수 없는	18	**im**perceptible	[ìmpərséptəbəl]
19	경건치 못한	19	**im**pious	[ímpiəs]
20	경솔한, 무분별한	20	**im**prudent	[imprúːdənt]
21	계량할 수 없는	21	**im**ponderable	[impándərəbəl]
22	공평한, 편견 없는	22	**im**partial	[impáːrʃəl]
23	달래기 어려운	23	**im**placable	[implǽkəbəl]
24	동요되지 않는	24	**im**movable	[imúːvəbəl]
25	무감동의, 냉정한	25	**im**passive	[impǽsiv]

Tips

● 접두사 'anti'
'반대, 적대, 대항, 배척' 등의 뜻을 가진다.

● 접두사 'counter'
'반대의, 역의'라는 뜻을 가진다.

● 접두사 'dis'
'비(非)…, 무…, 반대, 분리, 제거' 등의 뜻을 나타내고, 또 부정의 뜻을 강조한다.

● 접두사 'extra'
'～외의, 범위 밖의, ～이외의, 특별한'이라는 뜻을 가진다.

● 접두사 'il～, im～, ir～, in～'
모두 'not'이라는 뜻을 가진다.

26 무력한, 힘이 없는	26 **im**potent	[ímpətənt]	Tips
27 무례한, 버릇없는	27 **im**polite	[ìmpəláit]	
28 무례한, 조심성 없는	28 **im**modest	[imádist]	
29 무절제한, 과도한	29 **im**moderate	[imádərit]	
30 미숙한, 미완성의	30 **im**mature	[ìmətjúər]	
31 부도덕한, 음란한	31 **im**moral	[imɔ́:rəl]	
32 부적당한	32 **im**proper	[imrápər]	
33 불가능한	33 **im**possible	[impásəbəl]	
34 불순한, 불결한	34 **im**pure	[impjúər]	
35 불완전한, 미완성의	35 **im**perfect	[impɔ́:rfikt]	
36 비실용적인	36 **im**practical	[impræktikəl]	
37 선견지명이 없는	37 **im**provident	[imprávədənt]	
38 실행 불가능한	38 **im**practicable	[impræktikəbəl]	
39 인간 외적인	39 **im**personal	[impɔ́:rsənəl]	
40 일시적인	40 **im**permanent	[impɔ́:rmənənt]	
41 죽지 않는, 불멸의	41 **im**mortal	[imɔ́:rtl]	
42 참을 수 없는	42 **im**patient	[impéiʃənt]	
43 측량할 수 없는	43 **im**measurable	[iméʒərəbəl]	
44 **불합리한, 이성이 없는**	44 **ir**rational	[iræʃənəl]	
45 감할 수 없는	45 **ir**reducible	[ìridjú:səbəl]	
46 불규칙한, 변칙의	46 **ir**regular	[irégjələr]	
47 부적절한, 당치 않은	47 **ir**relevant	[iréləvənt]	
48 불치의, 못 고치는	48 **ir**remediable	[ìrimí:diəbəl]	
49 저항할 수 없는	49 **ir**resistible	[ìrizístəbəl]	
50 결단력이 없는	50 **ir**resolute	[irézəlù:t]	

			Tips
51 관계없는, 엉뚱한	51 **ir**relative	[irélətiv]	
52 ~에 상관치 않는	52 **ir**respective	[ìrispéktiv]	
53 책임 없는, 무책임한	53 **ir**responsible	[ìrispánsəbəl]	
54 반종교적인	54 **ir**religious	[ìrilídʒəs]	
55 **가까이하기 어려운**	55 **in**accessible	[ìnəksésəbəl]	
56 간접적인, 우회적인	56 **in**direct	[ìndərékt]	
57 감각이 둔한	57 **in**sensitive	[insénsətiv]	
58 개인의, 개인적인	58 **in**dividual	[ìndəvídʒuəl]	
59 경험이 없는	59 **in**experienced	[inikspíəriənst]	
60 기교가 없는	60 **in**artificial	[ìnù:rtəfíʃəl]	
61 꼴사나운, 음란한	61 **in**decent	[indí:snt]	
62 끊임없는	62 **in**cessant	[insésənt]	
63 넓힐 수 없는	63 **in**extensible	[iniksténsəbəl]	
64 눈에 안 보이는	64 **in**visible	[invízəbəl]	
65 막연한, 한없는	65 **in**definite	[indéfənit]	
66 만질 수 없는, 무형의	66 **in**tangible	[intǽndʒəbəl]	
67 말을 듣지 않는	67 **in**docile	[indásəl]	
68 멋없는, 조잡한	68 **in**elegant	[inéləgənt]	
69 모순된, 불일치한	69 **in**consistent	[ìnkənsístənt]	
70 몰인정한, 잔인한	70 **in**humane	[ìnhju:méin]	
71 못 먹는, 식용불가의	71 **in**edible	[inédəbəl]	
72 무감각한, 무신경한	72 **in**sensible	[insénsəbəl]	
73 무관심한, 냉담한	73 **in**different	[indífərənt]	
74 무능한, 쓸모없는	74 **in**competent	[inkámpətənt]	
75 무분별한, 경솔한	75 **in**discreet	[ìndiskrí:t]	

76	무절제한, 난폭한	76 **in**temperate	[intémpərit]
77	무표정한	77 **in**expressive	[ìniksprésiv]
78	무한한, 무수한	78 **in**finite	[ínfənit]
79	미숙한, 서투른	79 **in**expert	[inékspə:rt]
80	미친, 발광한	80 **in**sane	[inséin]
81	믿을 수 없는; 엄청난	81 **in**credible	[inkrédəbəl]
82	변덕스러운	82 **in**constant	[inkánstənt]
83	부적당한	83 **in**appropriate	[ìnəpróupriit]
84	부적당한; 불충분한	84 **in**adequate	[inædikwit]
85	부정확한, 틀린	85 **in**correct	[inkərékt]
86	부족한, 불충분한	86 **in**sufficient	[insəfíʃənt]
87	부주의한, 태만한	87 **in**attentive	[ìnəténtiv]
88	분리할 수 없는	88 **in**separable	[insépərəbəl]
89	불분명한, 희미한	89 **in**distinct	[indistíŋkt]
90	불성실한	90 **in**sincere	[insinsíər]
91	불안전한	91 **in**secure	[insikjúər]
92	불완전한; 미완성의	92 **in**complete	[inkəmplí:t]
93	불친절한	93 **in**hospitable	[inháspitəbəl]
94	불편한	94 **in**convenient	[ìnkənví:njənt]
95	불합리한	95 **in**consequential	[inkànsikwénʃəl]
96	비공식의, 약식의	96 **in**formal	[infɔ́:rməl]
97	비타협적인	97 **in**transigent	[intrǽnsədʒənt]
98	상스러운, 야비한	98 **in**delicate	[indélikit]
99	[성격이] 맞지 않는	99 **in**compatible	[inkəmpǽtəbəl]
100	소화 불량을 일으키는	100 **in**digestive	[indidʒéstiv]

Tips

● 다음 주어진 우리말 단어 뜻을 보고 영단어를 말해 보세요.

1 대공의, 방공용의	26 무력한, 힘이 없는	51 관계없는, 엉뚱한	76 무절제한, 난폭한
2 반국가적인	27 무례한, 버릇없는	52 ~에 상관치 않는	77 무표정한
3 반사회적인	28 무례한, 조심성 없는	53 책임 없는, 무책임한	78 무한한, 무수한
4 방범의	29 무절제한, 과도한	54 반종교적인	79 미숙한, 서투른
5 항생물질의	30 미숙한, 미완성의	55 가까이하기 어려운	80 미친, 발광한
6 반작용의; 방해하는	31 부도덕한, 음란한	56 간접적인, 우회적인	81 믿을 수 없는; 엄청난
7 마음에 들지 않는	32 부적당한	57 감각이 둔한	82 변덕스러운
8 불만인	33 불가능한	58 개인의, 개인적인	83 부적당한
9 과외의	34 불순한, 불결한	59 경험이 없는	84 부적당한; 불충분한
10 대단한, 비상한	35 불완전한, 미완성의	60 기교가 없는	85 부정확한, 틀린
11 치외법권의	36 비실용적인	61 꼴사나운, 음란한	86 부족한, 불충분한
12 무식한, 문맹의	37 선견지명이 없는	62 끊임없는	87 부주의한, 태만한
13 불법의, 위법의	38 실행 불가능한	63 넓힐 수 없는	88 분리할 수 없는
14 비논리적인	39 인간 외적인	64 눈에 안 보이는	89 불분명한, 희미한
15 위법의, 서출의	40 일시적인	65 막연한, 한없는	90 불성실한
16 인색한, 교양 없는	41 죽지 않는, 불멸의	66 만질 수 없는, 무형의	91 불안전한
17 판독이 어려운	42 참을 수 없는	67 말을 듣지 않는	92 불완전한; 미완성의
18 감지할 수 없는	43 측량할 수 없는	68 멋없는, 조잡한	93 불친절한
19 경건치 못한	44 불합리한, 이성이 없는	69 모순된, 불일치한	94 불편한
20 경솔한, 무분별한	45 감할 수 없는	70 몰인정한, 잔인한	95 불합리한
21 계량할 수 없는	46 불규칙한, 변칙의	71 못 먹는, 식용불가의	96 비공식의, 약식의
22 공평한, 편견 없는	47 부적절한, 당치 않은	72 무감각한, 무신경한	97 비타협적인
23 달래기 어려운	48 불치의, 못 고치는	73 무관심한, 냉담한	98 상스러운, 야비한
24 동요되지 않는	49 저항할 수 없는	74 무능한, 쓸모없는	99 [성격이] 맞지 않는
25 무감동의, 냉정한	50 결단력이 없는	75 무분별한, 경솔한	100 소화 불량을 일으키는

● 다음 주어진 영단어를 보고 우리말 뜻을 말해 보세요.

1 antiaircraft	26 impotent	51 irrelative	76 intemperate
2 antinational	27 impolite	52 irrespective	77 inexpressive
3 antisocial	28 immodest	53 irresponsible	78 infinite
4 anticrime	29 immoderate	54 irreligious	79 inexpert
5 antibiotic	30 immature	55 inaccessible	80 insane
6 counteractive	31 immoral	56 indirect	81 incredible
7 disagreeable	32 improper	57 insensitive	82 inconstant
8 discontent	33 impossible	58 individual	83 inappropriate
9 extracurricular	34 impure	59 inexperienced	84 inadequate
10 extraordinary	35 imperfect	60 inartificial	85 incorrect
11 extraterritorial	36 impractical	61 indecent	86 insufficient
12 illiterate	37 improvident	62 incessant	87 inattentive
13 illegal	38 impracticable	63 inextensible	88 inseparable
14 illogical	39 impersonal	64 invisible	89 indistinct
15 illegitimate	40 impermanent	65 indefinite	90 insincere
16 illiberal	41 immortal	66 intangible	91 insecure
17 illegible	42 impatient	67 indocile	92 incomplete
18 imperceptible	43 immeasurable	68 inelegant	93 inhospitable
19 impious	44 irrational	69 inconsistent	94 inconvenient
20 imprudent	45 irreducible	70 inhumane	95 inconsequential
21 imponderable	46 irregular	71 inedible	96 informal
22 impartial	47 irrelevant	72 insensible	97 intransigent
23 implacable	48 irremediable	73 indifferent	98 indelicate
24 immovable	49 irresistible	74 incompetent	99 incompatible
25 impassive	50 irresolute	75 indiscreet	100 indigestive

형용사 부정 · 반의 접두어 2

			Tips
1 순종치 않는, 반항하는	1 **in**subordinate	[ìnsəbɔ́:rdənit]	
2 시시한, 사소한	2 **in**significant	[ìnsignífikənt]	접두사 'il~, im~, ir~, in~' 모두 'not'이라는 뜻을 가진다.
3 쓸모없는, 무능한	3 **in**efficient	[ìnifíʃənt]	
4 악명 높은, 수치스러운	4 **in**famous	[ínfəməs]	
5 악의가 없는, 싫지 않은	5 **in**offensive	[ìnəfénsiv]	
6 알아들을 수 없는	6 **in**audible	[inɔ́:dəbəl]	
7 약한, 허약한	7 **in**firm	[infɔ́:rm]	
8 없어도 되는	8 **in**essential	[ìnisénʃəl]	
9 영양분이 적은	9 **in**nutritious	[ìnju:tríʃəs]	
10 예술을 이해 못 하는	10 **in**artistic	[ìnɑ:rtístik]	
11 자동사의	11 **in**transitive	[intrǽnsətiv]	
12 적응할 수 없는	12 **in**adaptable	[ìnədǽptəbəl]	
13 절대 필요한, 불가결의	13 **in**dispensable	[ìndispénsəbəl]	
14 절대로 확실한	14 **in**fallible	[infǽləbəl]	
15 정확하지 않은	15 **in**exact	[ìnigzǽkt]	
16 지칠 줄 모르는	16 **in**exhaustible	[ìnigzɔ́:stəbəl]	
17 참을 수 없는	17 **in**tolerable	[intálərəbəl]	
18 편협한, 아량이 없는	18 **in**tolerant	[intálərənt]	
19 폭발하지 않는	19 **in**explosive	[ìniksplóusiv]	
20 피할 수 없는	20 **in**evitable	[inévitəbəl]	
21 할 수 없는	21 **in**capable	[inkéipəbəl]	
22 활동치 않는, 게으른	22 **in**active	[inǽktiv]	
23 효과 없는	23 **in**effective	[ìniféktiv]	
24 효과가 없는	24 **in**effectual	[ìniféktʃuəl]	
25 희귀한, 진귀한	25 **in**frequent	[infrí:kwənt]	

26	개인적이 아닌	26	**non**personal	[nànpə́:rsənəl]
27	노조에 속하지 않은	27	**non**union	[nànjú:njən]
28	도덕에 관계없는	28	**non**moral	[nànmɔ́:rəl]
29	도중에 멎지 않는	29	**non**stop	[nànstáp]
30	면역성이 없는	30	**non**immune	[nànimjú:n]
31	무성의, 암수구별 없는	31	**non**sexual	[nànsékʃuəl]
32	부정기의, 임시의	32	**non**scheduled	[nànskédʒu:ld]
33	비공식의	33	**non**official	[nànəfíʃəl]
34	비물질적인	34	**non**material	[nànmətíəriəl]
35	비사교적인	35	**non**social	[nànsóuʃəl]
36	비생산적인	36	**non**productive	[nànprədʌ́ktiv]
37	비알콜성의	37	**non**alcoholic	[nànælkəhɔ́:lik]
38	비영리적인	38	**non**profit	[nànpráfit]
39	비정치적인	39	**non**political	[nànpəlítikəl]
40	전문이 아닌	40	**non**professional	[nànprəféʃənəl]
41	존재하지 않는	41	**non**existent	[nànigzístənt]
42	효력이 없는	42	**non**effective	[nàniféktiv]
43	감사할 줄 모르는	43	**un**grateful	[ʌngréitfəl]
44	강하지 못한, 병든	44	**un**healthy	[ʌnhélθi]
45	견딜 수 없는	45	**un**bearable	[ʌnbéərəbəl]
46	공정치 못한, 억울한	46	**un**fair	[ʌnféər]
47	눈길을 끌지 않는	47	**un**noticed	[ʌnnóutist]
48	[도덕적으로] 가치 없는	48	**un**worthy	[ʌnwə́:rði]
49	만족스럽지 못한	49	**un**satisfactory	[ʌnsæ̀tisfǽktəri]
50	말로 다 할 수 없는	50	**un**speakable	[ʌnspí:kəbəl]

Tips

● 접두어 'non–'
'무(無), 비(非), 불(不)'
의 뜻. 보통 'in–, un–'은
'반대', 'non–'은 '부정
(아님), 결여(없음)'의 뜻
을 나타낸다.

● 접두어 'un–'
① 형용사(동사의 분사
형 포함) 및 부사에 붙여
서 '부정(否定)'의 뜻을
나타낸다.
② 동사에 붙여서 '그 반
대의 동작'을 나타낸다.

● unbend
(굽은 것을) 곧게 하다,
펴다

③ 명사에 붙여서 그 명사
가 나타내는 성질·상태
를 '제거'하는 뜻을 나타
내는 동사를 만든다.

● unman
(남자다움을 잃게 하다,
연약하게 하다)

51	무의식의, 부지중의	51	**un**conscious	[ʌnkánʃəs]	Tips
52	미완성의	52	**un**finished	[ʌnfíniʃt]	
53	미혼의, 독신의	53	**un**married	[ʌnmǽrid]	
54	믿을 수 없을 정도의	54	**un**believable	[ʌ̀nbilíːvəbəl]	
55	버릇없는, 무례한	55	**un**civil	[ʌnsívəl]	
56	보기 드문, 진귀한	56	**un**common	[ʌnkámən]	
57	부자연스러운	57	**un**natural	[ʌnnǽtʃərəl]	
58	부적당한, 어울리지 않는	58	**un**fit	[ʌnfít]	
59	부정한, 불법의	59	**un**just	[ʌndʒʌ́st]	
60	불명확한	60	**un**certain	[ʌnsə́ːrtn]	
61	불변의, 변치 않는	61	**un**changed	[ʌntʃéindʒd]	
62	불안정한	62	**un**stable	[ʌnstéibl]	
63	불운한; 한심스러운	63	**un**fortunate	[ʌnfɔ́ːrtʃənit]	
64	불운한; 불길한	64	**un**lucky	[ʌnlʌ́ki]	
65	불유쾌한	65	**un**comfortable	[ʌnkʌ́mfərtəbəl]	
66	불친절한	66	**un**friendly	[ʌnfréndli]	
67	불친절한, 매정한	67	**un**kind	[ʌnkáind]	
68	불쾌한, 기분 나쁜	68	**un**pleasant	[ʌnplézənt]	
69	불평등한	69	**un**equal	[ʌníːkwəl]	
70	불필요한	70	**un**necessary	[ʌnnésəsèri]	
71	불행한; 슬픈	71	**un**happy	[ʌnhǽpi]	
72	비합리적인	72	**un**reasonable	[ʌnríːzənəbəl]	
73	생소한, 낯선	73	**un**familiar	[ʌ̀nfəmíljər]	
74	성공하지 못한	74	**un**successful	[ʌ̀nsəksésfəl]	
75	손대지 않은	75	**un**touched	[ʌntʌ́tʃt]	

			Tips
76 실직한	76 **un**employed	[ʌ̀nemplɔ́id]	
77 쓴 적이 없는; 새것인	77 **un**used	[ʌnjúːzd]	
78 알려지지 않은	78 **un**known	[ʌnnóun]	
79 알지 못하는; 눈치 못 채는	79 **un**aware	[ʌ̀nəwéər]	
80 어리석은	80 **un**wise	[ʌnwáiz]	
81 여느 때와 다른	81 **un**usual	[ʌnjúːʒuəl]	
82 예기치 않은, 뜻밖의	82 **un**expected	[ʌ̀nikspéktid]	
83 욕심(사심)이 없는	83 **un**selfish	[ʌnsélfiʃ]	
84 용납하기 어려운	84 **un**acceptable	[ʌ̀nækséptəbəl]	
85 울퉁불퉁한	85 **un**even	[ʌníːvən]	
86 임자가 없는	86 **un**occupied	[ʌnákjəpàid]	
87 있음 직하지 않은	87 **un**likely	[ʌnláikli]	
88 잊을 수 없는	88 **un**forgettable	[ʌ̀nfərgétəbəl]	
89 잠겨있지 않은	89 **un**locked	[ʌnlákt]	
90 적합하지 않은	90 **un**suitable	[ʌnsúːtəbəl]	
91 지나친, 부당한	91 **un**due	[ʌndjúː]	
92 진실이 아닌, 허위의	92 **un**true	[ʌntrúː]	
93 한없는, 끝없는	93 **un**limited	[ʌnlímitid]	
94 ~할 수 없는	94 **un**able	[ʌnéibəl]	
95 휴식을 취하지 않은	95 **un**rested	[ʌnréstid]	
96 흔들리지 않는; 냉정한	96 **un**moved	[ʌnmúːvd]	
97 북극의, 북극 지방의	97 arctic	[áːrktik]	
98 남극의, 남극 지방의	98 **ant**arctic	[æntáːrktik]	
99 남자의, 수컷의	99 male	[meil]	
100 여자의, 암컷의	100 **fe**male	[fíːmeil]	

● 다음 주어진 우리말 단어 뜻을 보고 영단어를 말해 보세요.

1 순종치 않는, 반항하는	26 개인적이 아닌	51 무의식의, 부지중의	76 실직한
2 시시한, 사소한	27 노조에 속하지 않은	52 미완성의	77 쓴 적이 없는; 새것인
3 쓸모없는, 무능한	28 도덕에 관계없는	53 미혼의, 독신의	78 알려지지 않은
4 악명 높은, 수치스러운	29 도중에 멎지 않는	54 믿을 수 없을 정도의	79 알지 못하는; 눈치 못 채는
5 악의가 없는, 싫지 않은	30 면역성이 없는	55 버릇없는, 무례한	80 어리석은
6 알아들을 수 없는	31 무성의, 암수구별 없는	56 보기 드문, 진귀한	81 여느 때와 다른
7 약한, 허약한	32 부정기의, 임시의	57 부자연스러운	82 예기치 않은, 뜻밖의
8 없어도 되는	33 비공식의	58 부적당한, 어울리지 않는	83 욕심(사심)이 없는
9 영양분이 적은	34 비물질적인	59 부정한, 불법의	84 용납하기 어려운
10 예술을 이해 못 하는	35 비사교적인	60 불명확한	85 울퉁불퉁한
11 자동사의	36 비생산적인	61 불변의, 변치 않는	86 임자가 없는
12 적응할 수 없는	37 비알콜성의	62 불안정한	87 있음 직하지 않은
13 절대 필요한, 불가결의	38 비영리적인	63 불운한; 한심스러운	88 잊을 수 없는
14 절대로 확실한	39 비정치적인	64 불운한; 불길한	89 잠겨있지 않은
15 정확하지 않은	40 전문이 아닌	65 불유쾌한	90 적합하지 않은
16 지칠 줄 모르는	41 존재하지 않는	66 불친절한	91 지나친, 부당한
17 참을 수 없는	42 효력이 없는	67 불친절한, 매정한	92 진실이 아닌, 허위의
18 편협한, 아량이 없는	43 감사할 줄 모르는	68 불쾌한, 기분 나쁜	93 한없는, 끝없는
19 폭발하지 않는	44 강하지 못한, 병든	69 불평등한	94 ~할 수 없는
20 피할 수 없는	45 견딜 수 없는	70 불필요한	95 휴식을 취하지 않은
21 할 수 없는	46 공정치 못한, 억울한	71 불행한; 슬픈	96 흔들리지 않는; 냉정한
22 활동치 않는, 게으른	47 눈길을 끌지 않는	72 비합리적인	97 북극의, 북극 지방의
23 효과 없는	48 [도덕적으로] 가치 없는	73 생소한, 낯선	98 남극의, 남극 지방의
24 효과가 없는	49 만족스럽지 못한	74 성공하지 못한	99 남자의, 수컷의
25 희귀한, 진귀한	50 말로 다 할 수 없는	75 손대지 않은	100 여자의, 암컷의

● 다음 주어진 영단어를 보고 우리말 뜻을 말해 보세요.

1 insubordinate	26 nonpersonal	51 unconscious	76 unemployed
2 insignificant	27 nonunion	52 unfinished	77 unused
3 inefficient	28 nonmoral	53 unmarried	78 unknown
4 infamous	29 nonstop	54 unbelievable	79 unaware
5 inoffensive	30 nonimmune	55 uncivil	80 unwise
6 inaudible	31 nonsexual	56 uncommon	81 unusual
7 infirm	32 nonscheduled	57 unnatural	82 unexpected
8 inessential	33 nonofficial	58 unfit	83 unselfish
9 innutritious	34 nonmaterial	59 unjust	84 unacceptable
10 inartistic	35 nonsocial	60 uncertain	85 uneven
11 intransitive	36 nonproductive	61 unchanged	86 unoccupied
12 inadaptable	37 nonalcoholic	62 unstable	87 unlikely
13 indispensable	38 nonprofit	63 unfortunate	88 unforgettable
14 infallible	39 nonpolitical	64 unlucky	89 unlocked
15 inexact	40 nonprofessional	65 uncomfortable	90 unsuitable
16 inexhaustible	41 nonexistent	66 unfriendly	91 undue
17 intolerable	42 noneffective	67 unkind	92 untrue
18 intolerant	43 ungrateful	68 unpleasant	93 unlimited
19 inexplosive	44 unhealthy	69 unequal	94 unable
20 inevitable	45 unbearable	70 unnecessary	95 unrested
21 incapable	46 unfair	71 unhappy	96 unmoved
22 inactive	47 unnoticed	72 unreasonable	97 arctic
23 ineffective	48 unworthy	73 unfamiliar	98 antarctic
24 ineffectual	49 unsatisfactory	74 unsuccessful	99 male
25 infrequent	50 unspeakable	75 untouched	100 female

Chapter 04

필수부사
1650

필수 기초부사 1: 장소 부사 & 시간 부사 1

1	**여기, 여기로**	1	**[over] here**
2	저기, 저기에; 거기, 거기에	2	[over] there
3	여기저기에	3	here and there
4	어디에	4	where
5	어딘가에(로)	5	somewhere
6	어디에나, 도처에	6	everywhere
7	어디에도(부정문), 어딘가에(의문문)	7	anywhere
8	아무 데도 ~ 없다	8	nowhere
9	[상대적으로] 위쪽에(으로)	9	above
10	[상대적으로] 아래에, 아래로	10	below
11	[떨어져서] 바로 위에	11	over
12	[떨어져서] 바로 밑에	12	under
13	[접촉해서] ~ 위에 ㉚	13	on ~
14	[접촉해서] ~ 바로 밑에 ㉚	14	beneath ~
15	위로, 위쪽으로	15	up
16	아래로, 아래쪽으로	16	down
17	오른쪽으로	17	right
18	왼쪽으로	18	left
19	~의 옆에 ㉚	19	beside ~
20	~의 옆에 ㉚	20	next to ~
21	~의 옆에 ㉚	21	alongside ~
22	~의 옆에 ㉚	22	by ~
23	가까이, 근방에	23	near
24	곁으로; 떨어져서	24	aside
25	사이에	25	between

26	멀리, 먼 곳으로	26	far
27	떨어져서, 멀리, 저쪽으로	27	away
28	멀리 떨어져	28	far away
29	저 멀리, 먼 곳에	29	in the distance
30	전방에(으로), 앞에(으로)	30	ahead / before
31	뒤에	31	behind
32	앞에, 앞으로, 전방으로	32	forward
33	뒤에, 뒤로, 후방으로	33	backward
34	구석에	34	in the corner
35	모퉁이에	35	at the corner
36	안에, 안으로	36	in
37	밖에, 밖으로	37	out
38	내부에, 내부로, 실내에서	38	inside [ínsáid]
39	밖에, 밖으로, 집 밖에서	39	outside [áutsáid]
40	[안팎을] 뒤집어서	40	inside out
41	[위아래를] 뒤집어서	41	upside down
42	주위에, 주변에, 사방에	42	around
43	가운데에	43	in the middle
44	곧장, 똑바로; 곧바로	44	straight [streit]
45	2층(위층)에(으로, 에서)	45	upstairs [ʌ́pstéərz]
46	아래층에(으로, 에서)	46	downstairs [dáunstéərz]
47	도심지에서(로)	47	downtown [dáuntáun]
48	교외(근교)에서	48	in the suburbs [sʌ́bəːrbz]
49	해외로(에, 에서)	49	overseas [óuvərsíːz]
50	해외로(에, 에서)	50	abroad [əbrɔ́ːd]

51	지금, 현재; 지금 곧, 바로	51	**now**
52	지금, 현재	52	at the moment
53	다음에	53	next
54	[지금으로부터] ~ 전에	54	~ ago
55	[지금으로부터] ~ 후에 ㉠	55	in ~
56	[지금으로부터] ~ 안에 ㉠	56	within ~
57	[지금·그때보다] 전에	57	before
58	[지금보다] 뒤에, 나중에	58	later
59	그때 이전에	59	before **that time(then)**
60	제때에, 마침맞은 시간에	60	just on time
61	시간에 [가까스로] 딱 맞춰서	61	just in time
62	이윽고, 곧, 이내; 빨리	62	**soon** [su:n]
63	이내, 곧	63	presently [prézəntli]
64	머지않아, 곧	64	by and by
65	곧, 얼마 안 되어	65	in a little while
66	[동작을] 빠르게, 급히	66	**quickly** [kwíkli]
67	[뜸들이지 않고] 신속히, 재빠르게; 즉시	67	promptly [prámptli]
68	[뜸들이지 않고] 곧, 바로, 즉시	68	immediately [imí:diətli]
69	[뜸들이지 않고] 당장에, 즉각, 즉시	69	instantly [ínstəntli]
70	[뜸들이지 않고] 즉시, 당장, 지체 없이	70	at once
71	[뜸들이지 않고] 즉시, 당장, 지체 없이	71	straight away
72	[뜸들이지 않고] 즉시, 당장, 지체 없이	72	right away
73	[뜸들이지 않고] 그 자리에서, 즉석에서	73	offhand [ɔ́:fhænd]
74	미리, 사선에, 진부터	74	**beforehand** [bifɔ́:rhænd]
75	미리, 앞당겨, 사전에	75	in advance [in ædvæns]

76	뒤에, 나중에, 그 후	76	afterward [金ftərwərd]
77	**동시에**	77	**at the same time**
78	동시에	78	simultaneously [sàiməltéiniəsli]
79	이미, 벌써	79	already [ɔ:lrédi]
80	아직(부정문); 이미(의문문)	80	yet
81	아직[도], 여전히; 지금도 계속	81	still
82	일찍이, 일찍부터, 일찌감치	82	early
83	오랜 뒤에	83	long after
84	늦게, 뒤늦게, 더디게	84	late
85	오늘	85	today
86	오늘 아침에	86	this morning
87	정오에	87	at noon
88	오늘 오후에	88	this afternoon
89	오늘 저녁에	89	this evening
90	밤중에	90	at night
91	오늘 밤에	91	tonight
92	요즈음	92	[in] these days
93	현재에는, 오늘날에는	93	nowadays
94	요즈음, 최근	94	lately(보통 부정문·의문문에 완료시제로 씀)
95	최근; 바로 얼마 전	95	recently(완료형·과거형에 모두 쓸 수 있음)
96	이번 주에	96	this week
97	이번 달에	97	this month
98	올해에	98	this year
99	어제	99	yesterday
100	어제 아침에	100	yesterday morning

1	어제 오후에	1	yesterday afternoon
2	어제 저녁에	2	yesterday(last) evening
3	어젯밤에, 지난밤에	3	last night
4	밤새껏, 밤새도록	4	overnight
5	지난주에	5	last week
6	지난달에	6	lastmonth
7	작년에	7	last year
8	내일	8	tomorrow
9	내일 아침에	9	tomorrow morning
10	내일 오후에	10	tomorrow afternoon
11	내일 저녁에	11	tomorrow evening
12	내일 밤에	12	tomorrow night
13	내주에, 다음 주에	13	next week
14	내달에, 다음 달에	14	next month
15	내년에, 다음 해에	15	next year
16	그저께	16	the day before yesterday
17	[지금부터] 3일 전에	17	three days ago
18	모레	18	the day after tomorrow
19	글피에, 3일 후에	19	two days after tomorrow
20	[지금부터] 3일 후에	20	three days later, in three days
21	[과거·미래의] 그때 이전에	21	**before then**
22	[과거·미래의] 그때 이전에	22	before that time
23	[과거·미래의] 그 이후에	23	after that
24	뒤에, 나중에, 그 후에	24	afterward[s]
25	나중에, 현재 이후에	25	later on

26	지금부터 쭉	26	from now on
27	[과거·미래의] 그때, 그때에는	27	**then**
28	[과거·미래의] 그때, 그때에는	28	at the time
29	[과거·미래의] 그때, 그때에는	29	at that moment
30	[과거·미래의] 그날	30	that day
31	[과거·미래의] 그날 아침에	31	that morning
32	[과거·미래의] 그날 오후에	32	that afternoon
33	[과거·미래의] 그날 저녁에	33	that evening
34	[과거·미래의] 그날 밤에	34	that night
35	[과거·미래의] 그 당시에	35	in those days
36	[과거·미래의] 그 주에	36	that week
37	[과거·미래의] 그 달에	37	that month
38	[과거·미래의] 그 해에	38	that year
39	[과거·미래의] 그 전날에	39	**the day before**
40	[과거·미래의] 그 전날에	40	the previous day
41	[과거·미래의] 그 전날 아침(오전)에	41	**the morning before**
42	[과거·미래의] 그 전날 아침(오전)에	42	the previous morning
43	[과거·미래의] 그 전날 오후에	43	**the afternoon before**
44	[과거·미래의] 그 전날 오후에	44	the previous afternoon
45	[과거·미래의] 그 전날 저녁에	45	**the evening before**
46	[과거·미래의] 그 전날 저녁에	46	the previous evening
47	[과거·미래의] 그 전날 밤에	47	**the night before**
48	[과거·미래의] 그 전날 밤에	48	the previous night
49	[과거·미래의] 그 전 주에	49	**the week before**
50	[과거·미래의] 그 전 주에	50	the previous week

51	[과거·미래의] 그 전 달에		51	**the month before**
52	[과거·미래의] 그 전 달에		52	the previous month
53	[과거·미래의] 그 전 해에		53	**the year before**
54	[과거·미래의] 그 전 해에		54	the previous year
55	[과거·미래의] 그 다음 날에		55	**the next day**
56	[과거·미래의] 그 다음 날에		56	the following day
57	[과거·미래의] 그 다음 날 아침(오전)에		57	**the next morning**
58	[과거·미래의] 그 다음 날 아침(오전)에		58	the following morning
59	[과거·미래의] 그 다음 날 오후에		59	**the next afternoon**
60	[과거·미래의] 그 다음 날 오후에		60	the following afternoon
61	[과거·미래의] 그 다음 날 저녁에		61	**the next evening**
62	[과거·미래의] 그 다음 날 저녁에		62	the following evening
63	[과거·미래의] 그 다음 날 밤에		63	**the next night**
64	[과거·미래의] 그 다음 날 밤에		64	the following night
65	[과거·미래의] 그 다음 주에		65	**the next week**
66	[과거·미래의] 그 다음 주에		66	the following week
67	[과거·미래의] 그 다음 달에		67	**the next month**
68	[과거·미래의] 그 다음 달에		68	the following month
69	[과거·미래의] 그 다음 해에		69	**the next year**
70	[과거·미래의] 그 다음 해에		70	the following year
71	[과거·미래의 어떤 날의] 이틀 전에		71	two days before
72	[과거·미래의 어떤 날의] 사흘 전에		72	three days before
73	[과거·미래의 어떤 날의] 이틀 후에		73	after two days
74	[과거·미래의 어떤 날의] 사흘 후에		74	after three days
75	[과거·미래의] 그때 이전에		75	before then

76	[과거·미래의] 그때 이전에	76	before that time	
77	[과거·미래의] 그때 이후에	77	after that	
78	[과거·미래의] 그때 이후로 쭉	78	from then on	
79	[과거·과거 이전의] 그때 이후로 기준시간까지	79	since [then]	
80	매일, 날마다	80	daily	[déili]
81	매주; 주 1회	81	weekly	[wí:kli]
82	한 달에 한 번; 다달이	82	monthly	[mʌ́nθli]
83	매년, 해마다; 1년에 한 번	83	yearly	[jíərli]
84	매년, 해마다; 1년에 한 번	84	annually	[ǽnjuəli]
85	[미래의] 언젠가	85	someday	[sʌ́mdèi]
86	[과거의] 언젠가	86	one day	[wʌ́n dèi]
87	우선, 다른 무엇보다 먼저	87	first of all	[fɔ́:rst əv ɔ́:l]
88	지금까지는	88	so far	[sóu fàr]
91	영원히; 끊임없이, 언제나	91	forever	[fərévər]
92	영원히; 끊임없이, 언제나	92	for good	[fɔ:r gúd]
93	영원히; 끊임없이, 언제나	93	eternally	[itə́:rnəli]
94	영원히; 끊임없이, 언제나	94	everlastingly	[èvərlǽstiŋli]
95	영원히; 끊임없이, 언제나	95	permanently	[pə́:rmənəntli]
89	항상, 언제나	89	at all times	[æt ɔ́:l tàimz]
90	변함없이; 항상; 끊임없이	90	constantly	[kʌ́nstəntli]
96	도중에, 어중되게	96	halfway	[hǽfwéi]
97	끝까지	97	to the end(last)	[tu ði énd(læst)]
98	최후에[는], 드디어, 결국은	98	eventually	[ivéntʃuəli]
99	최후로; 마지막에; 마침내, 결국	99	finally	[fáinəli]
100	[길게 보았을 때] 결국에는	100	in the long run	[in ðəlɔ́:ŋrλ̀n]

필수 기초부사 3: 방법 부사 1

1	절대적으로; 정말로; 물론이죠	1	**absolutely**	[æbsəlúːtli]
2	분명히, 명백히; 물론이죠	2	definitely	[défənitli]
3	확실히, 꼭; 반드시; 물론이죠	3	certainly	[sə́ːrtənli]
4	확실히, 꼭; 반드시; 물론이죠	4	surely(=sure)	[ʃúərli]
5	틀림없이, 확실히	5	undoubtedly	[ʌndáutidli]
6	의심의 여지없이; 물론	6	beyond doubt	[bijànd dáut]
7	분명히, 명백히, 확실히	7	obviously	[ábviəsli]
8	정확하게, 엄밀히; 틀림없이	8	exactly	[igzǽktli]
9	바로, 정확히; 틀림없이	9	precisely	[prisáisli]
10	**분명히, 명백히; 듣자(보아) 하니**	10	apparently	[əpǽrəntli]
11	분명히, 명백히; 눈에 띄게	11	evidently	[évidəntli]
12	**참으로, 진실로; 올바르게; 확실히**	12	**truly**	[trúːli]
13	참으로, 정말, 실로	13	really	[ríːəli]
14	실은, 실제는, 정말로	14	in reality	[in riːǽləti]
15	사실은; 실제로	15	actually	[ǽktʃuəli]
16	참으로, 사실은	16	in truth	[in truːθ]
17	사실상, 실질적으로	17	virtually	[və́ːrtʃuəli]
18	실제적으로; 사실상	18	practically	[prǽktikəli]
19	굳게, 단단히, 견고하게; 단호하게	19	firmly	[fə́ːrmli]
20	약간, 조금; 살짝	20	slightly	[sláitli]
21	대단히, 매우, 엄청나게	21	enormously	[inɔ́ːrməsli]
22	글자 뜻 그대로; 문자 그대로	22	literally	[lítərəli]
23	전에[는], 본래는; 사전에, 먼저, 미리	23	previously	[príːviəsli]
24	그렇게, 그대로; 매우	24	so	[sou]
25	~에 따르면; ~에 따라서	25	according to~	[əkɔ́ːrdiŋ tu]

26	특히, 각별히, 특별히	26	**especially**	[ispéʃəli]
27	[그중에서도] 특히, 현저히	27	particularly	[pərtíkjələrli]
28	[그중에서도] 특히, 현저히	28	in particular	[in pərtíkjələr]
29	별로, 딱히, 그다지	29	not particularly	[nát pərtíkjələrli]
30	호기심에서; 묘하게도	30	curiously	[kjúəriəsli]
31	~하기 위해서, ~하려고	31	in order to~	[in ɔ́:rdər to]
32	~에 관해서는(라면)	32	as to~	[æz tu]
33	~에 대해 말하자면	33	as for~	[æz fɔ:r]
34	어떤 의미로는	34	in a way	[in əwéi]
35	그러고 보니, 생각해 보니까	35	come to think of it	[kʌ́m tu θiŋk əv it]
36	그것도	36	at that	[æt ðǽt]
37	그것도	37	to boot	[tu bú:t]
38	결코 ~않다	38	never	[névər]
39	~에 지나지 않는다 때	39	nothing but~	[nʌ́θiŋ bʌt]
40	아무도 ~하지 않는다 때	40	no one~	[nóu wʌn]
41	**더 이상 ~않다**	41	**no more**	[nóu mɔ́:r]
42	더 이상 ~않다	42	no longer	[nóu lɔ́:ŋər]
43	다른 ~이 없다 때	43	no other~	[nóu ʌ́ðər]
44	그런 일(것)은 없다 때	44	no such things	[nóu sʌ́tʃ θíŋz]
45	방법이 없다 명; 말도 안 돼!	45	no way; No way!	[nóu wéi]
46	이유가 없다 명	46	no reason	[nóu rí:zən]
47	그다지 ~않다	47	not very	[nɑt véri]
48	아직 ~않다	48	not yet	[nɑt jét]
49	반드시 ~인 것은 아니다	49	not always	[nɑt ɔ́:lweiz]
50	아무도(아무것도) ~않다	50	none	[nʌn]

51	바로, 단지, 다만 ~만	51	**only**	[óunli]
52	정확히, 꼭; 방금; 다만	52	just	[dʒʌst]
53	단지, 그저, 다만	53	merely	[míərli]
54	오직; 그저[단지] ~일 뿐인	54	nothing but	[nʌ́θiŋ bʌt]
55	단지 (s+v)라는 이유만으로	55	**only/just because+(S+V)**	
56	단지 (S+V)라는 이유만으로	56	simply because+(S+V)	
57	단지 (S+V)라는 이유만으로	57	merely because+(S+V)	
58	대개는(주로) (S+V)이기 때문에	58	largely because+(S+V)	
59	대개는(주로) (S+V)이기 때문에	59	mostly because+(S+V)	
60	(S+V)라서 그런지	60	probably because+(S+V)	
61	일반적으로; 보통, 대개	61	**generally**	[dʒénərəli]
62	일반적으로; 보통, 대개	62	in general	[in dʒénərəl]
63	기본적(근본적)으로; 원래	63	basically	[béisikəli]
64	전체적으로 보아, 대체로	64	on the whole	[ɑn ðəhoul]
65	전문적으로; 전문용어로 말하자면	65	technically	[téknikəli]
66	우연히, 뜻밖에	66	**accidentally**	[æksədéntəli]
67	우연히, 뜻밖에	67	by accident	[bai æksidənt]
68	그 대신에, 그보다도	68	instead	[instéd]
69	목적을 갖고, 고의로, 일부러	69	**purposely**	[pɔ́:rpəsli]
70	목적을 갖고, 고의로, 일부러	70	on purpose	[ɑn pɔ́:rpəs]
71	계획적으로, 고의로, 일부러	71	intentionally	[inténʃənəli]
72	직접적으로; 똑바로; 즉시, 곧	72	**directly**	[diréktli]
73	간접적으로; 에둘러서, 부차적으로	73	indirectly	[ìndiréktli]
74	가장, 가장 많이('much'의 최상급)	74	**most**	[moust]
75	가장, 가장 좋게 ('well'의 최상급)	75	best	[best]

76	잘, 훌륭하게, 능숙하게 적절히	76	well	[wel]
77	전혀	77	at all	[æt ɔ́:l]
78	**~에 뒤이어[~을 뒤따라]**	78	**in the wake of ~**	
79	~에 뒤이어[~을 뒤따라]	79	as a result of ~	
80	다시, 또, 다시 한 번	80	again	[əgén]
81	다음과 같이	81	as follows	[æz fɑ́louz]
82	**똑같이, 마찬가지로**	82	**likewise**	[láikwàiz]
83	똑같이, 마찬가지로	83	alike	[əláik]
84	똑같이, 동등하게	84	equally	[í:kwəli]
85	똑같이, 동등하게	85	the same	[ðəséim]
86	다르게, 같지 않게; 달리	86	differently	[dífərəntli]
87	홀로, 단독으로; 남의 힘을 빌리지 않고	87	alone	[əlóun]
88	남들과 함께	88	with others	[wiðʌ́ðərz]
89	떨어져서; 따로따로	89	apart	[əpɑ́:rt]
90	함께, 같이, 동반해서	90	together	[təgéðər]
91	소리를 내어	91	aloud	[əláud]
92	속삭여서	92	in a whisper	[in əwíspər]
93	빨리, 신속히; 꽉, 굳게	93	fast	[fæst]
94	**느릿느릿, 천천히; 느리게**	94	**slow**(구어체)	[slou]
95	느릿느릿, 천천히; 느리게	95	slowly	[slóuli]
96	대단히, 몹시; 나쁘게; 서투르게	96	badly	[bǽdli]
97	열심히, 간절히	97	eagerly	[í:gərli]
98	무관심하게, 냉담히	98	indifferently	[indífərəntli]
99	다행히도	99	fortunately	[fɔ́:rtʃənətli]
100	불행히도, 공교롭게도	100	unfortunately	[ʌnfɔ́:rtʃənitli]

1	그 위에, 게다가, 더욱이	1	**further**	[fə́:rðər]
2	게다가; 그 밖에, 따로	2	besides	[bisáidz]
3	더군다나, 그 위에, 더구나	3	furthermore	[fə́:rðərmɔ̀:r]
4	그 위에, 더욱이, 또한	4	moreover	[mɔːróuvər]
5	그런 까닭에, 따라서; 그 결과	5	**therefore**	[ðéərfɔ̀:r]
6	그런 까닭에, 따라서; 그 결과	6	consequently	[kánsikwèntli]
7	아무리 ~하더라도; 그러나	7	however	[hauévər]
8	그런데, 그건 그렇고	8	**by the way**	[bái ðəwéi]
9	그런데, 그건 그렇고	9	incidentally	[ìnsədéntli]
10	딴 방법으로; 만약 그렇지 않으면	10	otherwise	[ʌ́ðərwàiz]
11	어쨌든, 여하튼; 어차피	11	**anyway**	[éniwèi]
12	어쨌든, 여하튼; 어떻게 하든	12	anyhow	[énihàu]
13	어쨌든, 어떤 일이 있어도	13	in any case	[in éni kéis]
14	그럼에도 불구하고	14	**nevertheless**	[nèvərðəlés]
15	그럼에도 불구하고	15	nonetheless	[nʌ̀nðəlés]
16	짧게, 간단히; 잠시	16	**briefly**	[brí:fli]
17	짧게 말해서, 요약하자면	17	briefly speaking	[brí:fli spí:kiŋ]
18	짧게 말해서, 요약하자면	18	in short	[in ʃɔ́:rt]
19	대개는, 보통은; 주로	19	mostly	[móustli]
20	완전히, 전적으로	20	altogether	[ɔ̀:ltəgéðər]
21	어느 정도, 약간, 다소	21	somewhat	[sʌ́mhwàt]
22	거의, 대략, 이쪽저쪽	22	more or less	[mɔ́:r ɔːr lés]
23	~도 역시(긍정문); 너무	23	too	[tu:]
24	~도 또한 아니다(부정문 뒤)	24	either	[í:ðər]
25	둘 중 어느 쪽의 …도 ~아니다	25	neither	[ní:ðər]

26	한 번	26	**once**	[wʌns]
27	두 번	27	twice	[twais]
28	세 번	28	three times	[θri: táimz]
29	여러 번	29	many times	[méni táimz]
30	**완전히, 아주; 꽤; 확실히**	30	**quite**	[kwait]
31	꽤, 상당히; 공평히; 적절하게	31	fairly	[féərli]
32	꽤, 상당히	32	rather	[rǽðər]
33	비교적; 꽤, 상당히	33	comparatively	[kəmpǽrətivli]
34	비교적	34	relatively	[rélətivli]
35	실로, 참으로; 과연, 정말	35	indeed	[indí:d]
36	거의 ~않다; 좀처럼 ~않다	36	little	[lítl]
37	조금은, 다소는	37	a little	[əlítl]
38	적지 않게, 크게	38	not a little	[nát əlítl]
39	**늘, 언제나, 항상(100%)**	39	**always** (빈도부사)	[ɔ́:lweiz]
40	보통, 일반적으로(90%)	40	usually	[júːʒuəli]
41	종종, 때때로, 빈번히(80%)	41	frequently	[frí:kwəntli]
42	자주, 종종, 가끔(70%)	42	often	[ɔ́:ftən]
43	때때로, 때로는, 이따금(50%)	43	sometimes	[sʌ́mtàimz]
44	이따금, 가끔, 왕왕(30%)	44	occasionally	[əkéiʒənəli]
45	거의 ~아니다(않다)(10%)	45	hardly	[háːrdli]
46	거의 ~아니다(않다)(10%)	46	scarcely	[skéərsli]
47	드물게, 좀처럼 …않는다(5%)	47	seldom	[séldəm]
48	드물게, 좀처럼 …않는다(5%)	48	rarely	[réərli]
49	한 번도 ~[한 적이] 없다(0%)	49	never	[névər]
50	거의, 거반, 대체로	50	almost	[ɔ́:lmoust]

51	잇따라, 연속적(계속적)으로	51	**continuously**	[kəntínjuəsli]
52	쉬지 않고, 계속해서	52	on and on	[án æn án]
53	되풀이하여, 몇 번이고	53	**repeatedly**	[ripí:tidly]
54	되풀이하여, 반복해서	54	over and over again	[óuvər æn óuvər əgén]
55	교대로, 번갈아	55	one after the other	[wʌn ǽftər ði ʌ́ðər]
56	그 외에, 그 밖에, 달리	56	else	[els]
57	~조차[도], ~라도; 한층 더	57	even	[í:vən]
58	갑자기, 불시에, 느닷없이	58	**suddenly**	[sʌ́dnli]
59	갑자기, 불시에, 느닷없이	59	abruptly	[əbrʌ́ptli]
60	갑자기, 불시에, 느닷없이	60	unexpectedly	[ʌ̀nikspéktidli]
61	적어도, 최소한	61	at least	[æt lí:st]
62	기껏해야 (많아야)	62	**at most**	[æt móust]
63	기껏해야 (잘해봐야)	63	at best	[æt bést]
64	어떻게든, 꼭	64	at any cost	[æt éni kɔ́:st]
65	즉, 다시 말하자면	65	**in other words**	[in ʌ́ðər wɔ́:rdz]
66	즉, 다시 말하자면	66	namely	[néimli]
67	거의, 대략; 긴밀하게, 밀접하게	67	**near**ly	[níərli]
68	대략, 약; 둘레에, 근처에	68	about	[əbáut]
69	어쩌면, 아마도	69	**maybe**	[méibi:]
70	어쩌면, 아마도	70	perhaps	[pərhǽps]
71	어쩌면, 아마도; 어떻게든 좀	71	possibly	[pásəbəli]
72	아마, 필시, 대개는(90% 이상)	72	probably	[prábəbli]
73	충분히, 상당히, 아주; 바로	73	enough	[inʌ́f]
74	차차로, 서서히	74	gradually	[grǽdʒuəli]
75	극적으로, 눈부시게	75	dramatically	[drəmǽtikəli]

76	간신히, 가까스로, 겨우	76	barely	[béərli]
77	이제껏, 지금까지	77	ever	[évər]
78	하필이면	78	of all things	[əv ɔ́:l θíŋz]
79	아무렴, 좋고말고; 어떻게든	79	by all means	[bai ɔ́:l mí:nz]
80	결코 ~하지 않다; 전혀 아니다	80	by no means	[bai nóu mí:nz]
81	귀여워하여; 소중하게	81	dear	[diər]
82	끔찍이, 애정으로	82	dearly	[díərli]
83	깊이, 깊게	83	deep	[dí:p]
84	철저하게; 짙게	84	deeply	[dí:pli]
85	똑바로; 직접; 직행으로	85	direct	[dirékt]
86	곧, 즉시	86	directly	[diréktli]
87	자유롭게, 무료로	87	free	[fri:]
88	자유로이; 마음대로	88	freely	[frí:li]
89	늦게, 더디게	89	late	[leit]
90	요즈음, 최근에	90	lately	[léitli]
91	열심히, 몹시	91	hard	[hɑ:rd]
92	거의 ~아니다	92	hardly	[hɑ́:rdli]
93	높이, 높게	93	high	[hái]
94	크게, 대단히, 매우	94	highly	[háili]
95	꽤, 비교적, 상당히, 매우	95	pretty	[príti]
96	곱게, 귀엽게; 얌전히	96	prettily	[prítili]
97	널리, 광범위하게	97	wide	[waid]
98	널리; 크게	98	widely	[wáidli]
99	바르게, 옳게; 정확히; 바로	99	right	[rait]
100	올바르게; 정직하게; 적절히	100	rightly	[ráitli]

			Tips
1 가난하게; 서투르게	1 poor**ly**	[púərli]	
2 가볍게, 부드럽게	2 light**ly**	[láitli]	● 끝에 접미사 '-ly'가
3 각별히, 특별히	3 especial**ly**	[ispéʃəli]	붙은 부사들(때로는
4 간단히; 수수하게	4 sim**ply**	[símpli]	'-ally'를 붙이기도 함)
5 갑자기, 불시에	5 sudden**ly**	[sʌ́dnli]	은 근본적으로 동일한
6 강제적으로; 세차게	6 forci**bly**	[fɔ́:rsəbli]	뜻의 어원을 가진 형용
7 개인적으로	7 individual**ly**	[indəvídʒuəli]	사의 뒤에 부사형 접미
8 거만하게; 자랑스럽게	8 proud**ly**	[práudli]	사 '-ly'붙여서 '부사화'
9 거의 ~아니다	9 hard**ly**	[há:rdli]	한 말이므로, 형용사의
10 거의 …아니다	10 scarce**ly**	[skéərsli]	뜻만 알면 바로 우리말
11 거의, 대략; 아주	11 near**ly**	[níərli]	의 부사형의 어미를 붙
12 거칠게, 대충	12 rough**ly**	[rʌ́fli]	여보면 그 뜻을 알 수 있
13 걱정하여; 갈망하여	13 anxious**ly**	[ǽŋkʃəsli]	다.
14 게걸스레; 탐내어	14 greedi**ly**	[grí:dili]	ex) active (적극적인)
15 겨우, 간신히	15 bare**ly**	[béərli]	actively(적극적으
16 격렬하게; 과감하게	16 drastical**ly**	[drǽstikəli]	로)
17 계속해서, 끊임없이	17 continual**ly**	[kəntínjuəli]	
18 계획적으로, 고의로	18 intentional**ly**	[inténʃənəli]	
19 고요히, 침착하게	19 calm**ly**	[ká:mli]	
20 고의로, 일부러	20 purpose**ly**	[pɔ́:rpəsli]	
21 곧, 즉시	21 immediate**ly**	[imí:diətli]	
22 곧; 현재	22 present**ly**	[prézəntli]	
23 공무상, 공식적으로	23 official**ly**	[əfíʃəli]	
24 공손히; 품위 있게	24 polite**ly**	[pəláitli]	
25 공평히, 올바르게; 꽤	25 fair**ly**	[féərli]	

26 굳게; 단호하게	26 firm**ly**	[fə́:rmli]	Tips
27 그 후에, 나중에	27 subsequent**ly**	[sʌ́bsikwəntli]	• slow / slowly
28 극단적으로, 몹시	28 extreme**ly**	[ikstrí:mli]	의미상으로는 서로 차
29 극적으로, 눈부시게	29 dramatical**ly**	[drəmǽtikəli]	이가 없고 이처럼 두 가
30 근접해서; 친밀히	30 close**ly**	[klóusli]	지 모양의 단어가 함께
31 기분 좋게, 즐겁게	31 cheerful**ly**	[tʃíərfəli]	같은 뜻의 부사로 쓰인
32 기분 좋게; 안락하게	32 comfortab**ly**	[kʌ́mfərtəbəli]	다.
33 꾸준히, 착실하게	33 steadi**ly**	[stédili]	• tight / tightly
34 나쁘게, 부정하게	34 wicked**ly**	[wíkidli]	모두 의미상으로는 서
35 난폭하게, 격렬하게	35 violent**ly**	[váiələntli]	로 차이가 없고 이처럼
36 날카롭게, 세게	36 sharp**ly**	[ʃá:rpli]	두 가지 모양의 단어가
37 논리적으로, 논리상	37 logical**ly**	[ládʒikəli]	함께 같은 뜻의 부사로
38 높이; 대단히	38 high**ly**	[háili]	쓰인다.
39 느리게, 천천히	39 slow**[ly]**	[slóuli]	
40 다행히, 운 좋게	40 fortunate**ly**	[fə́:rtʃənətli]	
41 단단히; 꽉	41 tight**[ly]**	[táitli]	
42 단정하게, 말쑥하게	42 neat**ly**	[ní:tli]	
43 단지, 그저	43 mere**ly**	[míərli]	
44 단호히, 결연히	44 resolute**ly**	[rézəlù:tli]	
45 당연히; 적절하게	45 proper**ly**	[prápərli]	
46 당장에, 즉시	46 instant**ly**	[ínstəntli]	
47 대개는, 주로	47 most**ly**	[móustli]	
48 대략, 얼추	48 approximate**ly**	[əpráksəmèitli]	
49 덧붙여 말하면	49 incidental**ly**	[ìnsədéntli]	
50 독특하게, 유일하게	50 unique**ly**	[ju:ní:kli]	

51 동등하게; 평등하게	51 equal**ly**	[í:kwəli]	Tips
52 동시에; 일제히	52 simultaneous**ly**	[sàiməltéiniəsli]	
53 둔하게, 멍청하게	53 dul**ly**	[dʌ́li]	
54 따라서, 그래서	54 according**ly**	[əkɔ́:rdiŋli]	
55 따로따로, 단독으로	55 separate**ly**	[sépərèitli]	
56 마침내; 궁극적으로	56 ultimate**ly**	[ʌ́ltəmitli]	
57 막연히, 모호하게	57 vague**ly**	[véigli]	
58 매우, 심히	58 powerful**ly**	[páuərfəli]	
59 명백하게, 분명히	59 obvious**ly**	[ábviəsli]	
60 명백히; 외관상	60 apparent**ly**	[əpǽrəntli]	
61 명확히; 확실히	61 definite**ly**	[défənitli]	
62 몸소; 개인적으로	62 personal**ly**	[pə́:rsənəli]	
63 무겁게; 심하게	63 heavi**ly**	[hévili]	
64 무척; 무섭게	64 awful**ly**	[ɔ́:fəli]	
65 무한히; 극히	65 infinite**ly**	[ínfənitli]	
66 문자 그대로	66 literal**ly**	[lítərəli]	
67 물리적(육체적)으로	67 physical**ly**	[fízikəli]	
68 미친 듯이, 광포하게	68 frantical**ly**	[frǽntikəli]	
69 바르게, 정확히	69 correct**ly**	[kəréktli]	
70 바삐; 조급히	70 hasti**ly**	[héistili]	
71 반복해서, 두고두고	71 repeated**ly**	[ripí:tidli]	
72 밝게, 화사하게	72 bright**ly**	[bráitli]	
73 배타적으로; 독점적으로	73 exclusive**ly**	[iksklú:sivli]	
74 보통, 평소에	74 usual**ly**	[júːʒuəli]	
75 보통은, 대개는	75 ordinari**ly**	[ɔ̀:rdənérəli]	

76	보편적으로, 도처에	76	universal**ly**	[jù:nəvə́:rsəli]
77	본질적으로, 본질상	77	essential**ly**	[isénʃəli]
78	부분적으로, 얼마간	78	part**ly**	[pá:rtli]
79	부분적으로; 편파적으로	79	partial**ly**	[pú:rʃəli]
80	분명하게, 눈에 띄게	80	evident**ly**	[évidəntli]
81	분명히, 확실히	81	clear**ly**	[klíərli]
82	불가피하게, 부득이	82	inevitab**ly**	[inévitəbəli]
83	불규칙하게; 부정기로	83	irregular**ly**	[irégjələrli]
84	불쑥, 문득	84	casual**ly**	[kǽʒuəli]
85	불쾌하게, 언짢게	85	uncomfortab**ly**	[ʌnkʌ́mfərtəbəli]
86	비교적, 상당히	86	comparative**ly**	[kəmpǽrətivli]
87	빈둥거리며; 할 일 없이	87	id**ly**	[áidli]
88	빨리, 급히	88	quick**[ly]**	[kwíkli]
89	사려 깊게; 친절하게	89	thoughtful**ly**	[θɔ́:tfəli]
90	사실상, 실질적으로	90	virtual**ly**	[və́:rtʃuəli]
91	사실은, 실제로	91	actual**ly**	[ǽktʃuəli]
92	상당히; 실질적으로	92	substantial**ly**	[səbstǽnʃəli]
93	서로, 공동으로	93	mutual**ly**	[mjú:tʃuəli]
94	성공적으로	94	successful**ly**	[səksésfəli]
95	성실하게; 충심으로	95	sincere**ly**	[sinsíərli]
96	솔직히	96	frank**ly**	[frǽŋkli]
97	순수하게, 맑게	97	pure**ly**	[pjúərli]
98	습관적으로	98	habitual**ly**	[həbítʃuəli]
99	신속히, 즉시	99	prompt**ly**	[prámptli]
100	신중하게, 조심해서	100	cautious**ly**	[kɔ́:ʃəsli]

Tips

● quick / quickly
의미상으로는 서로 차이가 없고 이처럼 두 가지 모양의 단어가 함께 같은 뜻의 부사로 쓰인다.

● 다음 주어진 우리말 단어 뜻을 보고 영단어를 말해 보세요.

1	가난하게; 서투르게	26	굳게; 단호하게	51	동등하게; 평등하게	76	보편적으로, 도처에
2	가볍게, 부드럽게	27	그 후에, 나중에	52	동시에; 일제히	77	본질적으로, 본질상
3	각별히, 특별히	28	극단적으로, 몹시	53	둔하게, 멍청하게	78	부분적으로, 얼마간
4	간단히; 수수하게	29	극적으로, 눈부시게	54	따라서, 그래서	79	부분적으로; 편파적으로
5	갑자기, 불시에	30	근접해서; 친밀히	55	따로따로, 단독으로	80	분명하게, 눈에 띄게
6	강제적으로; 세차게	31	기분 좋게, 즐겁게	56	마침내; 궁극적으로	81	분명히, 확실히
7	개인적으로	32	기분 좋게; 안락하게	57	막연히, 모호하게	82	불가피하게, 부득이
8	거만하게; 자랑스럽게	33	꾸준히, 착실하게	58	매우, 심히	83	불규칙하게; 부정기로
9	거의 ~아니다	34	나쁘게, 부정하게	59	명백하게, 분명히	84	불쑥, 문득
10	거의 …아니다	35	난폭하게, 격렬하게	60	명백히; 외관상	85	불쾌하게, 언짢게
11	거의, 대략; 아주	36	날카롭게, 세게	61	명확히; 확실히	86	비교적, 상당히
12	거칠게, 대충	37	논리적으로, 논리상	62	몸소; 개인적으로	87	빈둥거리며; 할 일 없이
13	걱정하여; 갈망하여	38	높이; 대단히	63	무겁게; 심하게	88	빨리, 급히
14	게걸스레; 탐내어	39	느리게, 천천히	64	무척; 무섭게	89	사려 깊게; 친절하게
15	겨우, 간신히	40	다행히, 운 좋게	65	무한히; 극히	90	사실상, 실질적으로
16	격렬하게; 과감하게	41	단단히; 꽉	66	문자 그대로	91	사실은, 실제로
17	계속해서, 끊임없이	42	단정하게, 말쑥하게	67	물리적(육체적)으로	92	상당히; 실질적으로
18	계획적으로, 고의로	43	단지, 그저	68	미친 듯이, 광포하게	93	서로, 공동으로
19	고요히, 침착하게	44	단호히, 결연히	69	바르게, 정확히	94	성공적으로
20	고의로, 일부러	45	당연히; 적절하게	70	바삐; 조급히	95	성실하게; 충심으로
21	곧, 즉시	46	당장에, 즉시	71	반복해서, 두고두고	96	솔직히
22	곧; 현재	47	대개는, 주로	72	밝게, 화사하게	97	순수하게, 맑게
23	공무상, 공식적으로	48	대략, 얼추	73	배타적으로; 독점적으로	98	습관적으로
24	공손히; 품위 있게	49	덧붙여 말하면	74	보통, 평소에	99	신속히, 즉시
25	공평히, 올바르게; 꽤	50	독특하게, 유일하게	75	보통은, 대개는	100	신중하게, 조심해서

● 다음 주어진 영단어를 보고 우리말 뜻을 말해 보세요.

1 poorly	26 firmly	51 equally	76 universally
2 lightly	27 subsequently	52 simultaneously	77 essentially
3 especially	28 extremely	53 dully	78 partly
4 simply	29 dramatically	54 accordingly	79 partially
5 suddenly	30 closely	55 separately	80 evidently
6 forcibly	31 cheerfully	56 ultimately	81 clearly
7 individually	32 comfortably	57 vaguely	82 inevitably
8 proudly	33 steadily	58 powerfully	83 irregularly
9 hardly	34 wickedly	59 obviously	84 casually
10 scarcely	35 violently	60 apparently	85 uncomfortably
11 nearly	36 sharply	61 definitely	86 comparatively
12 roughly	37 logically	62 personally	87 idly
13 anxiously	38 highly	63 heavily	88 quick[ly]
14 greedily	39 slow[ly]	64 awfully	89 thoughtfully
15 barely	40 fortunately	65 infinitely	90 virtually
16 drastically	41 tight[ly]	66 literally	91 actually
17 continually	42 neatly	67 physically	92 substantially
18 intentionally	43 merely	68 frantically	93 mutually
19 calmly	44 resolutely	69 correctly	94 successfully
20 purposely	45 properly	70 hastily	95 sincerely
21 immediately	46 instantly	71 repeatedly	96 frankly
22 presently	47 mostly	72 brightly	97 purely
23 officially	48 approximately	73 exclusively	98 habitually
24 politely	49 incidentally	74 usually	99 promptly
25 fairly	50 uniquely	75 ordinarily	100 cautiously

접미사가 '-ly'형인 부사 2

1	신중히; 고의로	1 deliberate**ly**	[dilíbəritli]
2	실제적으로, 사실상	2 practical**ly**	[prǽktikəli]
3	심하게; 엄격하게	3 severe**ly**	[sivíərli]
4	싸게; 비열하게	4 cheap**[ly]**	[tʃíːpli]
5	아마도, 필시	5 probab**ly**	[prábəbli]
6	아주, 뼛속까지	6 thorough**ly**	[θə́ːrouli]
7	아주, 전혀, 완전히	7 utter**ly**	[ʌ́tərli]
8	안전하게, 무사히	8 safe**ly**	[séifli]
9	애정으로; 비싼 값으로	9 dear**ly**	[díərli]
10	애정을 다해	10 affectionate**ly**	[əfékʃənitli]
11	약간, 조금	11 slight**ly**	[sláitli]
12	얇게, 가늘게	12 thin**[ly]**	[θínli]
13	어색하게, 서툴게	13 awkward**ly**	[ɔ́ːkwərdli]
14	어쩌면; 어떻게든	14 possib**ly**	[pásəbəli]
15	엄격히; 순전히	15 strict**ly**	[stríktli]
16	엄밀히; 정확히	16 precise**ly**	[prisáisli]
17	엄숙하게, 장엄하게	17 solemn**ly**	[sáləmli]
18	열광적으로	18 enthusiastical**ly**	[enθùːziǽstikəli]
19	열심히, 진심으로	19 earnest**ly**	[ɔ́ːrnistli]
20	열정적으로, 열렬히	20 passionate**ly**	[pǽʃənitli]
21	영구히, 끊임없이	21 perpetual**ly**	[pərpétʃuəli]
22	영구히, 불변으로	22 permanent**ly**	[pə́ːrmənəntli]
23	영원히; 언제나	23 eternal**ly**	[itə́ːrnəli]
24	온화하게, 부드럽게	24 mild**ly**	[máildli]
25	완전히, 모조리	25 total**ly**	[tóutəli]

Tips

- cheap / cheaply
  의미상으로는 서로 차이가 없고 이처럼 두 가지 모양의 단어가 함께 같은 뜻의 부사로 쓰인다.

- thin / thinly
  의미상으로는 서로 차이가 없고 이처럼 두 가지 모양의 단어가 함께 같은 뜻의 부사로 쓰인다.

26 완전히, 완벽하게	26 perfect**ly**	[pə́:rfiktli]	Tips
27 완전히, 전적으로	27 whol**ly**	[hóulli]	
28 완전히, 철저히	28 complete**ly**	[kəmplí:tli]	
29 완전히; 전적으로	29 entire**ly**	[entáiərli]	
30 요즈음, 최근에	30 late**ly**	[léitli]	
31 원래, 근본적으로	31 basical**ly**	[béisikəli]	
32 유사하게, 마찬가지로	32 similar**ly**	[símələrli]	
33 유창하게	33 fluent**ly**	[flú:əntli]	
34 이따금 씩, 가끔	34 occasional**ly**	[əkéiʒənəli]	
35 일반적으로, 보통	35 general**ly**	[dʒénərəli]	
36 일찍이, 늦지 않게	36 ear**ly**	[ə́:rli]	
37 자동적으로	37 automatical**ly**	[ɔ̀:təmǽtikəli]	
38 자연히, 자연스럽게	38 natural**ly**	[nǽtʃərəli]	
39 자주, 빈번히	39 frequent**ly**	[frí:kwəntli]	
40 잔인하게; 몹시	40 cruel**ly**	[krú:əli]	
41 장단을 맞춰서	41 rhythmical**ly**	[ríðmikəli]	
42 재빨리, 신속히	42 rapid**ly**	[rǽpidli]	
43 재정적으로	43 financial**ly**	[finǽnʃəli]	
44 적절히, 적당하게	44 adequate**ly**	[ǽdikwətli]	
45 전문용어로 말하면	45 technical**ly**	[téknikəli]	
46 절대적으로, 정말	46 absolute**ly**	[ǽbsəlú:tli]	
47 정당하게; 제시간에	47 du**ly**	[djú:li]	
48 정상적으로; 평소대로	48 normal**ly**	[nɔ́:rməli]	
49 정서적으로	49 emotional**ly**	[imóuʃənəli]	
50 정식으로; 격식을 차려	50 formal**ly**	[fɔ́:rməli]	

			Tips
51	정신적으로; 지적으로	51 mental**ly**	[méntəli]	
52	정직하게, 거짓 없이	52 honest**ly**	[ánistli]	
53	정확하게	53 accurate**ly**	[ǽkjəritli]	
54	정확하게, 틀림없이	54 exact**ly**	[igzǽktli]	
55	조용히, 고요히	55 quiet**ly**	[kwáiətli]	
56	좀처럼 …하지 않는	56 rare**ly**	[réərli]	
57	주로; 대개	57 chief**ly**	[tʃíːfli]	
58	주의 깊게; 검소하게	58 careful**ly**	[kéərfəli]	
59	죽은 듯이; 몹시	59 dead**ly**	[dédli]	
60	즉, 다시 말하자면	60 name**ly**	[néimli]	
61	즉시; 기꺼이	61 readi**ly**	[rédəli]	
62	즐겁게, 유쾌하게	62 pleasant**ly**	[plézntli]	
63	지독하게, 굉장히	63 terrib**ly**	[térəbli]	
64	직접; 즉시, 바로	64 direct**ly**	[diréktli]	
65	진심으로; 실컷	65 hearti**ly**	[háːrtili]	
66	진지하게; 심각하게	66 serious**ly**	[síəriəsli]	
67	짧게, 간단히	67 brief**ly**	[bríːfli]	
68	차차로, 서서히	68 gradual**ly**	[grǽdʒuəli]	
69	참으로, 진실로	69 tru**ly**	[trúːli]	
70	참으로; 확실히	70 real**ly**	[ríːəli]	
71	참을성(끈기) 있게	71 patient**ly**	[péiʃəntli]	
72	처음에는; 원래	72 primari**ly**	[praimérəli]	
73	최근에, 요즈음	73 recent**ly**	[ríːsəntli]	
74	최후로; 결국	74 final**ly**	[fáinəli]	
75	최후에는, 결국은	75 eventual**ly**	[ivéntʃuəll]	

76 충분히	76 sufficient**ly**	[səfíʃəntli]	Tips
77 충분히; 꼬박	77 ful**ly**	[fúli]	
78 충실히; 굳게	78 faithful**ly**	[féiθfəli]	
79 치명적으로; 숙명적으로	79 fatal**ly**	[féitli]	
80 친밀하게; 상세하게	80 intimate**ly**	[íntəmitli]	
81 친절하게, 잘	81 nice**ly**	[náisli]	
82 친절히, 점잖게	82 gent**ly**	[dʒéntli]	
83 크게, 대단히; 훨씬	83 great**ly**	[gréitli]	
84 크게, 주로	84 large**ly**	[lúːrdʒli]	
85 큰소리로; 화려하게	85 loud**[ly]**	[láudli]	● loud / loudly 의미상으로는 서로 차이가 없고 이처럼 두 가지 모양의 단어가 함께 같은 뜻의 부사로 쓰인다.
86 터무니없이, 막대하게	86 enormous**ly**	[inɔ́ːrməsli]	
87 특히; 낱낱이	87 particular**ly**	[pərtíkjələrli]	
88 평화롭게, 평온하게	88 peaceful**ly**	[píːsfəli]	
89 필사적으로; 몹시	89 desperate**ly**	[déspəritli]	
90 항상; 끊임없이	90 constant**ly**	[kánstəntli]	
91 향기롭게	91 fragrant**ly**	[fréigrəntli]	
92 현저하게, 매우	92 remarkab**ly**	[rimáːrkəbəli]	
93 현저하게; 명료하게	93 notab**ly**	[nóutəbəli]	
94 확실히, 틀림없이	94 sure**ly**	[ʃúərli]	
95 확실히; 단호히	95 decided**ly**	[disáididli]	
96 확실히; 반드시	96 certain**ly**	[sɔ́ːrtənli]	
97 활발히, 활동적으로	97 active**ly**	[ǽktivli]	
98 효과적으로	98 effective**ly**	[iféktivli]	● fine / finely 의미상으로는 서로 차이가 없고 이처럼 두 가지 모양의 단어가 함께 같은 뜻의 부사로 쓰인다.
99 훌륭하게, 잘	99 fine**[ly]**	[fáinli]	
100 희미하게; 힘없이	100 faint**ly**	[féintli]	

● 다음 주어진 우리말 단어 뜻을 보고 영단어를 말해 보세요.

1 신중히; 고의로	26 완전히, 완벽하게	51 정신적으로; 지적으로	76 충분히
2 실제적으로, 사실상	27 완전히, 전적으로	52 정직하게, 거짓 없이	77 충분히; 꼬박
3 심하게; 엄격하게	28 완전히, 철저히	53 정확하게	78 충실히; 굳게
4 싸게; 비열하게	29 완전히; 전적으로	54 정확하게, 틀림없이	79 치명적으로; 숙명적으로
5 아마도, 필시	30 요즈음, 최근에	55 조용히, 고요히	80 친밀하게; 상세하게
6 아주, 뼛속까지	31 원래, 근본적으로	56 좀처럼 …하지 않는	81 친절하게, 잘
7 아주, 전혀, 완전히	32 유사하게, 마찬가지로	57 주로; 대개	82 친절히, 점잖게
8 안전하게, 무사히	33 유창하게	58 주의 깊게; 검소하게	83 크게, 대단히; 훨씬
9 애정으로; 비싼 값으로	34 이따금 씩, 가끔	59 죽은 듯이; 몹시	84 크게, 주로
10 애정을 다해	35 일반적으로, 보통	60 즉, 다시 말하자면	85 큰소리로; 화려하게
11 약간, 조금	36 일찍이, 늦지 않게	61 즉시; 기꺼이	86 터무니없이, 막대하게
12 얇게, 가늘게	37 자동적으로	62 즐겁게, 유쾌하게	87 특히; 낱낱이
13 어색하게, 서툴게	38 자연히, 자연스럽게	63 지독하게, 굉장히	88 평화롭게, 평온하게
14 어쩌면; 어떻게든	39 자주, 빈번히	64 직접; 즉시, 바로	89 필사적으로; 몹시
15 엄격히; 순전히	40 잔인하게; 몹시	65 진심으로; 실컷	90 항상; 끊임없이
16 엄밀히; 정확히	41 장단을 맞춰서	66 진지하게; 심각하게	91 향기롭게
17 엄숙하게, 장엄하게	42 재빨리, 신속히	67 짧게, 간단히	92 현저하게, 매우
18 열광적으로	43 재정적으로	68 차차로, 서서히	93 현저하게; 명료하게
19 열심히, 진심으로	44 적절히, 적당하게	69 참으로, 진실로	94 확실히, 틀림없이
20 열정적으로, 열렬히	45 전문용어로 말하면	70 참으로; 확실히	95 확실히; 단호히
21 영구히, 끊임없이	46 절대적으로, 정말	71 참을성(끈기) 있게	96 확실히; 반드시
22 영구히, 불변으로	47 정당하게; 제시간에	72 처음에는; 원래	97 활발히, 활동적으로
23 영원히; 언제나	48 정상적으로; 평소대로	73 최근에, 요즈음	98 효과적으로
24 온화하게, 부드럽게	49 징시격으로	74 최후로; 결국	99 훌륭하게, 잘
25 완전히, 모조리	50 정식으로; 격식을 차려	75 최후에는, 결국은	100 희미하게; 힘없이

● 다음 주어진 영단어를 보고 우리말 뜻을 말해 보세요.

1 deliberately	26 perfectly	51 mentally	76 sufficiently
2 practically	27 wholly	52 honestly	77 fully
3 severely	28 completely	53 accurately	78 faithfully
4 cheap[ly]	29 entirely	54 exactly	79 fatally
5 probably	30 lately	55 quietly	80 intimately
6 thoroughly	31 basically	56 rarely	81 nicely
7 utterly	32 similarly	57 chiefly	82 gently
8 safely	33 fluently	58 carefully	83 greatly
9 dearly	34 occasionally	59 deadly	84 largely
10 affectionately	35 generally	60 namely	85 loud[ly]
11 slightly	36 early	61 readily	86 enormously
12 thin[ly]	37 automatically	62 pleasantly	87 particularly
13 awkwardly	38 naturally	63 terribly	88 peacefully
14 possibly	39 frequently	64 directly	89 desperately
15 strictly	40 cruelly	65 heartily	90 constantly
16 precisely	41 rhythmically	66 seriously	91 fragrantly
17 solemnly	42 rapidly	67 briefly	92 remarkably
18 enthusiastically	43 financially	68 gradually	93 notably
19 earnestly	44 adequately	69 truly	94 surely
20 passionately	45 technically	70 really	95 decidedly
21 perpetually	46 absolutely	71 patiently	96 certainly
22 permanently	47 duly	72 primarily	97 actively
23 eternally	48 normally	73 recently	98 effectively
24 mildly	49 emotionally	74 finally	99 fine[ly]
25 totally	50 formally	75 eventually	100 faintly

					Tips
1	**anti**socially	[æntisóuʃəli]	1	반사회적으로	
2	**counter**actively	[kàuntərǽktivli]	2	반작용적으로	접두사 'anti' '반대, 적대, 대항, 배척' 등의 뜻을 가진다.
3	**dis**agreeably	[dìsəgríːəbəli]	3	불쾌하게	
4	**extra**ordinarily	[ikstrɔ́ːrdənèrili]	4	엄청나게	접두사 'counter' '반대의, 역의'라는 뜻을 가진다.
5	**il**legally	[ilíːgəli]	5	불법적으로	
6	**il**literately	[ilítəritli]	6	문맹으로; 교양이 없이	접두사 'dis' '비(非)…, 무…, 반대, 분리, 제거'등의 뜻을 나타내고, 또 부정의 뜻을 강조한다.
7	**il**logically	[ilάdʒikəli]	7	비논리적으로	
8	**il**legibly	[iléᴅʒəbəli]	8	알아보기 어렵게	
9	**il**legitimately	[ìlidʒítəmitli]	9	위법(불법)으로	
10	**il**liberally	[ilíbərəli]	10	편협하게	접두사 'extra' '~외의, 범위 밖의, ~이외의, 특별한'이라는 뜻을 가진다.
11	**im**maturely	[ìmətjúərli]	11	유치하게	
12	**im**measurably	[iméʒərəbəli]	12	헤아릴 수 없을 만큼	
13	**im**moderately	[imάdəritli]	13	과도하게	접두사 'il~, im~, ir~, in~' 모두 'not'이라는 뜻을 가진다.
14	**im**modestly	[imάdistli]	14	천박하게	
15	**im**morally	[imɔ́ːrəli]	15	부도덕하게	
16	**im**mortally	[imɔ́ːrtli]	16	죽지 않고; 영원히	이 장과 다음 장에 등장하는 대부분의 부정 접두어를 가진 부사 단어들은 앞의 형용사편 Unit 27(p.368)과 Unit 28(p.374) '형용사의 부정·반의 접두어 I, II'의 내용에 '~ly'가 붙은 것들이다. 따라서 그 형용사 부분을 먼저 잘 공부해 두면 이 부분은 쉽게 암기할 수 있다.
17	**im**movably	[imúːvəbəli]	17	붙박이로	
18	**im**partially	[impάːrʃəli]	18	공명정대하게	
19	**im**passively	[impǽsivli]	19	냉담하게	
20	**im**patiently	[impéiʃəntli]	20	조바심하며	
21	**im**perceptibly	[ìmpərséptəbəli]	21	알아차릴 수 없게	
22	**im**perfectly	[impɔ́ːrfiktli]	22	불완전하게	
23	**im**permanently	[impɔ́ːrmənəntli]	23	비영구적으로	
24	**im**personally	[impɔ́ːrsənəli]	24	비인간적으로	
25	**im**piously	[ímpiəsli]	25	불경스럽게	

26	**im**placably	[implǽkəbəli]	26	무자비하게	Tips
27	**im**politely	[ìmpəláitli]	27	무례하게	
28	**im**possibly	[impásəbəli]	28	말도 안 되게	
29	**im**potently	[ímpətəntli]	29	무력하게	
30	**im**practicably	[imprǽktikəbəli]	30	실행할 수 없을 정도로	
31	**im**practically	[imprǽktikəli]	31	비실용적으로	
32	**im**properly	[imprápərli]	32	부적절하게	
33	**im**providently	[imprávədəntli]	33	선견지명 없이	
34	**im**prudently	[imprú:dəntli]	34	경솔하게	
35	**im**purely	[impjúərli]	35	불결하게	
36	**ir**rationally	[irǽʃənəli]	36	불합리하게, 비이성적으로	
37	**ir**reducibly	[ìridjú:səbəli]	37	더 이상 줄일 수 없게	
38	**ir**regularly	[irégjələrli]	38	불규칙하게	
39	**ir**relevantly	[iréləvəntli]	39	부적절하게	
40	**ir**remediably	[ìrimí:diəbəli]	40	돌이킬 수 없도록	
41	**ir**resistibly	[ìrizístəbəli]	41	불가항력적으로	
42	**ir**resolutely	[irézəlù:tli]	42	우유부단하게	
43	**ir**relatively	[irélətivli]	43	엉뚱하게	
44	**ir**respectively	[ìrispéktivli]	44	관계없이	
45	**ir**responsibly	[ìrispánsəbəli]	45	무책임하게	
46	**ir**religiously	[ìrilídʒəsli]	46	반종교적으로	
47	**in**accessibly	[ìnəksésəbəli]	47	접근하기 어렵게	
48	**in**actively	[inǽktivli]	48	비활동적으로	
49	**in**adequately	[inǽdikwitli]	49	부적당하게; 불충분하게	
50	**in**appropriately	[ìnəpróupriitli]	50	부적절하게	

51	**in**artificially	[inà:rtəfíʃəli]	51	기교를 가하지 않고	Tips
52	**in**artistically	[inɑ:rtístikli]	52	비예술적으로	
53	**in**attentively	[inəténtivli]	53	부주의하게	
54	**in**audibly	[inɔ́:dəbəli]	54	알아들을 수 없게	
55	**in**cessantly	[insésəntli]	55	계속적으로	
56	**in**compatibly	[ìnkəmpǽtəbəli]	56	양립할 수 없게	
57	**in**competently	[inkámpíətəntli]	57	무능하게	
58	**in**completely	[ìnkəmpl:tli]	58	불완전하게	
59	**in**consequentially	[ìnkànsikwénʃəli]	59	엉뚱하게	
60	**in**consistently	[ìnkənsístəntli]	60	모순되게	
61	**in**constantly	[inkánstəntli]	61	변덕스럽게	
62	**in**conveniently	[ìnkənví:njəntli]	62	불편하게	
63	**in**correctly	[ìnkəréktli]	63	부정확하게	
64	**in**credibly	[inkrédəbəli]	64	믿지 못할 만큼	
65	**in**decently	[indí:sntli]	65	버릇없이, 상스럽게	
66	**in**definitely	[indéfənitli]	66	막연히, 애매하게	
67	**in**dividually	[ìndəvídʒuəli]	67	개별적으로; 낱낱이	
68	**in**directly	[ìndiréktli]	68	간접적으로	
69	**in**dispensably	[ìndispénsəbəli]	69	반드시, 꼭	
70	**in**distinctly	[ìndistíŋktli]	70	어렴풋이, 모호하게	
71	**in**effectively	[ìniféktivli]	71	헛되게, 무익하게	
72	**in**efficiently	[ìnifíʃəntli]	72	비능률적으로	
73	**in**exactly	[ìnigzǽktli]	73	부정확하게	
74	**in**exhaustibly	[ìnigzɔ:stəbəli]	74	무궁무진히게	
75	**in**expertly	[inékspə:rtli]	75	서투르게	

					Tips
76	**in**expressively	[ìniksprésivli]	76	무표정하게	
77	**in**famously	[ínfəməsli]	77	불명예스럽게도	
78	**in**firmly	[infə́:rmli]	78	노쇠하여	
79	**in**frequently	[infrí:kwəntli]	79	드물게, 어쩌다	
80	**in**hospitably	[inháspitəbəli]	80	불친절하게	
81	**in**humanely	[ìnhju:méinli]	81	비인도적으로	
82	**in**offensively	[ìnəfénsivli]	82	해롭지 않게	
83	**in**sanely	[inséinli]	83	미쳐서, 비상식적으로	
84	**in**securely	[ìnsikjúərli]	84	불안하여	
85	**in**delicately	[indélikitli]	85	무례할 정도로	
86	**in**discreetly	[indiskrí:tli]	86	무분별하게, 함부로	
87	**in**differently	[indífərəntli]	87	무관심하게, 냉담히	
88	**in**effectually	[ìniféktʃuəli]	88	비효과적으로	
89	**in**elegantly	[inéləgəntli]	89	우아하지 않게; 천하게	
90	**in**fallibly	[infǽləbəli]	90	틀림없이, 확실히	
91	**in**finitely	[ínfənitli]	91	대단히, 엄청	
92	**in**formally	[infɔ́:rməli]	92	비공식으로, 약식으로	
93	**in**sensibly	[insénsəbəli]	93	느끼지 못할 만큼	
94	**in**sensitively	[insénsətivli]	94	무감각하게	
95	**in**separably	[insépərəbəli]	95	밀접히, 불가분하게	
96	**in**significantly	[ìnsignífikəntli]	96	근소(사소)하게	
97	**in**sincerely	[ìnsinsíərli]	97	성의 없이, 거짓으로	
98	**in**sufficiently	[ìnsəfíʃəntli]	98	불충분하게	
99	**in**subordinately	[insəbɔ́:rdənitli]	99	순종치 않게, 반항하게	
100	**in**tangibly	[intǽndʒəbəli]	100	파악하기 어렵게	

Review Test ❶

● 다음 주어진 우리말 단어 뜻을 보고 영단어를 말해 보세요.

1 반사회적으로	26 무자비하게	51 기교를 가하지 않고	76 무표정하게
2 반작용적으로	27 무례하게	52 비예술적으로	77 불명예스럽게도
3 불쾌하게	28 말도 안 되게	53 부주의하게	78 노쇠하여
4 엄청나게	29 무력하게	54 알아들을 수 없게	79 드물게, 어쩌다
5 불법적으로	30 실행할 수 없을 정도로	55 계속적으로	80 불친절하게
6 문맹으로; 교양이 없이	31 비실용적으로	56 양립할 수 없게	81 비인도적으로
7 비논리적으로	32 부적절하게	57 무능하게	82 해롭지 않게
8 알아보기 어렵게	33 선견지명 없이	58 불완전하게	83 미쳐서, 비상식적으로
9 위법(불법)으로	34 경솔하게	59 엉뚱하게	84 불안하여
10 편협하게	35 불결하게	60 모순되게	85 무례할 정도로
11 유치하게	36 불합리하게, 비이성적으로	61 변덕스럽게	86 무분별하게, 함부로
12 헤아릴 수 없을 만큼	37 더 이상 줄일 수 없게	62 불편하게	87 무관심하게, 냉담히
13 과도하게	38 불규칙하게	63 부정확하게	88 비효과적으로
14 천박하게	39 부적절하게	64 믿지 못할 만큼	89 우아하지 않게; 천하게
15 부도덕하게	40 돌이킬 수 없도록	65 버릇없이, 상스럽게	90 틀림없이, 확실히
16 죽지 않고; 영원히	41 불가항력적으로	66 막연히, 애매하게	91 대단히, 엄청
17 붙박이로	42 우유부단하게	67 개별적으로; 낱낱이	92 비공식으로, 약식으로
18 공명정대하게	43 엉뚱하게	68 간접적으로	93 느끼지 못할 만큼
19 냉담하게	44 관계없이	69 반드시, 꼭	94 무감각하게
20 조바심하며	45 무책임하게	70 어렴풋이, 모호하게	95 밀접히, 불가분하게
21 알아차릴 수 없게	46 반종교적으로	71 헛되게, 무익하게	96 근소(사소)하게
22 불완전하게	47 접근하기 어렵게	72 비능률적으로	97 성의 없이, 거짓으로
23 비영구적으로	48 비활동적으로	73 부정확하게	98 불충분하게
24 비인간적으로	49 부적당히게; 불충분하게	74 무궁무지하게	99 순종치 않게, 반항하게
25 불경스럽게	50 부적절하게	75 서투르게	100 파악하기 어렵게

● 다음 주어진 영단어를 보고 우리말 뜻을 말해 보세요.

1 antisocially	26 implacably	51 inartificially	76 inexpressively
2 counteractively	27 impolitely	52 inartistically	77 infamously
3 disagreeably	28 impossibly	53 inattentively	78 infirmly
4 extraordinarily	29 impotently	54 inaudibly	79 infrequently
5 illegally	30 impracticably	55 incessantly	80 inhospitably
6 illiterately	31 impractically	56 incompatibly	81 inhumanely
7 illogically	32 improperly	57 incompetently	82 inoffensively
8 illegibly	33 improvidently	58 incompletely	83 insanely
9 illegitimately	34 imprudently	59 inconsequentially	84 insecurely
10 illiberally	35 impurely	60 inconsistently	85 indelicately
11 immaturely	36 irrationally	61 inconstantly	86 indiscreetly
12 immeasurably	37 irreducibly	62 inconveniently	87 indifferently
13 immoderately	38 irregularly	63 incorrectly	88 ineffectually
14 immodestly	39 irrelevantly	64 incredibly	89 inelegantly
15 immorally	40 irremediably	65 indecently	90 infallibly
16 immortally	41 irresistibly	66 indefinitely	91 infinitely
17 immovably	42 irresolutely	67 individually	92 informally
18 impartially	43 irrelatively	68 indirectly	93 insensibly
19 impassively	44 irrespectively	69 indispensably	94 insensitively
20 impatiently	45 irresponsibly	70 indistinctly	95 inseparably
21 imperceptibly	46 irreligiously	71 ineffectively	96 insignificantly
22 imperfectly	47 inaccessibly	72 inefficiently	97 insincerely
23 impermanently	48 inactively	73 inexactly	98 insufficiently
24 impersonally	49 inadequately	74 inexhaustibly	99 insubordinately
25 impiously	50 inappropriately	75 inexpertly	100 intangibly

Unit 08

부사 부정 · 반의 접두어 2 & 부사 동의어 1

1	**in**temperately	[intémpəritli]	1	과도하게
2	**in**tolerably	[intálərəbəli]	2	참을 수 없이
3	**in**tolerantly	[intálərəntli]	3	편협하게
4	**in**transitively	[intrǽnsətivli]	4	자동사로
5	**in**transigently	[intrǽnzidʒəntli]	5	비타협적으로
6	**in**visibly	[invízəbəlli]	6	눈에 보이지 않게
7	**non**morally	[nànmɔ́:rəli]	7	도덕과 관계없이
8	**un**awarely	[ʌnəwéərli]	8	알아채지 못하게
9	**un**bearably	[ʌnbéərəbəli]	9	참을 수 없을 만큼
10	**un**believably	[ʌnbilí:vəbəli]	10	믿을 수 없을 정도로
11	**un**certainly	[ʌnsɔ́:rtnli]	11	머뭇거리며
12	**un**civilly	[ʌnsívəli]	12	무례하게, 버릇없이
13	**un**comfortably	[ʌnkʌ́mfərtəbəli]	13	불편하게
14	**un**commonly	[ʌnkámənli]	14	굉장히; 극도로
15	**un**consciously	[ʌnkánʃəsli]	15	무의식적으로
16	**un**equally	[ʌní:kwəli]	16	불공평하게
17	**un**evenly	[ʌní:vənli]	17	고르지 않게
18	**un**expectedly	[ʌnikspéktidli]	18	뜻밖에, 예상외로
19	**un**fairly	[ʌnféərli]	19	부당하게
20	**un**familiarly	[ʌnfəmíljərli]	20	생소하게, 낯설게
21	**un**fitly	[ʌnfítli]	21	걸맞지 않게
22	**un**forgettably	[ʌnfərgétəbəli]	22	잊을 수 없게
23	**un**fortunately	[ʌnfɔ́:rtʃənitli]	23	불행하게도
24	**un**friendly	[ʌnfréndli]	24	불친절하게
25	**un**gratefully	[ʌngréitfəli]	25	배은망덕하게

Tips

● 접두사 'il∼, im∼, ir∼, in∼' 모두 'not'이라는 뜻을 가진다.

● 접두어 'non−' '무(無), 비(非), 불(不)'의 뜻. 보통 'in−, un−'은 '반대', 'non−'은 '부정, 결여'의 뜻을 나타낸다.

26	**un**justly	[ʌndʒʌ́stli]	26	불공평하게
27	**un**kindly	[ʌnkáindli]	27	불친절하게
28	**un**likely	[ʌnláikli]	28	있을 것 같지 않게
29	**un**limitedly	[ʌnlímitidli]	29	무제한으로
30	**un**luckily	[ʌnlʌ́kili]	30	불행히도
31	**un**naturally	[ʌnnǽtʃərəli]	31	부자연스럽게
32	**un**necessarily	[ʌnnésəsèrily]	32	쓸데없이
33	**un**pleasantly	[ʌnplézəntli]	33	불쾌하게
34	**un**reasonably	[ʌnríːzənəbəli]	34	불합리하게
35	**un**satisfactorily	[ʌnsæ̀tisfǽktərili]	35	만족스럽지 않게
36	**un**selfishly	[ʌnsélfiʃli]	36	사심 없이
37	**un**speakably	[ʌnspíːkəbəli]	37	말할 수 없을 만큼
38	**un**stably	[ʌnstéibli]	38	불안정하게
39	**un**successfully	[ʌ̀nsəksésfəli]	39	실패하여; 불운하게
40	**un**suitably	[ʌnsúːtəbəli]	40	부적절하게
41	**un**wisely	[ʌnwáizli]	41	어리석게
42	**un**worthily	[ʌnwə́ːrðili]	42	가치 없게, 하찮게
43	**adamantly**	[ǽdəməntli]	43	**완고하게**
44	inflexibly	[infléksəbəli]	44	완고하게
45	rigidly	[rídʒidli]	45	완고하게
46	uncompromisingly	[ʌnkámprəmàiziŋli]	46	완고하게
47	**admiringly**	[ædmáiəriŋli]	47	**감탄하여**
48	exclamatorily	[iksklǽmətɔ̀ːrili]	48	감탄하여
49	wonderingly	[wʌ́ndəriŋli]	49	감탄하여
50	with admiration	[wiðædməréiʃən]	50	감탄하여

Tips

- 접두어 'un-'
  ① 형용사(동사의 분사형 포함) 및 부사에 붙여서 '부정(否定)'의 뜻을 나타낸다.
  ② 동사에 붙여서 '그 반대의 동작'을 나타낸다.

- unbend
  (굽은 것을) 곧게 하다, 펴다
  ③ 명사에 붙여서 그 명사가 나타내는 성질·상태를 '제거'하는 뜻을 나타내는 동사를 만든다.

- unman
  (남자다움을 잃게 하다, 연약하게 하다)

- '갑자기'의 뜻을 가진 다른 말들
  −abruptly
  [əbrʌ́ptli]
  −unexpectedly
  [ʌ̀nikspéktidli]

					Tips
51	**accurately**	[ǽkjəritli]	51	정확히, 정밀하게	
52	exactly	[igzǽktli]	52	정확히, 정밀하게	
53	precisely	[prisáisli]	53	정확히, 정밀하게	
54	right	[rait]	54	정확히, 정밀하게	
55	sharp	[ʃɑːrp]	55	정확히, 정밀하게	
56	**adequately**	[ǽdikwətli]	56	충분하게, 알맞게	
57	sufficiently	[səfíʃəntli]	57	충분하게, 알맞게	
58	acceptably	[ækséptəbəli]	58	충분하게, 알맞게	
59	appropriately	[əpróupriitli]	59	충분하게, 알맞게	
60	properly	[prápərli]	60	충분하게, 알맞게	
61	**adversely**	[ædvə́ːrsli]	61	반대로, 역으로	
62	contrariwise	[kántreriwàiz]	62	반대로, 역으로	
63	inimically	[inímikəli]	63	반대로, 역으로	
64	**almost**	[ɔ́ːlmoust]	64	거의, 대체로	
65	all but	[ɔ́ːl bʌt]	65	거의, 대체로	
66	near	[niər]	66	거의, 대체로	
67	nearly	[níərli]	67	거의, 대체로	
68	about	[əbáut]	68	거의, 대체로	
69	just about	[dʒʌ́st əbáut]	69	거의, 대체로	
70	**adequately**	[ǽdikwətli]	70	충분히; 적당히	
71	appropriately	[əpróupriitli]	71	충분히; 적당히	
72	fittingly	[fítiŋli]	72	충분히; 적당히	
73	fully	[fúli]	73	충분히; 적당히	
74	richly	[rítʃli]	74	충분히; 적당히	
75	suitably	[súːtəbəli]	75	충분히; 적당히	

76	**also**	[ɔ́ːlsou]	76	**또한, 게다가**	Tips
77	likewise	[láikwàiz]	77	또한, 게다가	
78	additionally	[ədíʃənəli]	78	또한, 게다가	
79	moreover	[mɔːróuvər]	79	또한, 게다가	
80	further	[fə́ːrðər]	80	또한, 게다가	
81	as well	[æz wél]	81	또한, 게다가	
82	besides	[bisáidz]	82	또한, 게다가	
83	**always**	[ɔ́ːlweiz]	83	**항상, 언제나**	
84	constantly	[kánstəntli]	84	항상, 언제나	
85	ceaselessly	[síːslisli]	85	항상, 언제나	
86	continuously	[kəntínjuəsli]	86	항상, 언제나	
87	invariably	[invéəriəbəli]	87	항상, 언제나	
88	perpetually	[pərpétʃuəli]	88	항상, 언제나	
89	at all times	[æt ɔ́ːl táimz]	89	항상, 언제나	
90	**assuredly**	[əʃúːərdli]	90	**확실히, 틀림없이**	
91	certainly	[sə́ːrtənli]	91	확실히, 틀림없이	
92	indubitably	[indjúːbətəbli]	92	확실히, 틀림없이	
93	undoubtedly	[ʌndáutidli]	93	확실히, 틀림없이	
94	unquestionably	[ʌnkwéstʃənəbəli]	94	확실히, 틀림없이	
95	**bitterly**	[bítərli]	95	**따끔하게, 통렬히**	
96	resentfully	[rizéntfəli]	96	따끔하게, 통렬히	
97	sorely	[sɔ́ːrli]	97	따끔하게, 통렬히	
98	piercingly	[píərsiŋli]	98	따끔하게, 통렬히	
99	bitingly	[báitiŋli]	99	따끔하게, 통렬히	
100	sharply	[ʃáːrpli]	100	따끔하게, 통렬히	

● 다음 주어진 우리말 단어 뜻을 보고 영단어를 말해 보세요.

1	과도하게	26	불공평하게	51	정확히, 정밀하게	76	또한, 게다가
2	참을 수 없이	27	불친절하게	52	정확히, 정밀하게	77	또한, 게다가
3	편협하게	28	있을 것 같지 않게	53	정확히, 정밀하게	78	또한, 게다가
4	자동사로	29	무제한으로	54	정확히, 정밀하게	79	또한, 게다가
5	비타협적으로	30	불행히도	55	정확히, 정밀하게	80	또한, 게다가
6	눈에 보이지 않게	31	부자연스럽게	56	충분하게, 알맞게	81	또한, 게다가
7	도덕과 관계없이	32	쓸데없이	57	충분하게, 알맞게	82	또한, 게다가
8	알아채지 못하게	33	불쾌하게	58	충분하게, 알맞게	83	항상, 언제나
9	참을 수 없을 만큼	34	불합리하게	59	충분하게, 알맞게	84	항상, 언제나
10	믿을 수 없을 정도로	35	만족스럽지 않게	60	충분하게, 알맞게	85	항상, 언제나
11	머뭇거리며	36	사심 없이	61	반대로, 역으로	86	항상, 언제나
12	무례하게, 버릇없이	37	말할 수 없을 만큼	62	반대로, 역으로	87	항상, 언제나
13	불편하게	38	불안정하게	63	반대로, 역으로	88	항상, 언제나
14	굉장히; 극도로	39	실패하여; 불운하게	64	거의, 대체로	89	항상, 언제나
15	무의식적으로	40	부적절하게	65	거의, 대체로	90	확실히, 틀림없이
16	불공평하게	41	어리석게	66	거의, 대체로	91	확실히, 틀림없이
17	고르지 않게	42	가치 없게, 하찮게	67	거의, 대체로	92	확실히, 틀림없이
18	뜻밖에, 예상외로	43	완고하게	68	거의, 대체로	93	확실히, 틀림없이
19	부당하게	44	완고하게	69	거의, 대체로	94	확실히, 틀림없이
20	생소하게, 낯설게	45	완고하게	70	충분히; 적당히	95	따끔하게, 통렬히
21	걸맞지 않게	46	완고하게	71	충분히; 적당히	96	따끔하게, 통렬히
22	잊을 수 없게	47	감탄하여	72	충분히; 적당히	97	따끔하게, 통렬히
23	불행하게도	48	감탄하여	73	충분히; 적당히	98	따끔하게, 통렬히
24	불친절하게	49	감탄하여	74	충분히; 적당히	99	따끔하게, 통렬히
25	배은망덕하게	50	감탄하여	75	충분히; 적당히	100	따끔하게, 통렬히

Review Test ②

THE VOCABULARY
701 - 800

● 다음 주어진 영단어를 보고 우리말 뜻을 말해 보세요.

1	intemperately	26	unjustly	51	accurately	76	also
2	intolerably	27	unkindly	52	exactly	77	likewise
3	intolerantly	28	unlikely	53	precisely	78	additionally
4	intransitively	29	unlimitedly	54	right	79	moreover
5	intransigently	30	unluckily	55	sharp	80	further
6	invisibly	31	unnaturally	56	adequately	81	as well
7	nonmorally	32	unnecessarily	57	sufficiently	82	besides
8	unawarely	33	unpleasantly	58	acceptably	83	always
9	unbearably	34	unreasonably	59	appropriately	84	constantly
10	unbelievably	35	unsatisfactorily	60	properly	85	ceaselessly
11	uncertainly	36	unselfishly	61	adversely	86	continuously
12	uncivilly	37	unspeakably	62	contrariwise	87	invariably
13	uncomfortably	38	unstably	63	inimically	88	perpetually
14	uncommonly	39	unsuccessfully	64	almost	89	at all times
15	unconsciously	40	unsuitably	65	all but	90	assuredly
16	unequally	41	unwisely	66	near	91	certainly
17	unevenly	42	unworthily	67	nearly	92	indubitably
18	unexpectedly	43	adamantly	68	about	93	undoubtedly
19	unfairly	44	inflexibly	69	just about	94	unquestionably
20	unfamiliarly	45	rigidly	70	adequately	95	bitterly
21	unfitly	46	uncompromisingly	71	appropriately	96	resentfully
22	unforgettably	47	admiringly	72	fittingly	97	sorely
23	unfortunately	48	exclamatorily	73	fully	98	piercingly
24	unfriendly	49	wonderingly	74	richly	99	bitingly
25	ungratefully	50	with admiration	75	suitably	100	sharply

1	**assertively**	[əsə́:rtivli]	1	단호하게		Tips
2	firmly	[fə́:rmli]	2	단호하게		
3	resolutely	[rézəlù:tli]	3	단호하게		
4	decisively	[disáisivli]	4	단호하게		
5	**barely**	[béərli]	5	**거의 ~않는, 간신히**		
6	hardly	[há:rdli]	6	거의 ~않는, 간신히		
7	scarcely	[skéərsli]	7	거의 ~않는, 간신히		
8	**before**	[bifɔ́:r]	8	**이전에, 미리**		
9	ahead	[əhéd]	9	이전에, 미리		
10	beforehand	[bifɔ́:rhæ̀nd]	10	이전에, 미리		
11	in advance	[in ædvǽns]	11	이전에, 미리		
12	**brightly**	[bráitli]	12	**찬란하게, 영리하게**		
13	brilliantly	[bríljəntli]	13	찬란하게, 영리하게		
14	intelligently	[intélədʒəntli]	14	찬란하게, 영리하게		
15	**cautiously**	[kɔ́:ʃəsli]	15	**신중하게, 온건하게**		
16	carefully	[kéərfəli]	16	신중하게, 온건하게		
17	guardedly	[gá:rdidli]	17	신중하게, 온건하게		
18	conservatively	[kənsə́:rvətivli]	18	신중하게, 온건하게		
19	moderately	[mádərətli]	19	신중하게, 온건하게		
20	**certainly**	[sə́:rtənli]	20	**확실히, 틀림없이**		
21	absolutely	[æ̀bsəlú:tli]	21	확실히, 틀림없이		
22	doubtlessly	[dáutlisli]	22	확실히, 틀림없이		
23	undoubtedly	[ʌndáutidli]	23	확실히, 틀림없이		
24	**deductively**	[didʌ́ktivli]	24	**연역적으로, 유추해서**		
25	by deduction	[bai didʌ́ktʃən]	25	연역적으로, 유추해서		

26	**closely**	[klóusli]	26	가까이에	Tips
27	nearby	[níərbái]	27	가까이에	
28	proximately	[práksəmitli]	28	가까이에	
29	**consecutively**	[kənsékjətivli]	29	**계속해서, 연속적으로**	
30	continually	[kəntínjuəli]	30	계속해서, 연속적으로	
31	continuously	[kəntínjuəsli]	31	계속해서, 연속적으로	
32	successively	[səksésivli]	32	계속해서, 연속적으로	
33	sequentially	[sikwénʃəli]	33	계속해서, 연속적으로	
34	uninterruptedly	[ʌnìntərʌ́ptidli]	34	계속해서, 연속적으로	
35	ceaselessly	[síːslisli]	35	계속해서, 연속적으로	
36	**considerably**	[kənsídərəbəli]	36	**상당히, 꽤**	
37	far	[fɑːr]	37	상당히, 꽤	
38	quite	[kwait]	38	상당히, 꽤	
39	rather	[rǽðər]	39	상당히, 꽤	
40	significantly	[signífikəntli]	40	상당히, 꽤	
41	**durably**	[djúərəbəli]	41	**영구히, 안정적으로**	
42	permanently	[pə́ːrmənəntli]	42	영구히, 안정적으로	
43	lastingly	[lǽstiŋli]	43	영구히, 안정적으로	
44	stably	[stéibli]	44	영구히, 안정적으로	
45	**enjoyably**	[endʒɔ́iəbəli]	45	**즐겁게, 유쾌하게**	
46	pleasantly	[plézntli]	46	즐겁게, 유쾌하게	
47	agreeably	[əgríːəbəli]	47	즐겁게, 유쾌하게	
48	delightfully	[diláitfəli]	48	즐겁게, 유쾌하게	
49	cheerfully	[tʃíərfəli]	49	즐겁게, 유쾌하게	
50	happily	[hǽpili]	50	즐겁게, 유쾌하게	

51	**cooperatively**	[kouápərèitivli]	51	**협력해서, 단합해서**		Tips
52	collaboratively	[kəlǽbərèitivli]	52	협력해서, 단합해서		
53	unitedly	[ju:náitidli]	53	협력해서, 단합해서		
54	**dimly**	[dímli]	54	**희미하게, 맥없이**		
55	indistinctly	[ìndistíŋktli]	55	희미하게, 맥없이		
56	dully	[dʌ́li]	56	희미하게, 맥없이		
57	palely	[péili]	57	희미하게, 맥없이		
58	faintly	[féintli]	58	희미하게, 맥없이		
59	**deeply**	[dí:pli]	59	**깊이, 심오하게**		
60	profoundly	[prəfáundli]	60	깊이, 심오하게		
61	gravely	[gréivli]	61	깊이, 심오하게		
62	**dramatically**	[drəmǽtikəli]	62	**극적으로, 볼만하게**		
63	theatrically	[θiǽtrikəli]	63	극적으로, 볼만하게		
64	spectacularly	[spektǽkjələrli]	64	극적으로, 볼만하게		
65	vividly	[vívidli]	65	극적으로, 볼만하게		
66	**equally**	[í:kwəli]	66	**공평하게, 정당하게**		
67	squarely	[skwéərli]	67	공평하게, 정당하게		
68	impartially	[impá:rʃəli]	68	공평하게, 정당하게		
69	justly	[dʒʌ́stli]	69	공평하게, 정당하게		
70	equitably	[ékwətəbəli]	70	공평하게, 정당하게		
71	fairly	[féərli]	71	공평하게, 정당하게		
72	**especially**	[ispéʃəli]	72	**각별히, 특별히(문어체)**		
73	specially	[spéʃəli]	73	각별히, 특별히(구어체)		
74	particularly	[pərtíkjələrli]	74	각별히, 특별히		
75	distinctively	[distíŋktivli]	75	각별히, 특별히		

76	**eventually**	[ivéntʃuəli]	76	드디어, 결국	Tips
77	finally	[fáinəli]	77	드디어, 결국	
78	ultimately	[ʌ́ltəmitli]	78	드디어, 결국	
79	at last	[æt lǽst]	79	드디어, 결국	
80	at length	[æt léŋθ]	80	드디어, 결국	
81	lastly	[lǽstli]	81	드디어, 결국	
82	in the end	[inði énd]	82	드디어, 결국	
83	in conclusion	[in kənklú:ʒən]	83	드디어, 결국	
81	**excessively**	[iksésivli]	81	지나치게, 과도하게	
82	extravagantly	[ikstrǽvəgəntli]	82	지나치게, 과도하게	
83	immoderately	[imʌ́dəritli]	83	지나치게, 과도하게	
84	**entirely**	[entáiərli]	84	완전히, 전부	
85	totally	[tóutəli]	85	완전히, 전부	
86	completely	[kəmplí:tli]	86	완전히, 전부	
87	wholly	[hóulli]	87	완전히, 전부	
88	**factually**	[fǽktʃuəli]	88	사실은	
89	actually	[ǽktʃuəli]	89	사실은	
90	really	[rí:əli]	90	사실은	
91	in fact	[in fǽkt]	91	사실은	
92	as a matter of fact		92	사실은	
96	**first**	[fə:rst]	96	첫째로, 우선	
97	firstly	[fə:rstli]	97	첫째로, 우선	
98	first of all	[fə:rst ʌv ɔ́:l]	98	첫째로, 우선	
99	in the first place		99	첫째로, 우선	
100	to begin with		100	첫째로, 우선	

● 다음 주어진 우리말 단어 뜻을 보고 영단어를 말해 보세요.

1 단호하게	26 가까이에	51 협력해서, 단합해서	76 드디어, 결국
2 단호하게	27 가까이에	52 협력해서, 단합해서	77 드디어, 결국
3 단호하게	28 가까이에	53 협력해서, 단합해서	78 드디어, 결국
4 단호하게	29 계속해서, 연속적으로	54 희미하게, 맥없이	79 드디어, 결국
5 거의 ~않는, 간신히	30 계속해서, 연속적으로	55 희미하게, 맥없이	80 드디어, 결국
6 거의 ~않는, 간신히	31 계속해서, 연속적으로	56 희미하게, 맥없이	81 드디어, 결국
7 거의 ~않는, 간신히	32 계속해서, 연속적으로	57 희미하게, 맥없이	82 드디어, 결국
8 이전에, 미리	33 계속해서, 연속적으로	58 희미하게, 맥없이	83 드디어, 결국
9 이전에, 미리	34 계속해서, 연속적으로	59 깊이, 심오하게	81 지나치게, 과도하게
10 이전에, 미리	35 계속해서, 연속적으로	60 깊이, 심오하게	82 지나치게, 과도하게
11 이전에, 미리	36 상당히, 꽤	61 깊이, 심오하게	83 지나치게, 과도하게
12 찬란하게, 영리하게	37 상당히, 꽤	62 극적으로, 볼만하게	84 완전히, 전부
13 찬란하게, 영리하게	38 상당히, 꽤	63 극적으로, 볼만하게	85 완전히, 전부
14 찬란하게, 영리하게	39 상당히, 꽤	64 극적으로, 볼만하게	86 완전히, 전부
15 신중하게, 온건하게	40 상당히, 꽤	65 극적으로, 볼만하게	87 완전히, 전부
16 신중하게, 온건하게	41 영구히, 안정적으로	66 공평하게, 정당하게	88 사실은
17 신중하게, 온건하게	42 영구히, 안정적으로	67 공평하게, 정당하게	89 사실은
18 신중하게, 온건하게	43 영구히, 안정적으로	68 공평하게, 정당하게	90 사실은
19 신중하게, 온건하게	44 영구히, 안정적으로	69 공평하게, 정당하게	91 사실은
20 확실히, 틀림없이	45 즐겁게, 유쾌하게	70 공평하게, 정당하게	92 사실은
21 확실히, 틀림없이	46 즐겁게, 유쾌하게	71 공평하게, 정당하게	96 첫째로, 우선
22 확실히, 틀림없이	47 즐겁게, 유쾌하게	72 각별히, 특별히	97 첫째로, 우선
23 확실히, 틀림없이	48 즐겁게, 유쾌하게	73 각별히, 특별히	98 첫째로, 우선
24 연역적으로, 유추해서	49 즐겁게, 유쾌하게	74 각별히, 특별히	99 첫째로, 우선
25 연역적으로, 유추해서	50 즐겁게, 유쾌하게	75 각별히, 특별히	100 첫째로, 우선

● 다음 주어진 영단어를 보고 우리말 뜻을 말해 보세요.

1 assertively	26 closely	51 cooperatively	76 eventually
2 firmly	27 nearby	52 collaboratively	77 finally
3 resolutely	28 proximately	53 unitedly	78 ultimately
4 decisively	29 consecutively	54 dimly	79 at last
5 barely	30 continually	55 indistinctly	80 at length
6 hardly	31 continuously	56 dully	81 lastly
7 scarcely	32 successively	57 palely	82 in the end
8 before	33 sequentially	58 faintly	83 in conclusion
9 ahead	34 uninterruptedly	59 deeply	81 excessively
10 beforehand	35 ceaselessly	60 profoundly	82 extravagantly
11 in advance	36 considerably	61 gravely	83 immoderately
12 brightly	37 far	62 dramatically	84 entirely
13 brilliantly	38 quite	63 theatrically	85 totally
14 intelligently	39 rather	64 spectacularly	86 completely
15 cautiously	40 significantly	65 vividly	87 wholly
16 carefully	41 durably	66 equally	88 factually
17 guardedly	42 permanently	67 squarely	89 actually
18 conservatively	43 lastingly	68 impartially	90 really
19 moderately	44 stably	69 justly	91 in fact
20 certainly	45 enjoyably	70 equitably	92 as a matter of fact
21 absolutely	46 pleasantly	71 fairly	96 first
22 doubtlessly	47 agreeably	72 especially	97 firstly
23 undoubtedly	48 delightfully	73 specially	98 first of all
24 deductively	49 cheerfully	74 particularly	99 in the first place
25 by deduction	50 happily	75 distinctively	100 to begin with

1	**fluently**	[flú:əntli]	1	유창하게		Tips
2	flowingly	[flóuiŋli]	2	유창하게		
3	smoothly	[smú:ðli]	3	유창하게		
4	**formerly**	[fɔ́:rmərli]	4	먼저, 이전에[는]		
5	once	[wʌns]	5	먼저, 이전에[는]		
6	previously	[prí:viəsli]	6	먼저, 이전에[는]		
7	heretofore	[hìərtufɔ́:r]	7	먼저, 이전에[는]		
8	**willingly**	[wíliŋli]	8	자발적으로, 자원해서		
9	independently	[ìndipéndəntli]	9	자발적으로, 자원해서		
10	voluntarily	[váləntèrili]	10	자발적으로, 자원해서		
11	spontaneously	[spɑntéiniəsli]	11	자발적으로, 자원해서		
12	**hard**	[hɑ:rd]	12	열심히, 격심하게		
13	energetically	[ènərdʒétikəli]	13	열심히, 격심하게		
14	forcefully	[fɔ́:rsfəli]	14	열심히, 격심하게		
15	fiercely	[fíərsli]	15	열심히, 격심하게		
16	frantically	[fræntikəli]	16	열심히, 격심하게		
17	**highly**	[háili]	17	매우, 대단히		
18	very much	[véri mʌtʃ]	18	매우, 대단히		
19	exceedingly	[iksí:diŋli]	19	매우, 대단히		
20	extremely	[ikstrí:mli]	20	매우, 대단히		
21	surpassingly	[sərpǽsiŋli]	21	매우, 대단히		
22	remarkably	[rimá:rkəbəli]	22	매우, 대단히		
23	**importantly**	[impɔ́:rtəntli]	23	중대하게, 뜻깊게		
24	significantly	[signífikəntli]	24	중대하게, 뜻깊게		
25	meaningfully	[mí:niŋfəli]	25	중대하게, 뜻깊게		

26	**forwardly**	[fɔ́:rwərdli]	26	대담하게, 주제넘게	Tips
27	boldly	[bóuldli]	27	대담하게, 주제넘게	
28	daringly	[déəriŋli]	28	대담하게, 주제넘게	
29	dauntlessly	[dɔ́:ntlisli]	29	대담하게, 주제넘게	
30	**immediately**	[imí:diətli]	30	곧, 바로, 즉시	
31	promptly	[prámptli]	31	곧, 바로, 즉시	
32	readily	[rédəli]	32	곧, 바로, 즉시	
33	instantly	[ínstəntli]	33	곧, 바로, 즉시	
34	straightaway	[stréitəwèi]	34	곧, 바로, 즉시	
35	right away	[ráit əwéi]	35	곧, 바로, 즉시	
36	at once	[æt wʌ́ns]	36	곧, 바로, 즉시	
37	without delay	[wiðáut diléi]	37	곧, 바로, 즉시	
38	**increasingly**	[inkrí:siŋli]	38	점점 더, 더욱더	
39	gradually	[grǽdʒuəli]	39	점점 더, 더욱더	
40	progressively	[prəgrésivli]	40	점점 더, 더욱더	
41	more and more	[mɔ́:r æn mɔ́:r]	41	점점 더, 더욱더	
42	**indefinitely**	[indéfənitli]	42	막연히, 무기한으로	
43	unclearly	[ʌnklíərli]	43	막연히, 무기한으로	
44	vaguely	[véigli]	44	막연히, 무기한으로	
45	indeterminately	[ìnditɔ́:rmənitli]	45	막연히, 무기한으로	
46	uncertainly	[ʌnsɔ́:rtnli]	46	막연히, 무기한으로	
47	undecidedly	[ʌndisáididli]	47	막연히, 무기한으로	
48	limitlessly	[límitlisli]	48	막연히, 무기한으로	
49	boundlessly	[báundlisli]	49	막연히, 무기한으로	
50	endlessly	[éndlisli]	50	막연히, 무기한으로	

51	**innocently**	[ínəsntli]	51	**천진스레, 결백하게**	Tips
52	guiltlessly	[gíltlisli]	52	천진스레, 결백하게	
53	blamelessly	[bléimlisli]	53	천진스레, 결백하게	
54	naively	[nɑːíːvli]	54	천진스레, 결백하게	
55	candidly	[kǽndidli]	55	천진스레, 결백하게	
56	**just**	[dʒʌst]	56	**정확히, 바로**	
57	accurately	[ǽkjəritli]	57	정확히, 바로	
58	exactly	[igzǽktli]	58	정확히, 바로	
59	precisely	[prisáisli]	59	정확히, 바로	
60	**only**	[óunli]	60	**단지, 다만**	
61	merely	[míərli]	61	단지, 다만	
62	simply	[símpli]	62	단지, 다만	
63	solely	[sóuli]	63	단지, 다만	
64	alone	[əlóun]	64	단지, 다만	
65	just	[dʒʌst]	65	단지, 다만	
66	**knowingly**	[nóuiŋli]	66	**고의로, 다 알고도**	
67	deliberately	[dilíbəritli]	67	고의로, 다 알고도	
68	wittingly	[wítiŋli]	68	고의로, 다 알고도	
69	consciously	[kánʃəsli]	69	고의로, 다 알고도	
70	**meagerly**	[míːgərli]	70	**빈약하게, 희박하게**	
71	poorly	[púərli]	71	빈약하게, 희박하게	
72	thinly	[θínli]	72	빈약하게, 희박하게	
73	scantily	[skǽntili]	73	빈약하게, 희박하게	
74	leanly	[líːnli]	74	빈약하게, 희박하게	
75	feebly	[fíːbli]	75	빈약하게, 희박하게	

76	**largely**	[láːrdʒli]	76	대부분, 주로		Tips
77	chiefly	[tʃíːfli]	77	대부분, 주로		
78	mainly	[méinli]	78	대부분, 주로		
79	mostly	[móustli]	79	대부분, 주로		
80	predominantly	[pridámənəntli]	80	대부분, 주로		
81	**liberally**	[líbərəli]	81	자유로이; 활수하게		
82	freely	[fríːli]	82	자유로이; 활수하게		
83	unrestrictedly	[ʌnristríktidli]	83	자유로이; 활수하게		
84	**lightly**	[láitli]	84	부드럽게, 온화하게		
85	softly	[sɔ́ːftli]	85	부드럽게, 온화하게		
86	gently	[dʒéntli]	86	부드럽게, 온화하게		
87	**smoothly**	[smúːðli]	87	쉽게, 순조롭게		
88	easily	[íːzəli]	88	쉽게, 순조롭게		
89	effortlessly	[éfərtlisli]	89	쉽게, 순조롭게		
90	**mistakenly**	[mistéikənli]	90	실수로		
91	erroneously	[iróuniəsli]	91	실수로		
92	by mistake	[bai mistéik]	92	실수로		
93	**modestly**	[mádistli]	93	겸손하게, 삼가서		
94	temperately	[témpəritli]	94	겸손하게, 삼가서		
95	humbly	[hʌ́mbəli]	95	겸손하게, 삼가서		
96	shyly	[ʃáili]	96	겸손하게, 삼가서		
97	unpretentiously	[ʌnpriténʃəsli]	97	겸손하게, 삼가서		
98	**most**	[móust]	98	매우, 가장(최상급)		
99	very	[véri]	99	매우, 가장(최상급)		
100	to the highest degree	[tu ðə háiist digríː]	100	매우, 가장(최상급)		

● 다음 주어진 우리말 단어 뜻을 보고 영단어를 말해 보세요.

1	유창하게	26	대담하게, 주제넘게	51	천진스레, 결백하게	76	대부분, 주로
2	유창하게	27	대담하게, 주제넘게	52	천진스레, 결백하게	77	대부분, 주로
3	유창하게	28	대담하게, 주제넘게	53	천진스레, 결백하게	78	대부분, 주로
4	먼저, 이전에[는]	29	대담하게, 주제넘게	54	천진스레, 결백하게	79	대부분, 주로
5	먼저, 이전에[는]	30	곧, 바로, 즉시	55	천진스레, 결백하게	80	대부분, 주로
6	먼저, 이전에[는]	31	곧, 바로, 즉시	56	정확히, 바로	81	자유로이; 활수하게
7	먼저, 이전에[는]	32	곧, 바로, 즉시	57	정확히, 바로	82	자유로이; 활수하게
8	자발적으로, 자원해서	33	곧, 바로, 즉시	58	정확히, 바로	83	자유로이; 활수하게
9	자발적으로, 자원해서	34	곧, 바로, 즉시	59	정확히, 바로	84	부드럽게, 온화하게
10	자발적으로, 자원해서	35	곧, 바로, 즉시	60	단지, 다만	85	부드럽게, 온화하게
11	자발적으로, 자원해서	36	곧, 바로, 즉시	61	단지, 다만	86	부드럽게, 온화하게
12	열심히, 격심하게	37	곧, 바로, 즉시	62	단지, 다만	87	쉽게, 순조롭게
13	열심히, 격심하게	38	점점 더, 더욱더	63	단지, 다만	88	쉽게, 순조롭게
14	열심히, 격심하게	39	점점 더, 더욱더	64	단지, 다만	89	쉽게, 순조롭게
15	열심히, 격심하게	40	점점 더, 더욱더	65	단지, 다만	90	실수로
16	열심히, 격심하게	41	점점 더, 더욱더	66	고의로, 다 알고도	91	실수로
17	매우, 대단히	42	막연히, 무기한으로	67	고의로, 다 알고도	92	실수로
18	매우, 대단히	43	막연히, 무기한으로	68	고의로, 다 알고도	93	겸손하게, 삼가서
19	매우, 대단히	44	막연히, 무기한으로	69	고의로, 다 알고도	94	겸손하게, 삼가서
20	매우, 대단히	45	막연히, 무기한으로	70	빈약하게, 희박하게	95	겸손하게, 삼가서
21	매우, 대단히	46	막연히, 무기한으로	71	빈약하게, 희박하게	96	겸손하게, 삼가서
22	매우, 대단히	47	막연히, 무기한으로	72	빈약하게, 희박하게	97	겸손하게, 삼가서
23	중대하게, 뜻깊게	48	막연히, 무기한으로	73	빈약하게, 희박하게	98	매우, 가장(최상급)
24	중대하게, 뜻깊게	49	막연히, 무기한으로	74	빈약하게, 희박하게	99	매우, 가장(최상급)
25	중대하게, 뜻깊게	50	막연히, 무기한으로	75	빈약하게, 희박하게	100	매우, 가장(최상급)

● 다음 주어진 영단어를 보고 우리말 뜻을 말해 보세요.

1 fluently	26 forwardly	51 innocently	76 largely
2 flowingly	27 boldly	52 guiltlessly	77 chiefly
3 smoothly	28 daringly	53 blamelessly	78 mainly
4 formerly	29 dauntlessly	54 naively	79 mostly
5 once	30 immediately	55 candidly	80 predominantly
6 previously	31 promptly	56 just	81 liberally
7 heretofore	32 readily	57 accurately	82 freely
8 willingly	33 instantly	58 exactly	83 unrestrictedly
9 independently	34 straightaway	59 precisely	84 lightly
10 voluntarily	35 right away	60 only	85 softly
11 spontaneously	36 at once	61 merely	86 gently
12 hard	37 without delay	62 simply	87 smoothly
13 energetically	38 increasingly	63 solely	88 easily
14 forcefully	39 gradually	64 alone	89 effortlessly
15 fiercely	40 progressively	65 just	90 mistakenly
16 frantically	41 more and more	66 knowingly	91 erroneously
17 highly	42 indefinitely	67 deliberately	92 by mistake
18 very much	43 unclearly	68 wittingly	93 modestly
19 exceedingly	44 vaguely	69 consciously	94 temperately
20 extremely	45 indeterminately	70 meagerly	95 humbly
21 surpassingly	46 uncertainly	71 poorly	96 shyly
22 remarkably	47 undecidedly	72 thinly	97 unpretentiously
23 importantly	48 limitlessly	73 scantily	98 most
24 significantly	49 boundlessly	74 leanly	99 very
25 meaningfully	50 endlessly	75 feebly	100 to the highest degree

1	**more**	[mɔːr]	1	**게다가, 더욱이**	Tips
2	moreover	[mɔːróuvər]	2	게다가, 더욱이	
3	furthermore	[fə́ːrðərmɔ̀ːr]	3	게다가, 더욱이	
4	still	[stil]	4	게다가, 더욱이	
5	in addition	[in ədíʃən]	5	게다가, 더욱이	
6	**movingly**	[múːviŋli]	6	**감동적으로**	
7	poignantly	[pɔ́injəntli]	7	감동적으로	
8	touchingly	[tʌ́tʃiŋli]	8	감동적으로	
9	affectingly	[əféktiŋli]	9	감동적으로	
10	impressively	[imprésivli]	10	감동적으로	
11	stirringly	[stə́ːriŋli]	11	감동적으로	
12	**mutually**	[mjúːtʃuəli]	12	**서로, 상관적으로**	
13	reciprocally	[risíprəkəli]	13	서로, 상관적으로	
14	correlatively	[kərélətivli]	14	서로, 상관적으로	
15	**generally**	[dʒénərəli]	15	**보통, 일반적으로**	
16	commonly	[kámənli]	16	보통, 일반적으로	
17	normally	[nɔ́ːrməli]	17	보통, 일반적으로	
18	**needlessly**	[níːdlisli]	18	**쓸데없이**	
19	unnecessarily	[ʌnnésəsèrili]	19	쓸데없이	
20	uselessly	[júːslisli]	20	쓸데없이	
21	**politely**	[pəláitli]	21	**정중하게, 공손히**	
22	with politeness	[wiðpəláitnis]	22	정중하게, 공손히	
23	courteously	[kɔ́ːrtiəsli]	23	정중하게, 공손히	
24	with courtesy	[wiðkɔ́ːrtəsi]	24	정중하게, 공손히	
25	elegantly	[éləgəntli]	25	정중하게, 공손히	

26	**primarily**	[praimérəli]	26	원래는, 애초에는	Tips
27	originally	[ərídʒənəli]	27	원래는, 애초에는	
28	formerly	[fɔ́:rmərli]	28	원래는, 애초에는	
29	previously	[prí:viəsli]	29	원래는, 애초에는	
30	at first	[æt fɔ́:rst]	30	원래는, 애초에는	
31	at the origin	[æt ði ɔ́:rədʒin]	31	원래는, 애초에는	
32	in the beginning	[in ðəbigíniŋ]	32	원래는, 애초에는	
33	**rather**	[rǽðər]	33	오히려, 차라리	
34	preferably	[préfərəbəli]	34	오히려, 차라리	
35	all the more	[ɔ́:l ðəmɔ́:r]	35	오히려, 차라리	
36	**relatively**	[rélətivli]	36	비교적	
37	comparatively	[kəmpǽrətivli]	37	비교적	
38	**respectively**	[rispéktivli]	38	각각, 개별적으로	
39	individually	[ìndəvídʒuəli]	39	각각, 개별적으로	
40	severally	[sévərəli]	40	각각, 개별적으로	
41	singly	[síŋgli]	41	각각, 개별적으로	
42	independently	[ìndipéndəntli]	42	각각, 개별적으로	
43	separately	[sépərèitli]	43	각각, 개별적으로	
44	one by one	[wʌ́n bai wʌ́n]	44	각각, 개별적으로	
45	**rightfully**	[ráitfəli]	45	올바르게, 정당하게	
46	justly	[dʒʌ́stli]	46	올바르게, 정당하게	
47	legally	[lí:gəli]	47	올바르게, 정당하게	
48	truly	[trú:li]	48	올바르게, 정당하게	
49	rightly	[ráitli]	49	올바르게, 정당하게	
50	by right	[bai ráit]	50	올바르게, 정당하게	

부사 동의어 4

51	**promptly**	[prάmptli]	51	재빨리, 즉시	Tips
52	quickly	[kwíkli]	52	재빨리, 즉시	
53	rapidly	[rǽpidli]	53	재빨리, 즉시	
54	swiftly	[swíftli]	54	재빨리, 즉시	
55	speedily	[spíːdili]	55	재빨리, 즉시	
56	hastily	[héistili]	56	재빨리, 즉시	
57	expeditiously	[èkspədíʃəsli]	57	재빨리, 즉시	
58	**remarkably**	[rimάːrkəbəli]	58	두드러지게, 몹시	
59	eminently	[émənəntli]	59	두드러지게, 몹시	
60	awfully	[ɔ́ːfəli]	60	두드러지게, 몹시	
61	exceedingly	[iksíːdiŋli]	61	두드러지게, 몹시	
62	exceptionally	[iksépʃənəli]	62	두드러지게, 몹시	
63	unusually	[ʌnjúːʒuəli]	63	두드러지게, 몹시	
64	outstandingly	[àutstǽndiŋli]	64	두드러지게, 몹시	
65	noticeably	[nóutisəbəli]	65	두드러지게, 몹시	
66	extremely	[ikstríːmli]	66	두드러지게, 몹시	
67	strikingly	[stráikiŋli]	67	두드러지게, 몹시	
68	**sincerely**	[sinsíərli]	68	진심으로	
69	genuinely	[dʒénjuinli]	69	진심으로	
70	truly	[trúːli]	70	진심으로	
71	honestly	[άnistli]	71	진심으로	
72	**slowly**	[slóuli]	72	서서히, 점차	
73	gradually	[grǽdʒuəli]	73	서서히, 점차	
74	little by little	[lítl bai lítl]	74	서서히, 점차	
75	by degrees	[bai digríːz]	75	서서히, 점차	

76	**presently**	[prézəntli]	76	이내, 곧, 머잖아	Tips
77	soon	[su:n]	77	이내, 곧, 머잖아	
78	shortly	[ʃɔ́:rtli]	78	이내, 곧, 머잖아	
79	at once	[æt wʌ́ns]	79	이내, 곧, 머잖아	
80	before long	[bifɔ́:r lɔ́:ŋ]	80	이내, 곧, 머잖아	
81	**properly**	[prápərli]	81	알맞게, 적당하게	
82	fitly	[fítli]	82	알맞게, 적당하게	
83	exactly	[igzǽktli]	83	알맞게, 적당하게	
84	correctly	[kəréktli]	84	알맞게, 적당하게	
85	suitably	[sú:təbəli]	85	알맞게, 적당하게	
86	appropriately	[əpróupriitli]	86	알맞게, 적당하게	
87	**routinely**	[ru:tí:nli]	87	일상적(정기적)으로	
88	habitually	[həbítʃuəli]	88	일상적(정기적)으로	
89	regularly	[régjələrli]	89	일상적(정기적)으로	
90	generally	[dʒénərəli]	90	일상적(정기적)으로	
91	commonly	[kámənli]	91	일상적(정기적)으로	
92	**simply**	[símpli]	92	간단히	
93	briefly	[brí:fli]	93	간단히	
94	easily	[í:zəli]	94	간단히	
95	in brief	[in brí:f]	95	간단히	
96	with ease	[wiðí:z]	96	간단히	
97	**nearly**	[níərli]	97	거의, 대략, 얼추	
98	almost	[ɔ́:lmoust]	98	거의, 대략, 얼추	
99	practically	[prǽktikəli]	99	거의, 대략, 얼추	
100	approximately	[əprάksəmèitli]	100	거의, 대략, 얼추	

● 다음 주어진 우리말 단어 뜻을 보고 영단어를 말해 보세요.

1	게다가, 더욱이	26	원래는, 애초에는	51	재빨리, 즉시	76	이내, 곧, 머잖아
2	게다가, 더욱이	27	원래는, 애초에는	52	재빨리, 즉시	77	이내, 곧, 머잖아
3	게다가, 더욱이	28	원래는, 애초에는	53	재빨리, 즉시	78	이내, 곧, 머잖아
4	게다가, 더욱이	29	원래는, 애초에는	54	재빨리, 즉시	79	이내, 곧, 머잖아
5	게다가, 더욱이	30	원래는, 애초에는	55	재빨리, 즉시	80	이내, 곧, 머잖아
6	감동적으로	31	원래는, 애초에는	56	재빨리, 즉시	81	알맞게, 적당하게
7	감동적으로	32	원래는, 애초에는	57	재빨리, 즉시	82	알맞게, 적당하게
8	감동적으로	33	오히려, 차라리	58	두드러지게, 몹시	83	알맞게, 적당하게
9	감동적으로	34	오히려, 차라리	59	두드러지게, 몹시	84	알맞게, 적당하게
10	감동적으로	35	오히려, 차라리	60	두드러지게, 몹시	85	알맞게, 적당하게
11	감동적으로	36	비교적	61	두드러지게, 몹시	86	알맞게, 적당하게
12	서로, 상관적으로	37	비교적	62	두드러지게, 몹시	87	일상적(정기적)으로
13	서로, 상관적으로	38	각각, 개별적으로	63	두드러지게, 몹시	88	일상적(정기적)으로
14	서로, 상관적으로	39	각각, 개별적으로	64	두드러지게, 몹시	89	일상적(정기적)으로
15	보통, 일반적으로	40	각각, 개별적으로	65	두드러지게, 몹시	90	일상적(정기적)으로
16	보통, 일반적으로	41	각각, 개별적으로	66	두드러지게, 몹시	91	일상적(정기적)으로
17	보통, 일반적으로	42	각각, 개별적으로	67	두드러지게, 몹시	92	간단히
18	쓸데없이	43	각각, 개별적으로	68	진심으로	93	간단히
19	쓸데없이	44	각각, 개별적으로	69	진심으로	94	간단히
20	쓸데없이	45	올바르게, 정당하게	70	진심으로	95	간단히
21	정중하게, 공손히	46	올바르게, 정당하게	71	진심으로	96	간단히
22	정중하게, 공손히	47	올바르게, 정당하게	72	서서히, 점차	97	거의, 대략, 얼추
23	정중하게, 공손히	48	올바르게, 정당하게	73	서서히, 점차	98	거의, 대략, 얼추
24	정중하게, 공손히	49	올바르게, 정당하게	74	서서히, 점차	99	거의, 대략, 얼추
25	정중하게, 공손히	50	올바르게, 정당하게	75	서서히, 점차	100	거의, 대략, 얼추

● 다음 주어진 영단어를 보고 우리말 뜻을 말해 보세요.

1 more	26 primarily	51 promptly	76 presently
2 moreover	27 originally	52 quickly	77 soon
3 furthermore	28 formerly	53 rapidly	78 shortly
4 still	29 previously	54 swiftly	79 at once
5 in addition	30 at first	55 speedily	80 before long
6 movingly	31 at the origin	56 hastily	81 properly
7 poignantly	32 in the beginning	57 expeditiously	82 fitly
8 touchingly	33 rather	58 remarkably	83 exactly
9 affectingly	34 preferably	59 eminently	84 correctly
10 impressively	35 all the more	60 awfully	85 suitably
11 stirringly	36 relatively	61 exceedingly	86 appropriately
12 mutually	37 comparatively	62 exceptionally	87 routinely
13 reciprocally	38 respectively	63 unusually	88 habitually
14 correlatively	39 individually	64 outstandingly	89 regularly
15 generally	40 severally	65 noticeably	90 generally
16 commonly	41 singly	66 extremely	91 commonly
17 normally	42 independently	67 strikingly	92 simply
18 needlessly	43 separately	68 sincerely	93 briefly
19 unnecessarily	44 one by one	69 genuinely	94 easily
20 uselessly	45 rightfully	70 truly	95 in brief
21 politely	46 justly	71 honestly	96 with ease
22 with politeness	47 legally	72 slowly	97 nearly
23 courteously	48 truly	73 gradually	98 almost
24 with courtesy	49 rightly	74 little by little	99 practically
25 elegantly	50 by right	75 by degrees	100 approximately

						Tips
1	**sparsely**	[spɑːrsli]	1	드문드문하게		
2	thinly	[θínli]	2	드문드문하게		
3	loosely	[lúːsli]	3	드문드문하게		
4	sporadically	[spərǽdikəli]	4	드문드문하게		
5	here and there	[híər æn ðéər]	5	드문드문하게		
6	**sternly**	[stə́ːrnli]	6	**엄격하게, 단호히**		
7	harshly	[háːrʃli]	7	엄격하게, 단호히		
8	severely	[sivíərli]	8	엄격하게, 단호히		
9	firmly	[fə́ːrmli]	9	엄격하게, 단호히		
10	unyieldingly	[ʌnjíldiŋli]	10	엄격하게, 단호히		
11	uncompromisingly	[ʌnkámprəmàiziŋli]	11	엄격하게, 단호히		
12	resolutely	[rézəlùːtli]	12	엄격하게, 단호히		
13	decisively	[disáisivli]	13	엄격하게, 단호히		
14	strictly	[stríktli]	14	엄격하게, 단호히		
15	rigidly	[rídʒidli]	15	엄격하게, 단호히		
16	stringently	[stríndʒəntli]	16	엄격하게, 단호히		
17	**strongly**	[strɔ́ːŋli]	17	**강력히, 힘차게**		
18	energetically	[ènərdʒétikəli]	18	강력히, 힘차게		
19	forcefully	[fɔ́ːrsfəli]	19	강력히, 힘차게		
20	vigorously	[vígərəsli]	20	강력히, 힘차게		
21	with might and main	[wiðmáit ən méin]	21	강력히, 힘차게		
22	**suddenly**	[sʌ́dnli]	22	**갑자기, 별안간**		
23	abruptly	[əbrʌ́ptli]	23	갑자기, 별안간		
24	unexpectedly	[ʌnikspéktidli]	24	갑자기, 별안간		
25	short	[ʃɔːrt]	25	갑자기, 별안간		

26	**strictly**	[stríktli]	26	엄밀하게, 정확히	Tips
27	precisely	[prisáisli]	27	엄밀하게, 정확히	
28	exactly	[igzǽktli]	28	엄밀하게, 정확히	
29	**surely**	[ʃúərli]	29	**확실히, 분명히**	
30	certainly	[sə́:rtənli]	30	확실히, 분명히	
31	unhesitatingly	[ʌnhézətèitiŋli]	31	확실히, 분명히	
32	undoubtedly	[ʌndáutidli]	32	확실히, 분명히	
33	**thoroughly**	[θə́:rouli]	33	**완전히, 철저히**	
34	completely	[kəmplí:tli]	34	완전히, 철저히	
35	exhaustively	[igzɔ́:stivli]	35	완전히, 철저히	
36	intensively	[inténsivli]	36	완전히, 철저히	
37	**tightly**	[táitli]	37	**바싹 붙여, 단단히**	
38	closely	[klóusli]	38	바싹 붙여, 단단히	
39	nearly	[níərli]	39	바싹 붙여, 단단히	
40	fast	[fæst]	40	바싹 붙여, 단단히	
41	firmly	[fə́:rmli]	41	바싹 붙여, 단단히	
42	fixedly	[fíksidli]	42	바싹 붙여, 단단히	
43	solidly	[sálidli]	43	바싹 붙여, 단단히	
44	steadfastly	[stédfæstli]	44	바싹 붙여, 단단히	
45	securely	[sikjúərli]	45	바싹 붙여, 단단히	
46	soundly	[sáundli]	46	바싹 붙여, 단단히	
47	**vaguely**	[véigli]	47	**모호하게, 불명확하게**	
48	ambiguously	[æmbígjuəsli]	48	모호하게, 불명확하게	
49	indistinctly	[ìndistíŋktli]	49	모호하게, 불명확하게	
50	inexplicitly	[ìniksplísitli]	50	모호하게, 불명확하게	

51	**symmetrically**	[simétrikəli]	51	**대칭적으로, 균형 있게**	Tips
52	proportionately	[prəpɔ́ːrʃənitli]	52	대칭적으로, 균형 있게	
53	in a balanced manner	[in əbǽlənst mǽnər]	53	대칭적으로, 균형 있게	
54	**unusually**	[ʌnjúːʒuəli]	54	**보기 드물게, 놀랍게**	
55	uncommonly	[ʌnkámənli]	55	보기 드물게, 놀랍게	
56	rarely	[réərli]	56	보기 드물게, 놀랍게	
57	remarkably	[rimáːrkəbəli]	57	보기 드물게, 놀랍게	
58	outstandingly	[àutstǽndiŋli]	58	보기 드물게, 놀랍게	
59	**usually**	[júːʒuəli]	59	**보통, 일반적으로**	
60	commonly	[kámənli]	60	보통, 일반적으로	
61	customarily	[kástəmèrəli]	61	보통, 일반적으로	
62	generally	[dʒénərəli]	62	보통, 일반적으로	
63	typically	[típikəli]	63	보통, 일반적으로	
64	**wholly**	[hóulli]	64	**전적으로, 완전히**	
65	absolutely	[ǽbsəlúːtli]	65	전적으로, 완전히	
66	completely	[kəmplíːtli]	66	전적으로, 완전히	
67	entirely	[entáiərli]	67	전적으로, 완전히	
68	thoroughly	[θə́ːrouli]	68	전적으로, 완전히	
69	**suddenly**	[sÁdnli]	69	**갑자기, 돌연**	
70	all of a sudden	[ɔ́ːl əv əsÁdn]	70	갑자기, 돌연	
71	all at once	[ɔ́ːl ət wÁns]	71	갑자기, 돌연	
72	by the run	[bai ðərÁn]	72	갑자기, 돌연	
73	on a sudden	[ɑn əsÁdn]	73	갑자기, 돌연	
74	without notice	[wiðáut nóutis]	74	갑자기, 돌연	
75	without warning	[wiðáut wɔ́ːrniŋ]	75	갑자기, 돌연	

76	**besides**	76	**게다가, 또한**	Tips
77	as well	77	게다가, 또한	
78	in addition	78	게다가, 또한	
79	into the bargain	79	게다가, 또한	
80	what is more	80	게다가, 또한	
81	**eventually**	81	**결국, 드디어**	
82	ultimately	82	결국, 드디어	
83	after all	83	결국, 드디어	
84	at last	84	결국, 드디어	
85	at strength	85	결국, 드디어	
86	in the end	86	결국, 드디어	
87	in the long run	87	결국, 드디어	
88	in the last resort	88	결국, 드디어	
89	in spite of everything	89	결국, 드디어	
90	when all is said and done	90	결국, 드디어	
91	**never**	91	**결코 ~이 아닌**	
92	by no means	92	결코 ~이 아닌	
93	not by any means	93	결코 ~이 아닌	
94	in no way	94	결코 ~이 아닌	
95	not in any way	95	결코 ~이 아닌	
96	on no account	96	결코 ~이 아닌	
97	not on any account	97	결코 ~이 아닌	
98	not a bit	98	결코 ~이 아닌	
99	not at all	99	결코 ~이 아닌	
100	not in the least	100	결코 ~이 아닌	

● 다음 주어진 우리말 단어 뜻을 보고 영단어를 말해 보세요.

1	드문드문하게	26	엄밀하게, 정확히	51	대칭적으로, 균형 있게	76	게다가, 또한
2	드문드문하게	27	엄밀하게, 정확히	52	대칭적으로, 균형 있게	77	게다가, 또한
3	드문드문하게	28	엄밀하게, 정확히	53	대칭적으로, 균형 있게	78	게다가, 또한
4	드문드문하게	29	확실히, 분명히	54	보기 드물게, 놀랍게	79	게다가, 또한
5	드문드문하게	30	확실히, 분명히	55	보기 드물게, 놀랍게	80	게다가, 또한
6	엄격하게, 단호히	31	확실히, 분명히	56	보기 드물게, 놀랍게	81	결국, 드디어
7	엄격하게, 단호히	32	확실히, 분명히	57	보기 드물게, 놀랍게	82	결국, 드디어
8	엄격하게, 단호히	33	완전히, 철저히	58	보기 드물게, 놀랍게	83	결국, 드디어
9	엄격하게, 단호히	34	완전히, 철저히	59	보통, 일반적으로	84	결국, 드디어
10	엄격하게, 단호히	35	완전히, 철저히	60	보통, 일반적으로	85	결국, 드디어
11	엄격하게, 단호히	36	완전히, 철저히	61	보통, 일반적으로	86	결국, 드디어
12	엄격하게, 단호히	37	바싹 붙여, 단단히	62	보통, 일반적으로	87	결국, 드디어
13	엄격하게, 단호히	38	바싹 붙여, 단단히	63	보통, 일반적으로	88	결국, 드디어
14	엄격하게, 단호히	39	바싹 붙여, 단단히	64	전적으로, 완전히	89	결국, 드디어
15	엄격하게, 단호히	40	바싹 붙여, 단단히	65	전적으로, 완전히	90	결국, 드디어
16	엄격하게, 단호히	41	바싹 붙여, 단단히	66	전적으로, 완전히	91	결코 ~이 아닌
17	강력히, 힘차게	42	바싹 붙여, 단단히	67	전적으로, 완전히	92	결코 ~이 아닌
18	강력히, 힘차게	43	바싹 붙여, 단단히	68	전적으로, 완전히	93	결코 ~이 아닌
19	강력히, 힘차게	44	바싹 붙여, 단단히	69	갑자기, 돌연	94	결코 ~이 아닌
20	강력히, 힘차게	45	바싹 붙여, 단단히	70	갑자기, 돌연	95	결코 ~이 아닌
21	강력히, 힘차게	46	바싹 붙여, 단단히	71	갑자기, 돌연	96	결코 ~이 아닌
22	갑자기, 별안간	47	모호하게, 불명확하게	72	갑자기, 돌연	97	결코 ~이 아닌
23	갑자기, 별안간	48	모호하게, 불명확하게	73	갑자기, 돌연	98	결코 ~이 아닌
24	갑자기, 별안간	49	모호하게, 불명확하게	74	갑자기, 돌연	99	결코 ~이 아닌
25	갑자기, 별안간	50	모호하게, 불명확하게	75	갑자기, 돌연	100	결코 ~이 아닌

● 다음 주어진 영단어를 보고 우리말 뜻을 말해 보세요.

1 sparsely	26 strictly	51 symmetrically	76 besides
2 thinly	27 precisely	52 proportionately	77 as well
3 loosely	28 exactly	53 in a balanced manner	78 in addition
4 sporadically	29 surely	54 unusually	79 into the bargain
5 here and there	30 certainly	55 uncommonly	80 what is more
6 sternly	31 unhesitatingly	56 rarely	81 eventually
7 harshly	32 undoubtedly	57 remarkably	82 ultimately
8 severely	33 thoroughly	58 outstandingly	83 after all
9 firmly	34 completely	59 usually	84 at last
10 unyieldingly	35 exhaustively	60 commonly	85 at strength
11 uncompromisingly	36 intensively	61 customarily	86 in the end
12 resolutely	37 tightly	62 generally	87 in the long run
13 decisively	38 closely	63 typically	88 in the last resort
14 strictly	39 nearly	64 wholly	89 in spite of everything
15 rigidly	40 fast	65 absolutely	90 when all is said and done
16 stringently	41 firmly	66 completely	91 never
17 strongly	42 fixedly	67 entirely	92 by no means
18 energetically	43 solidly	68 thoroughly	93 not by any means
19 forcefully	44 steadfastly	69 suddenly	94 in no way
20 vigorously	45 securely	70 all of a sudden	95 not in any way
21 with might and main	46 soundly	71 all at once	96 on no account
22 suddenly	47 vaguely	72 by the run	97 not on any account
23 abruptly	48 ambiguously	73 on a sudden	98 not a bit
24 unexpectedly	49 indistinctly	74 without notice	99 not at all
25 short	50 inexplicitly	75 without warning	100 not in the least

				Tips
1	**by turn**	1	교대로	
2	in turn	2	교대로	
3	in rotation	3	교대로	
4	one after the other	4	교대로	
5	**etc** [etsétərə]	5	**기타 등등**	
6	and so on	6	기타 등등	
7	and so forth	7	기타 등등	
8	and the like	8	기타 등등	
9	and such	9	기타 등등	
10	and such that	10	기타 등등	
11	and things	11	기타 등등	
12	and all	12	기타 등등	
13	and all that	13	기타 등등	
14	and what not(구어체)	14	기타 등등	
15	and **what have you**	15	기타 등등	
16	**immediately** [imí:diətli]	16	**당장, 즉시**	
17	at once	17	당장, 즉시	
18	in no time	18	당장, 즉시	
19	in a moment	19	당장, 즉시	
20	in an instant	20	당장, 즉시	
21	in double - quick time	21	당장, 즉시	
22	off hand	22	당장, 즉시	
23	right now	23	당장, 즉시	
24	right away	24	당장, 즉시	
25	without delay	25	당장, 즉시	

26	**as a rule**	26	**대체로, 보통은**
27	as a general rule	27	대체로, 보통은
28	all in all	28	대체로, 보통은
29	at large	29	대체로, 보통은
30	by and large	30	대체로, 보통은
31	on the whole	31	대체로, 보통은
32	most of the time	32	대체로, 보통은
33	in general	33	대체로, 보통은
34	in the main	34	대체로, 보통은
35	in the most cases	35	대체로, 보통은
36	in most instances	36	대체로, 보통은
37	for the most part	37	대체로, 보통은
38	**because of ~**	38	**~때문에**
39	due to~	39	~때문에
40	owing to~	40	~때문에
41	on account of~	41	~때문에
42	on the ground of~	42	~때문에
43	as a result of~	43	~때문에
44	**every day**	44	**매일, 나날이**
45	every single day	45	매일, 나날이
46	day by day	46	매일, 나날이
47	day after day	47	매일, 나날이
48	from day to day	48	매일, 나날이
49	day in day out	49	매일, 나날이
50	with each passing day	50	매일, 나날이

Tips

● 부사구에 '~', 즉 물결표가 붙어 있을 경우에는 그 바로 앞의 단어가 대부분 '전치사'이며, 가끔 '타동사'일 경우도 있다. 따라서 '~'의 자리에는 당연히 명사나 대명사, 동명사 등의 목적어가 올 수 있다. 만약 이 물결표가 없다면 그 말은 그냥 그 상태로 부사구로 쓰이는 말이므로 그 상태로 암기해 두었다가 쓰면 된다.

51	**at times**	51	때때로, 가끔	Tips
52	between times	52	때때로, 가끔	
53	between whiles	53	때때로, 가끔	
54	by catches	54	때때로, 가끔	
55	from time to time	55	때때로, 가끔	
56	now and then	56	때때로, 가끔	
57	every now and then	57	때때로, 가끔	
58	every so often	58	때때로, 가끔	
59	once in a while	59	때때로, 가끔	
60	on occasion [əkéiʒən]	60	때때로, 가끔	
61	on and off	61	때때로, 가끔	
62	**for one's sake**	62	~을 위해서	
63	for the sake of~	63	~을 위해서	
64	for the good of~	64	~을 위해서	
65	for the advantage of~	65	~을 위해서	
66	for the benefit of~	66	~을 위해서	
67	for the welfare of~	67	~을 위해서	
68	in behalf of~	68	~을 위해서	
69	in the cause of~	69	~을 위해서	
70	in the interests of~	70	~을 위해서	
71	in the honor of~	71	~을 위해서	
72	**by dint of~**	72	~의 덕분에	
73	by means of~	73	~의 덕분에	
74	by virtue [vɔ́:rtʃuː] of~	74	~의 덕분에	
75	in virtue of~	75	~의 덕분에	

76	**purposely** [pə́:rpəsli]	76	고의로, 일부러	Tips
77	on purpose	77	고의로, 일부러	
78	by design	78	고의로, 일부러	
79	by intention [inténʃən]	79	고의로, 일부러	
80	**for free**	80	**무료로, 공짜로**	
81	free of charge	81	무료로, 공짜로	
82	for nothing	82	무료로, 공짜로	
83	without payment	83	무료로, 공짜로	
84	**in terms of~**	84	**~의 관점에서**	
85	in view of ~	85	~의 관점에서	
86	in the light of~	86	~의 관점에서	
87	from the stand point of~	87	~의 관점에서	
88	from the point of view of~	88	~의 관점에서	
89	**step by step**	89	**조금씩, 점차로**	
90	little by little	90	조금씩, 점차로	
91	inch by inch	91	조금씩, 점차로	
92	bit by bit	92	조금씩, 점차로	
93	drop by drop	93	조금씩, 점차로	
94	by degrees	94	조금씩, 점차로	
95	a little at a time	95	조금씩, 점차로	
96	**at the cost of~**	96	**~을 희생해서**	
97	at the price of~	97	~을 희생해서	
98	at the expense of~	98	~을 희생해서	
99	at the loss of~	99	~을 희생해서	
100	at the sacrifice of~	100	~을 희생해서	

부사 : 부사구 동의어

1	간단히 말하자면, 요컨대	1	**briefly** [brí:fli]
2	간단히 말하자면, 요컨대	2	in a word
3	간접적으로	3	**indirectly** [ìndiréktli]
4	간접적으로	4	at second hand
5	갑자기, 난데없이	5	**suddenly, abruptly** [əbrʌ́ptli]
6	갑자기, 난데없이	6	out of the blue
7	거의	7	**almost** [ɔ́:lmoust]
8	거의	8	all but
9	거의, 어느 정도	9	**somewhat** [sʌ́mhwàt]
10	거의, 어느 정도	10	more or less
11	게다가, 덤으로	11	**besides** [bisáidz]
12	게다가, 덤으로	12	into the bargain
13	계속해서 그칠 새 없이	13	**continuously** [kəntínjuəsli]
14	계속해서 그칠 새 없이	14	without a letup
15	곧	15	**soon** [su:n]
16	곧	16	in a little while
17	그건 그런데, 그렇고	17	**incidentally** [ìnsədéntli]
18	그건 그런데, 그렇고	18	by the way
19	그럼에도 불구하고	19	**nevertheless** [nèvərðəlés]
20	그럼에도 불구하고	20	all the same
21	기꺼이, 진심으로	21	**willingly** [wíliŋli]
22	기꺼이, 진심으로	22	with all one's heart
23	기탄없이, 솔직히; 무조건	23	**frankly** [frǽŋkli]
24	기탄없이, 솔직히; 무조건	24	without reservation
25	대체로	25	**generally** [dʒénərəli]

Tips

26	대체로	26	on the whole	Tips
27	**도합, 모두 합쳐서**	27	**altogether** [ɔ̀:ltəgéðər]	
28	도합, 모두 합쳐서	28	in all	
29	**때때로, 이따금씩**	29	**occasionally** [əkéiʒənəli]	
30	때때로, 이따금씩	30	now and **again/then**	
31	**마지막으로 한 번만 더**	31	**finally, decisively** [disáisivli]	
32	마지막으로 한 번만 더	32	once and for all	
33	**마지못해**	33	**reluctantly** [rilʌ́ktəntli]	
34	마지못해	34	against one's will	
35	**머지않아, 이윽고**	35	**soon** [su:n]	
36	머지않아, 이윽고	36	by and by	
37	**분명히, 물론**	37	**certainly** [sə́:rtənli]	
38	분명히, 물론	38	by all means	
39	**미리**	39	**beforehand** [bifɔ́:rhænd]	
40	미리	40	in advance	
41	**반복해서**	41	**repeatedly** [ripí:tidli]	
42	반복해서	42	over and over [again]	
43	**사실상, 사실은**	43	**actually** [ǽktʃuəli]	
44	사실상, 사실은	44	in point of fact	
45	**사실은**	45	**actually** [ǽktʃuəli]	
46	사실은	46	as a matter of fact	
47	**사적으로**	47	**privately** [práivitli]	
48	사적으로	48	in private	
49	**쓸데없이, 헛되이**	49	**uselessly** [júːslisli]	
50	쓸데없이, 헛되이	50	to no purpose	

51 **아마, 십중팔구는**	51 **probably** [prábəbli]	Tips
52 아마, 십중팔구는	52 in nine cases out of ten	
53 **어쨌든, 여하튼**	53 **anyhow** [énihàu]	
54 어쨌든, 여하튼	54 in any case	
55 **~에 관해서**	55 **regarding** [rigá:rdiŋ]	
56 ~에 관해서	56 in regard to~	
57 **~에 관해서는**	57 **concerning** [kənsə́:rniŋ]	
58 ~에 관해서는	58 with regard to~	
59 **~에도 불구하고**	59 **despite, notwithstanding**	
60 ~에도 불구하고	60 for all~	
61 **~에 반대하여**	61 **against** [əgénst]	
62 ~에 반대하여	62 in opposition to~	
63 **여기저기**	63 **everywhere** [évrihwèər]	
64 여기저기	64 here and there	
65 **여하한 일이 있어도(~해선 안 된다)**	65 **never** [névər]	
66 여하한 일이 있어도(~해선 안 된다)	66 under no circumstances	
67 **영원히**	67 **eternally** [itə́:rnəli]	
68 영원히	68 for good (and all)	
69 **우연히**	69 **accidentally** [æksidéntli]	
70 우연히	70 by accident [æksidənt]	
71 **~을 경유하여**	71 **via**[váiə]	
72 ~을 경유하여	72 by way of~	
73 **~을 고려해서**	73 **considering** [kənsídəriŋ]	
74 ~을 고려해서	74 in view of~	
75 **~의 준비로, ~을 대비하여**	75 **against** [əgénst]	

76 ~의 준비로, ~을 대비하여	76 in preparation for~	Tips
77 **~을 추구하여**	77 **after** [ǽftər]	
78 ~을 추구하여	78 in pursuit of~	
79 **~이 결코 아닌**	79 **never** [névər]	
80 ~이 결코 아닌	80 by no means~	
81 **임의로, 무작위로**	81 **arbitrarily** [ɑ́:rbitrèrəli]	
82 임의로, 무작위로	82 at random	
83 **자주, 대개**	83 **frequently** [frí:kwəntli]	
84 자주, 대개	84 more often than not	
85 **[잘은 모르지만] 아마도**	85 **perhaps** [pərhǽps]	
86 [잘은 모르지만] 아마도	86 for all I know	
87 **정확히 문자 그대로**	87 **literally** [lítərəli]	
88 정확히 문자 그대로	88 word for word	
89 **직접적으로**	89 **directly** [diréktli]	
90 직접적으로	90 at first hand	
91 **처음부터 끝까지**	91 **thoroughly** [θɔ́:rouli]	
92 처음부터 끝까지	92 from cover to cover	
93 **천성적으로**	93 **innately** [inéitli]	
94 천성적으로	94 by nature	
95 **특히, 특별히**	95 **especially**	
96 특히, 특별히	58 in particular [pərtíkjələr]	
97 **현재로서는, 당장은**	97 **temporarily** [témpərèrili]	
98 현재로서는, 당장은	98 for the present	
99 **확실히**	99 **certainly** [sɔ́:rtənli]	
100 확실히	100 for certain	

1	**above all**	1	무엇보다도; 특히		Tips
2	above anything else	2	무엇보다도		
3	first of all	3	우선, 무엇보다도		
4	in the first place	4	우선, 첫째로		
5	among other things	5	무엇보다도		
6	primarily [praimérəli]	6	첫째로		
7	for one thing	7	우선 첫째로는		
8	to begin with	8	우선, 첫째로		
9	first and foremost [fɔ́ːrmòust]	9	다른 무엇보다도 더		
10	first and most importantly	10	첫 번째로 가장 중요한 것은		
11	**second**	11	둘째로		
12	secondly	12	두 번째로, 다음으로		
13	third	13	셋째로		
14	next	14	그다음, 그 뒤로		
15	later	15	뒤에, 나중에		
16	[and] then	16	그다음엔		
17	after that	17	그 후		
18	afterward [ǽftərwərd]	18	나중에, 그 후		
19	subsequently [sʌ́bsikwəntli]	19	그 후, 뒤에		
20	**meanwhile, meantime**	20	그러는 동안에		
21	in the meantime	21	그러는 사이에		
22	**at the same time**	22	동시에		
23	simultaneously [sàiməltéiniəsli]	23	동시에		
24	synchronously [síŋkrənəsli]	24	동시에		
25	concurrently [kənkə́ːrəntli]	25	동시에		

Tips

● 영어에서 쓰이는 문장 연결사는 말이나 문장의 논리나 흐름을 매끄럽고 명쾌하게 만들어주어서 청자나 독자의 이해를 도와주는 역할을 하는 매우 중요한 말이다. 따라서 잘 익혀두면 영어를 독해하거나 청해하는 데 크게 도움이 됨은 물론 영어를 유창하게 말하거나 글을 유려하게 쓰는 데 있어서도 반드시 매우 요긴하게 쓰일 것이다. 여기에 제시된 연결사들은 매우 사용빈도가 높은 말들이므로 반드시 잘 익혀두길 바란다.

● 1~28까지는 모두 말을 이끌어가는 데 있어서 시간적인 순서를 매기는 연결사들인데, 그중 1~10까지는 중요도가 가장 높거나 가장 먼저 말하고 싶은 내용을 꺼낼 때 사용하며, 11~19까지는 말의 중간에 두 번째 이후의 내용들을 순차적으로 새로 꺼낼 때 사용한다. 또 20~25까지는 어떤 일과 동시에 발생한 일들을 나타내고자 할 때 사용하며, 26~31까지는 그것이 맨 끝에 일어난 일임을 나타내고자 할 때 사용한다.

26	**lastly**	26	최후로; 드디어, 결국
27	in the end	27	[그럴 줄 몰랐는데] 결국
28	finally	28	최후로; 드디어, 결국
29	eventually [ivéntʃuəli]	29	최후로; 드디어, 결국
30	ultimately [ʌ́ltəmitli]	30	최후로; 드디어, 결국
31	last and most importantly	31	마지막으로 가장 중요한 것은
32	**because+(S+V)**	32	**(s+v)이기 때문에**
33	since +(S+V)	33	(S+V)이기 때문에
34	as +(S+V)	34	(S+V)이기 때문에
35	for +(S+V:대등절)	35	(S+V)이기 때문이다
36	on the ground that+(S+V)	36	(S+V)이기 때문에
37	for fear that+(S+V)	37	(S+V) 할까 봐서
38	now that+(S+V)	38	(S+V)이니까 말인데
39	that's why+(S+V)	39	그것이 (S+V)한 이유다
40	that's because+(S+V)	40	그건 (S+V)이기 때문이다
41	because of~	41	~ 때문에
42	owing to~	42	~ 때문에
43	due to~	43	~ 때문에
44	for this reason	44	이러한 이유로
45	to this end	45	이것 때문에
46	on account of~	46	~ 때문에, ~해서
47	thanks to~	47	~ 덕분에
48	**for the purpose of~**	48	~의 목적으로
49	for the sake of~	49	~의 목적으로
50	in order to+V	50	V 하기 위해서

Tips

● 32~47까지는 모두 어떤 일의 원인이나 이유를 나타내는 연결사들이다.

● 48~54까지는 모두 목적을 나타내는 연결사들이다.

● 'after all'은 흔히 '결국'이라고 알고 있지만 (~할 거라고 생각했는데 기대했던 바와 달리) 결국은'이라는 뜻이다. 따라서 그 뒤에 기대했던 내용과 반대되는 내용이 온다. 26~30의 항목들 중 'in the end'가 이와 비슷한 뜻이고 나머지는 모두 당연한 순서를 좇아서 때가 되어 '결국'이라는 뜻이다. 그밖에 'at last'는 "고대하던 것이 지연되다가 '마침내'나타나거나 이루어졌다"는 뜻으로 쓰이는 말이다.

51	so as to+V	51	V 하기 위해서	Tips
52	in an effort to+V	52	V 하려는 노력의 일환으로	
53	in order that+(S+V)	53	(S+V) 하기 위해서	
54	so that+(S+may V)	54	(S+V) 하기 위해서	
55	**therefore**	55	**그러므로, 고로**	● 55~62 결과를 나타내는 연결사들이다.
56	thus	56	따라서, 그래서	
57	consequently [kánsikwèntli]	57	그 결과, 따라서	
58	hence	58	그러므로	
59	accordingly [əkɔ́:rdiŋli]	59	그러므로, 그래서	
60	as a result	60	그 결과로	
61	as a consequence	61	그 결과로	
62	in consequence of~	62	~의 결과로	
63	**now**	63	**지금**	● 63~83 시간과 관련된 내용을 나타내는 연결사들이다.
64	presently [prézəntli]	64	현재, 곧	
65	immediately [imí:diətli]	65	곧, 바로, 즉시	
66	instantly [ínstəntli]	66	당장에, 즉각	
67	nowadays [náuədèiz]	67	현재는, 요즘에는	
68	at present	68	목하, 현재로선	
69	at this point (of time)	69	이 시점에서	
70	lately [léitli]	70	요즈음, 최근에	
71	up until now(=so far)	71	이제까지, 지금까지	
72	yet	72	아직	
73	after a while	73	잠시 후에	
74	as time goes by	74	시간이 흐름에 따라	
75	during~	75	~동안에	

76	since+(S+V)	76	(S+V) 한 이래	Tips
77	until+(S+V)	77	(S+V) 할 때까지	
78	while+(S+V+ing)	78	(S+V+ing) 하는 동안에	
79	shortly after+(S+V)	79	(S+V) 한 직후	
80	soon	80	곧	
81	temporarily [témpərèrili]	81	일시적으로	
82	then	82	그때	
83	at last	83	마침내	
84	**as far as ~ is concerned**	84	**~에 관한 한**	
85	as for ~	85	~에 관해 말하자면	
86	as regards ~	86	~에 관해 말하자면	
87	with reference to ~	87	~에 관련해서	
88	in regard to ~	88	~에 관련해서	
89	in respect of ~	89	~에 관련해서	
90	speaking of ~	90	~에 관해 말하자면	
91	when it comes to ~	91	~에 관한 한	
92	regardless of ~	92	~에 상관없이	
93	irrespective of ~ [ìrispéktiv]	93	~에 상관없이	
94	with no regard to ~	94	~에 상관없이	
95	apart from ~	95	~을 제외하고는	
96	aside from ~	96	~을 제외하고는	
97	but ~(전치사)	97	~을 제외하고는	
98	except ~	98	~을 제외하고는	
99	except for ~	99	~을 제외하고는	
100	unless+(S+V)	100	(S+V) 하지 않는다면	

● 84~100
화자가 말하려는 논제와 관련된 내용을 나타내는 연결사들이다. 이 말들 중 특별히 84~91까지는 말하고 나 하는 내용을 강조해서 적시할 때 쓰는 말들이며, 92~100은 그 논제에서 제외할 부분을 강조해서 적시할 때 쓰는 말들이다.

중요한 영어문장 연결사 2

					Tips
1	**similarly** [símələrli]	1	비슷하게, 유사하게		
2	likewise [láikwàiz]	2	마찬가지로		● 1~5
3	in a like manner	3	마찬가지로		화자가 앞에 말한 내용과 비교를 위해 적시하는 내용임을 나타내는 연결사들이다.
4	in the same way	4	같은 방법으로		
5	in comparison with ~	5	~와 비교해보면		
6	**on the other hand**	6	**다른 한편으로는, 반면에**		● 6~12
7	on the contrary [kántreri]	7	이에 반해서, 그와는 반대로		화자가 이제부터 할 말이 앞에 말한 내용과 반대되거나 대조되는 내용임을 적시하기 위해 쓰는 연결사들이다.
8	conversely(격식체)	8	정반대로, 역으로		
9	instead[instéd]	9	오히려		
10	in contrast/by contrast	10	그에 반해서, 대조적으로		
11	contrastingly [kəntrǽstiŋli]	11	대조적으로		
12	contrary to ~	12	~에 반해서		
13	**however**+(S+V)	13	**그러나** (S+V) 하다		● 13~28
14	yet +(S+V)	14	그러나 (S+V) 하다		화자가 이제까지 한 말과 이제부터 할 말이 내용상 서로 대립됨을 적시하면서 동시에 화자나 필자가 강조하고 싶은 내용을 이제부터 말하기 위해 쓰는 연결사들이다.
15	but +(S+V)	15	그러나 (S+V) 하다		
16	nevertheless[nèvərðəlés]	16	그럼에도 불구하고		
17	nonetheless[nɔ̀nðəlés]	17	그럼에도 불구하고		
18	in spite of ~	18	~에도 불구하고		
19	despite ~ [dispáit]	19	~에도 불구하고		
20	notwithstanding~ (전치사)	20	~에도 불구하고		
21	although+(S+V)	21	(S+V)이기는 하지만		
22	even though+(S+V)	22	비록 (S+V)일지라도		
23	for all that	23	비록 그렇다 하더라도		
24	after all ~	24	~에도 불구하고		
25	~, still	25	~하지만, 그럼에도 불구하고		

				Tips
26	~ whereas+(S+V)	26	~인 반면에 (S+V)하다	
27	while +(S+V)	27	(S+V)이기는 하지만	
28	unlike~	28	~와는 달리	
29	**definitely** [défənitli]	29	**분명히**	● 29~45
30	certainly	30	분명히	화자가 이제부터 할
31	evidently [évidəntli]	31	분명히	말을 강조하기 위해
32	obviously [ábviəsli]	32	분명히	쓰는 연결사들이다.
33	specifically [spisífikəli]	33	명확히, 분명히	**당연히 이제부터 할**
34	indeed	34	실로, 사실상	**말은 중요한 내용**이라
35	in particular [pərtíkjələr]	35	특히	는 암시이다.
36	in especial [ispéʃəl]	36	특히	
37	of course	37	물론, 당연히	
38	naturally	38	당연히	
39	unquestionably	39	의심할 나위 없이, 당연히	
40	undoubtedly [ʌndáutidli]	40	의심할 여지없이; 확실히	
41	without a doubt	41	의심의 여지없이	
42	needless to say	42	말할 필요도 없이	
43	not to mention ~	43	~은 말할 필요도 없이	
44	not to speak of ~	44	~은 말할 필요도 없이	
45	to say nothing of ~	45	~은 말할 필요도 없이	
46	**additionally**	46	**게다가, 더구나**	● 46~63
47	besides	47	게다가	화자가 이제까지 한
48	further	48	게다가	말에 더하여 추가적인
49	furthermore	49	게다가	내용을 언급하기 위해
50	moreover	50	게다가, 더구나	쓰는 연결사들이다.
				따라서 이제부터 할
				말은 앞의 말들보다
				강조된 내용이다.

51	what's more	51	게다가	Tips
52	also	52	그 위에, 게다가	
53	on top of that	53	그 위에	
54	again	54	또	
55	as well	55	또한, 역시	
56	into the bargain[bá:rgən]	56	또한	
57	another thing is ~	57	또 한 가지는 ~이다	
58	at the same time	58	동시에, 또한	
59	or	59	또는	
60	and [then]	60	그리고	
61	next	61	다음으로	
62	in addition to ~	62	~외에도	
63	A as well as B	63	B뿐만 아니라 A도	
64	**as long as+(S+V)**	64	**(s+v) 하는 한**	● 64~78 화자가 조건과 관련해서 쓰는 연결사들이다.
65	even if+(S+V)	65	(S+V)라 할지라도	
66	if+(S+V)	66	만약 (S+V)라면	
67	if not	67	그렇지 않다면	
68	in case of ~	68	만일 ~이 발생한다면	
69	in case+(S+V)	69	혹시 (S+V) 할 경우에 대비해서	
70	in the event of~	70	~의 경우에	
71	in the event [that]+(S+V)	71	(S+V)의 경우에	
72	only if+(S+V)	72	(S+V)일 경우에 한해서만	
73	if only+(S+V)	73	(S+V)이기만 하다면 좋을 텐데	
74	provided [that]+(S+V)	74	만약 (S+V)라면	
75	providing [that]+(S+V)	75	만약 (S+V)라면	

76	suppose+(S+V)	76	(S+V)라 가정해 보자	Tips
77	whether or not+(S+V)	77	(S+V)이건 아니건	
78	~, otherwise+(S+V)	78	~하지 않으면 (S+V)할 것이다	
79	**for example**	79	**예를 들면**	● 79~83 화자가 예를 들기 위해서 쓰는 연결사들이다.
80	for instance	80	예를 들면	
81	by way of illustration	81	실례로서	
82	to illustrate this argument	82	이 논점을 설명하기 위해서	
83	in another case	83	또 다른 사례에서는	
84	**namely**	84	**즉**	● 84~100 화자가 자기의 말에 대한 부연설명을 하거나 결론을 내릴 때, 또는 자기가 지금까지 한 말들을 요약해서 말하기 위해서 쓰는 연결사들이다.
85	that is	85	즉	
86	that is to say	86	즉	
87	so to speak	87	말하자면	
88	in other words	88	달리 말하자면	
89	after all	89	결국	
90	at last	90	결국	
91	briefly [speaking]	91	간단히 말해서	
92	in a nutshell	92	간단히 말해서	
93	in brief	93	간단히 말해서	
94	in short	94	간단히 말해서	
95	to put it more simply	95	더 간단히 말하면	
96	in summary [sʌ́məri]	96	요약하자면	
97	to summarize [sʌ́məràiz]	97	요약하자면	
98	to sum up	98	요약하자면	
99	to conclude [kənklúːd]	99	결론지어 말하자면	
100	in conclusion [kənklúːʒən]	100	결론적으로	

1	**actually**	1
2	to tell the truth	2
3	to be frank with you	3
4	to be plain with you	4
5	surely / to be sure	5
6	to make matters worse	6
7	to do him justice	7
8	to make a long story short	8
9	to be brief	9
10	not to say ~	10
11	to return	11
12	to be exact	12
13	to borrow his words	13
14	**considering ~**	14
15	briefly speaking	15
16	to be honest / honestly	16
17	generally speaking	17
18	strictly speaking	18
19	granting that+(S+V)	19
20	providing [that]+(S+V)	20
21	seeing that+(S+V)	21
22	taking all things into consideration	22
23	judging from ~	23
24	talking of ~	24
25	speaking of ~	25

1 **사실은, 사실대로 말하면**
2 사실은, 사실대로 말하면
3 사실은, 사실대로 말하면
4 사실은, 사실대로 말하면
5 참으로, 확실히
6 설상가상으로
7 그를 공평하게 평가한다면
8 간단히 말하자면
9 간단히 말해서
10 ~라고는 할 수 없지만
11 본론으로 돌아가서
12 엄밀히 말하자면, 정확히는
13 그의 말을 빌리자면
14 **~에 비하면, ~을 고려하면**
15 간단히 말해서
16 솔직히 말해서
17 일반적으로 말해서
18 엄격히 말한다면
19 (S+V)라 하더라도
20 만약 (S+V)라면
21 (S+V)라는 점에서 보면
22 모든 것을 고려해 볼 때
23 ~로 판단컨대
24 ~으로 말하자면
25 ~으로 말하자면

Tips

● 2~13
흔히 '독립부정사구문'이라고 불리는 연결사 표현들이다. 앞장에서도 이에 해당하는 말들이 몇 개 등장했다. 모두 주어가 일반인이므로 의미상의 주어를 표현하지 않기 때문에 이런 이름이 붙여졌다. 주로 문두 부사로 쓰인다. 이것들 중 2, 3, 4번은 모두 1번과 같은 뜻이지만 문어체의 딱딱한 구식표현이므로, 글에서는 자주 볼 수 있으나, 실제 회화에서는 주로 'actually'만 쓴다.

● 14~25
흔히 '독립분사구문'이라고 불리는 연결사 표현들이다. '독립부정사구문'과 비슷하게 쓰인다. 다만 이 편이 그 느낌에 있어서 '독립부정사구문'보다 좀 더 부드럽다.

26	by the way	26	그런데, 그건 그렇고	Tips
27	by the by	27	그런데, 그건 그렇고	
28	incidently [ínsədəntli]	28	그런데, 그건 그렇고	● 26~28 '화제를 바꿀 때' 쓰는 연결사 표현들이다.
29	**according to ~**	29	~에 따르면, ~에 의하면	● 29~30 '~에 대한 동의'를 나 타낼 때 쓰는 연결사 표현들이다.
30	in agreement with ~	30	~에 따라서	
31	**from the viewpoint of ~**	31	~의 관점에서	● 31~33 '관점이나 상황'을 나 타낼 때 쓰는 연결사 표현들이다.
32	in my opinion	32	내 견해로는	
33	in the midst of ~	33	~의 와중에	
34	**in place of ~**	34	~대신에	● 34~37 '대체'를 나타낼 때 쓰 는 연결사 표현들이 다.
35	instead of ~	35	~대신에	
36	or	36	혹은	
37	rather	37	차라리	
38	**to resume** [rizú:m]	38	각설하고, 얘기를 계속하자면	● 38~39 '본론으로 다시 돌아 올 때' 쓰는 연결사 표 현들이다.
39	to return to the previous point	39	전에 하던 말로 돌아가서	
40	**I mean+(S+V)**	40	내 말은 (s+v)라는 뜻이야	● 40~45 '자기가 한 말을 좀 더 쉽게 풀어서 또는 부 연해서 설명하고자 할 때' 쓰는 연결사 표현 들이다.
41	it means+(S+V)	41	그건 (S+V)라는 뜻이야	
42	let me put it this way	42	그걸 이렇게 한번 말해보죠	
43	as it were	43	말하자면, 이를테면	
44	let's say(구어체)	44	예를 들면, 이를테면	
45	specifically [spisífikəli]	45	즉, 구체적으로 말하면	
46	**on the whole**	46	개괄해서 말하자면	● 46~50 '자기가 한 말을 요약 해서 결론을 내리고자 할 때' 쓰는 연결사 표 현들이다.
47	essentially [isénʃəli]	47	본질적으로	
48	in essence [ésəns]	48	본질적으로	
49	in a word	49	한 마디로	
50	all in all	50	대체로	

이것이 THIS IS 시리즈다!

THIS IS GRAMMAR 시리즈

▷ 중·고등 내신에 꼭 등장하는 어법 포인트 분석 및 총정리

강남인강
강의교재

THIS IS READING 시리즈

▷ 다양한 소재의 지문으로 내신 및 수능 완벽 대비

강남인강
강의교재

THIS IS VOCABULARY 시리즈

▷ 주제별로 분류한 교육부 권장 어휘

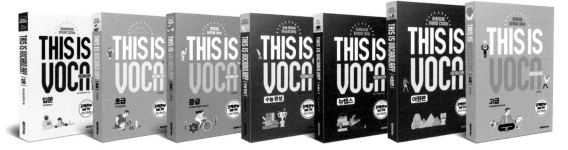

수준별 맞춤

Vocabulary 시리즈

초등필수 영단어
1-2, 3-4, 5-6 학년용

This Is Vocabulary
입문, 초급, 중급, 고급, 수능완성, 어원편, 뉴텝스

The VOCA+BULARY
완전 개정판 1~7

Word Focus
중등 종합 5000, 고등 명사 5000, 고등 종합 9500

Grammar 시리즈

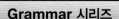

OK Grammar
Level 1~4

초등필수 영문법 + 쓰기
1, 2

Grammar 공감
Level 1~3

Grammar 101
Level 1~3

도전 만점 중등 내신 서술형 1~4

Grammar Bridge
Level 1~3
개정판

The Grammar with Workbook
Starter
Level 1~3

그래머 캡처
1~2

This Is Grammar
Starter
1~3

This Is Grammar
초급 1·2
중급 1·2
고급 1·2

영어 교재 시리즈

Reading 시리즈

**Reading
101** Level 1~3

**Reading
공감** Level 1~3

**THIS IS
READING**
Starter
1~3

**THIS IS
READING**
1~4
전면 개정판

**Smart Reading
Basic** 1~2

Smart Reading
1~2

구사일생
BOOK 1~2

구문독해 204
BOOK 1~2

특단
어법어휘 모의고사
구문독해
독해유형

Listening / NEW TEPS 시리즈

**Listening
공감**
Level 1~3

**After School
Listening**
Level 1~3

The Listening
Level 1~4

**만점 적중
수능 듣기
모의고사**
20회 / 35회

**NEW TEPS
실전 250+
실전 300+
실전 400+
실전 500+**